Unbefestigte Straße
Hunt Mountain
Wanderweg-Parkplatz
Van-Laar-Naturreservat
Die Lichtung
Abkürzung
rtschaftsgebäude
Zufahrt
Haus Self-Reliance
Park-platz
Lake Joan
Camp Emerson
Kantine
Großer Saal
Haus der Campleiterin
Bootshaus
Strand
Hütten der Mädchen
Bach
Bach
Hütten der Jungen
Personal-quartier

Liz Moore

Der Gott des Waldes

Liz Moore

Der Gott des Waldes

Roman

Aus dem Englischen
von Cornelius Hartz

C.H.Beck

Titel der amerikanischen Ausgabe:
The God of the Woods

Erschienen bei Riverhead Books.
An imprint of Penguin Random House LLC, New York, 2024

1.–7. Auflage. 2025

Für die deutsche Ausgabe:

Wilhelmstraße 9, 80801 München, info@beck.de

www.chbeck.de
Umschlaggestaltung: Claire Ward © HarperCollinsPublishers Ltd 2024.
Farbtropfen und Titelschrift © Grace Han. Für C.H.Beck umgesetzt
von Rothfos & Gabler, Hamburg.
Umschlagabbildungen: © Oskar Ulvur/Trevillion Images,
© Susan Fox/Trevillion Images, © plainpicture/KuS
Satz: Janß GmbH, Pfungstadt
Druck und Bindung: CPI – Ebner & Spiegel, Ulm
Printed in Germany
ISBN 978 3 406 82977 2

verantwortungsbewusst produziert
www.chbeck.de/nachhaltig
produktsicherheit.beck.de

Für meine Schwester Rebecca,
die die Wälder dort ebenfalls kennt

Inhalt

So mancher Wanderer, der jene Wälder betritt, mag nicht wahrhaben, welche Gefahr ihm dräut, wenn er sich auf den Weg macht, um sich dort ganz allein seiner liebsten Zerstreuung hinzugeben. Er sollte sich darüber im Klaren sein, dass das Risiko, das er eingeht, durchaus ernst zu nehmen ist – das Risiko nämlich, sich im Walde zu verlaufen. Es ist das Einzige, wovor man sich in den Wäldern der Adirondacks fürchten muss!

– «Lost in the Adirondacks: Warning to Visitors to the North Woods; What Not to Do When You Lose Your Way and How Not to Lose It», New York Times, 16. März 1890

Wie schnell Gefahr und Schönheit einander in der Wildnis doch abwechseln, dachte ich bei mir, und die eine ist stets Teil der anderen.

– Anne LaBastille, Woodswoman

I

Barbara

Louise

August 1975

Das Bett ist leer.

Die Betreuerin Louise – dreiundzwanzig, kurze Beine, raue Stimme, heiteres Gemüt – steht barfuß auf den warmen, rauen Bodenbrettern der Hütte, die den Namen «Haus *Balsam*» trägt, und stellt fest, dass die untere Etage des Stockbetts neben der Tür leer ist. Später wird sie die zehn Sekunden, die zwischen dieser Wahrnehmung und ihrer daraus resultierenden Schlussfolgerung liegen, als Beweis dafür werten, dass Zeit ein menschliches Konstrukt ist und je nach Gefühlslage – sprich: Chemikalien im Blut – entweder schneller oder langsamer vergeht.

Das Bett ist leer.

Die einzige Taschenlampe in der Hütte, deren Fehlen auch bei Tag anzeigt, dass eines von den Mädchen zum Toilettenhaus gegangen ist, liegt an ihrem angestammten Platz auf einem Bord neben der Tür.

Louise dreht sich langsam um die eigene Achse und ruft sich die Namen der Mädchen, die sie sieht, ins Gedächtnis.

Melissa. Melissa. Jennifer. Michelle. Amy. Caroline. Tracy. Kim.

Acht Ferienkinder. Neun Betten. Sie zählt, und dann zählt sie noch einmal.

Schließlich, als sie es nicht mehr verhindern kann, lässt sie es zu, dass sich ein weiterer Name den Weg an die Oberfläche ihres Bewusstseins bahnt: *Barbara.*

Das leere Bett ist das von Barbara.

Sie schließt die Augen und stellt sich vor, dass sie für den Rest ihres Lebens immer wieder an diesen Ort und an diesen Moment zurückdenken wird: eine einsame Zeitreisende, ein Geist, der im Haus *Balsam* herumspukt und sich wünscht, dass ein Körper erscheint, wo keiner ist. Der sich wünscht, dass Barbara durch die Tür kommt. Sagt, sie sei nur zur Toilette gegangen und habe vergessen, dass man dazu immer die Taschenlampe mitnehmen soll. Dass sie sich auf so entwaffnende Art und Weise entschuldigt, wie sie es öfter tut.

Aber Louise weiß genau, dass Barbara nichts von alldem tun wird. Aus Gründen, die sie nicht genau benennen kann, spürt sie, dass Barbara fort ist. Verschwunden.

Ausgerechnet Barbara, denkt Louise. Von allen Ferienkindern, die verschwinden könnten.

Um 6:25 Uhr betritt Louise durch einen Vorhang den Raum, den sie sich mit Annabel teilt, einer Betreuerin, die sich noch in der Ausbildung befindet. Sie ist siebzehn, kommt aus Chevy Chase, Maryland, und tanzt Ballett. Annabel Southworth ist altersmäßig näher an den Ferienkindern als an Louise, aber sie kann sich behaupten, ihre Worte haben stets einen ironischen Unterton, und sie lässt ganz allgemein keinen Zweifel daran, dass es eine klare Grenze zwischen dreizehn und siebzehn Jahren gibt – eine Grenze, die auch durch die Sperrholzwand markiert wird, die den Hauptteil der Hütte von der Ecke trennt, in der die Betreuerinnen schlafen.

Louise rüttelt sie wach. Annabel blinzelt. Hält sich theatralisch eine Armbeuge vor die Augen. Schlummert wieder ein.

Louise fällt etwas auf: der Geruch von verstoffwechseltem Bier.

Erst hatte sie angenommen, er käme von ihrem eigenen Körper – von ihrer Haut und aus ihrem Mund. Sie hat letzte Nacht definitiv so viel getrunken, dass sie heute Morgen die Folgen davon spüren kann. Aber als sie sich nun über Annabel beugt, fragt sie sich, ob der Geruch nicht eher von Annabels Seite des Raumes kommt.

Was ihr durchaus Sorgen bereitet.

«Annabel», flüstert Louise. Plötzlich erkennt sie in ihrem Tonfall den Klang der Stimme ihrer Mutter. Und wenn sie die junge Frau da vor sich betrachtet, fühlt sie sich in gewisser Hinsicht auch wie ihre Mutter. Ihre verantwortungslose Rabenmutter.

Annabel öffnet die Augen. Sie setzt sich auf und zuckt sofort zusammen. Als sie Louises Blick begegnet, macht sie große Augen und wird blass.

«Ich muss brechen», sagt sie – zu laut.

Louise macht *Pst!* und schnappt sich das einzige Gefäß in Reichweite, eine leere Kartoffelchipstüte, die auf dem Fußboden liegt.

Annabel nimmt ihr die Tüte ab. Sie übergibt sich. Dann hebt sie den Kopf, keucht und stöhnt leise.

«Annabel», sagt Louise. «Hast du etwa einen Kater?»

Annabel schüttelt den Kopf. Sie sieht aus, als hätte sie Angst.

«Ich glaube, ich», sagt sie – wieder macht Louise *Pst!*, und diesmal setzt sie sich zu der jungen Frau auf die Bettkante und zählt in Gedanken bis fünf, wie sie es schon als kleines Kind getan hat. So hat sie sich beigebracht, nicht vorschnell zu reagieren.

Annabels Kinn zittert. «Ich glaube, ich habe etwas Falsches gegessen», flüstert sie.

«Warst du gestern Abend noch weg?», fragt Louise. «Annabel?»

Annabel schaut sie an. Überlegt.

«Das ist wichtig», sagt Louise.

Normalerweise hat sie jede Menge Geduld mit ihren Auszubildenden und hat auch Übung darin, sie durch ihren ersten Kater zu begleiten. Sie findet es nicht schlimm, wenn sie sich an ihrem freien Abend ein wenig vergnügen. In diesem Jahr ist Louise die leitende Betreuerin, aber wenn sich jemand auf eine Weise danebenbenimmt, die sie für unbedenklich hält, drückt sie meist ein Auge zu. Sie macht sogar selbst mit, falls es ihr angebracht scheint. Aber im Großen und Ganzen führt sie ein strenges Regiment; in diesem Sommer hat sie dem ersten Betreuer, der nach einer durchzechten Nacht verschlafen hat, zur Strafe verboten, an den nächsten Partys teilzunehmen, und hat damit ein Exempel statuiert. Seitdem hat keiner mehr verschlafen.

Bis jetzt. Denn gestern Abend ist Louise ausgegangen, und Annabel hatte Dienst. Und das scheint Annabel nicht gut bekommen zu sein.

Louise schließt die Augen. Sie geht noch einmal die Ereignisse des letzten Abends durch.

Im Gemeinschaftsraum fand eine Tanzparty statt: das Abschlussfest, eine Pflichtveranstaltung für alle Ferienkinder, Betreuer und Auszubildenden. Sie erinnert sich, dass Annabel irgendwann nicht mehr da war – zumindest, dass sie sie nicht mehr gesehen hat –, aber Louise ist sich sicher, dass sie am Ende der Party wieder da war.

Denn um 23 Uhr, als Louise kurz durchzählte, war Annabel dabei, und neun Ferienkinder – jawohl, neun – waren bei ihr und winkten Louise freundlich zu, als sie einander gute Nacht sagten. Sie hat noch genau vor Augen, wie sie ihnen hinterherschaute, als sie in kleinen Grüppchen Richtung Haus *Balsam* gingen.

Es war das letzte Mal, dass sie die Mädchen sah. Louise war überzeugt, dass Annabel alles unter Kontrolle hatte, und zog alleine los.

Als Nächstes versucht sie, sich an die Betten der Ferienkinder zu erinnern, als sie selbst mitten in der Nacht, weit nach Bettruhe, in die Hütte schlich. Um wie viel Uhr war das – um 2? Um 3? Die Bilder kehren bruchstückhaft zu ihr zurück: der offene Mund von Melissa

R., Amys Arm, der über die Bettkante auf den Boden hängt. Nur an Barbara kann sie sich nicht erinnern. Andererseits aber auch nicht daran, dass Barbaras Bett leer gewesen wäre.

Stattdessen taucht eine andere Erinnerung auf: John Paul auf der Lichtung, wie er mit den Armen rudert, zuerst in ihre Richtung und dann in die von Lee Towson. John Paul, der die Fäuste schwingt, als beträte er einen Boxring, so wie es Jungs aus reichem Hause immer tun. Lee dagegen stürmisch und rauflustig, noch in seiner Schürze vom Abendessen. Er hat kurzen Prozess mit John Paul gemacht, hat ihn am Boden liegen lassen und geistesabwesend hoch zu den Ästen geblinzelt.

Heute gibt es Ärger. Den gibt es immer, wenn John Paul glaubt, dass sie mit jemand anderem rummacht.

Nur um das klarzustellen: Das hat sie nicht. Dieses Mal nicht.

Annabel schnappt nach Luft. Sie legt sich eine Hand auf die Augen.

«Weißt du, wo Barbara ist?», fragt Louise. Sie kommt direkt zur Sache. Ihr bleibt nicht viel Zeit: Bald werden die Mädchen nebenan aufwachen.

Annabel sieht verwirrt aus.

«Van *Laar*», sagt Louise, und dann sagt sie es noch einmal, diesmal etwas leiser. «Eines unserer Ferienkinder.»

«Nein», sagt Annabel und lässt sich wieder rücklings aufs Bett sinken.

In diesem Moment ertönt aus den Lautsprechern, die überall auf dem Gelände des Ferienlagers an den Bäumen angebracht sind, die *Reveille*, das traditionelle Hornsignal, das beim Militär als Weckruf dient. Somit werden gleich auf der anderen Seite der Sperrholzwand acht zwölf- und dreizehnjährige Mädchen widerwillig aufwachen, ihre leisen Geräusche machen, ausatmen und seufzen und sich auf die Ellbogen stützen.

Louise geht auf und ab.

Annabel, immer noch in der Horizontalen, beobachtet sie dabei, offenbar dämmert ihr langsam, was das Problem ist.

«Annabel», sagt Louise. «Du musst mir jetzt bitte die Wahrheit sagen. Warst du letzte Nacht noch einmal unterwegs? Als die Mädchen schon im Bett waren?»

Annabel scheint den Atem anzuhalten. Dann atmet sie aus. Sie nickt. Louise sieht, dass ihre Augen feucht werden.

«Ja, war ich», sagt sie. In ihrer Stimme liegt ein kindliches Zittern. Sie hat sich in ihrem bisherigen Leben nur selten Ärger eingehandelt, da ist sich Louise sicher. Sie ist ein Mensch, dem man von Geburt an vermittelt hat, welchen Wert er in dieser Welt hat. Die Art und Weise, wie sie andere mit ihrer guten Laune ansteckt. Jetzt weint sie ganz ungehemmt, und Louise gibt sich alle Mühe, nicht mit den Augen zu rollen. Was glaubt Annabel denn, wovor sie Angst haben muss? Für sie steht nichts auf dem Spiel. Sie ist siebzehn Jahre alt. Das Schlimmste, was Annabel passieren kann, ist, dass man sie wieder nach Hause schickt, zu ihren reichen Eltern, die mit den Besitzern des Ferienlagers befreundet sind. Und die just in diesem Moment in deren Haus auf dem Gelände zu Gast sind. Dagegen ist das Schlimmste, was Louise passieren kann – einer *Erwachsenen*, denkt sie, um sich zu kasteien –, also, das Schlimmste, das ihr passieren kann, ist … nun ja. Mach dir nicht zu viele unnötige Gedanken, sagt sie sich. Konzentrier dich aufs Hier und Jetzt.

Louise geht zum Vorhang. Zieht ihn ein Stück beiseite. Sie sieht, wie die stille Tracy, die sich mit Barbara ein Etagenbett teilt, die Leiter hinabsteigt und offenbar sofort bemerkt, was nicht stimmt.

Louise lässt den Vorhang zurückfallen.

«Ist sie verschwunden?», fragt Annabel.

Wieder macht Louise: *Pst!* «Sag nicht *verschwunden*», zischt Louise. «Sag lieber, sie ist nicht in ihrem Bett.»

Louise durchsucht ihren kleinen Raum nach Indizien dafür, was sie letzte Nacht angestellt haben. Alles, was sie findet, steckt sie in eine braune Papiertüte: eine leere Bierflasche, die sie auf dem Rückweg von der Lichtung leergetrunken hat; den Stummel eines Joints, den sie irgendwann zwischendurch geraucht hat; die Chipstüte mit Erbrochenem darin, die sie mit spitzen Fingern hochhebt.

«Hast du noch irgendetwas, von dem du nicht willst, dass es jemand findet?», fragt sie Annabel, doch die schüttelt den Kopf.

Louise schließt die Papiertüte und faltet sie zusammen.

«Hör mir gut zu», sagt sie. «Vielleicht musst du heute Vormittag die Aufsicht über die Ferienkinder übernehmen. Ich bin mir noch nicht ganz sicher. Wenn ja, dann musst du das hier dringend loswerden. Wirf es einfach auf dem Weg zum Frühstück in den Müllcontainer. Es muss verschwinden. Schaffst du das?»

Annabel nickt, sie ist immer noch ganz grün im Gesicht.

«Aber jetzt bleibst du erst einmal hier», sagt sie zu Annabel. «Zeig dich eine Weile besser nicht. Und außerdem ...» Sie zögert und sucht nach passenden Worten, es soll ernsthaft klingen, aber nicht so, als hätte sie selbst irgendetwas falsch gemacht. Immerhin ist Annabel quasi noch ein Kind. «Sag noch niemandem etwas von letzter Nacht. Ich will mir erst ein paar Gedanken machen.»

Annabel bleibt stumm.

«Okay?», fragt Louise.

«Okay.»

Sie wird sofort einknicken, denkt Louise. Jeder x-beliebigen Autoritätsperson wird sie, ohne zu zögern, alles, was passiert ist, und alles, was sie weiß, auf die Nase binden. Sie wird sich bei ihrer Mutter und ihrem Vater ausheulen, die wahrscheinlich nicht einmal wissen, worum es in dem Gedicht von Poe, nach dem sie ihre Tochter benannt haben, eigentlich geht. Sie wird sich von ihnen trösten lassen und wieder zum Ballett gehen, und nächstes Jahr wird ihre Prep School sie nach Vassar oder Radcliffe oder Wellesley schicken, und sie wird einen jungen Mann heiraten, den ihre Eltern ihr aussuchen – sie haben schon eine Idee, wer das sein könnte, wie sie Louise verraten hat –, und sie wird nie wieder an Louise Donnadieu denken oder an das Schicksal, das Louise ereilen wird, oder daran, wie schwer Louise es für den Rest ihres Lebens haben wird, einen Job zu finden, eine Wohnung zu finden, ihre Mutter zu unterstützen, die seit sieben Jahren nicht mehr arbeiten kann oder will. Ihren kleinen Bruder zu unterstützen, der mit seinen elf Jahren noch nichts dafür getan hat, das Leben zu verdienen, das man ihm geschenkt hat.

Vor ihr würgt Annabel. Beruhigt sich wieder.

Louise stützt die Hände in die Hüften. Atmet. Nur die Ruhe, ermahnt sie sich.

Sie lässt die Schultern hängen. Zieht den Vorhang zurück. Macht sich bereit, so zu tun, als wisse sie von nichts. Gleich wird sie vor dieser Schar Mädchen die Überraschte spielen, diesen Mädchen, die – wie eine Pille schluckt sie ihre Scham herunter – zu ihr aufschauen, sie bewundern, sie immer wieder um Rat bitten, bei ihr Schutz suchen.

Sie betritt den Schlafsaal. Tut so, als würde sie aufmerksam die Betten betrachten, eines nach dem anderen. Sie runzelt die Stirn, gibt sich verwirrt.

«Wo ist denn Barbara?», fragt sie betont fröhlich.

Tracy

Zwei Monate zuvor
Juni 1975

Drei Regeln hatte man den Ferienkindern direkt bei der Ankunft eingebläut.

Die erste betraf Nahrungsmittel in den Hütten, und wie man sie zu verzehren und zu lagern hatte (ohne zu krümeln oder zu kleckern; in verschließbaren Behältern).

Die zweite betraf das Badengehen: Dies durfte man unter keinen Umständen allein tun.

Die dritte (und wichtigste, was man daran erkennen konnte, dass sie in Großbuchstaben auf mehreren Schildern stand, die an gemeinschaftlich benutzten Orten angebracht waren) lautete: *WENN DU DICH VERLÄUFST: SETZ DICH HIN UND SCHREI.*

Tracy kam diese Aufforderung unfreiwillig komisch vor. Später an jenem Abend, beim Begrüßungs-Lagerfeuer, wurde ihnen erklärt, welche Logik dahintersteckte. Aber so, wie einer der Betreuer, ein hochgewachsener Mann, es in jenem Moment sagte, ohne Satzzeichen oder Betonung, musste sie den Blick abwenden und sich ein nervöses Lachen verkneifen. *WENN DU DICH VERLÄUFST: SETZ DICH HIN UND SCHREI.* Sie versuchte, sich vorzustellen, wie das wäre: sich irgendwo einfach so hinzusetzen, den Mund zu öffnen und loszuschreien. Was für einen Laut würde man dabei wohl machen? Was für Wörter würde man rufen? *Hilfe*? *Helft mir*? Oder, Gott bewahre: *Bitte sucht nach mir*? Das war zu peinlich, um weiter darüber nachzudenken.

Ihr Vater hatte ihr Geld dafür gegeben, dass sie hierhergekommen war.

Eine Woche lang hatten sie miteinander verhandelt und sich am Ende das ganze Wochenende lang in Tracys Zimmer angegiftet. Das Resultat: hundert Dollar, eine Hälfte bar auf die Hand, die andere zahlbar bei ihrer Rückkehr.

Wenn es nach ihr gegangen wäre, hätte sie den Sommer ganz anders verbracht: Sie hätte jeden Tag im Wohnzimmer des viktorianischen Hauses in Saratoga Springs herumgehangen, das ihre Eltern zehn Jahre lang immer für die Rennsaison gemietet hatten. Die Jalousien halb heruntergelassen, die Fenster einen Spalt geöffnet, alle Ventilatoren im Haus in ihre Richtung gedreht, hätte sie auf dem Sofa gelegen und wäre nur aufgestanden, um sich ein paar raffinierte Snacks zu machen. Und vor allem hätte sie: gelesen.

Das hatte sie fünf Sommer in Folge getan. Sie hatte gehofft, dass es im Sommer 1975 genauso sein würde.

Stattdessen hatte sich ihr Vater, der seit einem knappen Jahr von ihrer Mutter geschieden war, in rascher Folge eine Freundin angeschafft, ein schickeres Ferienhaus gemietet und sich überlegt, dass es nicht gut für Tracy wäre, den ganzen Sommer lang untätig herumzuliegen. Das hatte er ihr gesagt, als sie Mitte Juni vom Haus ihrer Mutter auf Long Island aus nach Saratoga gefahren waren. (Ihr war nicht verborgen geblieben, dass er gewartet hatte, bis sie mehr als die Hälfte der Strecke nach Saratoga zurückgelegt hatten, bevor er ihr mitteilte, was er sich überlegt hatte.) Sie war überzeugt, dass der wahre Grund war, dass er sie für zwei Monate los war. Damit er und besagte Freundin das Haus für sich hatten, ohne dass eine schmollende Zwölfjährige auf dem Sofa herumlag. Warum, fragte sich Tracy, hatte er bloß so sehr darum gekämpft, den ganzen Sommer über das Sorgerecht für sie zu haben, wenn er sie jetzt einfach in ein Ferienlager abschob?

Er hatte sich nicht einmal die Mühe gemacht, sie selbst nach Camp Emerson zu bringen. Diese Aufgabe hatte er an Donna Romano delegiert, seine neue Freundin, die für Tracy immer noch Vor- und Nachname war.

«Heute ist Rennen», sagte ihr Vater, als Tracy sich ihm im Flur in den Weg stellte und ihn anbettelte, wenigstens mitzukommen. «Ich muss nach Belmont. Um zwei läuft Second Thought.»

Ihr Vater war der Sohn eines Jockeys, der zu sehr in die Höhe geschossen war, um in dessen Fußstapfen zu treten. Stattdessen war er Bereiter, dann Trainer und schließlich Rennpferdbesitzer geworden, und mit jedem Job hatten sich ihre Lebensumstände verbessert. Nachdem Tracy zur Welt gekommen war, hatten sie zu dritt in einem Wohnwagen in der Einfahrt ihrer Mutter gehaust. Jetzt wohnten sie in einem neuen, großen Haus mit einem silberbeschlagenen Tor an der Einfahrt in Hempstead, New York. Zumindest Tracy und ihre Mutter.

«Worüber sollen wir uns überhaupt *unterhalten*?», fragte sie, aber er schüttelte nur den Kopf und legte ihr flehend seine Hände auf die Schultern. Mit einem Mal wurde ihr klar, dass sie mit ihrem eigenen Vater auf Augenhöhe war. Ihr letzter Wachstumsschub hatte sie auf fast 1,80 Meter gebracht, was zur Folge hatte, dass sie, wenn sie nicht in Bewegung war, einen krummen Rücken machte.

«Da soll es todschick sein. Ich meine, so richtig etepetete», sagte ihr Vater – dieselben zwei peinlichen Adjektive, die er benutzt hatte, als er ihr erstmals von seinen Plänen berichtet hatte. «Ich wette, am Ende findest du es richtig dufte.»

Sie wandte sich zum Fenster. Draußen sah sie, wie Donna Romano in der Autoscheibe ihr Spiegelbild betrachtete und ihren BH zurechtrückte. Es war ein nagelneuer Stutz Blackhawk, eine Nobelkarosse mit plüschiger Auslegeware im Fußraum. Das Röhren des Motors erinnerte Tracy immer an die Stimme ihres Vaters. «Das Beste vom Besten», hatte er gesagt, als er sie in Hempstead abgeholt hatte. Tracy fiel auf, dass plötzlich alles im Leben ihres Vaters neu war. Wohnung, Freundin, Pekinesenwelpe, Auto. Tracy war das einzig Alte in seinem Leben; kein Wunder, dass er sie aus dem Haus haben wollte.

Wie sich herausstellte, war Donna Romano Kettenraucherin. Zwischen den Zügen stellte sie Tracy Fragen über ihr Leben, die sie offensichtlich für diese Autofahrt gesammelt hatte. Wenn sie nicht damit beschäftigt war, Donna Romanos Fragen zu beantworten, betrachtete Tracy die Frau verstohlen. Sie war sehr hübsch. Normalerweise hätte Tracy das gefallen. Sie hatte etwas übrig für hübsche Frauen. Sie bewunderte die beliebteren Mädchen an ihrer Schule – wobei das nicht ganz stimmte, denn wenn sie ehrlich war, verachtete sie sie im Grunde ihres Herzens. Trotzdem war sie von ihnen fasziniert, vielleicht weil sie rein körperlich das genaue Gegenteil von ihr waren und ihr daher wie Präparate vorkamen, die sie am liebsten unter dem Mikroskop studiert hätte. Die meisten ihrer Mitschülerinnen trugen langes, glattes Haar mit Mittelscheitel – Tracy hatte einen roten Wuschelkopf. Einige ihrer Mitschülerinnen hatten ein paar wenige, zarte Sommersprossen im Gesicht – Tracys Sommersprossen waren so ausgeprägt, dass einige Jungs aus der Sechsten ihr den Spitznamen «Dotty» verpasst hatten. Eigentlich war sie Brillenträgerin. Sie hatte auch eine Brille, aber die setzte sie nie auf, weswegen sie dauernd die Augen zusammenkniff, um scharf sehen zu können. Ihr Vater hatte ihr einmal beiläufig gesagt, sie sähe aus wie eine Pflaume auf Zahnstochern, und dieser Satz war so grausam und poetisch zugleich, dass er irgendwie schon wieder passte.

Die Straßen wurden immer schlechter, auf Asphalt folgten Schotterpisten, auf Schotterpisten folgten Feldwege. Alle paar Minuten tauchten verfallene Häuser auf, deren Vorgärten in Friedhöfe für verrostete Autos umfunktioniert worden waren. Er war unheimlich, dieser Kontrast zwischen der Schönheit der Natur und menschengemachtem Verfall, und Tracy fragte sich, ob sie nicht irgendwo falsch abgebogen waren.

Dann endlich kam ein Schild in Sicht, auf dem *Naturreservat Van Laar* stand.

In den Anweisungen, die man ihnen mitgeschickt hatte, stand, dass sie diesem Schild folgen sollten.

«Komisch, dass sie nicht den Namen des Ferienlagers auf das Schild geschrieben haben», sinnierte Donna Romano.

Vielleicht, damit Perverse es nicht finden, dachte Tracy. Sie wusste: Genau das hätte ihr Vater jetzt gesagt. Ständig hörte sie seine Stimme, wie einen Erzähler, der ihr Leben kommentierte, auch wenn sie das gar nicht wollte. Sie waren noch nie so lange voneinander getrennt gewesen wie in diesem Jahr, dem ersten nach der Scheidung.

Als kleines Kind war sie so etwas wie sein Schatten gewesen, hatte ihn bedingungslos lieb gehabt, war ihm auf Schritt und Tritt gefolgt und hatte seinen Lieblingspferden mit der flachen Hand Karotten in die samtenen Mäuler gesteckt. Auch wenn sie es nie im Leben zugegeben hätte, hatte Tracy ihn von ganzem Herzen vermisst, und den größten Teil des letzten Schuljahres hatte sie damit zugebracht, sich auf den Sommer mit ihm zu freuen.

Der Feldweg gabelte sich. Ein Schild mit einem Pfeil nach rechts wies ihnen nun doch den Weg zum Ferienlager und verhieß: *Camp Emerson – Wo sich Freunde fürs Leben finden.* Dann öffneten sich die Bäume, und sie kamen auf eine Wiese, auf der in Reih und Glied mehrere rustikale Holzhäuser standen. Davor stand ein Klapptisch, an dem ein klammes Pappschild mit der wenig überzeugenden Aufschrift *Herzlich willkommen* befestigt war, und hinter dem Tisch saß ein Betreuer.

Der Betreuer kam mit einer Mappe auf den Blackhawk zu und reichte sie Donna durchs Fenster. Dann verkündete er feierlich wie ein mittelalterlicher Herold die «drei Regeln von Camp Emerson». Die dritte, die wichtigste, sollte Tracy noch tagelang, wochenlang im Kopf herumspuken. Sogar für den Rest ihres Lebens.

Wenn du dich verläufst: Setz dich hin und schrei!

Tracy konnte sich schwerlich vorstellen, wie sehr sie sich verlaufen musste, bevor sie das täte. Ihre Stimme, so kam es ihr vor, war seit ihrer Geburt immer leiser geworden, und jetzt mit zwölf war sie kaum noch zu hören.

Sie würde sich komplett und unwiederbringlich im tiefsten Wald verlaufen müssen, beschloss sie.

«Du kommst nach Haus *Balsam*», unterbrach der junge Mann Tracys Gedankengang. Er streckte einen langen Arm aus und wies nach rechts. Donna Romano trat aufs Gas, und der Blackhawk rollte weiter.

Alice

Juni 1975

Die letzten Eltern fuhren ab.

Vom Wintergarten des Hauses oben auf dem Hügel aus beobachtete Alice, wie unten die Autos vorbeifuhren, eine langsame Parade mit eingeschalteten Scheibenwischern.

Camp Emerson war eine halbe Meile entfernt, aber hier, vom Haupthaus des Naturreservats aus, das den Namen *Self-Reliance* trug, konnte sie die ganze Umgebung sehen: im Osten den Lake Joan, im Westen die lange Zufahrt zur Hauptstraße, die in die Stadt führte, im Süden Camp Emerson und im Norden die Wildnis. Den Hunt Mountain und seine Ausläufer.

Seit zwei Stunden stand sie schon hier. Einundneunzig Autos waren bisher vorbeigefahren. In jedem saßen eines oder mehrere Elternteile, die eines oder mehrere Kinder hergebracht hatten.

Seit dreiundzwanzig Jahren war sie mit Peter Van Laar verheiratet, und seit dreiundzwanzig Jahren war das hier Alice' Ritual: Seit ihrem achtzehnten Lebensjahr stand sie jedes Mal an dem Tag, wenn das Ferienlager losging, hinter den hohen Fensterscheiben des Wintergartens von Haus *Self-Reliance* und schaute der Autokarawane zu, manchmal mit einem Kind auf dem Arm, manchmal allein. Sie stellte sich gerne die Familien vor, die in den Autos saßen, malte sich aus, wie sie hießen und welche Probleme sie hatten.

Der letzte Wagen verschwand aus ihrem Blickfeld. Alice richtete sich auf. Sie sah auf die Wanduhr hinter sich: 16:45 Uhr. Ihr täglicher Countdown lief, um fünf durfte sie eine der Tabletten nehmen, die Dr. Lewis ihr für ihre Nerven verschrieben hatte. Empfohlen war eine – aber «an besonders schlechten Tagen» würden ihr auch zwei nicht schaden. Damit meinte Dr. Lewis Tage, an denen sie zu häufig an Bear dachte.

Also heute zwei.

Ein dumpfes Wummern im Flur: Der eiserne Türklopfer schlug gegen die Haustür. Das war T. J.

Heute Morgen hatte Alice im Büro der Campleiterin angerufen und um ein Treffen gebeten.

Jetzt fischte Alice das Glasfläschchen aus ihrer Tasche. Sie zerkaute ihre zwei Tabletten, eine Viertelstunde zu früh.

Dann schloss sie die Augen und wiederholte in Gedanken die Worte, die sie sich zurechtgelegt hatte.

Es geht um Barbara, würde sie sagen. *Sie würde gerne mit ins Ferienlager.*

Vor fünf Jahren hatte T. J. Hewitt die Leitung von Camp Emerson übernommen. Zunächst hatte sie sich gesträubt; ihr Vater Vic, so hatte sie betont, sei durchaus in der Lage, den Job, den er seit Jahrzehnten wunderbar erledigte, auch weiterhin auszuüben.

Doch Vic hatte immer mehr abgebaut, erst körperlich, dann geistig. Im Sommer 1970 war dann allen schlagartig klar geworden, dass sich etwas ändern musste, als er gleich am ersten Tag der Saison mehreren Ferienkindern sinnlose Laute entgegengebrüllt und sie damit in Angst und Schrecken versetzt hatte. Und das vor den Augen der Eltern! Wütend waren die Eltern zum Haupthaus gestürmt, um sich zu beschweren. Peter hatte Vic an Ort und Stelle seines Amtes enthoben und den Eltern versichert, dass er persönlich die Aufsicht über das Ferienlager übernehmen würde, bis sich ein geeigneter Ersatz gefunden hätte.

Doch nachdem sich auf die Schnelle kein Ersatz auftreiben ließ, hatte Peter vorgeschlagen, T. J. könne doch für ihren Vater einspringen. Alice war dagegen gewesen. T. J. war so jung und noch dazu eine Frau. Wer hatte je davon gehört, dass eine Frau ein Naturreservat beaufsichtigte? Aber Peter hatte darauf bestanden. Irgendwann würden sie schon noch jemand Besseren finden, hatte er gesagt.

Doch bislang war niemand Besseres aufgetaucht, jedenfalls in Peters Augen. Also erledigte T. J. weiterhin die beiden Aufgaben ihres Vaters: Im Herbst, Winter und Frühjahr fungierte sie als Aufseherin über das Naturreservat, im Sommer als Leiterin des Ferienlagers. Sie wohnte nach wie vor in dem Haus, in dem sie aufgewachsen war und das im Sommer als Büro der Leiterin des Ferienlagers diente und das ganze Jahr über als Vic Hewitts Genesungsheim.

Jetzt stand T. J. in der Tür zum Wintergarten und räusperte sich. Sie sah aus, als sei ihr nicht ganz wohl in ihrer Haut – wobei sie eigentlich immer so aussah, wenn sie sich im Inneren eines Gebäudes aufhielt. Ihr Revier war der Wald.

«Hallo, T. J.», sagte Alice, und T. J. nickte, um zu vermeiden, Alice anreden zu müssen. Solange Alice sie kannte, hatte T. J. sie nie mit Namen angesprochen. Sie strahlte eine gewisse Hochnäsigkeit aus, die Alice immer irritiert hatte. Mit Peter ging sie anders um, fand Alice – Peter gegenüber war sie schon fast unterwürfig.

«Setzen Sie sich», sagte Alice und sah zu, wie sich T. J. einmal um die eigene Achse drehte und offenbar nach einer Sitzgelegenheit Ausschau hielt, mit der sie Alice das Gefühl geben konnte, sie wolle es sich möglichst wenig bequem machen. Schließlich nahm sie auf einem gepolsterten Hocker Platz, setzte sich ganz an die Kante. Stützte die Ellbogen auf die Knie, den Kopf auf die Hände.

Seit einer Weile trug sie ihr Haar kurz, eine Art Pilzkopf, aber so schief und krumm, dass Alice davon ausging, dass sich T. J. die Haare selbst schnitt. Alice hatte Mühe einzusehen, dass die Frau, die vor ihr saß, derselbe Mensch war wie das Mädchen, das vor dreiundzwanzig Jahren mit seinem Vater hergekommen war. T. J. war drei Jahre alt gewesen und immer in Bewegung, war ihrem Vater nachgelaufen wie ein Gänseküken. Damals hatte sie noch *Tessie Jo* geheißen, ein ausgefallener Name, wie für eine Puppe, eine Kuh oder eine Akrobatin vielleicht, aber zu einem solch stoischen Kind wollte er nicht so recht passen. Mit sechzehn hatte sie sich das androgyne *T. J.* zugelegt, aber ihr Haar trug sie anschließend noch zehn Jahre lang zu einem dicken Zopf gebunden. Bis jetzt.

«Wie geht es Ihnen?», fragte Alice. Sie nahm ein Pfefferminzbonbon aus der Schale neben sich, die das Personal immer wieder auffüllte. Die rosa Bonbons waren die besten.

«Ganz okay», sagte T. J. in ihrem breiten Dialekt. Dieser Dialekt! Alice lebte seit mehr als zwanzig Jahren hier und hatte immer noch Probleme damit.

«Und wie geht es Ihrem Vater?»

«Geht schon.»

«Gibt es dieses Jahr Probleme mit den Sanitäranlagen?»

«Nee», sagte T. J. Sie zupfte an etwas Unsichtbarem in ihrem Nacken. Musterte ihre Hand.

«Ich will gleich zum Thema kommen», sagte Alice. «Ich nehme an, Mr Van Laar hat schon mit Ihnen gesprochen?» Sie wartete auf T. J.s Antwort, denn ehrlich gesagt hatte sie keine Ahnung, ob Peter mit ihr gesprochen hatte. Seit er Donnerstag nach Albany gefahren war, hatte sie nichts mehr von ihm gehört. Sie wusste nur, dass Barbara noch zu Hause war.

T. J. schüttelte den Kopf. Also nicht.

Alice atmete aus. Das war ja klar, dachte sie. Wenn sie sich auf irgendetwas verlassen konnte, dann darauf, dass er sich vor seinen Pflichten drückte; dass er sie – und Barbara – immer wieder im Stich ließ; dass er sich einfach so verdünnisierte, wenn es ernst wurde. Das war auch der Grund, warum er in letzter Zeit – seit Barbara sich so verhielt – ständig verschwand, meistens ohne ihr Bescheid zu sagen. Und dann still und heimlich zurückkam.

T. J. wand sich, drückte den Rücken durch.

«Nun», sagte Alice zu T. J. und zwang sich, möglichst aufgeräumt zu klingen. «Dann wissen Sie ja noch gar nichts davon. Wir haben beschlossen … nein, Barbara hat beschlossen, dass sie dieses Jahr am Ferienlager teilnehmen möchte.»

Sie lächelte verhalten, als wäre das eine gute Nachricht.

Sie wusste, dass das T. J. gar nicht gefiel. Schon deshalb hatte sie es immer wieder aufgeschoben. Seit Generationen gab es eine strikte Trennung zwischen den Van Laars – durchaus naturverbundenen, aber doch recht gesetzten Bankiers aus Albany – und dem Ferienlager, das zwar technisch gesehen ihr Eigentum war, aber schon immer die Domäne der Hewitts gewesen war. Zuerst Vics Domäne. Jetzt die seiner Tochter. Außerdem mochte T. J. es, wenn die Dinge auf eine bestimmte Art und Weise erledigt wurden. Wenn man sich an bestimmte Rangfolgen hielt. Alice nahm an, dass sie sich darüber ärgern würde, dass sie sie erst so spät informierte.

Für einen kurzen Moment huschte eine Regung über T. J.s Gesicht, die Alice nicht einordnen konnte. Bestürzung? Wut? Sie sah Alice nicht in die Augen. Seit sie das Zimmer betreten hatte, starrte sie unentwegt die rechte Seite von Alice' Kopf an.

T. J. schüttelte ein zweites Mal den Kopf.

«Tut mir leid», sagte T. J. «Das geht nicht.»

Alice starrte sie an.

In T. J. Hewitts Stimme lag so viel Selbstbewusstsein, so viel Entschlossenheit. Als hätte sie bei alldem ein Wörtchen mitzureden, dachte Alice. Als wäre sie ihre Arbeitgeberin und nicht umgekehrt.

Alice atmete ein. Das Pfefferminzbonbon in ihrem Mund hatte sich komplett aufgelöst.

Sie nahm noch eines aus der Schale und zerbiss es, bevor sie antwortete.

«Es würde uns viel bedeuten», sagte sie. «Ich weiß, dass Sie Barbara nahestehen. Ihnen ist sicher aufgefallen, dass sie ... Schwierigkeiten hat. Sie benimmt sich daneben. Wir sind der Meinung, dass es ihr nicht schaden würde, ein paar neue Freunde zu finden.»

Zumindest war Alice der Meinung. Peter nicht unbedingt. Aber es gab mehrere Gründe, sie ins Ferienlager zu schicken – nicht zuletzt, weil sie dann zum Fest aus dem Haus wäre. Ihrem ersten Fest seit vierzehn Jahren. Anlässlich des hundertjährigen Bestehens des Naturreservats hatten sie für eine Woche im August zwei Dutzend Freunde und Verwandte eingeladen. Das letzte Mal, als sie in Albany Gäste zum Abendessen dagehabt hatten, war Barbara nur einmal aus ihrem Zimmer gekommen. Sie hatte eine Art ... nun ja, Halloweenkostüm getragen, ihr Haar hatte sie in irgendeiner undefinierbaren Farbe gefärbt, ihre Augen waren schwarz umrandet. Peters Cousin Garland war in Gelächter ausgebrochen, und Barbara war wieder verschwunden und hatte ihre Zimmertür zugeknallt. Obwohl Alice sie ein ums andere Mal dafür gerügt hatte, trug sie die Haarfarbe und den Lidstrich immer noch.

Diesmal würde sie sich wegen so etwas keine Sorgen machen müssen – falls sie Barbara los wären.

T. J. sah zu Boden.

«Haben Sie es ihr schon gesagt?», fragte sie.

«Dass sie ins Ferienlager soll?», sagte Alice. «Sie hat mich selbst gefragt, ob sie hin darf.»

«Nein», sagte T. J. «Ich meine, was im Herbst passiert.»

Alice stutzte. Sie schüttelte den Kopf.

«Das erzähle ich ihr am Ende des Sommers.»

Dann kam ihr ein Gedanke, und sie fügte hinzu: «Beziehungsweise am Ende der Ferienlagersaison.»

«Die Saison läuft ja schon», sagte T. J. auf die ihr eigene Art.

«Aber doch gerade erst.»

«Die Hütten sind alle voll.»

Langsam stieg in Alice' Brust das Gefühl auf, dass T. J. sie anflunkerte, und doch spürte sie, dass sie irgendetwas davon abhielt, ihre innersten Reserven an Wut abzurufen, wie ihr das bei Peter immer gelang, wenn sie sich Gehör verschaffen wollte.

Die Tabletten, fiel ihr ein. Die Tabletten hatten sich in ihrem Inneren festgekrallt, lösten die Verspannung in ihren Schultern, schickten eine Welle der Erleichterung über ihre Stirn und ihren Rücken hinab, einen Wasserfall aus Wärme und Ruhe. *Konzentrier dich*, befahl sie sich.

Sie betrachtete die Gegenstände im Zimmer um sich herum, ein Trick, den Dr. Lewis ihr beigebracht hatte. *Wanduhr. Üppig wachsende Pflanzen. Steinfliesen auf dem Boden vom Wintergarten.*

Ihre Zunge war ein dicker Klumpen. Trotzdem redete sie weiter, darauf bedacht, die Worte korrekt auszusprechen.

«Sie kennen Barbara so gut wie kaum jemand sonst», sagte Alice. Zumindest besser als ich, dachte sie unwillkürlich. «Sie wissen, wie gut ihr das tun würde.»

T. J. stand plötzlich auf, als wollte sie gehen. Hätte sie einen Hut gehabt, dann hätte sie ihn jetzt aufgesetzt.

Ein ganzer Sommer, dachte Alice. Ein ganzer Sommer ohne Barbara, ohne ihre Wutanfälle, ohne dass sie stundenlang laut weinte und das Personal nervte. Alle waren immer höflich, taten so, als hörten sie es nicht. Aber sie hörten es, alle hörten es, und Alice hörte es auch. Wie schön wäre es, die Sommermonate einmal ganz für sich zu haben. Ihre Tochter wäre ja trotzdem in der Nähe, nur ein Stück den Hügel hinunter. Behütet. Beschäftigt. Zufrieden.

«Ich muss mal wieder», sagte T. J.

Alice lächelte. Die Tabletten nahmen ihr den Filter. In ihrem Mund befanden sich Worte, die sie normalerweise mit den Zähnen abfangen würde. Das tat sie schon fast ihr ganzes Leben lang, mit Peter, mit allen anderen. Normalerweise gelang es ihr wunderbar, den Mund zu halten.

Heute nicht.

«Das ist ohnehin nicht Ihre Entscheidung», sagte Alice. «Kümmern Sie sich einfach darum, dass es klappt.»

«Oder … was?», fragte T. J. unvermittelt.

Zu laut, dachte Alice. Warum mussten die Menschen immer so laut reden?

Stille – das war alles, was sie wollte.

Alice öffnete den Mund. Kein Wort kam heraus.

Eine Minute verging, vielleicht auch fünf. Sie spürte, wie der Schlaf kam. Sie wusste, dass sie sich für ihre Haltung schämen sollte, dafür, wie sie den Kopf zur Seite neigte – aber auch auf dieses Gefühl konnte sie nicht zugreifen, es war abstrakt, etwas, von dem sie wusste, dass es existierte, das sie aber nicht spüren konnte.

«Das war die Idee von Mr Van Laar», sagte Alice schließlich. «Er will es so.»

Das war der letzte Ausweg. Sie schämte sich, auf diese Finte zurückgreifen zu müssen. Wie peinlich, dachte sie, dass ihre eigenen Worte in diesem Haus keinerlei Bedeutung hatten.

T. J. sah sie an. Offenbar überlegte sie, ob sie Alice glauben sollte oder nicht. Dann veränderte sich ihr Gesichtsausdruck, und sie schaute resigniert drein.

«Na gut», sagte T. J. «Stellen wir halt bei Haus *Balsam* noch ein Stockbett rein. Sie kann morgen kommen.»

Ohne weitere Fragen zu stellen, verließ T. J. das Zimmer. Das Haus.

Wenn Bear hier wäre …

Alice hielt inne. Dr. Lewis hatte ihr verboten, sich diesen Fantasien hinzugeben. Jedes Mal, wenn ihre Gedanken dahin abschweiften, solle sie sich in die Realität zurückholen, hatte er gesagt. Doch die Vorstellung drängte sich ihr mit aller Macht auf: Wenn Bear hier wäre, würde er T. J. zur Tür hinaus folgen. Sie schloss die Augen und erlaubte sich – nur für einen Moment –, an ihren Sohn zu denken, sich vorzustellen, wie er T. J. Hewitt über das ganze Gelände folgte. *Tessie, Tessie.* Seine hohe, sanfte Stimme, genau auf der anderen Seite des dünnen Vorhangs, der ihre Welt von seiner trennte. Sie konnte sie hören, ohne Probleme.

Auf der Couch drehte Alice den Kopf und schaute durch die Scheiben des Wintergartens. T. J. blieb auf dem Rasen stehen, zog etwas aus der Tasche und steckte es sich in den Mund. Spuckte aus. Priem nannten die Männer das. Eine ekelhafte Angewohnheit.

Alice sah T. J. Hewitt hinterher, bis sie außer Sichtweite war. Sie war groß, schlank und anmutig, und nicht zum ersten Mal dachte Alice, dass sie eigentlich hübsch sein könnte.

Wie T. J. ihr Aussehen ruiniert hatte, war für Alice eine wahre Sünde.

Schritte drangen an ihr Ohr. Schwere, stampfende Schritte: Barbara. Sie war auf dem Weg in die Küche. In letzter Zeit ihr Lieblingsort. Alice verzog das Gesicht. Gestern hatte Alice die neue Köchin (sie konnte sich den Namen partout nicht merken) gebeten, Barbara nicht mehr ständig etwas zu essen zu machen. Nach Ausflüchten zu suchen, falls nötig. Aber Alice wusste, dass Barbara sehr manipulativ sein konnte, und sie traute der Köchin nicht zu, dass sie dagegen ankam.

Sie ging zur Küche und blieb in der Tür stehen, versuchte, ganz leise zu sein.

Es war tatsächlich Barbara, die ihr den Rücken zuwandte und den Inhalt der Speisekammer inspizierte. Sie trug Shorts und ein T-Shirt, und mit einem Anflug von Ekel bemerkte Alice, dass ihr einst undefinierter Hintern jetzt rund war und ihre Beine die einer Frau. Neben Barbara stand die Köchin. Sie sah Alice an und hob hilflos die Hände.

Alice bereitete es keine Freude, den Körper ihrer Tochter so zu beurteilen. Sie wusste, dass es lieblos war. Dennoch war sie zugleich überzeugt, dass es zu den Pflichten einer Mutter gehörte, die erste und gnadenloseste Kritikerin ihrer Tochter zu sein; sie schon als kleines Mädchen zu wappnen, damit sie später als Frau alle Übergriffe und alle Beleidigungen, die auf sie einprasseln würden, voller Anmut aushalten konnte. Diese Methode hatte ihre eigene Mutter bei ihr angewandt. Damals hatte sie das ganz schrecklich gefunden, aber heute war ihr klar, dass das richtig gewesen war.

«Barbara», sagte Alice, und ihre Tochter zuckte zusammen. Einen Laib Brot unter den Arm geklemmt, drehte sie sich um. Einen Moment lang überkam Alice ein zärtliches Gefühl. Sie war schon immer schreckhaft gewesen, schon als kleines Kind – das einzige Baby auf der Welt, das nicht gern Kuckuck oder Verstecken spielte und das sofort weinte, wenn man es erschreckte, selbst wenn es nur aus Spaß war.

«Um halb acht gibt es Abendessen», sagte Alice.

Barbara legte das Brot auf die Arbeitsplatte und schnitt sich eine Scheibe ab.

«Hast du mich gehört?», fragte Alice.

Barbara nickte. Griff nach der Butter. Schmierte sie auf das Brot. Hielt den Kopf gesenkt. Ein Zentimeter Blond war am Haaransatz zu sehen, der Rest ihres Schopfes war immer noch in diesem schrecklichen stumpfen Schwarz. Wenigstens ihr Gesicht war hübsch. Daran konnten alle billigen Haarfärbemittel nichts ändern.

Die Köchin sah tatenlos zu. Sie war ein winziges Persönchen, vielleicht fünfundzwanzig, dem schlichten Ring an ihrem Finger nach zu urteilen verheiratet.

Alice seufzte. Es hatte keinen Sinn, zu schimpfen – nicht heute. Nicht, wenn Barbara für den Rest des Sommers fort sein würde. Was konnte es schon schaden, ihr ein letztes Mal die Freude einer Scheibe Brot mit Butter und Konfitüre zu gönnen?

«Ich habe gerade mit T. J. gesprochen», sagte Alice, und endlich blickte das Mädchen auf. Da war sie, die Barbara, die sie lieb hatte. Endlich kam Leben in ihr Gesicht und in ihre Augen.

«Und?», fragte Barbara.

«Sie meint, du darfst morgen ins Camp.»

Triumph. Barbara senkte schnell den Blick, aber Alice blieb nicht verborgen, dass sie die Lippen zusammenpresste, um ein Lächeln zu unterdrücken.

«Ich schicke jemanden, der für dich packt», sagte Alice.

Das war gut, fand Alice. Eine gute Idee. Eine kleine Pause voneinander. Dann würde alles besser werden.

Tracy

Juni 1975

Das, erfuhr Tracy, war Camp Emerson:

Drei Gebäude bildeten den nördlichen Rand, schräg unterhalb vom Haupthaus auf dem Hügel. Eines war die Kantine, in der man die Mahlzeiten einnahm; das Gebäude daneben hieß «Großer Saal», darin befanden sich das Zimmer der Krankenschwester, zwei kleinere Räume für Aktivitäten an Regentagen und ein großer Gemeinschaftsraum, der hauptsächlich für Tanzpartys genutzt wurde und für Aufführungen, für die man eine Bühne benötigte. Das dritte Gebäude war das Haus der Campleiterin. Die einzigen Ferienkinder, die es jemals von innen gesehen hatten, hatten sich zuvor auf irgendeine Weise Ärger eingehandelt.

Südlich von diesen Gebäuden lag der Rest des Ferienlagers. Am östlichen Rand war der See, am Ufer gab es einen kleinen Strand und ein Bootshaus. Am südlichen Rand des Geländes befand sich ein längliches Gebäude, das als Personalquartier bezeichnet wurde – hier waren die Leute, die in der Küche arbeiteten, und andere Saisonkräfte untergebracht. Nördlich davon standen in zwei Reihen vierzehn Hütten – sieben für Jungen, sieben für Mädchen. Zwischen den Hütten für die Jungen und den Hütten für die Mädchen verlief ein Bach, den man hier und da mithilfe einer kleinen Brücke überqueren konnte. Jede Hütte war nach einem Baum oder einer Blume benannt, die in den Adirondacks wuchsen.

Tracys Hütte hieß Haus *Balsam* und wurde innen von gelben Glühbirnen erleuchtet, die nackt von der Decke hingen. Nachts zog das warme Licht Heerscharen von Insekten an, die durch die kaputten Fliegengitter an den Fenstern eindrangen.

Die Hütte war mit acht Stockbetten ausgestattet, vier an der einen und vier an der anderen Seite. Am Fußende jedes Bettes standen kleine Holztruhen. Die Wände der Hütte waren aus unbearbeitetem Holz, genau wie die Decke, in beides hatten Generationen von Ferienkindern Namen, Daten und Anspielungen auf weiß der Himmel was geritzt.

Erstaunlicherweise befand sich an einer Wand der Hütte ein Holzofen. Später im Sommer erfuhr Tracy, dass die Hütten früher das ganze Jahr über von Bekannten der Van Laars für deren Jagdausflüge genutzt worden waren; aber seit der Gründung von Camp Emerson wurden die Öfen nicht mehr benutzt, außer von Fledermäusen, die sich gelegentlich in den Schornsteinen ansiedelten und dann umgesiedelt werden mussten.

Nachdem die Mütter – und Donna Romano – verschwunden waren, setzten sich die Betreuerin und ihre Auszubildende mit den Ferienkindern in einem Kreis auf den Boden. Sie hatten sich ein paar Übungen ausgedacht, um das Eis zu brechen.

Während der Übungen stellte Tracy fest, dass sich alle anderen Mädchen in ihrer Hütte schon seit Jahren kannten. Sie warfen sich Phrasen und Gesten zu, als würden sie Pingpong spielen, und ab und zu brachen sie aus Gründen, die sie nicht nachvollziehen konnte, in Gelächter aus. *Insider-Witze*, dachte Tracy – der Begriff machte ihr Angst, schließlich war jeder, der diese Witze nicht verstand, automatisch ein Außenseiter.

Eine weitere Erkenntnis aus dem Sitzkreis war, dass es unter den Mädchen in Tracys Hütte eine eindeutige Hierarchie gab.

An der Spitze der Hackordnung standen natürlich Louise und Annabel, die Betreuerin und die Auszubildende. Beide waren auf unterschiedliche Weise hübsch: Louise war mit ihren dreiundzwanzig Jahren schon eine richtige Frau. Sie war klein, viel kleiner als Tracy, hatte langes dunkles Haar und dunkle Augenbrauen, und man sah ihr an, dass sie Sport trieb. Außerdem war sie – ein Wort, das Tracy erst in jenem Jahr gelernt hatte – *vollbusig*. Annabel war siebzehn, groß, gertenschlank, blond, eine Ballerina, die so anmutig und selbstbewusst durch die Gegend schwebte, wie es nur jemand tut, dessen Eltern sich noch nie Gedanken darum hatten machen müssen, wie sie ihre Rechnungen bezahlen sollten. Tracy war in beide von der ersten Sekunde an vernarrt. Sie spürte das seltsame Verlangen, sie zu verkleinern, in die Hand zu nehmen und mit ihnen zu spielen, als wären sie Puppen.

Als Nächstes kamen die Ferienkinder, die in Haus *Balsam* untergebracht waren, von den beiden Melissas – drahtigen blonden Turnerinnen von der Upper East Side in Manhattan, die ganz eindeutig den Ton angaben – bis hinunter zu einem Mädchen namens Kim, das die Angewohnheit hatte, ausführlich über Themen zu reden, die sonst offenbar keinen interessierten.

Dann kam nur noch Tracy, die bereits durch ihre Körpergröße die Blicke der anderen auf sich zog, wie sie glaubte. Als sie sich vorstellen sollte, versagte ihr plötzlich die Stimme. Langsam wurde ihr klar, wie ihr Sommer aussehen würde. Sie würde sich zurückziehen. Sie würde mit niemandem sprechen. Sie würde unbemerkt bleiben und sich, wann immer möglich, hinter Büchern verstecken. Sie würde sich aus allem heraushalten. Bloß nicht auffallen.

Sie packte ihre letzten Sachen aus. Aus ihrem Kulturbeutel nahm sie die neue Brille, die sie in jenem Jahr bekommen hatte, und legte sie ganz hinten in die ihr zugewiesene Schublade. Sie fand, wenn sie in diesem Sommer nicht einmal allzu deutlich sehen konnte, wäre das nicht weiter schlimm.

Plötzlich musste sie heftig blinzeln. Wenn sie jetzt weinen müsste, wäre das eine Katastrophe – doch die Enttäuschung lastete schwer auf ihren Schultern. Denn auch wenn sie aufgrund der vielen Enttäuschungen, die sie über die Jahre erlebt hatte, genau wusste, wo sie in der sozialen Hierarchie stand, hatte sie doch irgendwie gehofft, dass es diesmal anders sein würde. Dass ein zierlicher Junge oder ein anmutiges Mädchen geduldig und scharfsinnig genug wäre, Tracy aus der Masse herauszupicken und eine der positiven Eigenschaften zu bemerken, die aufzuzählen sie sich nur selten gestattete: ihren Sinn für Humor, ihr zeichnerisches Talent, ihre schöne Singstimme oder ihre Loyalität und Hingabe gegenüber jedem, der sich auch nur ein wenig für sie interessierte.

Tracy zog ihr schlecht sitzendes Uniformhemd über ihre schlecht sitzenden Uniformshorts. Sie atmete aus, und damit verabschiedete sie sich von allen Hoffnungen, die sie für diesen Sommer gehabt hatte.

Gleich am ersten Abend fand in einem natürlichen Amphitheater am Fuße eines kleinen Hügels, der zu einem graslosen Stück Land hinunterführte, ein Lagerfeuer statt. Auf dem Hügel waren große, gespaltene Baumstämme als Bänke aufgestellt, mit einem Gang in der Mitte. Der dunkle See war gerade noch zu sehen. Hier am Lagerfeuer wurde Tracy Zeugin einer Reihe merkwürdiger Gesänge und Rituale.

Eine seltsame Energie lag in der Luft, die Energie von Teenagerhormonen, von verstohlenen Blicken, um festzustellen, wer sich seit dem letzten Jahr auf welche Weise verändert hatte. Letzteres galt nicht nur für die Ferienkinder, sondern auch für die Betreuer. Sie schlichen umeinander, flüsterten sich gegenseitig etwas ins Ohr und machten Gesten, die Tracy nicht verstand. Sie stellte fest, dass jede der Aufsichtspersonen auf ihre eigene Weise so etwas wie eine Berühmtheit war; die Ferienkinder versuchten eifrig, möglichst viel über sie herauszufinden, über ihr Privatleben, darüber, wen sie anhimmelten und wer ihnen das Herz gebrochen hatte, und diese Fakten wurden dann im Dunkeln weitergeflüstert.

Vor ihnen gingen die Präsentationen weiter. Mehrere Betreuer führten ein Ritual vor, bei dem unter anderem ein Baumstamm zerhackt wurde. Es folgten Bekanntmachungen über neue Regeln, Einrichtungen, Veranstaltungen.

Dann wurden Sketche aufgeführt. Einer der Sketche sollte die Regel illustrieren, über die Tracy zuvor so gestaunt hatte: Ein hochgewachsener Betreuer tat so, als wäre er ein kleines Kind, und lief immer wieder um das Lagerfeuer herum, als hätte er sich verlaufen.

«Ich dachte, ich weiß, wo ich bin», erhob der Betreuer souverän seine Stimme, «aber jetzt merke ich: Das stimmt nicht!»

Dann trat eine Betreuerin vor das Publikum.

In gespieltem Entsetzen legte sie sich die Hände an die Wangen und fragte: «Was sollte Calvin tun?»

«Wenn du dich verläufst», riefen alle im Chor, *«setz dich hin und schrei!»*

«Hilfe!», schrie Calvin. «Ich brauche Hilfe!» Er sah auf eine unsichtbare Armbanduhr. «Eine Minute ist vergangen», verkündete er, «jetzt sollte ich wieder schreien!»

Der Grund dafür lag auf der Hand: Jeder Versuch, auf eigene Faust aus dem Wald herauszufinden, konnte dazu führen, dass man die Orientierung verlor. Selbst ein erfahrener Ranger konnte sich in den Adirondacks verlaufen. Wenn man im dichten Unterholz zwischen den Bäumen den Weg aus den Augen verlor, sah alles gleich aus.

«Fünfundsechzig Prozent der Menschen», sagte Calvin, «sind keine zehn Schritte vom Waldweg entfernt, wenn sie die Orientierung verlieren.»

Tracy hörte fasziniert zu. Sie stellte sich vor, wie der Wald sie magisch anzog, mit seinem kühlen, schattigen Geruch, dem samtigen

Moos auf den Steinen – und wie ihr dann nach und nach klar wurde, dass sie die Orientierung verloren hatte. Wie sie allmählich das Grauen packte.

Zwischen den Sketchen frotzelten die männlichen Betreuer miteinander und mit ihren Schützlingen herum. Riefen zu den Mädchen auf der anderen Seite des Halbkreises hinüber. *Kevin findet dich hü-übsch!*

Dann baute sich eine große, schlanke Frau vor ihnen auf. Sie stand vor dem Feuer und sah fast so aus, wie Tracy sich immer Ichabod Crane aus der *Legende von Sleepy Hollow* vorgestellt hatte.

Alle verstummten.

«Herzlich willkommen», sagte die Frau. Sie stellte sich den Neuankömmlingen vor: Sie leite das Ferienlager und heiße T. J., und so dürften alle sie anreden.

Es war schwer zu sagen, wie alt sie war. Sie sah jung aus, vielleicht Anfang zwanzig, aber ihre Stimme war rau und strahlte eine Autorität aus, die Tracy von Frauen ihres Alters nicht gewohnt war. Alle blieben stehen und hörten ihr zu, sogar die lauten männlichen Betreuer, die jetzt zum ersten Mal die Klappe hielten.

Die Frau namens T. J. zog einen Zettel aus der Tasche, auf dem sie sich offenbar einige Dinge notiert hatte, die sie nun nach und nach durchging.

Sie wiederholte die Regeln von vorhin und wies noch einmal darauf hin, wie wichtig es war, dass sich alle daran hielten. Und sie verkündete noch ein paar weitere Regeln: Wer nach Zapfenstreich außerhalb seiner Hütte erwischt werde, bekomme eine Verwarnung und müsse zwei Nächte Wachdienst schieben. Ein zweiter Verstoß führe zum Ausschluss aus dem Camp.

Dann hielt sie inne und blickte auf.

Die Kiefernzweige über ihr leuchteten orange im Feuerschein. Der Himmel dahinter war so schwarz und voller Sterne, wie Tracy ihn noch nie gesehen hatte.

«Noch etwas», sagte T. J. «Aufgrund der Bedenken einiger Eltern wird der diesjährige Survival-Trip ein wenig anders aussehen als sonst.»

Kollektives Aufstöhnen.

T. J. hob eine Hand. «Jetzt hört mal zu», sagte sie. «Ihr seid immer noch auf euch allein gestellt, in Gruppen. Ihr seid für euer Wohlergehen komplett selbst verantwortlich. Der einzige Unterschied zu früher ist, dass ihr in den drei Nächten einen Betreuer in der Nähe haben werdet. Aber von dem werdet ihr gar nichts mitbekommen, er wird sich immer hundert Meter entfernt aufhalten. Außer es gibt einen Notfall, den ihr nicht allein in den Griff bekommt.»

Stille. Dann rief eine einzelne – männliche – Stimme: «Buh!» Der Rest der Gruppe lachte.

Tracy hielt den Atem an und wartete gespannt, wie T. J. reagieren würde. Sie sah nicht wie jemand aus, der sich gerne auslachen ließ. Aber sie lächelte.

«Ich habe darauf auch keine Lust», sagte sie. «Glaubt mir.»

Als Tracy nach Beginn der Nachtruhe in ihrem Bett lag und in die Finsternis starrte, lauschte sie erst der Stille und dann den leisen Stimmen, die flüsternd und lachend Geschichten erzählten.

Sie war allein. Und das würde sie auch bleiben. Ihre einzige Aufgabe, sagte sie sich, bestand darin, den Sommer zu überstehen.

Louise

Juni 1975

In der Dunkelheit hielt Louise den Atem an und lauschte. Auf der anderen Seite der Trennwand: leise Schniefgeräusche. Jemand weinte und hoffte, dass es niemand mitbekam.

Es passierte in jeder Saison in der ersten Nacht.

Louise richtete sich im Bett auf. Auf Zehenspitzen ging sie an Annabel vorbei und zog den Vorhang beiseite.

Sie schaute sich im Zimmer um und betrachtete der Reihe nach jedes einzelne Ferienkind.

Tracy.

Tracys Augäpfel glitzerten im Mondschein und erwiderten ihren Blick.

Jetzt saß Tracy draußen auf den Stufen der Veranda neben Louise und versuchte, sich möglichst klein zu machen. Sie hatte ihr Nachthemd über die Knie gezogen und die Arme um die Beine geschlungen. Sie wirkte wie eine zu groß geratene Sechsjährige, fand Louise.

Sie schniefte wieder.

«Möchtest du darüber reden?», fragte Louise. Ihre Standardfrage für solche Fälle, die sich im Laufe der letzten vier Sommer bewährt hatte, ließ ihrem Gegenüber keine Chance, zu behaupten, dass alles in Ordnung sei.

Das Mädchen zuckte mit den Schultern. Ihr war das alles sichtlich peinlich.

Beim Abendessen hatte Tracy am Ende des Tisches Platz genommen und kein Wort gesagt, auch anschließend beim Lagerfeuer nicht. Die ganze Zeit hatte sie den Blick gesenkt, und später zurück in der Hütte hatte sie ein Buch gelesen, während die anderen Mädchen redeten, kreischten, chaotisch hin und her rannten, wie Elektronen von jeder Oberfläche abprallten. Zwölf- und dreizehnjährige Mädchen haben einen ganz eigenen Humor, vor allem, wenn keine Jungs dabei sind: Er ist eklig und unschuldig zugleich. Unanständig und naiv. Wenn er nicht missbraucht wurde, um jemandem zu schaden – wenn niemand die Zielscheibe war –, dann mochte Louise diese Art von Humor sehr. Von der Wand aus beobachtete sie sie still und liebevoll und dachte daran, wie es ihr in dem Alter gegangen war; wie sie diesen Moment im Leben empfunden hatte, der dem letzten Atemzug vor einer wichtigen Rede glich, dem gespannten Innehalten vor einer großen Enthüllung.

«Hat dich jemand gehänselt?», fragte Louise das Mädchen in sanftem Ton. «Bist du traurig?»

Das Mädchen schüttelte den Kopf. «Ich habe Angst gekriegt», sagte sie. Fast unmerklich rückte sie näher an Louise heran.

Louise streckte ihren Arm aus und legte ihn um das Mädchen. «Wovor?»

«Wir haben uns Geschichten erzählt», antwortete das Mädchen. In der Formulierung lag ein gewisses Pathos, dachte Louise. *Wir.* Nicht *sie*. Die Sehnsucht dazuzugehören.

«Worüber?»

Das Mädchen hielt inne. Im Mondlicht konnte Louise nur die Umrisse ihres Gesichts erkennen.

Was sie dann sagte, war so leise, dass Louise es nicht verstehen konnte.

Sie neigte den Kopf in ihre Richtung.

«Den Schlitzer», flüsterte das Mädchen und blickte sich rasch um. Aus Angst, dass ihnen jemand zuhörte.

Natürlich. Der Schlitzer.

Fast hätte Louise vor Erleichterung gelächelt. Es war eine von einem halben Dutzend Geschichten, die von einer Generation von Ferienkindern an die nächste weitergegeben wurden, manchmal als dummer Streich, manchmal als Warnung. Inwieweit die Kinder an den Wahrheitsgehalt dieser Geschichten glaubten, war oft nicht ganz klar. Manche erzählten sie mit einem süffisanten Grinsen im Gesicht und freuten sich, dass sie anderen Angst einjagen konnten; andere waren heilfroh, dass sie ihr schreckliches Wissen mit bebender Stimme mit jemandem teilen konnten. T. J. hatte das Thema beim diesjährigen Training angesprochen: «Die Kleinen kriegen so schnell Angst. Also bitte keine Gruselgeschichten mehr.»

Es gab mehrere Geister, die in diesen Erzählungen auftauchten; zum Beispiel der von Old Jones, einem Fremdenführer aus den Adirondacks, der nachts an den Fensterläden der Hütten rüttelte, oder der Geist von Scary Mary, der Frau eines Vorfahren der Van Laars, die vor vielen Jahren von ihrem Ehemann sitzen gelassen worden war.

Doch der Schlitzer – oder Jacob Sluiter, wie er eigentlich hieß – war kein Geist. Er war quicklebendig, soweit Louise wusste, und trotzdem spukte er Jahr für Jahr in den Fantasien ihrer Ferienkinder herum. Die Gerüchte um ihn – und seine angebliche Verbindung zum Naturreservat der Van Laars – hielten sich extrem hartnäckig, so etwas hatte sie noch nicht erlebt.

«Wegen dem brauchst du dir keine Sorgen zu machen», sagte Louise. «Er sitzt im Gefängnis. Rund zweihundert Meilen entfernt.»

Doch Tracy schüttelte schnell den Kopf.

«Tut er nicht», sagte sie. «Er ist ausgebrochen.»

«Das glaube ich nicht», sagte Louise.

«Ist er aber», sagte Tracy. «T. J. hat es gesagt. Sie hat es einer der Betreuerinnen von Haus *Spruce* erzählt. Und die hat es der Azubi gesagt und die Azubi hat es Caroline gesagt.»

Louise war skeptisch. Wenn das wahr wäre, hätte T. J. es ihr doch längst erzählt. Oder etwa nicht? Vielleicht hatte sie noch keine Gelegenheit dazu gehabt.

Louise lächelte das Mädchen an. «Selbst wenn das stimmen würde», sagte sie, «müsste er einen ganz schön weiten Weg zurücklegen, um hierherzukommen. Und ich wüsste nicht, warum er das tun sollte.»

«Ich habe gehört, wie sie Geschichten erzählt haben», sagte Tracy. Sie zog ihre Knie an sich heran. «Die anderen Mädchen.»

«Das sind doch alles alte Kamellen, die gibt es schon ewig», sagte Louise. «Aber das heißt nicht, dass sie stimmen.»

Tracy wollte das offensichtlich nicht wahrhaben. Sie schüttelte den Kopf und sah Louise an, als wollte sie sagen: Hör mir doch zu! Dann flüsterte sie: *«Sie haben über den Jungen geredet.»*

Louise blieb stumm.

Sie wusste genau, welchen Jungen Tracy meinte. Sie brauchte seinen Namen gar nicht zu nennen.

Louise

Zwei Monate später
August 1975

Louise läuft.

An den meisten Tagen fühlt sich dieser Bewegungsablauf – die Beine stampfen, die Arme schwingen, Kopf und Hals sind aufgerichtet – für sie genau richtig an, als wäre das ihr naturgegebener Zustand. Die Runde durch das Naturreservat ist ihre einzige Chance am Tag, sich völlig zu entspannen und ihre Sorgen für einen Moment zu vergessen. In der Highschool war sie Sprinterin, aber Langstreckenlauf mag sie viel lieber. Auf diesen längeren Strecken kommt ihr immer mal der Gedanke, dass ihr Körper quasi die Mutter ihres Gehirns ist – oder zumindest so ist, wie eine Mutter sein sollte. So wie die Mütter anderer Leute sind.

Bei ihrer heutigen Runde ist das anders.

Heute läuft Louise hektisch, unaufmerksam. Sie stolpert. Rappelt sich wieder auf. Sie ignoriert einen Betreuer, der ihr von der anderen Seite des Rasens etwas zuruft. «Okay, vergiss es», sagt der Betreuer – gutmütig, ahnungslos. Louise dreht sich nicht einmal um.

Sie hat Barbara schon überall gesucht: im Waschhaus, in der Kantine, im Aufenthaltsraum, am Strand. Sie hat im Krankenzimmer nachgesehen und im Bootshaus. Sie ist hinauf zum Haupthaus gegangen, wo ein verständnisvolles Dienstmädchen zehn Minuten lang durch die Flure schlich, während Louise draußen gewartet hat. Aber Barbara war nirgends zu finden, und Louise hat auch niemanden gefunden, der sie an jenem Morgen gesehen hat.

Sie kommt an das Haus der Campleiterin und klopft an die Tür. Wartet dreißig Sekunden. Klopft noch einmal.

Louise weiß, dass T. J. da ist. Sie ist eine Frau, die sich strikt an ihre Routine hält. Bei ihr läuft jeder Morgen genau gleich ab. Um 6:30 Uhr lässt sie über die Lautsprecheranlage die *Reveille* ertönen, um den Ferienkindern zu signalisieren, dass es Zeit zum Aufstehen und Duschen ist. Und um 8:05 Uhr, kurz bevor das Frühstück zu Ende ist, kommt sie aus ihrer Hütte und geht in die Kantine, um nach dem Rechten zu sehen.

Louise schaut auf die Uhr: 6:40 Uhr. In zwanzig Minuten gehen die Ferienkinder zum Frühstück in die Kantine.

Immer noch keine Reaktion. Sie legt die Handfläche auf die Türklinke. Drückt die Klinke hinunter. Abgesehen von den Toiletten gibt es im Camp Emerson keine Schlösser an den Türen. Trotzdem fühlt es sich komisch an, ungebeten das Haus der Campleiterin zu betreten (in dem T. J. das ganze Jahr über wohnt und in dem sie aufgewachsen ist), und das, obwohl Louise T. J. besser kennt als die anderen Betreuer. Sie haben eine gemeinsame Vorgeschichte, die sie vor allen anderen im Ferienlager geheim hält.

Schließlich öffnet Louise die Tür. Sie kann nicht anders.

«Hallo?», ruft sie. Betritt das holzgetäfelte Wohnzimmer, das gleichzeitig das Hauptbüro des Ferienlagers ist. An einem Fenster an der Stirnseite steht ein Schreibtisch, davor zwei kleine Stühle, reserviert für Ferienkinder, die etwas ausgefressen haben.

Louise hat viele Stunden in diesem Raum verbracht. Einmal im Januar sogar eine ganze kalte Woche.

Louise lauscht. In der Hütte riecht es nach T. J.: nach Kampfer und Teer, aus denen sie ihr hausgemachtes Mittel gegen Kriebelmücken anrührt; nach den Eisen- und Moschusnoten ihres Schweißes.

Aus dem hinteren Teil der Hütte hört sie die Dusche.

Sie greift sich an das Gesicht, wischt sich den Schweiß von Stirn und Oberlippe. Sie weiß nicht, was sie tun soll. Zu warten, bis T. J. mit dem Duschen fertig ist, fühlt sich falsch an. Einfach so den Telefonhörer abzunehmen und jemanden anzurufen, ohne dass T. J. dabei ist, käme ihr genauso komisch vor. Wo soll sie überhaupt anrufen? Bei der Polizei? Der Freiwilligen Feuerwehr? Oder – Gott bewahre – bei den Van Laars? Sie kann das Telefon sehen, es steht am anderen Ende des Raumes auf T. J.s Schreibtisch – das einzige Telefon auf dem Gelände. Sonst gibt es nur noch eins im Haupthaus. Haus *Self-Reliance.*

Louise schleicht auf Zehenspitzen durch den Flur zum Badezimmer. Die Tür steht offen.

T. J.s Kleider liegen in einem Haufen auf dem Boden.

Sie bleibt davor stehen. Soll sie lauter rufen?

Zu spät: ein kurzes metallisches Quietschen, ein Regler wird gedreht. Der Duschstrahl versiegt. Plötzlich fliegt der Vorhang auf – und da steht T. J. mit ihrem kurzen, nassen Haar, ihrem schlanken Oberkörper, ihren kleinen Brüsten, ihrer sommerlichen Bräune auf Armen und Beinen.

Louise macht auf dem Absatz kehrt, aber es ist zu spät. Sie haben sich schon in die Augen gesehen. «Es tut mir so leid», sagt Louise im selben Moment, als T. J. aufschreit.

«Was soll der Mist, Louise», sagt T. J., nachdem sie wieder zu Atem gekommen ist.

«Es tut mir so leid», sagt Louise noch einmal und dann noch einmal. Sie geht zurück in den Flur und sagt es immer wieder.

Hinter sich hört sie, wie T. J. irgendwelche Schubladen öffnet. «Was machst du hier?», ruft T. J.

Louise räuspert sich. «Es geht um Barbara Van Laar», sagt sie.

«Was ist mit ihr?»

«Sie war heute Morgen nicht in ihrem Bett.»

Eine gefühlte Minute lang: Stille.

Dann T. J.s Schritte auf dem Flur. Sie kommt ins Büro, komplett angezogen.

«Was ist mit dem Mädchen, das mit Barbara im Stockbett schläft? Hat die gemerkt, dass Barbara weg ist?»

«Sie sagt, sie hat nichts gehört. Sie hat geschlafen.»

Louise geht davon aus, dass T. J. sie zur Rechenschaft ziehen wird. Schließlich ist es die Aufgabe einer Betreuerin, zu hören, wenn etwas vor sich geht: wenn ein Ferienkind ein anderes hänselt. Wenn es in der Ferne donnert. (Alle raus aus dem See!)

Aber vor allem: die Fliegengittertür. Wenn nachts die Fliegengittertür geöffnet wird.

Louise wartet darauf, dass T. J. etwas sagt. Irgendetwas. Endlich tut sie ihr den Gefallen. «Aber ihr wart doch letzte Nacht in der Hütte», sagt T. J. «Du und Annabel. Oder nicht?»

Falls Louise zögert, dann höchstens, um Luft zu holen. Mit dieser Frage hat sie gerechnet. Sie ist vorbereitet.

«Ja», sagt sie sofort.

«Da bist du dir ganz sicher?», fragt T. J. «Du und Annabel, ihr alle beide?»

«Ja, wir beide», sagt Louise.

Sie ist keine gewohnheitsmäßige Lügnerin, sie lügt nur, wenn es nötig ist. Und in Louises Alltag ist es immer wieder nötig. Sogar überlebensnotwendig. Trotzdem fühlt es sich nie gut an, vor allem, wenn sie jemanden anlügt, den sie respektiert. Jemanden wie T. J. Hewitt, der sie schon so vieles gebeichtet hat, das sie sonst niemandem verrät. Sie jetzt anzulügen, verursacht Louise ein flaues Gefühl im Magen.

Aber falls T. J. ahnt, dass sie nicht die Wahrheit sagt, lässt sie es sich nicht anmerken. Stattdessen wendet sie ihre Aufmerksamkeit von

Louise ab und den Geräten der Durchsageanlage zu, die auf und unter ihrem Schreibtisch stehen.

Sie durchquert den Raum. Schnappt sich das Mikrofon. Schaltet die Anlage ein. «Alle Hütten», sagt sie, «bitte jeweils einen Betreuer ins Büro der Campleiterin. Azubis, ihr habt heute Vormittag die Verantwortung.»

Sie schaltet die Anlage wieder aus und dreht Louise für einen Moment den Rücken zu.

Ohne sich umzudrehen, fragt sie: «Hast du ihn diese Woche gesehen?»

John Paul meint sie. Das weiß Louise, ohne nachzufragen. Zum zweiten Mal an diesem Morgen lügt sie T. J. an.

«Nein.»

Tracy

Juni 1975

Um die Ankunft Barbara Van Laars im Camp Emerson wurde kein großes Aufhebens gemacht. In aller Stille ließ der Chauffeur der Van Laars die schwarze Limousine langsam die Zufahrt hinaufrollen und fuhr dann über den Rasen; in aller Stille kam Barbara zu Fuß die halbe Meile vom Haupthaus heruntergeschlendert, da sie sich offenbar geweigert hatte, mit ihren Siebensachen im Auto zu fahren.

Sie tauchte um 8:05 Uhr auf, gerade als in der Kantine das Frühstück zu Ende ging. Ohne zu lächeln, grüßte sie, als sie an den Ferienkindern vorbeiging, die gerade aus dem Gebäude kamen und sich gegenseitig anrempelten, um einen Blick auf sie zu erhaschen. Kleidung, wie sie sie trug, hatten viele von ihnen noch nie gesehen: abgeschnittene Jeansshorts, die gerade so ihren Hintern bedeckten, darunter schwarze Strümpfe mit Laufmaschen, die aussahen, als hätte sie sie absichtlich hineingemacht, schwarze Militärstiefel und ein T-Shirt mit einem Wort darauf, das keiner genau entziffern konnte, das aber wahrscheinlich ziemlich unflätig war. Ihr Haar war schwarz gefärbt und zu einem strähnigen Bob geschnitten, der knapp unter ihrem Kinn endete, ihre Lippen waren knallrot geschminkt, ihre Augen pechschwarz umrandet. Das Überraschendste aber waren die silbernen Stacheln, die die Ohrläppchen zierten, der Riemen um ihren

Hals, der wie ein Hundehalsband aussah, und die schwarzen Ledermanschetten an ihren Handgelenken.

Über Barbaras Ankunft und ihren Gang über den Rasen würde man noch monatelang reden: Es war das erste Mal, dass die Ferienkinder sie zu Gesicht bekamen, dabei war schon jahrelang ständig über sie geredet worden. In der Regel war es dabei um ihr Aussehen und ihre Kleidung gegangen, die für die meisten im Camp Emerson ein Schock war. Die einzigen Ferienkinder, die wussten, wie sie sie nennen sollten, waren die Mädchen aus Manhattan, und die benutzten ein Wort, das die anderen noch nie gehört hatten.

Punk.

Jedes andere Mädchen, das in Barbaras Klamotten aufgetaucht wäre, hätten die Ferienkinder sofort in die unterste gesellschaftliche Schublade gesteckt, sie hätten den Kopf geschüttelt oder es schlicht ignoriert. Aber Barbara Van Laar war zu interessant, um sie zu ignorieren, ihre Vergangenheit zu faszinierend und zu komplex. Auch wenn es niemand laut auszusprechen wagte, wollten alle Ferienkinder auf dem Gelände ab sofort nur noch eines: sich mit ihr anfreunden.

Als sie Barbara das nächste Mal erspähten, ging Louise gerade mit ihr an den kleinen Strand am Lake Joan, wo die Bewohner mehrerer Hütten, darunter auch Tracy, darauf warteten, ihre Schwimmprüfung abzulegen. Ohne die Kleidung, in der sie angekommen war, sah Barbara deutlich jünger aus.

Ein langer, T-förmiger Metallsteg, von der Sonne erwärmt, ragte vom Strand aus ins Wasser. Der Schwimmlehrer, ein blonder Hüne namens Mitchell, führte die erste Hütte zum Ende des Stegs.

«Auf mein Kommando», sagte Mitchell. Und dann, auf drei, stürzten sich die jüngeren Ferienkinder von Haus *Spruce* ins Wasser. Sie kreischten, als sie wieder auftauchten.

«Regel Nummer eins», sagte Mitchell. «Niemals schreien, es sei denn, ihr seid in Gefahr.»

Tracy stand am Rand der Gruppe, ihr war unwohl im Badeanzug, sie hatte sich ein Handtuch fest um die Taille gewickelt. Ihr war nicht entgangen, dass die anderen Ferienkinder aus Haus *Balsam* – bewusst oder unbewusst – einen gewissen körperlichen Abstand zu ihr hielten, dabei war sie noch nicht einmal vierundzwanzig Stunden im Ferienlager.

Barbara und Louise hatten inzwischen das Ende des Stegs erreicht.

«Mitch», sagte Louise, und dann noch einmal, lauter: «Mitch. Darf ich kurz unterbrechen?»

Alle wandten sich ihr zu und schauten sie an.

«Das ist Barbara», sagte Louise. «Sie wird diese Saison bei uns in Haus *Balsam* sein.»

Louise wies in die Richtung von Tracys Grüppchen. «Die Mädchen da drüben sind deine Mitbewohnerinnen. Winkt mal, *Balsam*!»

Sie winkten pflichtschuldig. Barbara hob eine Hand, bahnte sich ihren Weg durch die Ferienkinder und stellte sich genau in die Lücke neben Tracy. Sie starrte geradeaus auf den See – anscheinend versuchte sie so zu tun, als stünde sie nicht im Mittelpunkt der Aufmerksamkeit aller Anwesenden.

Aus dem Augenwinkel konnte Tracy sehen, dass Barbara nicht gerade hübsch war, aber sie hatte etwas Anziehendes an sich, etwas Selbstbewusstes und Reifes. Sie stand ganz ruhig da, die Hände in die Hüften gestemmt, die Füße leicht gespreizt, ohne krummen Rücken, und ohne zu zappeln. Das veranlasste Tracy, sich ebenfalls aufzurichten.

Bevor sie sich abwenden konnte, drehte Barbara ihren Kopf abrupt in Tracys Richtung und begegnete ihrem Blick. Aber in ihrem Gesicht sah sie weder Verdruss noch Ekel. Nein: In dem Sekundenbruchteil, in dem sie sich in die Augen sahen, wirkte Barbara definitiv amüsiert.

«Haus *Balsam*», sagte Mitchell. «Seid ihr bereit?»

Tracy löste widerwillig das Handtuch um ihre Taille. Auf Mitchells Kommando sprang die Gruppe ins Wasser.

Ihre Aufgabe war es, zu einer fünfzig Meter entfernten Boje zu schwimmen und dann wieder zurück. Während sie schwammen, beobachtete Mitchell sie, bewertete ihre Form und Geschwindigkeit und machte sich Notizen.

Tracy war eine gute Schwimmerin, dafür hatte der jahrelange Schwimmunterricht beim YWCA gesorgt. Wenn sie es darauf angelegt hätte, wäre sie als eine der Ersten wieder am Steg gewesen. Aber nicht als Erste. Das war Barbara, die so anmutig und schnell schwamm, dass sie bereits aus dem Wasser war und sich abtrocknete, als die Zweitplatzierte überhaupt erst den Steg berührte.

«Hey, Speedy Gonzales», sagte Mitchell beeindruckt.

Barbara antwortete nicht. Sie trocknete sich ab, ganz konzentriert. Sie strich sich die Ponyfransen, die ihr an der Stirn klebten, aus dem Gesicht.

Beim Mittagessen nahm Tracy wie bisher bei jeder Mahlzeit im Camp Emerson am Kopfende des Tisches Platz. Und wie immer setzten sich die anderen Mädchen ein Stück weg von ihr. Doch dann staunte sie nicht schlecht, als Barbara Van Laar ihr Tablett direkt neben dem von Tracy abstellte und sich setzte. Sofort wanderten die Blicke aller Mädchen am Tisch zu ihnen.

Barbara trug wieder ihren Lippenstift – entweder hatte sie ihn hereingeschmuggelt, oder man machte bereits Ausnahmen für sie. Ihr rot leuchtender Mund, mit dem sie aß und kaute, wirkte in Tracys Augen wie ein Angelköder.

«Ist was?», fragte Barbara – das war das Erste, das Tracy aus ihrem

Mund hörte. Ihre Stimme war tief, leise; dahinter lag ein Anflug von Belustigung, genau wie Tracy ihn vorhin in ihrem Blick bemerkt hatte.

«Ich mag deinen …», sagte Tracy und schloss den Mund. Sei kein Freak, befahl sie sich.

«Meinen was?», fragte Barbara.

Tracy zögerte.

«Meinen Lippenstift? Kann ich dir gerne leihen», sagte Barbara.

«Dürfen wir denn welchen benutzen?»

«Dürfen wir etwa keinen benutzen?», gab Barbara zurück.

Tracy dachte nach. «Ich glaube, wir dürfen ihn nur bei Partys tragen», sagte sie. «Das haben sie uns bei der Einweisung gesagt.»

Barbara zuckte mit den Schultern. «Ich war nicht bei der Einweisung dabei», sagte sie. «Wenn mir jemand etwas mitzuteilen hat, kann er das gerne tun.»

«Warum warst du nicht dabei?», fragte Tracy sie.

«Meine Eltern», sagte Barbara. «Sie haben vergessen, mich rechtzeitig anzumelden.»

Tracy nickte. Das konnte sie gut nachempfinden: das Gefühl, vergessen worden zu sein.

Rechts von sich spürte sie, wie der Rest von Haus *Balsam* sich zu ihnen herüberbeugte und aufmerksam zuhörte.

An diesem Tag, dem zweiten kompletten Tag im Ferienlager, begann, was bald für alle zur Routine werden sollte.

Um 6:30 Uhr wurden sie von der Fanfare aus den Lautsprechern geweckt.

Sie gingen duschen.

Um sieben frühstückten sie in der Kantine, um 8:30 Uhr versammelten sie sich am Fahnenmast, dann wurde die Fahne gehisst, und es gab eine kurze Ansprache.

Danach folgten Schwimmunterricht, erstes Wahlfach, Mittagessen, zweites Wahlfach, Freizeit, Abendessen und in der Regel ein durchgeplantes Abendprogramm.

Zweimal in der Woche hatten sie anstelle eines ihrer Wahlfächer Überlebenstraining, bei T. J. Hewitt höchstpersönlich. Sie lernten, wie man sich einen Unterschlupf baut, wie man Nahrung sucht und sich einen Speer schnitzt, um Fische zu fangen. Sie lernten, wie man Trinkwasser findet oder herstellt und wie man Fallen für kleine Tiere baut, und sie lernten, wie man diese Tiere häutet und zubereitet.

Diese Kurse waren das Herzstück von Camp Emerson: der Grund, warum es überhaupt gegründet worden war, wie man den Ferienkindern erzählte. Sie waren unerlässlich als Vorbereitung auf eine Aktion, die gegen Ende jeder Saison stattfand – eine Aktion, die schon zur Tradition geworden war und für die Camp Emerson überregional bekannt war.

Ursprünglich hatte diese Aktion «Solo-Trip» geheißen. In den ersten Jahren von Camp Emerson, als vom Haus oben auf dem Hügel aus noch Peter Van Laar I. regiert hatte, war jedes Ferienkind ganz allein in den Wald geschickt worden, mit nichts im Gepäck als seinem Verstand und seiner Fantasie, und hatte dort drei Nächte überleben müssen. Kein Ferienkind war jemals gestorben, aber über die Jahrzehnte waren die Schauergeschichten von ausgedörrten, ausgemergelten Kindern, die aus dem Wald getaumelt kamen, immer weiter ausgeschmückt worden, bis eine neue Generation besorgter Eltern interveniert hatte. Daher war der Solo-Trip jetzt nicht mehr solo, sondern ein «Survival-Trip» für Kleingruppen. Und in diesem Jahr würden die Kleingruppen, wie T. J. erläutert hatte, zusätzlich von einem Betreuer begleitet werden.

Für diesen Kurs wurden die Ferienkinder nicht nach Hütten, sondern nach den Gruppen eingeteilt, die zusammen in den Wald gehen würden und die jeweils aus rund einem Dutzend Kindern bestanden.

Damit die älteren Ferienkinder die jüngeren anleiten konnten, wurden die Gruppen so zusammengestellt, dass nie mehr als zwei Kinder aus einer Hütte oder einer Altersgruppe zusammen waren.

Die Gruppe, mit der Tracy den Survival-Trip absolvieren sollte, traf sich erstmals am vierten Tag der Saison. Man hatte ihnen gesagt, sie sollten sich am Fahnenmast versammeln, wo T. J. Hewitt auf sie warten würde. Und dort war sie auch, als sie eintrafen: schweigsam und mit grimmiger Miene, nicht gerade zu Small Talk aufgelegt.

Tracy war angenehm überrascht, dass Barbara Van Laar in ihrer Gruppe war. Das Mädchen nickte ihr zu, als sich ihre Blicke trafen, war ansonsten aber genauso schweigsam wie ihre Kursleiterin.

Als Letzter kam ein Junge, der vielleicht vierzehn war. Er war eines der ältesten Ferienkinder auf dem Gelände. Tracy errötete sofort. Das da drüben, dachte sie, war der schönste Mensch, den sie je in ihrem Leben gesehen hatte.

Er war groß, trug eine Muschelkette um den Hals, und seine Haut war bereits jetzt so braun, wie Tracy niemals werden würde, dabei hatte der Sommer gerade erst angefangen. Sein Haar war fast schulterlang, und an den Füßen trug er geflochtene Ledersandalen, wie sie schon seit einigen Jahren aus der Mode waren. Wie die anderen Ferienkinder hatte er eine Uniform an, aber seine Accessoires verrieten, dass seine normale Kleidung wahrscheinlich ziemlich unkonventionell war, und erinnerten Tracy an die Sechziger.

«Tracy?», sagte jemand. T. J. Hewitt schaute auf die Anwesenheitsliste auf ihrem Klemmbrett. «Ist Tracy nicht da?», fragte T. J. und nahm ihren Stift, drauf und dran, Tracys Namen durchzustreichen.

«Hier», sagte Tracy schnell und wandte den Blick von dem Jungen ab, der ihr gegenüber mit einigen anderen am Fahnenmast stand.

Dabei bemerkte sie Barbara Van Laar, die genervt die Augenbrauen hob und senkte.

«In Ordnung», sagte T. J. «Alle da.»

Dann ging sie abrupt voraus in Richtung Wald, wo sie die nächste Stunde über lernten, sich zu orientieren. Am Ende der Stunde kannten alle die Grundlagen der Orientierung mithilfe eines Kompasses oder der Sonne.

Falls beide Techniken versagten, so T. J. am Schluss, sei es am wichtigsten, dass man nicht in Panik geriet.

Als Zugabe wollte sie wissen, ob jemand von ihnen wüsste, woher das Wort komme.

«Welches Wort?», fragte einer.

«Panik», sagte T. J.

Niemand hob die Hand.

Sie erzählte, das Wort komme vom griechischen Gott Pan, dem Gott des Waldes. Er liebte es, die Menschen zu täuschen und ihre Sinne zu verwirren, bis sie die Orientierung verloren. Und den Verstand.

«Wer in Panik gerät», sagte T. J., «macht sich den Wald zum Feind. Wer ruhig bleibt, ist sein Freund.»

Im Anschluss an den Kurs ging Tracy ganz langsam zurück zu ihrer Hütte. Sie war wie benommen; verzaubert von T. J.s Worten, aber genauso von Lowell Cargill – so hieß der Junge, wie sie erfahren hatte. Sie war mit den Gedanken so sehr woanders, dass sie erst auf halbem Weg nach Haus *Balsam* bemerkte, wer neben ihr ging.

Als sie schließlich nach links blickte, sah sie, dass Barbara Van Laar mit ihr Schritt hielt und sie beobachtete. Ein angedeutetes Lächeln spielte um ihre Mundwinkel.

«Was?», fragte Tracy, darauf gefasst, veralbert zu werden.

Barbara schüttelte den Kopf. «Nichts.»

Tracy schaute geradeaus. Sie interessierte sich für Barbara, wie alle anderen im Camp Emerson auch. Aber sie wusste, dass sie ihr nichts zu bieten hatte: keine spannenden Geschichten aus ihrer Vergangenheit, kein soziales Prestige. Ihre Eltern waren geschieden, okay, aber auch das war unter den Mädchen hier nichts Besonderes. Sie konnte sich nicht vorstellen, dass Barbara mit ihr reden wollte. Und doch war sie da, Barbara Van Laar, ging neben ihr her, hüpfte auf den Zehenspitzen, klatschte ab und zu in die Hände und ließ die Arme vor sich in der Luft schwingen, wie im Takt zu einem Lied in ihrem Kopf.

«Der ist süß», sagte Barbara, nachdem sie eine Weile schweigend nebeneinander gegangen waren. «Findest du nicht?»

«Wer denn?», fragte Tracy.

Barbara lachte. Verdrehte die Augen. Strich sich die Haare hinter die Ohren. «Ich bin mir ziemlich sicher, dass du genau weißt, wen ich meine», sagte Barbara. «Aber wenn du nicht reden willst, ist das auch okay.»

Ich will ja, dachte Tracy. Aber wie immer ließen die Worte sie im Stich.

In ihrer zweiten Nacht im Camp Emerson hatte sie etwas gehört, das sie nicht ganz verstanden hatte. Sie war auf dem Weg vom Waschhaus hinter zwei ihrer Hüttengenossinnen gegangen, die, wie sie glaubte, über Barbara redeten.

«Ist das nicht schrecklich?», hatte Caroline geflüstert. «Stell dir vor, du bist nur der … *Ersatz* für deinen großen Bruder.»

In der Dunkelheit riss Tracy die Augen auf. Was für eine furchtbare Vorstellung, fand sie. Und Amy fand das wohl auch, denn sie antwortete: *«Caroline»*, in einem Tonfall, der keinen Zweifel daran ließ, wie schockiert sie war.

«Wieso?», fragte Caroline, jetzt schon mutiger. «Ich sage nur, was ich denke.»

«Findest *du* ihn denn süß?», fragte Tracy jetzt. Das war die beste Frage, die ihr eingefallen war.

Barbara zuckte mit den Schultern. «Klar», sagte sie. «Aber ich stehe nicht auf solche Künstlertypen.»

«Auf welche Typen stehst du denn?», fragte Tracy.

«Ich weiß nicht», sagte Barbara. «Ich denke über so etwas nicht mehr wirklich nach.»

Tracy nickte. Sie wusste nicht genau, was Barbara meinte, ihr war es aber zu peinlich nachzufragen.

«Ich habe jetzt einen Freund», sagte Barbara. Das erklärte es. Dann war keine Zeit mehr, noch etwas zu sagen, denn sie hatten die Veranda erreicht.

Louise

Zwei Monate später
August 1975

Um 7 Uhr morgens beginnt die Suche nach Barbara.

Während sie auf die Betreuerinnen und Betreuer warten, die T. J. über Lautsprecher gebeten hat, sich einzufinden, sitzt T. J. in ihrem Wohnzimmer auf einem braunen Zweisitzersofa, das so alt ist, dass es in der Mitte durchhängt. Sie hat den Kopf gesenkt. Zweifellos malt sie sich aus, wie es sein wird, den Van Laars mitzuteilen, dass ihre Tochter, die sie T. J.s Obhut anvertraut haben, verschwunden ist.

Louise steht unbeholfen daneben – irgendwie hat sie das Gefühl, dass es unpassend wäre, sich zu setzen. Als hätte sie es nicht verdient.

«Wie ging es ihr denn die Saison über?», fragt T. J. «War sie fröhlich? Zufrieden?»

«Oh», sagt Louise. «Ich glaube schon, dass sie zufrieden war. Zufrieden ist. Alle mögen sie. Bewundern sie, glaube ich.»

«Und sie hat nie etwas gesagt, das dich auf die Idee gebracht hätte, sie könnte weglaufen?»

Louise schüttelt den Kopf.

Sie weiß nicht, wie sie es sagen soll, aber die Wahrheit ist, dass Barbara sie nie wirklich zu brauchen schien, geschweige denn, dass sie wie die anderen Mädchen zu ihr aufgeblickt hätte. Sie kommt ihr beinahe wie eine Gleichaltrige vor. Sie mögen sich, aber zwischen ihnen herrscht kein Vertrauensverhältnis; in den letzten zwei Monaten hat Barbara ihr kein einziges Mal etwas gebeichtet oder sie um Rat gefragt, weil sie Probleme mit einer Freundin hatte oder in einen Jungen verliebt war – bei allen anderen Ferienkindern kam das mindestens einmal pro Woche vor, meistens sogar öfter.

«Mit wem ist sie befreundet?», fragt T. J. Als ob sie ihre Gedanken liest.

«Mit dem anderen Mädchen in ihrem Stockbett. Tracy.»

T. J. hält einen Moment inne und überlegt. «Beim Survival-Trip waren sie in einer Gruppe. Sie haben sich ein Zelt geteilt.»

Louise nickt.

«Wir sollten uns mit Tracy unterhalten.»

Es klopft an der Tür. Die ersten Betreuer kommen herein.

Durch das Fenster sieht Louise, wie sich Gruppen von Betreuer-Azubis und Ferienkindern langsam an T. J.s Büro vorbei in Richtung Kantine bewegen, um vor dem Frühstück einen Blick zu erhaschen, was hier drinnen vor sich geht. Inzwischen werden alle wissen, dass irgendetwas nicht stimmt.

Es gibt vierzehn Hütten und vierzehn Betreuer; als alle eingetroffen sind, ist der Raum überfüllt. T. J. erhebt sich von dem kleinen Sofa, auf dem sie gesessen hat, um einen besseren Überblick zu bekommen. Sie fängt an.

«Barbara Van Laar war heute Morgen nicht in ihrer Hütte», sagt T. J.

Sie muss gar nicht erwähnen, dass sie ein Ferienkind aus Haus *Balsam* und damit Louises Schützling ist. Jeder hier weiß, wer sie ist.

«Gleich werde ich jedem von euch einen Standort zuweisen», fährt sie fort. «Wir verteilen uns auf dem Gelände und führen eine blitzschnelle Suchaktion durch. Schauen, ob wir sie selbst finden. Wir wollen die Familie nicht unnötig ängstigen. Gibt es vorher noch irgendetwas, das ich wissen muss?»

Die Betreuer bleiben stumm. Schauen sich um, ob jemand etwas sagen will.

«Ist in der Nacht irgendetwas passiert?», fragt T. J.

Louise weiß: Dies ist der Moment, in dem einer von ihnen sie verraten könnte – T. J. berichten, dass er Annabel letzte Nacht betrunken im Wald gesehen hat; dass Louise manchmal nachts Ausflüge mit anderen Betreuern unternimmt. Aber keiner sagt etwas. Louise weiß: Alle hoffen, dass es sich um ein Missverständnis handelt, das sich schnell aufklären lässt.

T. J. versucht es anders. «Weiß jemand von irgendwelchen ... Beziehungen, die Barbara während ihres Aufenthaltes hier geknüpft hat?»

«Einer meiner Jungs war in sie verknallt», sagt ein Betreuer namens Davey.

Davey ist ein netter junger Mann mit Brille, der peinlicherweise einen Song mit dem Titel «Louise» geschrieben und vor versammelter Mannschaft gespielt hat, auf der Lichtung im Wald, als alle betrunken waren. Seitdem hat den Song niemand mehr erwähnt.

«Glaubst du, sie waren ein Paar?», fragt T. J.

Davey schüttelt den Kopf. «Nein, ich glaube, er fand sie einfach gut. Die anderen haben ihn deswegen ganz schön aufgezogen. Aber ich weiß, dass er sie gefragt hat, ob sie mit ihm zur Tanzparty gestern Abend geht. Und dass sie Nein gesagt hat.»

T. J. nickt.

«Ich werde nachher mit ihm reden», sagt sie. «Sonst noch jemand?»

Alle schweigen.

«Gut», sagt sie. Und erzählt ihnen, was sie sich überlegt hat.

T. J. will mit Daveys Schützling sprechen und anschließend selbst zum Haupthaus, Haus *Self-Reliance*, gehen, um dort gründlich zu suchen – gründlicher, als Louise es getan hat. Die anderen erhalten Aufgaben im und um das Ferienlager herum. Sieben Betreuer weist sie den Hütten und Gebäuden zu, die anderen sieben sollen in das angrenzende Waldstück gehen. Jetzt kommen die Trillerpfeifen zum Einsatz, die sie schon den ganzen Sommer über um den Hals tragen: Wer Barbara findet, soll im Rhythmus von zweimal drei Tönen hineinblasen – T. J. demonstriert es leise auf ihrer Pfeife.

Und wer etwas anderes hört oder sieht, das ihnen weiterhelfen könnte, einen Hinweis, ein Indiz oder irgendetwas Verdächtiges, der soll viermal zwei Töne blasen. Dann wird T. J. zu ihm kommen, und zwar *nur* sie.

«Noch Fragen?», sagt T. J.

Ein Betreuer namens Sam hebt die Hand. Er ist in diesem Sommer neu hier. Er hat gerade die Highschool abgeschlossen und will im Herbst aufs College gehen, damit ist er einer der jüngsten Betreuer auf dem Gelände.

«War ihr Bruder auch ein Ferienkind hier?», fragt er. «Der Sohn von den Van Laars?»

Schockiertes Schweigen. Louise weiß gar nicht genau, warum, aber im Camp Emerson ist man sich einig: Über Bear Van Laar spricht man nur im Flüsterton. Und schon gar nicht erwähnt man ihn T. J. gegenüber, die ihn kannte und ihm angeblich sehr nahestand.

Louise ist wahrscheinlich die einzige Betreuerin, die sich noch gut daran erinnern kann, wie es war, als er verschwand. Sie war neun Jahre alt, als es passierte, gerade einmal ein Jahr älter als Bear. Sie hat ihn nie kennengelernt, aber sie erinnert sich, dass sich jeder einzelne Bewohner von Shattuck – ihrem Heimatort, der fünf Meilen vom Van-Laar-Naturreservat entfernt liegt und wo alle Angestellten herkommen – an der Suche beteiligte.

Für einen kurzen Moment verändert sich T. J.s Miene. Etwas huscht über ihr Gesicht, das Louise nicht zuordnen kann. Sie macht sich darauf gefasst, dass T. J. gleich ausrastet. Sie wird selten laut, aber wenn, dann kann einem angst und bange werden.

Aber sie wird nicht laut. «Nein», sagt sie nur. «Nein, Bear war kein Ferienkind.»

Einige der Betreuer starren Sam an, der schaut verwirrt drein. Er weiß nicht genau, was er verbrochen hat.

«Also gut», sagt T. J., «dann mal los.»

Louise ist dem Personalquartier zugeteilt worden.

Auf dem Weg dorthin kommt sie an dem Trampelpfad vorbei, der zum See führt. Instinktiv beschließt sie, zum Ufer hinunterzugehen.

Lake Joan ist benannt nach der Frau eines englischen Siedlers. Louise späht ans gegenüberliegende Ufer, ob sich dort etwas bewegt, und während sie in die Ferne schaut, erstellt sie im Kopf eine Rangliste dessen, worüber sie sich Sorgen macht.

Die dringendste Frage ist, wo Barbara Van Laar steckt und ob sie wohlauf ist.

Ihre nächste Sorge gilt John Paul: Wo ist er jetzt, und wie wahrscheinlich ist es, dass er hierherkommt, um sie abzustrafen, wie er es bereits früher getan hat?

Und dann ist da noch die Sorge, dass sie ihren Job verlieren könnte. Und wohin sie gehen soll, falls das passiert.

Zurück nach Shattuck, denkt sie. In das Haus, in dem sie aufgewachsen ist. Zurück zu ihrer Mutter, deren Verhalten in den letzten Jahren unerträglich geworden ist, und zu ihrem kleinen Bruder Jesse, elf Jahre alt, den Louise liebt, als wäre er ihr eigenes Kind. Er hat so ein sanftes Wesen, lange wird er die Tiraden seiner Mutter während ihrer ganz schlimmen Phasen nicht mehr ertragen, fürchtet Louise. In letzter Zeit sind bei Jesse beunruhigende Anzeichen einer Lernschwäche aufgetaucht, und das ist ihre vierte Sorge. Louise träumt oft davon, wie sie ihn rettet, ihn zu sich holt und ganz allein großzieht: Sie hofft, dass ihr das gelingt, bevor wieder ein Jahr um ist.

Falls sie entlassen wird, hat sie keine andere Wahl, als zurück nach Shattuck zu ziehen – und das, obwohl sie ihr ganzes bisheriges Leben über versucht hat, von dort wegzukommen.

Als Jugendliche versuchte sie, sich aus den Machtspielchen, die das Leben der Teenager an der Central High School beherrschten, herauszuhalten. Doch sie geriet immer wieder ungewollt in heikle Situationen, und schließlich fand sie sich damit ab, dass sich in einer so kleinen Stadt wie Shattuck niemand unsichtbar machen konnte. Wie alle anderen Menschen um sie herum hatte sie in ihrer persönlichen Bilanz einige Pluspunkte und einige Minuspunkte. Ein Pluspunkt war, dass sie eine Sportskanone war, ein Minuspunkt, dass ihre Familie so arm war. Ein Pluspunkt war ihre Intelligenz, ein Minuspunkt ihre Mutter, die dafür bekannt war, dass sie andauernd betrunken war. Aber ihr größter Pluspunkt, derjenige, der sie am meisten von allen anderen abhob und der sie – ohne dass sie es gewollt hätte – in den Rang einer lokalen Berühmtheit erhob, das war ihre ungewöhnliche Schönheit. Sie war so hübsch, dass es in ihrer unmittelbaren Umgebung für eine ständige Unruhe sorgte, die ihr gehörig auf die Nerven ging.

Hätte sich damals jemand die Mühe gemacht, sie zu fragen, was sie mit ihrem Leben anstellen wollte, hätte sie geantwortet: Musik hören, vor allem Led Zeppelin und Grateful Dead, aber auch Procol Harum, Joan Baez und Joni Mitchell; miterleben, wie George McGovern zum Präsidenten gewählt würde (jetzt, wo Bobby Kennedy tot war); einen Beruf ergreifen, mit dem sie ein Stück weit die Welt verändern konnte; einen netten Mann kennenlernen, der sie ernst nahm; die USA und die Welt bereisen. Aber niemand fragte sie, und so behielt sie ihre Wünsche für sich, schrieb sie nur in ihre Tagebücher und rief sie sich ins Gedächtnis, wenn ein Geburtstag oder ein

Wunschbrunnen oder ein Stern ihr ganz offiziell die Gelegenheit bot, sie dem Universum mitzuteilen.

Während sie auf die Erfüllung ihrer Wünsche wartete, konzentrierte sie sich auf den Schulstoff. Beim Abschluss war sie die Zweitbeste ihres Highschool-Jahrgangs. Mithilfe eines Studienberaters, dessen Bruder im Zulassungsbüro arbeitete, erhielt sie ein Stipendium für das Union College. Doch das Stipendium reichte nicht, sie hatte nicht einmal genug Geld für die Bücher. Am Ende des zweiten Semesters brach sie das Studium ab.

Das Einzige, was ihr von der Zeit am College blieb, war ihr Freund – John Paul McLellan, ein Philosophiestudent, der ein Jahr über ihr war und aus Manhattan kam. Er war anders als die Jungs, mit denen sie aufgewachsen war, und obwohl viele Mädchen auf ihn standen, war er ausschließlich in Louise verliebt, wie er seinen Kommilitonen zwei Wochen nach ihrer Ankunft auf dem Campus mitteilte, als würde er sein Gebiet markieren. Seine Freunde sagten es ihr auf einer Party, zeigten einmal quer durch den Raum mit dem Finger auf ihn: *Der da ist in dich verknallt.* Und da lehnte John Paul mit verschränkten Armen an der Wand und lachte anerkennend über etwas, das irgendwer gerade erzählte. Er sah auf eine unaufdringliche Art gut aus. Er trug eine Brille, für Louise ein untrügliches Anzeichen von Verantwortungsbewusstsein und Intelligenz.

Als sie das College schmiss, bot er an, ihr einen Job im Ferienlager seiner Pateneltern zu vermitteln.

«Camp Emerson», hatte er zu ihr gesagt. «Ein paar Stunden den Adirondack Northway hoch, im Van-Laar-Naturreservat.»

Louise hatte ihn überrascht angesehen. «Das kenne ich.»

Eigentlich hätte sich Louise nicht darüber wundern dürfen, dass John Paul die Van Laars nie erwähnt hatte, obwohl sie oft davon erzählt hatte, wo sie aufgewachsen war. Er sprach nicht viel über seine Familie; was sie über die McLellans wusste, hatte sie aus seinen beiläufigen Bemerkungen geschlossen und aus Gerüchten, die sie aufgeschnappt hatte. Sie wusste, dass er einen extrem katholischen Vater hatte, der aus einer reichen Familie stammte und eine Anwaltskanzlei in Manhattan gegründet hatte; sie wusste, dass die McLellans angeblich eng befreundet mit der Familie Bouvier waren. Aber die Tatsache, dass John Paul selbst keine Verbindung zwischen Shattuck – das nur wenige Meilen vom Naturreservat entfernt war – und dem Sommerhaus seiner Pateneltern gezogen hatte, bewies Louise nur einmal mehr, dass er ihr nie wirklich zuhörte.

Denn seit die Papierfabrik in Shattuck geschlossen worden war, nahm das Van-Laar-Naturreservat im Leben von Louise und allen anderen Bewohnern von Shattuck einen wichtigen Platz ein, ob sie wollten oder nicht. Drei Generationen lang war die Papierfabrik der wichtigste Arbeitgeber der Stadt gewesen, nun hatte das Naturreservat mit seinem Ferienlager ihren Platz eingenommen und war so etwas wie eine Art Branche für sich. Zwei Dutzend Einwohnern von Shattuck bot es das ganze Jahr über einigermaßen ordentlich bezahlte Voll- oder Teilzeitjobs; in den Sommermonaten, wenn die Ferienkinder da waren, verdreifachte sich diese Zahl.

Dabei waren die Betreuer, wie Louise wusste, noch gar nicht eingerechnet. Einen Posten als Betreuer ergatterten anscheinend nur wohlhabende ehemalige Ferienkinder, die jetzt aufs College gingen und einen spaßigen Sommerjob suchten, bei dem sie sich nicht die Hände schmutzig machen mussten. Alle Mitarbeiter des Naturreservats, die Louise aus Shattuck kannte, verrichteten körperlich anstrengende Arbeiten.

Als John Paul ihr vorschlug, sie solle sich für die Stelle bewerben, formulierte Louise ihre Bedenken ganz bewusst auf eine Weise, von der sie hoffte, dass er sie nachvollziehen konnte, ohne sofort genervt zu sein; er war meistens genervt, wenn sie es wagte, eine seiner Ideen infrage zu stellen. Doch wie es so seine Art war, wollte er von ihren Bedenken nichts hören. Er sei praktisch mit der Familie Van Laar *verwandt*, erinnerte er sie. Mr Van Laar war sein Patenonkel. Ihre Väter hatten zusammengearbeitet: Die Van Laars hatten die Bank gegründet, die ganz Albany und einen Großteil von New York City finanziert hatte, und die McLellans waren ihre Rechtsvertreter. Eines Tages, meinte John Paul, würde er die Bank für beide Familien übernehmen. Er könne Louise problemlos einen Job im Ferienlager besorgen, sagte er. Er müsse nur fragen.

Das war vor vier Jahren. Seitdem hat sie jeden Sommer im Camp Emerson gearbeitet. Doch trotz John Pauls Verbindung zu den Van Laars hat sie die Familie noch nie persönlich kennengelernt. Wie sie da auf dem Hügel im Norden wohnen, wirken sie wie lokale Berühmtheiten, die man immer mal aus der Ferne sieht und über die die Kinder und die Betreuer im Camp Emerson spekulieren und tratschen. Im Frühjahr, Herbst und Winter arbeitet sie in der Garnet Hill Lodge, einem Resort am Fuße des Gore Mountain; dort kümmert sie sich um die Kinder der Gäste, die tagsüber Ski fahren oder wandern und die meisten Abende in einer verrauchten, schicken Lounge verbringen. Während all dieser Zeit hat sie es irgendwie geschafft, die Beziehung zu John Paul aufrechtzuerhalten – auch nachdem er endlich seinen Abschluss am Union College gemacht hat, wofür er sechs Jahre und zwei sehr nachsichtige Dekane gebraucht hat. Wenn sie sich in jener Zeit sahen, dann entweder in Schenectady, wo John Paul aufs College ging, in der Garnet Hill Lodge oder – im Sommer – im Van-Laar-Naturreservat, wo er jede Saison ein paar Wochenenden mit seinen Eltern verbrachte. Gleich am ersten jener Wochenenden beging sie einen Riesenfehler: Sie schlug ihm vor, sie ins Haus der Van Laars hineinzuschmuggeln, damit sie zur Abwechslung in einem richtigen Bett schlafen könnte. Daraufhin schaute er sie an, als hätte sie den Verstand verloren. «Das sind meine Gastgeber», sagte er. «Nie im Leben würde ich so etwas Unhöfliches tun.» Stattdessen hatten sie unbequemen Sex – und den haben sie bis heute: in seinem Auto auf dem Parkplatz neben Haus *Self-Reliance*; gegen einen Baum im Wald gepresst; auf dem Waldboden auf einem Bett aus Kiefernnadeln. Es ist jedes Mal Louise, die daran denkt, ein Handtuch mitzunehmen.

Manchmal macht sich Louise Vorwürfe und fragt sich, warum sie noch mit ihm zusammen ist, nach all den Jahren. Was haben sie überhaupt gemeinsam? Sie hat das Gefühl, dass sie sich von Jahr zu Jahr mehr von dem Menschen entfernt, der sie war, als sie sich kennenlernten. Manchmal kriegt Louise einen Schreck, wenn ihr einfällt, dass sie früher einmal Studentin war. Heute denkt sie fast beschämt an ihr Jahr am Union College zurück: ein anderes Leben, jugendliche Torheit, Zeitverschwendung.

Wenn sie ehrlich ist, liegt die Antwort auf der Hand: Louise ist immer noch mit John Paul zusammen, weil er für sie die Chance auf ein besseres Leben darstellt. Für sie selbst, aber auch für ihren Bruder Jesse.

Sie sind sogar verlobt. Sie wollen einen Ring kaufen, sobald John Paul einen Job hat. Eines Tages, sagt sie sich, werden sie ein eigenes Haus haben. Mit einem bequemen Bett. Einem großen Doppelbett mit viel zu vielen Kissen. Sie werden zwei Kinder haben. Ihr Haus wird fünf Zimmer haben, eines davon für Jesse, den sie zu sich holen wird, solange er noch jung genug ist, um seinem Leben einen Sinn zu geben; etwas, das ihn davor bewahrt, zornig oder deprimiert zu werden oder wie die meisten Jungs, mit denen sie aufgewachsen ist, nur noch in irgendwelchen Kneipen herumzuhängen. Sie ist bereit, auf diese Zukunft zu warten. Denn John Paul hat beschlossen, zwischen seinem Abschluss am Union College und seinem Einstieg in den Familienbetrieb, dem Job, den er «für den Rest seines Lebens» machen wird – wie er immer wieder mit einem gespielten Seufzer betont –, ein Jahr lang durch die Welt zu reisen und Freunde zu besuchen, von denen manche an so weit entfernten Orten wie Los Angeles und Wien leben und einige direkt hier in dem Haus oben auf dem Hügel, in dem die Van Laars wohnen.

Dort ist John Paul seit einer Woche mit seiner Familie zu Gast, um das hundertjährige Jubiläum des Naturreservats zu feiern. Peinlicherweise hat Louise sich gestattet, sich auf seinen Besuch zu freuen. Sie hat gehofft, der besondere Anlass und die Länge seines Aufenthalts würden bedeuten, dass sie endlich auch einmal ins Haus *Self-Reliance* eingeladen und den sagenumwobenen Van Laars vorgestellt werden würde, die sie sonst höchstens in ihren dunklen Autos vorbeifahren sah. Vielleicht wenigstens an ihrem freien Tag auf einen Cocktail oder zum Dinner, den Van Laars und ihren Gästen offiziell als John Pauls Verlobte vorgestellt werden würde.

Doch nichts davon ist geschehen. Wie nicht anders zu erwarten, hat Louise ihn nur zweimal zu Gesicht bekommen: einmal an seinem ersten Tag auf dem Anwesen, als er nach der Cocktailstunde beschwipst über den Rasen gewandert kam und Louise vor den Augen ihrer Ferienkinder einen Kuss gab; und dann noch einmal gestern Abend auf der Lichtung mit Lee Towson, als sie schon fast glaubte, er würde sich gar nicht mehr blicken lassen.

John Pauls Familie hat sie natürlich genauso wenig getroffen – seine Mutter, seinen Vater und seine Schwester, die sich bei jedem ihrer bisherigen drei Treffen Louise mit höflicher Distanz vorgestellt haben, als hätten sie sie noch nie gesehen; anscheinend gehen sie davon aus, dass John Paul zu gegebener Zeit eine geeignetere Frau finden wird. Louise hat in der Vergangenheit immer wieder feststellen können, dass John Paul seinen eigenen Kopf hat; manchmal ist das schon fast krankhaft. Er sagt ihr immer wieder, dass er sie unter anderem deswegen so mag, weil sie nicht wie die anderen Mädchen ist, mit denen er früher zusammen war. Mädchen, die seine Familie akzeptiert hat.

Aber nach letzter Nacht hat sie den Eindruck, dass die Vermutung der McLellans vielleicht goldrichtig ist. Und sie fühlt sich gedemütigt. Vier lange Jahre hat sie damit zugebracht, sich eine Zukunft zu wünschen, die es vielleicht gar nicht geben wird.

Vom Ufer des Lake Joan hört man den Schrei eines Seetauchers. Er jagt ihr einen Schauer über den Rücken und reißt sie aus ihren Gedanken.

Louise macht sich wieder auf den Weg.

Louise stellt erleichtert fest, dass ihre Uhr 7:10 Uhr zeigt. Das bedeutet, dass das Personalquartier größtenteils leer ist, denn fast alle, die dort wohnen, arbeiten in der Küche oder auf dem Gelände, und alle sind Tag für Tag noch vor der Weck-Fanfare aus dem Haus. Louise ist mit vielen Angestellten befreundet, einige kennt sie aus Shattuck.

Aber eine Person gibt es unter ihnen, der sie lieber nicht begegnen möchte.

Lee Towson kam zu Beginn des Sommers und sorgte sofort für Aufsehen. Er wurde als Küchenhilfe und Tellerwäscher eingestellt. Normalerweise haben Angestellte und Betreuer nicht viel miteinander zu tun, aber bei Lee war das anders. Er sieht gut aus, ist groß, hat ausdrucksstarke Augen mit dicken Wimpern und schulterlanges Haar, das er zu einem Pferdeschwanz gebunden hat. Er strahlt Schnelligkeit und Leichtigkeit aus. Als Louise einmal in der Kantine in der Schlange auf ihr Tablett wartete, konnte sie sehen, wie er hinten in der Küche mit Kochlöffeln jonglierte. Als er merkte, dass sie ihn beobachtete, kam er durcheinander und ließ sie fallen. Verzog das Gesicht. Lachte über sich, und sie stimmte ein.

Natürlich ist er nicht nur ihr aufgefallen, sondern auch den anderen Betreuern, beiderlei Geschlechts. Schon kurz nach Saisonbeginn luden die Betreuer ihn ein, mit zur Lichtung zu kommen, und seitdem ist er regelmäßig dabei. Es heißt, er sei in Queensbury aufgewachsen, nicht weit vom Camp entfernt; ein Junge, den sie aus Shattuck kennt, hat behauptet, er sei sein Cousin. Angeblich dealt er hier und da mit Gras. Und es gibt noch mehr Gerüchte über ihn: dass er als Hilfsarbeiter für einen Wanderzirkus gearbeitet hat; dass er wegen Drogenbesitzes im Gefängnis war; dass er wahllos durch die Betten turnt. Aber Louise gibt nichts auf Klatsch und Tratsch, allzu oft ist sie selbst Opfer übler Nachrede geworden.

Seit zwei Monaten flirten Lee und Louise auf Schritt und Tritt miteinander. Auf der Lichtung haben sie einander Witze erzählt, und daraus ist rasch etwas anderes, Vertrauteres geworden, das Louise immer wieder den Atem raubt. Die beiläufigen Berührungen bewegen sich an der Grenze zwischen Freundschaft und Verliebtheit. Seine warme Hand auf ihrem Rücken, an ihrer Schulter; einmal, ganz kurz, nach mehreren Bier, in einer geraden Linie abwärts, seine Hand begann an ihrer Schulter und hörte auf an ihren Rippen, direkt unter ihrer rechten Brust: eine Erinnerung, die ein Verlangen weckt, wie sie es bisher nur selten in ihrem Leben empfunden hat. Sie stellt sich vor, wie sein Körper unter der Kleidung aussieht. Sie stellt sich vor, wie er ihren unbekleideten Körper betrachtet und die Hand nach ihr ausstreckt.

Wenn sie ehrlich ist, war es dieses Verlangen, das sie letzte Nacht aus ihrer Hütte getrieben hat. Immer wieder lässt Louise das, was in der Nacht passiert ist, in ihrem Kopf Revue passieren: Als sie ging, schliefen ihre Ferienkinder in ihren Betten, alle neun. Zumindest taten sie so, wie so oft. Wie spät war es da gewesen – halb elf? Elf? Sie ist sich nicht ganz sicher. Annabel lag ebenfalls im Bett und las.

Eigentlich hatte Annabel die Aufsicht.

Als Nächstes erinnert sich Louise an die warme Nachtluft, die noch feucht war vom Gewitter früher am Tag; an den Fußmarsch zur Lichtung, einem kleinen, baumlosen Flecken am Rand des Waldes, den Generationen von Betreuern nach und nach mit gespaltenen Baumstämmen und einer Feuerstelle ausgestattet hatten, um einen Ort für sich zu haben, eine Art Freiluft-Club, wo sie sich amüsieren konnten, wenn die Kinder im Bett waren; an die tropfnassen Kiefernzweige, die sie aus Versehen berührte; an die leisen Melodien, die Lee Towson seiner Gitarre entlockte; an den schwachen Rauch vom Lagerfeuer. Sie erinnert sich an Lees Hals, als er sich über das Instrument beugte; daran, wie er um das Feuer herumging, barfuß; an sein Haar, das er sich hinter die Ohren strich, und daran, wie er voller Sehnsucht zu ihr aufblickte.

Wo sind denn die anderen, fragte Louise, oder: Wo sind die denn alle hin, oder etwas ähnlich Dummes.

Sie wussten beide, warum sie dort waren.

Louise ließ sich auf einem Baumstumpf neben dem Feuer nieder, wenige Schritte von Lee entfernt. Im selben Moment wurde ihr bewusst, wo sich John Paul gerade befand: nur ein paar Hundert Meter entfernt in einem der vielen Gästezimmer im Haus *Self-Reliance*, die sie noch nie gesehen hat. Es war sein letzter Abend auf dem Gelände. Seit er am ersten Tag den Hügel heruntergekommen war, um sie zu begrüßen, hatte er sich nicht mehr blicken lassen. Jeden Abend hatte sie, wenn ihre Schützlinge im Bett waren, auf der Veranda von Haus *Balsam* auf ihn gewartet. Am vierten Abend wurde sie sauer. Am fünften Abend hatte sie resigniert. Und gestern Abend – John Pauls sechstem Abend auf dem Gelände und dem fünften, an dem er darauf verzichtet hatte, sie zu besuchen – war es ihr dann schließlich egal gewesen.

In der Nacht ging sie zur Lichtung, wo Lee Towson wartete – auf *sie* wartete. Und ausgerechnet letzte Nacht beschloss John Paul doch noch, nach Louise zu sehen.

Wie er sie und Lee auf der Lichtung fand, ist Louise bis jetzt nicht klar. Vielleicht hörte er Lees Gitarre oder sah das kleine Feuer, das Lee in der Feuerstelle gemacht hatte. Jedenfalls sah Louise ihn irgendwann zwischen zwei Bäumen stehen, und bei dem Anblick erschrak sie dermaßen, dass sie aufschrie und sich an die Brust fasste, weil ihr der Atem wegblieb.

«John Paul», sagte Louise. «Hast du mich erschreckt.»

Sie wollte die Situation entschärfen und setzte ein Lächeln auf, als Lee sich umdrehte und John Paul aus dem Wald in seine Richtung stürmte. Louise sah sofort, dass er wieder einmal betrunken war. Sein Gesicht war zu einem wütenden Grinsen verzerrt, und er schwankte von einer Seite zur anderen. Lee, der leichtfüßige Lee, sprang auf und stellte sich ihm in den Weg.

Einen Moment lang sagte keiner ein Wort.

Dann fielen sie übereinander her. John Paul griff als Erster an, ging aber auch als Erster zu Boden. Mit zwei schnellen Haken hatte Lee ihn niedergestreckt. Er sah Louise fast entschuldigend an, während John Paul reglos unter ihm lag. Seine Brille war ihm aus dem Gesicht geschleudert worden und lag nun neben ihm auf dem Boden. Seine Augen waren weit aufgerissen und schauten ins Leere. Er blinzelte langsam.

«Dein Freund?», fragte Lee.

«Verlobter», sagte Louise und bereute es sofort.

Sie hatte ihn Lee gegenüber nie erwähnt, dachte aber, dass ihm bestimmt schon jemand erzählt hatte, dass sie mit jemandem zusammen war.

«Brauchst du Hilfe mit ihm?», fragte er.

«Nein», sagte sie.

«Ich warte hier», sagte Lee. «Um sicherzugehen, dass es ihm gut geht. Du solltest besser gehen.»

John Paul gab jetzt kleine, schmerzhafte Laute von sich und drehte den Kopf hin und her. Zuerst dachte Louise, er würde lachen, aber dann merkte sie, dass er hustete. Er setzte sich langsam auf und schüttelte den Kopf wie ein Hund; das Blut, das aus seiner Nase floss, flog in alle Richtungen. Er tastete nach seiner Brille und fand sie, sie war verbogen. Sein rechtes Auge wirkte irgendwie beschädigt.

Als er sich wieder aufgerichtet hatte, zeigte er mit einem Finger in ihre Richtung. «Nutte», sagte er. Leise, aber unmissverständlich. Sie hörte dieses Wort nicht zum ersten Mal in ihrem Leben, ein-, zweimal hatte sogar ihre eigene Mutter sie so genannt. Normalerweise machte es ihr nichts aus. Aber in der Gegenwart von Lee Towson schon.

«Na klar», sagte sie. «Wenn du meinst.» Ein angedeutetes Lachen, Murmeln, Augenrollen. Dasselbe, was sie jedes Mal sagt und tut, wenn ihr jemand ein Schimpfwort an den Kopf wirft. So demonstriert sie ihrem Gegenüber, dass es ihr egal ist.

Gestern Abend funktionierte es. John Paul starrte sie an, drehte sich um und ging davon, erst langsam, dann im Laufschritt. Zurück zu Haus *Self-Reliance*. Zurück zu seiner Mutter, seinem Vater und seiner Schwester, die nicht einmal Louises Namen kennen.

Neben ihr machte Lee Towson Anstalten zu gehen. «Na gut», sagte er. «Ich glaube, ich verschwinde mal besser.»

Sie wollte ihn aufhalten, aber vor lauter Scham fand sie keine Worte. Dann war sie allein.

Die Personalunterkünfte sind das einzige zweistöckige Gebäude in Camp Emerson. Es steht am Ufer des Lake Joan, südlich vom Bach und den Hütten der Jungs. Louise ist noch nie drinnen gewesen.

Jetzt steigt sie die Stufen hinauf und betritt das Gebäude. Rechts sieht sie einen langen Flur und eine Reihe Türen, einige offen, einige geschlossen.

«Hallo?», ruft sie.

Stille.

Sie geht den Flur hinunter. An jeder offenen Tür bleibt sie stehen und steckt den Kopf hinein. An jeder geschlossenen Tür klopft sie an und öffnet sie dann. Einige Zimmer sind aufgeräumt, andere chaotisch. Alle riechen nach Mann: Deodorant, Aftershave, darunter Männerschweiß, Scheiße und Sperma.

Sie ist fast fertig im zweiten Stock, als sie es knarren hört, jemand kommt die Treppe hoch.

Sie verspannt sich. Sie hat Angst, ohne dass sie wüsste, wovor. Sie vertraut allen, die hier im Ferienlager arbeiten. Die meisten mag sie, bis auf einige Betreuer, die offenbar mehr Lust darauf haben, zu feiern, als ihren Job zu machen.

«Hallo?», ruft Louise noch einmal, und endlich erhält sie eine Antwort.

«Hallo», sagt Lee Towson, als er oben an der Treppe ankommt. «Hi.»

Sein nackter Oberkörper ist braun gebrannt. Sein goldenes Haar sieht feucht aus. Wie immer nimmt sie sich einen Moment Zeit, um seine äußere Erscheinung zu bewundern. Er ist der einzige Mann, den sie jemals so angesehen hat – so, wie sie sich vorstellt, dass andere ihr Aussehen beurteilen.

«Was machst du denn hier?», fragt Louise. «Ist jetzt nicht Frühstückszeit?»

«Und was machst *du* dann hier?»

«Eines meiner Ferienkinder ist weg», sagt Louise. «Wir suchen das Gelände ab.»

«Wer denn? Doch nicht etwa …» Lee spricht nicht zu Ende.

«Barbara.»

«Scheiße.»

Louise nickt. Ganz plötzlich und ohne Vorwarnung verzerrt sich ihr Gesicht und ihre Schultern heben sich. Sie fängt an zu zittern und schnappt nach Luft.

«Oh nein», sagt Lee, ehrlich besorgt. Er kommt auf sie zu und legt die Arme um sie. Sie dreht ihre Wange und drückt sie an seine nackte Brust. Er ist viel größer als sie – wie die meisten Männer –, und so, wie er sie umarmt, fühlt sie sich auf eine Art und Weise von ihm vereinnahmt, die sie im Normalfall nervös machen würde. Aber bei ihm ist es anders, bei ihm fühlt sie sich geborgen. Selbst durch ihre Tränen hindurch spürt sie, wie ihr Körper auf seinen reagiert, als sie sich an ihn schmiegt.

Es ist eine der wenigen reinen Freuden, die Louise im Leben begegnet sind: das beinahe überirdische Gefühl, wenn sie zum ersten Mal den Körper eines anderen Menschen mit dem eigenen auf eine Weise berührt, die über bloße Nettigkeit hinausgeht. Das sind die Momente in ihrem Leben, in denen Louise die animalische Natur ihres Menschseins am deutlichsten spürt, und allein deshalb findet sie in diesen Momenten den meisten Trost. Ein Mensch zu sein, ist eine komplexe und oft schmerzhafte Angelegenheit; ein Tier zu sein, ist auf beruhigende Weise simpel und gut.

Nach einem Moment lösen sich beide voneinander.

«Wo ist dein Hemd?», fragt Louise.

Er grinst. «Unfall mit Ahornsirup.» Er streckt einen Arm aus und zeigt ihr das zusammengeknüllte Baumwoll-T-Shirt, das er in der Hand hält. Dann geht er den Flur entlang und bleibt vor einer Tür stehen.

«Ich muss mal weitersuchen», sagt Louise.

«Ich hole mir nur ein neues T-Shirt», sagt er. «Dann helfe ich dir.»

«Wirst du nicht in der Küche gebraucht?»

«Frühstück steht auf dem Tisch», sagt er. «Die kommen schon zurecht.»

Er öffnet die Tür zu seinem Zimmer. Sie folgt ihm. Lee nickt in Richtung des Bettes an der rechten Wand – es ist ordentlich gemacht, wie Louise auffällt – und sagt ihr, sie solle sich setzen. Er wirft sein altes T-Shirt in den Wäschekorb. Zieht ein neues an.

«Wie geht es deinem Verlobten heute?», fragt Lee, ohne in ihre Richtung zu schauen.

Ihr entgeht nicht, dass er das Wort ganz seltsam betont, als müsse er sich ein Lachen verkneifen. «Keine Ahnung», sagt Louise. «Ich habe nicht mehr mit ihm gesprochen.»

Lee zieht eine Augenbraue hoch.

«Ich denke mal, dass es ihm peinlich ist», sagt Louise. «Wahrscheinlich hat er ein blaues Auge.»

Lee lächelt. Er schaut reumütig zu Boden. «Das tut mir leid», sagt er.

«Muss es nicht. Er hat es nicht anders verdient.»

Lee zögert, als ob ihm etwas auf der Zunge liegt, bei dem er sich nicht ganz schlüssig ist, ob er es sagen sollte. Und dann: «Du weißt, dass wir uns kennen? Er und ich, meine ich?»

Louise hatte keine Ahnung. Lee sieht es ihr an. Zuckt entschuldigend mit den Schultern.

«Woher denn?», fragt Louise.

Lee räuspert sich. Schaut weg. «Ich fürchte», sagt er, «diese Frage kann ich nicht direkt beantworten. Aus Gründen der Vertraulichkeit.»

Sie hat schon verstanden. Sie will ihn fragen: *Was hat er bei dir gekauft?* Ein bisschen Gras wäre in Ordnung. Psychedelische Drogen waren es sicher nicht, davon lässt John Paul die Finger. Sie hat viel mehr Angst, dass es Kokain war. Das ist John Pauls Lieblingsdroge, aber nach einem besonders schlimmen Vorfall zwischen ihnen hat er ihr geschworen, nie wieder zu koksen.

Aber sie fragt Lee nicht danach. Es ist zu demütigend.

«Seid ihr schon lange zusammen?», fragt er.

«Vier Jahre», sagt Louise.

«Wollt ihr wirklich heiraten?»

Mit der Frage hat Louise nicht gerechnet. «Kann sein», sagt sie.

«Ich finde, du solltest erst ein bisschen herumprobieren, bevor du heiratest», sagt Lee. «Nur so ein Tipp.»

Er schaut sie schelmisch an, seine Anspielung bleibt ihr nicht verborgen. Sie spürt, wie in ihrem Magen die Sehnsucht rumort.

«Ich muss gehen», sagt sie. Plötzlich schämt sie sich, dass sie sich so leicht ablenken lässt.

«Soll ich dir wirklich nicht helfen, Barbara zu suchen?»

Sie zögert. Hilfreich wäre es.

«Ich glaube nicht, dass T. J. das gut finden würde», sagt Louise. Und irgendwie weiß sie, dass das stimmt.

Er nickt. «Alles wird gut, Louise. Sie ist bestimmt nicht weit weggelaufen», sagt er. «Man wird sie bald finden. Oder sie kommt von alleine zurück. Meinst du nicht?»

Sie denkt darüber nach. Sie möchte das gerne glauben. «Wahrscheinlich hast du recht», sagt Louise.

Alice

August 1975

Irgendwo im Haus klingelt ein Telefon.

Alice öffnet ein Auge. Kneift es wieder zu. Die Sonne scheint; im Haus wird es schon warm.

«Geht denn keiner ran?», sagt sie so leise, dass es niemand hören kann. Ihre Kehle ist trocken. Ihre Haut ebenfalls. Hinter ihren Schläfen beginnt es zu pochen, ein vertrautes Gefühl.

Wo sind denn alle? Laut Wanduhr ist es 8. Irgendjemand vom Personal müsste doch da sein und ans Telefon gehen. Alice schließt die Augen.

Es klopft an der Haustür.

Wenn sie an gestern Abend zurückdenkt, müsste es jedem einzelnen Gast auf dem Gelände genauso schlecht gehen wie ihr. Sogar Peter, der sonst immer so stolz darauf ist, wie enthaltsam er ist, der sie dauernd maßregelt und jedes Glas, das sie trinkt, mitzählt – selbst Peter war gestern Abend ausgesprochen guter Dinge. Er hat in seiner merkwürdig förmlichen Art langatmige Geschichten erzählt und ist einmal sogar über eine umgeklappte Ecke des Teppichs gestolpert und hat lautstark geflucht.

Das Klopfen verstummt.

Sie dreht den Kopf zum Fenster. Und sieht T. J. Hewitt über den

Rasen in Richtung Ferienlager gehen – offenbar war sie es, die so energisch geklopft hat.

Barbara, denkt sie. Zweifellos hat Barbara irgendetwas angestellt, etwas so Schlimmes, dass selbst T. J., ihre wichtigste Verbündete, es nicht ignorieren kann. Seit Barbaras Geburt hat T. J. jeden Sommer auf das Mädchen aufgepasst, aufmerksam wie ein Wachhund. Eine treue Begleiterin, immer im Dienst, aber außer Sichtweite. Eigentlich müsste sie gewissermaßen zur Familie gehören.

Tut sie aber nicht.

Alice schaut aus dem Fenster, bis T. J. außer Sichtweite ist, dann schließt sie die Augen wieder.

Eine Zeit lang schlummert sie immer wieder ein und träumt, fühlt sich gefangen in ihrem Körper auf dem Bett. Im Traum trägt T. J. eine Vorrichtung, die sie vor Jahren einmal aus einem Seil und einem Vorhang gebastelt hat, um Barbara, damals noch ein Baby, auf ihre Wanderungen mitzunehmen. Die beiden zusammen waren ein wunderschöner Anblick: T. J. als Teenager, ganz sehnig und stets mit finsterem Blick, und unter ihrem Kinn Barbaras rundes Babygesicht, das in die Welt schaut.

Wohin gehst du?, fragt Alice im Traum.

Bear suchen, sagt T. J.

Alice reißt die Augen auf.

Sie ist hellwach. Dann kann sie ebenso gut aufstehen.

Alice' Zimmer liegt gegenüber dem großen Schlafzimmer, in dem natürlich Peter schläft. Früher schlief sie ebenfalls dort. Jetzt nicht mehr.

Sie schlurft an der Tür vorbei, die einen Spalt offen steht. Wendet den Blick ab.

Geht den Flur hinunter, vorbei am Zimmer, in dem momentan Nancy McLellan, John Paul senior und deren Tochter Marnie untergebracht sind. Vorbei an – *bloß nicht daran denken* – Bears Zimmer, bei dem man damals auf den ersten Blick sah, dass dort ein Junge hauste: alles blau, alles unordentlich, ständig nasse Badehosen und Handtücher auf dem Fußboden. Natürlich ist es längst renoviert. Diese Woche wohnen dort die Southworths.

Ein kurzer Flur mit hohen Fenstern verbindet den Südflügel des Hauses, in dem sich die Schlafzimmer befinden, mit dem großen Wohnzimmer in der Mitte. Als sie den Flur hinuntergeht, fällt Alice draußen etwas auf.

Zwei Fahrzeuge nähern sich, fahren langsam die Zufahrt hinauf und biegen dann ab in Richtung Camp Emerson. Das eine Fahrzeug ist das einzige Feuerwehrauto der Gemeinde Shattuck und gehört der einzigen Freiwilligen Feuerwehr im Umkreis von zwanzig Meilen. Das andere ist ein gelb-blauer Dodge: ein State Trooper.

Alice stutzt und schaut wie gebannt zu, während sie die Erinnerung an einen anderen Tag überkommt.

Im Wohnzimmer klingelt wieder das Telefon.

«Mrs Van Laar?», fragt der Mann am Telefon. «Mrs Van Laar?»

Er sei von der Staatspolizei, sagt er zu Alice.

«Ich habe leider schlechte Nachrichten für Sie», sagt er.

Alice, den Hörer in der Hand, mustert ihre Umgebung.

Was sehen Sie?, würde Dr. Lewis sie in einem solchen Moment fragen.

Auf dem Fußboden liegen Glasscherben, denkt sie. Ein Überbleibsel von der Party gestern Abend. An der Wand hängt ein Bild schief. Auf dem Fußboden liegen Glasscherben, an der Wand hängt ein Bild schief, eine Weinflasche ist umgekippt, und auf dem Teppich ist ein großer Weinfleck.

Alice holt Luft.

Was noch?, würde Dr. Lewis sagen. Sie kann beinahe seine Stimme hören.

Sie schaut aus dem Fenster. Draußen scheint die Sonne, denkt sie. Draußen scheint die Sonne, sie spiegelt sich auf dem Wasser, und im Garten jätet einer der Angestellten Unkraut.

«Mrs Van Laar», sagt der Mann am Telefon. Ein Hauch von Angst liegt in seiner Stimme. «Mrs Van Laar, ich muss Ihnen leider mitteilen, dass Ihre Tochter verschwunden ist.»

Was riechen Sie?, würde Dr. Lewis sie fragen.

«Sind Sie dran?», fragt der Mann am Telefon. «Mrs Van Laar, ein Streifenwagen ist zu Ihnen unterwegs. Hallo, sind Sie noch dran?»

Ich rieche den Alkohol vom Vorabend, denkt sie. Ich rieche den abgestandenen Rauch von Zigarren und Zigaretten. Unter alldem liegt eine zitronige Note – die Holzpolitur, mit der die Möbel behandelt sind.

«Hallo, Mrs Van Laar?»

Und was hören Sie?, würde Dr. Lewis sie fragen.

«Mrs Van Laar?»

Ich höre ein Freizeichen, denkt Alice. Sie legt den Hörer auf die Gabel. Das Geräusch verschwindet.

Und jetzt?, fragt Dr. Lewis.

Alice schließt die Augen. Wenn sie sich anstrengt, kann sie manchmal – falls der Wind aus der richtigen Richtung weht – die Stimmen der Kinder vom Ferienlager hören.

Manchmal hört sie sogar Bears Stimme.

Was schmecken Sie?, fragt sie Dr. Lewis.

Ich schmecke nichts.

Konzentrieren Sie sich auf Ihre Sinne. Verankern Sie sich in der Welt. Was schmecken Sie?

Nichts, denkt Alice. Ich schmecke nichts.

Durch die Glasschiebetüren, hinter denen die Wiese liegt, die bis an den See reicht, betritt jemand das Wohnzimmer. Es ist eine der beiden jungen Putzfrauen aus der Stadt, die sie extra für die Festwoche angeheuert haben. Sie bleibt auf der Türschwelle stehen, Wischmopp und Eimer in den Händen, und begutachtet die Unordnung – so schlimm war es bisher noch nie. Da sie Alice noch nicht bemerkt hat, macht sie keine Anstalten, die Verachtung zu verbergen, die sie offenbar empfindet, und murmelt etwas. *Widerlich* vielleicht, oder: *Was für eine Scheiße. Unglaublich.*

«Guten Morgen», sagt Alice, und das Mädchen fährt herum und sieht sie schuldbewusst an.

«Guten Morgen, Ma'am», sagt sie, stellt Wischmopp und Eimer ab und geht flugs in Richtung Nordflügel, vermutlich, um weitere Putzutensilien zu holen.

«Haben Sie vorhin das Telefon nicht gehört?», fragt Alice. «Oder das Klopfen an der Tür?»

«Nein, Ma'am», sagt das Mädchen. «Ich war hinterm Haus und habe die Wäsche aufgehängt.»

Widerstrebend setzt sich Alice in Bewegung. Sie geht den Flur entlang zu dem Zimmer, in dem Peter schläft. Sie öffnet die Tür und sagt sich, dass sie keine Angst davor haben muss, was – oder wen – sie da drinnen sehen wird.

Aber da liegt nur Peter im Bett und schläft tief und fest, einen Ellbogen auf die Stirn gelegt, als wolle er das Licht fernhalten. Schlafend, im Bett oder auch nur auf dem Rücken liegend hat sie ihn seit einem Jahr nicht mehr gesehen. Mindestens.

Sie sagt laut seinen Namen. Einmal, zweimal.

«Was ist denn?», murmelt er schließlich.

«Es geht um Barbara», sagt sie. «Sie ist verschwunden.»

Alice

Zwei Monate früher
Juni 1975

Erst eine knappe Woche, nachdem Barbara das Haus verlassen hatte und ins Ferienlager gegangen war, hatte Alice bemerkt, dass ihre Tochter ihre Zimmertür mit einem Vorhängeschloss zugesperrt hatte. Barbaras Zimmer lag im anderen Flügel des Hauses; Alice ging dort niemals zufällig vorbei.

Aber nach sechs Tagen, in denen sie abwechselnd im Wintergarten gesessen oder auf ihrem Bett gelegen hatte, fühlte sie sich schließlich doch ein wenig einsam. Peter war auch nicht da; wahrscheinlich war er nach Manhattan gefahren, sie konnte sich so etwas einfach nicht merken. Und ohne ihre Tochter und ihren Mann war es ungewohnt still im Haus.

Daher beschloss Alice an jenem Morgen aus purer Langeweile, aus ihrem Sessel aufzustehen und einen Spaziergang zu machen.

Jetzt stand sie vor dem Zimmer ihrer Tochter, hielt das Vorhängeschloss in der Hand und staunte über Barbaras Unverfrorenheit. Sie konnte sich doch denken, wie wütend Peter sein würde, wenn er von seiner Reise zurück war und feststellen musste, dass sie einfach so einen Riegel an den Türrahmen geschraubt hatte. Noch mehr als über das beschädigte Holz würde er sich darüber ärgern, was der Riegel mit dem Vorhängeschloss implizierte: dass Barbara glaubte, sie hätte ein Recht auf Privatsphäre, und das nach allem, was sie sich in letzter Zeit geleistet hatte. Alice würde das Schloss entfernen und anschließend den Türrahmen sorgfältig reparieren lassen müssen, so viel war sicher. Peter entging nichts in diesem Haus.

Einer der Gärtner kümmerte sich umgehend um das Schloss. Versprach, einen geschickten Schreiner zu besorgen, der das beschädigte Holz bestimmt reparieren oder ersetzen könne.

«Danke», sagte Alice geistesabwesend und verscheuchte den Mann. Sie wollte nicht, dass jemand ihr zusah, wenn sie die Tür öffnete.

Sie roch die frische Farbe, bevor sie sie sah.

Eine komplette Wand, die größte des Zimmers, zierte eine Art ... nun ja, *Wandgemälde*, dachte Alice, fand allerdings, dass dieses ehrwürdige Wort nicht so recht passte, um die fürchterlichen Motive zu beschreiben, die über Barbaras Bett prangten. Zunächst einmal waren da zwei Flaggen. Eine britische und eine umgedrehte amerikanische.

Dann Sicherheitsnadeln, Äxte, Handschellen, Messer.

Oben in der Ecke sah Alice eine Sonne und einen Mond mit menschlichen Gesichtern; die Sonne lächelte, der Mond schaute grimmig drein.

Das war es also, dachte sie, was Barbara hinter ihrer Tür getrieben hatte, die sie fast den ganzen Juni über geschlossen gehalten hatte. Sie hatte ihre fürchterlichen Platten gehört und dieses fürchterliche Wandbild gemalt.

In Albany hatte sie auch schon die Wände ihres Zimmers bemalt, da war sie zehn Jahre alt gewesen. Aber seinerzeit war sie wenigstens so anständig (und schlau) gewesen, Peter um Erlaubnis zu fragen. Ihr dortiges Wandbild war harmlos gewesen: eine Sonne, Wolken und Berge und etwas, das aussah wie der Lake Joan.

Dieses hier war verstörend.

Eine Welle widerstreitender Emotionen brandete in Alice auf. Zum einen hatte sie Angst: Wenn Peter das zu sehen bekäme, wäre die Hölle los. Aber da war noch ein anderes Gefühl. Und als ihr schließlich klar wurde, was es war, versetzte ihr die Erkenntnis einen Stich: Es war Neid. Alice hatte sich in ihrem ganzen Leben noch nie so frei gefühlt, dass sie einfach beschlossen hätte: *Heute male ich meine Wand voll*, und das dann auch getan hätte.

Die Utensilien, die man zur Instandhaltung des Hauses benötigte, befanden sich in einem kleinen Raum neben dem Weinkeller. Dort suchte Alice in den Regalen nach einem Eimer mit der Farbe, die sie bei Barbaras Geburt für das Kinderzimmer ihrer Tochter im Haus *Self-Reliance* ausgesucht hatte.

Schnell wurde sie fündig: *Fawn Pink.*

Ein wunderschöner hellrosa Farbton.

Mit Farbrolle und Eimer in Händen kehrte Alice an den Tatort zurück und machte sich an die Arbeit.

Wenn Peter von dort, wo er sich gerade aufhielt, zurückkam, würde er keine Spuren von dem Wandbild oder dem Türriegel mehr finden.

Tracy

Juni 1975

In der ersten Woche des Überlebenstrainings lernten sie, sich im Wald zurechtzufinden. In der zweiten Woche, sich warmzuhalten und vor der Witterung zu schützen.

T. J. Hewitt hatte sie an eine ruhige Stelle im Wald geführt. Jetzt stand sie regungslos da, die Hände in die Hüften gestemmt, einen Fuß auf einer Wurzel.

«Was seht ihr?», fragte sie.

Schweigen.

Dann hob ein jüngeres Mädchen die Hand. «Bäume?», fragte sie.

Leises Lachen in der Gruppe, das Mädchen wurde rot. Sie hatte die Antwort durchaus ernst gemeint.

Aber T. J. ließ sich nicht beirren. «Sehr gut», sagte sie. «Was noch?»

Steine, sagten sie. *Einen Felsen. Blätter. Kiefernnadeln. Erde. Zweige.*

T. J. nickte. «All das kann man im Notfall benutzen, um sich warmzuhalten. Im Wald kann es gefährlich sein, aber in dieser Hinsicht hat er auch viel zu bieten.»

Sie drehte sich abrupt um und ging drei Meter auf einen der weniger hohen Bäume zu.

«Das», sagte T. J., «ist eine Balsamtanne. Sie ist einer der kompakteren Bäume hier, mit schönen, dichten Nadeln, und noch ziemlich jung. Seht ihr, dass sie kürzer ist als ihre Nachbarn? Das bedeutet, dass ihre unteren Zweige euch guten Schutz vor Regen, Schnee und sogar Kälte bieten.»

T. J. machte es vor: Sie legte sich auf den Erdboden und wand ihren langen Körper um den Stamm der Tanne.

«In dieser Position kann ich bleiben, bis das Unwetter vorbei ist», sagte T. J. «Aber wenn ich länger aushalten will, muss ich mir etwas einfallen lassen.»

Sie erzählte, wie man einen provisorischen Wall baut, und schickte die Ferienkinder in verschiedene Richtungen, um nach losen Nadelbaumästen zu suchen.

Tracy hörte nur mit einem Ohr hin. Alles war voller Kriebelmücken, und die anderen Ferienkinder wedelten immer hektischer in der Luft herum. Außerdem fesselten zwei viel interessantere Personen ihre Aufmerksamkeit: Barbara Van Laar zu ihrer Linken und Lowell Cargill ihr gegenüber.

Lowell schwankte mit verschränkten Armen hin und her und lauschte aufmerksam und respektvoll jedem Wort von T. J. Weder Mücken noch Hitze noch Langeweile schienen ihm etwas auszumachen.

Das machte ihn nur noch attraktiver.

Am Abend saß Tracy auf ihrem Bett und schrieb in ihr Tagebuch. So verbrachte sie ihre Zeit, wenn abends keine weiteren Aktivitäten auf dem Programm standen.

Die meisten ihrer Hüttengenossinnen hatten andere Pläne. Bis zur Bettruhe um 22 Uhr durften sie die anderen Hütten besuchen, solange sie dort auf der Veranda blieben. Ihr Ziel war meistens die Veranda von Haus *Pine*, der Hütte auf der anderen Seite des Baches, in der die ältesten Jungen untergebracht waren.

Außer Tracy war nur Barbara in der Hütte zurückgeblieben. Sie hatte in der vergangenen Woche mehrmals versucht, mit Tracy ins Gespräch zu kommen, aber jedes Mal, wenn Tracy etwas sagen wollte, hatte sie sich verhaspelt, und schließlich hatte sie gar nicht mehr geantwortet.

Jetzt – am späten Abend nach ihrer ersten Lektion, wie man im Wald überlebt – schrieb Tracy Sätze und Fragen in ihr Tagebuch. Dinge, die sie Barbara laut vorlesen konnte. Das würde sie eher hinbekommen, als frei zu sprechen.

«Barbara?», sagte Tracy.

In das Bett über ihr kam Bewegung. «Ja?», sagte Barbara.

«Ich habe mich gefragt, wie es dir im Camp gefällt.»

Kurze Pause. «Oh», sagte Barbara. «Schon okay, würde ich sagen.»

«Was gefällt dir am besten?», fragte Tracy.

«Das Essen», sagte Barbara unbeirrt. «Ich finde es super, dass ich so viel essen kann, wie ich will.»

Die nächste Zeile in ihrem Skript lautete: *Das ist interessant. Ich mag am liebsten, draußen in der Natur zu sein.* Aber Barbaras Antwort schien so aufrichtig und sprach Tracy dermaßen aus der Seele, dass sie stattdessen sagte: «Ich auch.»

Bevor sie weiterreden konnte, streckte Barbara ihren Kopf über die Kante des oberen Etagenbetts. Tracy klappte ihr Tagebuch zu – zu spät.

«Soll das ein Interview werden?» Barbara grinste.

«Nein», sagte Tracy. Energisch schüttelte sie den Kopf. «Ich schreibe gerade etwas anderes.»

Barbara sah sie einen Moment lang nachdenklich an. «Darf ich runterkommen?»

Tracy nickte und rutschte nach rechts, und Barbara kletterte geschickt vom oberen Bett herunter, wobei sie die Leiter ignorierte und stattdessen einen umgekehrten Klimmzug machte. Sie hatte eine Zeitschrift in der Hand, die Tracy noch nie gesehen hatte. Nachdem

Barbara neben ihr auf dem Bett Platz genommen hatte, warf Tracy einen Blick auf das Cover: *Creem* stand da in roten, ballonartigen Buchstaben. Darunter war eine Frau abgebildet, die genauso gekleidet war wie Barbara an dem Tag, als sie ins Ferienlager gekommen war.

Jetzt, wo sie jeden Tag schwimmen gingen, war das Schwarz in Barbaras Haaren verblasst. Ohne Haartönung und roten Lippenstift sah sie deutlich jünger aus.

«Was ist das?», fragte Tracy. Sie wies auf die Zeitschrift.

Barbara sah hinunter auf das Cover. «Musik», sagte sie voller Ehrfurcht.

Dann blickte sie zu Tracy auf.

«Weißt du», sagte Barbara, «ich bin seit einer Woche hier, und ich glaube, das ist das erste Mal, dass du redest.»

«Das stimmt nicht.»

«Nein, ich meine, du *redest* schon», sagte Barbara. «Aber nur, wenn jemand dich anspricht. Du bist ganz schön schüchtern, oder?»

Tracy dachte darüber nach. Sie war nicht immer so und nicht in jedem Kontext; ihrer Mutter und den Freundinnen ihrer Mutter gegenüber kannte sie keine Scheu und war durchaus laut. Abgesehen davon hatte sie ein geheimes Talent: Sie konnte singen. Sie hatte eine bemerkenswerte Altstimme; sie sang unter der Dusche, und im Auto sang sie zweistimmig mit ihrer Mutter, die Tracy Komplimente über ihr schönes Timbre machte.

«Eine junge Patsy Cline», sagte ihre Mutter immer, deren Musikgeschmack – nicht zuletzt aufgrund ihres früheren Lebens als Reiterin auf drittklassigen Rodeos in Neuengland – in Richtung Country und Western tendierte.

Aber diese Facette von Tracys Persönlichkeit – wie unbefangen sie mit erwachsenen Frauen umging, die sie gern hatte und denen sie vertraute – war zu schwierig zu erklären, also sagte sie nichts.

«Das brauchst du nicht zu sein», fuhr Barbara fort. «Du bist interessanter als alle anderen hier im Camp. Das sehe ich dir an. Ich wette, du hast Geheimnisse.»

Hatte sie welche? Eigentlich nicht. Aber sie hatte nichts dagegen, für mysteriös gehalten zu werden, also sagte sie: «Kann sein.»

«Siehst du, wusste ich's doch», sagte Barbara. «Das habe ich gleich geahnt.»

Sie schwiegen. Und dann hörten sie von ferne, wie jemand auf einer Gitarre spielte. Barbara sah verzaubert auf.

«Komm», sagte sie.

«Wohin?»

«Gehen wir. Wir hocken immer als Einzige hier drinnen. Lass uns rausgehen.»

Einen Augenblick später trabte sie Barbara hinterher, die schnellen Schrittes in Richtung der Musik ging, die immer lauter wurde.

Als sie um die Ecke bogen, trafen sie auf eine Menschentraube, die sich auf der Veranda von Haus *Pine* versammelt hatte. Alle ihre Hüttengenossinnen waren da, dazu noch zwei Dutzend weitere Ferienkinder. Und mittendrin saß der Gitarrist: Lowell Cargill.

Tracy wich einen Schritt zurück, sie wurde rot. Das Lied, das er sang, war eines der Lieblingslieder ihrer Mutter. «You Were on My Mind» von Ian & Sylvia. Sie kannte den Text in- und auswendig. Sie musste sich sehr zusammenreißen, ihre Lippen nicht zu bewegen.

Und durch die Menge hindurch – oder bildete sie sich das nur ein? – sah Lowell Cargill ihr in die Augen, und sie zwang sich, seinem Blick *standzuhalten*, nicht wegzusehen, bis er es als Erster tat.

Sie hörten sich das ganze Konzert an. Es war längst dunkel geworden, als schließlich die Durchsage kam, dass alle Ferienkinder in ihre Hütten zurückkehren mussten. Barbara und Tracy gingen schweigend nebeneinanderher, beide ganz verzaubert von der Musik, der kühlen Nachtluft, den Glühwürmchen.

«Das hat mir echt gefehlt», sagte Barbara.

«Was?»

«Musik.»

Barbara hielt inne, und Tracy blieb neben ihr stehen. «Darf ich dich um etwas bitten?», wollte Barbara wissen.

«Klar», sagte Tracy.

«Ich werde nachts hin und wieder aus der Hütte verschwinden», sagte Barbara. «Nachdem alle eingeschlafen sind.»

Tracy wartete ab. Sie war verwirrt. Die naheliegende Frage wäre *Warum?* gewesen, aber etwas in Barbaras Tonfall verriet ihr, dass sie diese Frage nicht hören wollte.

«Nur hin und wieder. Nicht jede Nacht», sagte sie. «Wie auch immer. Meinst du, du kannst es für dich behalten?»

Tracy nickte langsam.

«Und noch was», sagte Barbara. «Können wir tauschen, dass ich das untere Bett kriege? Es wäre einfacher, wenn ich nicht jedes Mal die Leiter benutzen muss.»

Tracy zögerte. War sie nicht zu schwer für das obere Bett? Aber sie konnte sich nicht überwinden, das Thema Gewicht anzusprechen, und sagte, es sei schon in Ordnung.

«Ich sage einfach, dass ich Höhenangst habe», meinte Barbara und lächelte. «Falls jemand fragt, warum wir getauscht haben.»

In den nächsten zwei Wochen stellte sich heraus, dass Barbara in einem Punkt gelogen hatte: Sie verschwand nicht hin und wieder aus der Hütte, sondern jede Nacht. Um 22 Uhr abends gingen die Mädchen zu Bett, und Louise oder Annabel schaltete das Deckenlicht aus. Eine halbe Minute lang war es so finster, dass Tracy nichts sehen konnte; dann tauchten schemenhafte Umrisse auf – Möbel, Fenster und die Körper ihrer Hüttengenossinnen. Das einzige Licht war der helle Schein der Sterne über dem Gelände von Camp Emerson.

Irgendwann, als in der Hütte keine Bewegung mehr wahrzunehmen war, spürte sie, wie das Bett ganz leicht wackelte. Barbaras Atem veränderte sich, es waren Schritte zu hören, leise wie die einer Katze, dann öffnete Barbara die Fliegengittertür, hielt den Atem an und schloss sie ebenso leise hinter sich. Die Türangel gab ein kaum hörbares Quietschen von sich, und fort war sie.

Da es Tracy kein einziges Mal gelang, so lange wach zu bleiben, bis sie zurückkam, wusste sie nicht, wie lange Barbara nachts fort war. Einmal fragte sie sie, ob sie nicht sehr müde sei. Daraufhin betonte Barbara, sie brauche so gut wie keinen Schlaf, und ihr energisches Auftreten bewies Tracy Tag für Tag, dass das stimmte.

Falls eines der anderen Mädchen in der Hütte ebenfalls Bescheid wusste, ließ sie sich nichts anmerken, und Barbara rückte nicht mit der Sprache heraus – zumindest am Anfang nicht.

Jacob

Juni 1975

Der Gedanke war ihm im Traum gekommen. *Hinke-Jacob* hatte eine Stimme gesagt, und als er in seiner Zelle aufgewacht war, ging ihm diese Phrase in Dauerschleife durch den Kopf.

Hinke-Jacob. Hinke-Jacob. Verhöhnte die Stimme ihn? Sie hatte eine gewisse Ähnlichkeit mit der Stimme seines Vaters, und es klang auch wie etwas aus dessen Mund.

Erst beim Mittagessen, als er in der Gefängniscafeteria zusah, wie ein Mann, den er nicht kannte, sein lahmes Bein hinter sich herzog, verstand Jacob mit einem Mal, was die Stimme hatte sagen wollen.

«Komma», sagte er laut. «Komma.»

Und Harold Debicki, der neben ihm saß, fragte ihn, wovon er redete.

Hinke, Jacob!, dachte er. Aber er sagte es nicht laut.

Tags darauf, als der Wärter seine morgendliche Runde machte, blieb Jacob regungslos auf seiner Pritsche liegen. Nur zu hinken reichte ihm nicht, er würde noch eins draufsetzen. Von jetzt an war er gelähmt.

«Raus aus den Federn, Sluiter», sagte der Wärter.

«Geht nicht», sagte Jacob. «Ich kann meine Beine nicht bewegen.»

Er sagte das ganz ruhig und gefasst; wenn er übertrieb, dachte er, würde das nur Verdacht erregen. Daher sagte er zu jedem, dem er an jenem Tag und an allen Tagen, die darauf folgten, unter die Augen kam, stets in dem gleichen ruhigen Tonfall: *Ich kann meine Beine nicht bewegen.*

Es bedurfte einiger Übung, aber nach einer Weile fing er tatsächlich an, selbst daran zu glauben. Um von A nach B zu gelangen, robbte er über den Fußboden, selbst wenn ihm niemand dabei zusah.

Die anderen Insassen von Dannemora hatten ihn nie gemocht, aber nach ein paar Wochen setzten sich sogar seine grausamsten Peiniger bei den Wärtern für ihn ein.

Alle waren sich einig, dass das nicht in Ordnung war. Dieser Mann brauchte einen Arzt.

Seine Beine bewegte er ausschließlich nachts im Bett. Dort wartete er, bis er das leise Schnarchen seines Zellengenossen hörte, dann hob er seine Beine nacheinander an und ließ sie wieder sinken, immer wieder, damit die Muskeln nicht verkümmerten.

Einige Wochen später wurde er nach Fishkill verlegt, einem Gefängnis mit einer niedrigeren Sicherheitsstufe vier Stunden südlich.

Ein paar Monate später brach er aus.

Seitdem war er nach Norden gewandert, immer den Hudson entlang.

Was das Ziel anging, hatte er nur einen Gedanken: das Land seiner Vorfahren, der Sluiters, wohin sein Großvater ihn immer mitgenommen hatte. Dort gab es Höhlen, die einem Unterschlupf bei Wind und Wetter boten; in einer dieser Höhlen hatten sie übernachtet, Seite an Seite, und sein Großvater, ein geborener Geschichtenerzähler und der einzige Erwachsene, der jemals nett zu ihm gewesen war, hatte Jacob die Geschichte ihrer Familie erzählt.

Ganz in der Nähe der Höhlen lag besiedeltes Gebiet, und Jacob war klar, wie gefährlich es wäre, dorthin zu gehen. Aber da er nicht wusste, wie lange er noch in Freiheit oder am Leben war, trieb ihn seine Nostalgie – oder seine Torheit, je nachdem – voran.

Er nahm die Seitenstraßen und wanderte nachts, im Mondschein oder im Licht der Straßenlaternen. In den meisten Nächten fand er ein Haus, in das er ohne Schwierigkeiten eindringen konnte, durch ein offenes Fenster oder eine Tür, deren Schloss sich problemlos knacken ließ. Die meisten waren Häuser wohlhabender Leute, Sommerhäuser mit Blick auf den Fluss. Drinnen nahm er sich nur das Nötigste, ganz leise, um niemanden zu wecken. Nur einmal wäre es beinahe schiefgegangen, als die Hausherrin im Bademantel an der Küche vorbeiging. Sie bewegte sich so leise, dass er sie nicht gehört hatte.

Eine ganze Minute lang hielt er den Atem an, während sie auf der Toilette saß. Er machte keine Anstalten, sich zu verstecken, stand einfach nur regungslos mitten auf dem Linoleum, die Arme an den Seiten, die Beine locker. In einer Hand hielt er ein Messer, das er aus einem anderen Haus hatte mitgehen lassen. Falls sie ihn im Dunkeln sah, wenn sie zurückkam, würde er einen Finger an die Lippen legen. Er würde ihr klarmachen, dass sie den Rest ihrer Familie in Gefahr bringen würde, wenn sie schrie. Er würde sie töten müssen, so viel war sicher, es ging nicht anders; aber die anderen, falls da noch andere waren, würde er verschonen.

Die Frau spülte. Sie wusch sich die Hände. Sie öffnete die Badezimmertür und löschte das Licht. Sie verließ das Bad und ging den Flur hinunter, wahrscheinlich zum Schlafzimmer.

Sie schaute nicht einmal in seine Richtung.

Tagsüber betrat Jacob immer den Wald, suchte sich den weichsten Untergrund, den er finden konnte, und schlief.

Es war Sommer. Es hatte die letzten Tage kaum geregnet. In der einen Nacht, in der es geregnet hatte, war er in dem Haus, zu dem er sich Zutritt verschafft hatte, geblieben. Er hatte am Küchentisch gesessen und mit allen Sinnen auf jede Bewegung im Haus geachtet. Als es aufgehört hatte zu regnen, war er wieder hinaus an die frische, kühle Luft gegangen.

Vielleicht hätte ihm sein Vater, der nie wegen irgendetwas auf ihn stolz gewesen war, wenigstens hierfür Anerkennung gezollt: für seinen Einfallsreichtum, seine Fähigkeit, mit dem auszukommen, was die Natur und die reichen Leute ihm boten.

Er entstammte einer langen Reihe findiger Männer. Sein Ururgroßvater und seine Ururgroßonkel waren Holzfäller gewesen, bis dieser Naturschützer Verplanck Colvins auf den Plan getreten war, der das Abholzen der Wälder der Adirondacks verteufelte. Sie ahnten, was die Stunde geschlagen hatte, verkauften ihr Land – und sie sollten recht behalten. Denn keine zwanzig Jahre später richtete Gouverneur Roswell Flower das Adirondack-Naturschutzgebiet ein. *Für immer wild* lautete das sentimentale Motto, und fortan war es dort verboten, Bäume zu fällen – sogar auf dem eigenen Grund und Boden. Und so beraubte die Regierung per Handstreich das Land der Sluiters – die vielen Morgen, die Jacobs Vorfahren einst in der Hoffnung, hier ihr Glück zu machen und kommende Generationen finanziell abzusichern, zu einem Schnäppchenpreis erworben hatten – seiner Rentabilität.

Also mussten sich seine Vorfahren neue Jobs suchen: Einige landeten im Tourismus und führten wohlhabende Besucher aus der Stadt durch die Wälder; andere suchten sich Arbeit in den Fabriken von Corinth oder Troy, die Hemden und Papier herstellten. Wieder andere, wie sein Großvater und sein Vater, waren Bauarbeiter und Handwerker geworden. Doch sie hatten immer alle Arbeit. Der Staat hatte kein Problem damit, wenn die Reichen beschlossen, ihre Grundstücke roden zu lassen, um sich ihre riesigen Villen zu bauen. Nur den einfachen Leuten – Leuten wie den Sluiters – wurde untersagt, ihrer früheren Arbeit nachzugehen. Ihre Aufgabe bestand höchstens darin, dafür zu sorgen, dass das Land für die Roosevelts und Rockefellers dieser Welt möglichst unberührt blieb.

Wenn Jacob also nachts in die Häuser der Reichen eindrang und sich mit Lebensmitteln aus deren Vorratskammern und Kühlschränken und mit neuer Kleidung versorgte, dann bereitete ihm das eine gewisse Genugtuung. Manchmal, wenn die Bewohner eines Hauses definitiv fort waren, wagte er sogar, zu duschen.

Er wusste nicht genau, wie viele Tage vergangen waren, seit er ausgebrochen war. Aber dank eines Artikels auf der Titelseite einer Zeitung auf einem Küchentisch wusste er, dass sie ihm auf den Fersen waren.

Er wusste auch, dass die Gegend im Norden, zu der er unterwegs war, abgelegener und einsamer war.

Das bedeutete zweierlei: dass sie ihn nicht so leicht aufspüren würden. Und dass er einfallsreicher werden musste.

II

Bear

Alice

1950er | 1961 | Winter 1973 | Juni 1975 | Juli 1975 | August 1975

Auf dem Weg zur Grand Central Station schloss Alice Ward, siebzehneinhalb Jahre alt, fest die Augen. Diese nervöse Angewohnheit hatte sie, seit sie denken konnte. Es beruhigte sie und erlaubte ihr, so zu tun, als wäre sie ganz allein auf der Welt, auch wenn es bloß für einen kurzen Augenblick war. Aber sie tat es nur, wenn sie sicher war, dass niemand sie beobachtete. Diesmal hatte sie sich getäuscht.

«Alice», sagte ihre große Schwester Delphine. «Schläfst du?»

Alice öffnete die Augen.

Drei Wochen war ihr Debütantinnenball im Waldorf-Astoria nun her. Ihr militärischer Begleiter war ein Kadett aus West Point gewesen, dessen Namen sie schon wieder vergessen hatte. Als ihr ziviler Begleiter war Stuart Parker vorgesehen gewesen, ein unangenehmer junger Schnösel, den sie schon ihr ganzes Leben kannte. Doch dann war ein Wunder geschehen, und Stuart war am Tag vor der Veranstaltung an den Masern erkrankt! Delphine hatte in letzter Minute Ersatz gefunden: einen alten Studienfreund ihres Mannes George, der zufällig gerade in ihrem Gästezimmer wohnte, weil die beiden einen Kundentermin in Manhattan hatten.

Er hieß Peter Van Laar, sagte Delphine. Und ja: Er besaß einen Smoking.

Alice' Mutter war begeistert gewesen. Ihr Vater eher weniger. «Van Laar», hatte er gesagt. «Kennen wir die Van Laars?»

Das taten sie, wie ihre Mutter ihm versicherte. Die Van Laars aus Albany. (Ihr Tonfall klang wie: *Na schön, Albany, aber immerhin!*) Bankiers, so Mrs Ward. Und Naturschützer. Der Großvater war mit einem der Roosevelts befreundet gewesen.

«Wie alt ist er?», hatte Alice gefragt.

«Ach, so alt wie George», hatte Delphine gesagt und mit einer Hand in der Luft herumgefuchtelt, als würde so etwas Triviales wie das *Alter* bei einem Mann keine Rolle spielen.

Wie Alice später erfuhr, war er neunundzwanzig.

Eine Woche nach dem Ball kam ein Umschlag mit der Post. Er war an *Miss Ward & Anstandsdame* adressiert und enthielt eine Einladung in Peter Van Laars Sommerhaus in den Adirondack Mountains – jenes Haus, für das er überraschend feinfühlige Worte gefunden hatte, als er Alice beim Dinner davon erzählt hatte.

Ich hoffe sehr, dass Du kommst, hatte Peter in schöner Handschrift geschrieben. *Es hat mich sehr gefreut, Dich kennenzulernen.*

Da standen sie nun, Alice und Delphine, und warteten auf die Durchsage auf dem Bahnsteig der Grand Central Station. Es war seltsam, so nebeneinander zu stehen; seit ihrer Kindheit hatten sie nicht mehr so viel Zeit miteinander verbracht.

Delphine war fünf Jahre älter und zwölf Zentimeter größer als Alice. Sie spielte hervorragend Klavier. Sie wirkte nie schüchtern. Man merkte ihr an, wie klug sie war, und sie interessierte sich für Politik – in beiderlei Hinsicht hob sie sich vom Rest der Familie Ward ab, wo man sich bei Tisch hauptsächlich über Klatsch und Tratsch unterhielt. Einmal hatte Delphine ihre Eltern gefragt, ob sie sich für Barnard oder lieber für Radcliffe bewerben solle, und allein für den

Gedanken, dass er sie aufs College schicken würde, hatte ihr Vater sie ausgelacht. Dabei war sie an der Brearley School die Beste ihres Jahrgangs gewesen.

Alice hingegen hatte gerade so ihren Abschluss geschafft.

Delphine war jetzt zweiundzwanzig Jahre alt und mit George Barlow verheiratet. Es war eine Liebesheirat, die beinahe nicht zustande gekommen wäre, da ihr Vater George trotz seines vornehmen Stammbaums für einen *Exzentriker* hielt. Zweifellos würde sie bald ein Kind von ihm erwarten. Alice sah Delphines Zukunft klar und deutlich vor sich, nur ihre eigene konnte sie sich partout nicht vorstellen. Wenn sie es versuchte, war alles verschwommen und unscharf. Und dann wurde ihr flau im Magen.

In North Creek wurden sie von einem kleinen, rothaarigen Mann in einem Cordanzug abgeholt, der ein Stück Karton in seiner unbehandschuhten Hand hielt, auf dem *Miss Ward* stand, und sie zu einem ungewöhnlichen Auto geleitete.

Der Fahrer war auf eine unangenehme Weise gesprächsselig, stellte ihnen Fragen, die so intim waren, dass Alice angst und bange wurde. Woher sie kämen, wollte er wissen. Ob sie verheiratet seien. Ob sie arbeiten gingen. Sie sah Delphine von der Seite an, wartete ab, ob sie protestieren würde, aber Delphine blieb gelassen. Wirkte sogar amüsiert. Sie beantwortete alle seine Fragen und stellte ihm im Gegenzug selbst ein paar Fragen.

«Bei wem wohnen Sie denn im Reservat?», wollte der Fahrer wissen, und Alice ging davon aus, dass Delphine antworten würde, aber stattdessen sagte sie: «Na los, Alice.»

«Peter Van Laar», sagte Alice.

«Senior oder junior?», fragte der Fahrer.

Und ohne eine Antwort abzuwarten, berichtete er ausführlich über den Ruf, den der Junior in der Stadt genoss – und um den es nicht zum Besten stand, wie sich herausstellte, was vor allem an seiner *Kälte* liege. Doch das störte Alice gar nicht. Kälte mochte sie lieber als Hitze. Sie verstand sich am besten mit Menschen, die in ihren Bewegungen und ihrer Sprechweise gemäßigt waren. Vor ihrem ersten Zusammentreffen beim Debütantinnenball war sie nervös gewesen, weil sie befürchtet hatte, sie hätten sich aufgrund des Altersunterschieds nichts zu sagen, doch als sie Peter Van Laar dann kennengelernt hatte, war ihr sofort aufgefallen, wie still er war, und das mochte sie ungemein. Genauso wie seine Körpergröße und seine ruhigen blauen Augen. Er wirkte sehr beherrscht.

Dreimal hatten sie zusammen getanzt. Viermal, wenn man die halbe Runde am Ende mitzählte, kurz bevor ein Verwandter sie von der Tanzfläche zog, um sich zu verabschieden.

Mit jeder Drehung hatte Peter sie näher an sich gedrückt. Er sah sehr gut aus. Er hatte nach Wald gerochen, wie sich Alice erinnerte.

«Dieses Haus hat seine eigene Geschichte», sagte der Fahrer.

Die Straße beschrieb immer engere Serpentinen, und ihr Magen drehte sich um. Sie lehnte den Kopf gegen die Scheibe.

«Spukt es da?», fragte Delphine fröhlich, aber der Fahrer schüttelte den Kopf.

«Das nicht. Aber es wurde aus der Schweiz hierhergebracht. Das ganze Haus, meine ich. *Chalet* nennen die das.» Und er gab einen kurzen Laut von sich, der wie ein Lachen klang.

«Faszinierend», sagte Delphine.

«In jeder Hinsicht. Die Familie hat es hierherschicken lassen. Und dann wieder aufgebaut. Das war vor fast achtzig Jahren. Sie können sich vorstellen, was das für ein Aufwand war. Sie haben eine Straße bauen lassen, nur für das Holz! Dutzende Pferde haben jede Fuhre gezogen. In der Stadt erzählt man sich noch heute davon. Jeden Mann und jeden Jungen in Shattuck, der älter als neun war, haben die Van Laars angeheuert, um ihr Haus hierherzuholen.»

«Kannst du dir das vorstellen, Alice?», fragte Delphine, während Alice sich in den Handrücken kniff, damit der Inhalt ihres Magens blieb, wo er war.

«Raten Sie mal, wie es heißt», sagte der Fahrer.

Er wartete.

«Das Haus, meine ich. Raten Sie mal, welchen Namen diese alte Familie ihrem Haus gegeben hat», sagte er.

«Sekunde. Ich denke nach», sagte Delphine ernst. Und dann sagte sie: «Manderley.»

«Nein», sagte der Fahrer. *«Self-Reliance. Self-Reliance!»* Er schlug sich auf den Schenkel.

Keine der beiden Schwestern reagierte; Alice wusste nicht, was so lustig daran war, und Delphine war wahrscheinlich noch dabei, den Witz zu verarbeiten.

«Ich sag mal, die Van Laars waren es nicht, die das Holz hergeschleppt haben», sagte der Fahrer, um ihnen auf die Sprünge zu helfen.

«Das ist wirklich lustig», sagte Delphine, doch Alice merkte, dass auch ihr langsam unbehaglich zumute war. Schließlich waren sie Gäste der Van Laars.

«Alles in Ordnung, Fräulein?», fragte der Fahrer Alice. Vielleicht hatte er im Rückspiegel gesehen, dass sie ein wenig grün im Gesicht war.

Ja, alles sei in Ordnung, versicherte sie ihm.

«Schauen Sie geradeaus durch die Windschutzscheibe. Kurbeln Sie das Fenster ein bisschen runter», sagte der Fahrer. Aber sie hatte kein Kopftuch mit, und ihre Haare flatterten ihr wild im Gesicht herum.

Sie kurbelte das Fenster wieder hoch.

Alice hielt die Augen geschlossen, bis sie spürte, dass das Auto langsamer wurde und sie nicht mehr auf Asphalt, sondern auf Schotter fuhren. Als sie sie wieder öffnete, stellte sie fest, dass sie nun auf einem langen Privatweg fuhren. Zu ihrer Linken befanden sich die Wirtschaftsgebäude einer Farm: eine Milchscheune, ein Getreidespeicher, ein Schlachthaus. Davor stand eine Frau mit Kind, die sie anstarrte, ohne zu winken.

Und dann endlich das Naturreservat: hohe Kiefern, deren Schatten den Boden bedeckte, Rasen, wo die Bäume gefällt worden waren. Inmitten der Rasenfläche auf einem Hügel das Haus, von dem der Fahrer gesprochen hatte, wie sie vermutete.

Self-Reliance stand auf einem kleinen Schild, an dem sie vorbeifuhren, als sie sich näherten. Das Haus war riesig. Das aus groben Holzstämmen gezimmerte Hauptgebäude hatte drei Stockwerke. Filigrane Holzschnitzereien zierten den Rand des überhängenden Dachs und die Läden der großen Fenster. An das Haupthaus schlossen sich zwei Flügel an, und den Eingang schmückte eine Säulenhalle. Überall wuchsen farbenfrohe Blumen, die eigens angepflanzt worden waren, damit sie aussahen, als wüchsen sie wild. Ringsum standen einige kleinere Nebengebäude, eines davon sah aus wie eine Miniaturausgabe des Hauses.

«Gute Güte», sagte Delphine.

Am schockierendsten fand Alice, wie weit sie hier von allem anderen entfernt waren. Wie aufwendig es gewesen sein musste, mitten im Wald ein solches Anwesen zu bauen. Die Van Laars hatten das Haus auf einem Hügel errichtet, sodass alles drumherum automatisch unterhalb von Haus *Self-Reliance* lag. Wie der Olymp, dachte Alice, der normalerweise nie solche Vergleiche einfielen.

Der Fahrer fuhr langsam weiter, dann hielt er am Rand des Rasens an. Erst jetzt bemerkte sie Peter, der regungslos wie ein Hirsch im Schatten des Hauses stand und auf sie wartete.

Er kam ihnen entgegen. Er war noch größer, als sie ihn in Erinnerung hatte. Und er sah älter aus. Ein Hauch Silber war in seinem Haar, das in der Sonne glänzte, als er über den Rasen ging.

Der Fahrer stieg aus. Sie warteten einen Moment, bis ihnen klar wurde, dass er ihnen nicht die Türen öffnen würde.

Peter war jetzt ganz nah, und der Knoten in Alice explodierte und ließ alle Nerven in ihrem Körper so wild pulsieren, dass sie fürchtete, sie würde mit den Zähnen klappern.

Sie überlegte, was sie zu ihm sagen sollte. Worüber um alles in der Welt redete man mit einem erwachsenen Mann? Während ihrer ganzen Schulzeit war sie nur von Mädchen umgeben gewesen. Sie erinnerte sich daran, wie schön es gewesen war, mit Peter zu tanzen; aber im Ballsaal des Waldorf-Astoria war es dunkel und laut gewesen, da waren sie kaum in die Verlegenheit gekommen, sich miteinander zu unterhalten. Hier, im hellen Tageslicht – war alles anders.

Delphine rettete sie.

«Was für eine Fahrt», sagte sie fröhlich, als sie aus dem Auto stieg. «Ich dachte schon, wir kämen nie an.»

Die Sonne schien, um sie herum roch es nach Harz und frischem Wasser: der See.

Peter lächelte, die Hände in den Hosentaschen, den Blick auf ihre Schuhe gerichtet.

«Schön, dass ihr da seid», sagte er. Und er streckte die Hände nach ihren Koffern aus, die der Fahrer ihm bereitwillig überreichte.

Es war Delphine, neben der er herging, als sie sich dem Haus näherten. Es war Delphine, bei der er sich nach dem Wetter in der Stadt erkundigte und die er fragte, welchen Freizeitaktivitäten sie und Alice gerne nachgingen. Alice lief hinterher und kam sich immer kindischer vor. «Wart ihr schon einmal hier in den Bergen?», fragte er, und Delphine antwortete, ja, einmal, als sie noch ganz klein waren.

«Weißt du noch, Bunny?», fragte sie Alice, die errötete, als sie den Spitznamen hörte.

Peter wandte sich ein wenig zu ihr um und wartete auf ihre Antwort. Tatsächlich erinnerte sie sich nicht daran, aber wenn sie das zugab, würde sie im Vergleich zu ihrer Schwester noch jünger wirken. Also sagte sie, ja, sicher.

«Dann kennt ihr also schon unsere Mücken», sagte Peter.

«Was, die hier?», fragte Delphine und wedelte mit einer Hand in der Luft, um den kleinen Schwarm zu verscheuchen, der um ihre Köpfe waberte.

«Ja», sagte Peter. «Kriebelmücken. Normalerweise sind sie um diese Jahreszeit schon wieder weg, aber der Juni war zu kalt. Ich nehme an, sie wollten euch kennenlernen», sagte er, und endlich sah er Alice direkt in die Augen und lächelte. Seine Zähne strahlten weiß. Ein kleiner Schauer der Erregung wanderte von ihrem Hals in ihren Bauch.

Sie fasste sich ein Herz und lächelte zurück.

Im nächsten Moment flog eine Handbreit vor ihrer Nase ein Pfeil vorbei und blieb in der Rinde eines Baumes stecken.

Alice erstarrte.

Peter wurde blass.

Delphine, die nicht mitbekommen hatte, was geschehen war, wandte sich ihnen freundlich lächelnd wieder zu.

Eine Weile sagte keiner ein Wort. Dann kam ein kleiner Junge auf sie zu gerannt und rief, dass es ihm leidtue.

«Oh nein, oh nein», sagte der Junge, den Tränen nahe. «Ich hoffe, ich habe niemanden getroffen?»

Das sei ein Ferienkind, erklärte Peter, nachdem er den Jungen getröstet, ermahnt und wieder fortgeschickt hatte.

«Ein Ferienkind? Was heißt das?», fragte Delphine.

Peter atmete ein, als wolle er eine sehr ausführliche Geschichte erzählen. Doch dann überlegte er es sich anders und sagte, er würde beim Abendessen darauf zurückkommen.

«Erinnert mich daran, falls ich es vergesse», sagte Peter.

Alle Fenster im Haus waren geöffnet. In jedem Zimmer drehte sich leise ein Deckenventilator. Überall roch es nach gesägtem Holz, als wäre das Gebäude gerade erst errichtet worden. Ein Mann namens Hewitt zeigte ihnen ihre Zimmer. Er schien der Butler zu sein, wirkte durch sein ungehobeltes Auftreten und seine Kleidung aber eher wie ein Cowboy. Er behielt seinen Hut auch im Haus auf. Er war schweigsam, sehnig, um die vierzig. Alle Menschen über fünfundzwanzig kamen Alice damals gleich alt vor. Sie hatte sich gefragt – und fragte sich immer noch –, wer sonst im Haus wohnen würde. Im Zug hatte sie zusammen mit Delphine darüber spekuliert.

«Peters Eltern?», hatte sie gefragt, und Delphine hatte mit den Schultern gezuckt. Vielleicht. «Meinst du, er ... wohnt noch bei ihnen? In Albany?»

Delphine überlegte. «George hatte eine eigene Wohnung», sagte sie. «Bevor wir geheiratet haben, meine ich. Aber sie gehörte eigentlich seinem Vater.»

«Hast du sie jemals gesehen?»

Delphine lächelte. «Ja», sagte sie. Erst im Nachhinein verstand Alice, was sie damit angedeutet hatte.

Sie hatte ein großes Zimmer mit Blick auf den See, ein Himmelbett und eine Patchworkdecke. Es gab einen großen Standspiegel, in dem sie sich betrachtete, wobei sie die Hände an die Wangen legte und sie zusammenpresste (sie fand damals ihr Gesicht zu dick) und sich vorstellte, wie sie wohl auf Peter wirken mochte. Sie hatte schon oft gehört, dass sie hübsch sei, hübscher als Delphine. Es war das Einzige, das sie ihrer Schwester voraushatte. Aber sie hielt sich für dumm, und sie war überzeugt, dass andere das genauso sahen. Sie war weder schlagfertig noch geistreich, und humorlos zu sein, fand sie, war noch schlimmer, als nur dumm zu sein.

Ein Klopfen an der Tür erschreckte sie so sehr, dass sie kurz aufschrie. Immer noch schwer atmend, öffnete sie die Tür.

Es war Hewitt, der Butler – der *Gehilfe*, korrigierte sich Alice. In seinem Aufzug sah er nicht im Entferntesten aus wie der Butler der Wards in New York. «Die Familie schmeißt 'ne Cocktailparty auf dem Rasen», sagte er. «Sie können dazukommen, wenn Sie wollen.»

«Danke», sagte Alice – und bemerkte erst jetzt, dass hinter Hewitts stämmigem Bein ein kleines Mädchen mit dünnem Zopf hervorlugte, das sie neugierig musterte.

«Wen haben wir denn da?», fragte Alice, und zum ersten Mal lächelte Hewitt.

«Das ist Tessie Jo», sagte er.

Das Mädchen grinste. Dann vergrub sie ihr Gesicht in Hewitts Hosenbein.

Die eigentliche Vorderseite des Hauses war die Rückseite: die Seeseite. Das Wasser sah kalt und angenehm zugleich aus, wie ein Gewässer, wo vereinzelte verborgene Quellen für eine warme Überraschung sorgten.

Vier Erwachsene saßen auf Stühlen mit hoher Lehne an einem kleinen Strand und blickten hinaus auf den See, als sie sich ihnen von hinten näherte. Zuerst wusste Alice nicht, wen sie vor sich hatte, aber dann hörte sie das Lachen ihrer Schwester, dieses charmante, warme Lachen, das ihr so oft Komplimente einbrachte. Delphine, die neben Peter Platz genommen hatte, trug einen Hut, den Alice noch nie an ihr gesehen hatte. Von hinten wirkten die Sitzenden wie zwei Paare, nur der leere fünfte Stuhl verriet, dass dem nicht so war. Vor ihnen rannte die kleine Tessie Jo am Strand hin und her und hielt immer wieder inne, um sich hinzuhocken und den nassen Sand zu kleinen Haufen aufzutürmen.

Peter sah Alice als Erster und sprang buchstäblich von seinem Stuhl auf.

«Miss Ward», sagte er.

Sie kam näher und versuchte, möglichst unbekümmert zu wirken. Aber wieder wurde ihr flau im Magen vor lauter Verstellung.

Als Nächstes erhob sich ein Mann von seinem Stuhl, bei dem Alice mutmaßte, dass es sich um Peters Vater handelte: Er sah aus wie sein Sohn mit weißen Haaren, genauso schlank und gepflegt, und er blickte genauso ernst drein.

«Miss Ward», sagte der Mann. «Wir freuen uns, Sie kennenzulernen.»

Inzwischen hatte Alice die Gruppe erreicht. Sie wandte sich wieder zum Haus um, drehte dem See den Rücken zu und stand dann unbeholfen inmitten des kleinen Halbkreises aus Stühlen, als wollte sie den Anwesenden ein Ständchen bringen. Sie fragte sich, was Peter über sie erzählt haben mochte. Peter, der sie nur einen Abend lang erlebt hatte.

Peters Mutter – wie sie vermutete – war wie Delphine sitzen geblieben. Die Mutter sah jünger aus als der Vater, aber altbackener, sie wog bestimmt dreißig Pfund zu viel und trug ein Kleid, das – der Gedanke kam Alice, ohne dass sie sich dagegen wehren konnte – ihrer Figur keinen Gefallen tat. Sie lächelte unverwandt in Alice' Richtung.

Peter trat vor. «Ich hoffe, du bist mit deiner Unterkunft zufrieden?», fragte er.

Alice staunte, wie steif er sprach, als käme er aus einer anderen Zeit. Ihre Freunde in der Stadt waren allesamt redselig, respektlos, skandalhungrig. Höflich, so glaubten sie, sollte man nur denen gegenüber sein, die in der Hierarchie unter einem standen; die einem in irgendeiner Weise zu Diensten waren.

«Sehr», sagte Alice. «Danke.»

Beim Abendessen lief es schon besser. Dafür sorgte nicht zuletzt der Wein. Alice war erst zweimal in ihrem Leben betrunken gewesen. Sie mochte zwar weder den Geschmack von Alkohol noch das Gefühl, das er in ihr auslöste. Aber sie mochte, dass er den Raum in ein warmes, beruhigendes Licht tauchte. Delphine dominierte das Tischgespräch, und ausnahmsweise war sie dankbar dafür, wie lebhaft ihre Schwester war, auch wenn dadurch umso deutlicher wurde, wie sehr Alice diesen Wesenszug vermissen ließ.

Gesprächsthemen waren die Geschichte der Adirondack Mountains, die tägliche Arbeit auf der Farm unten an der Straße – eine besondere Leidenschaft von Peters Eltern –, die Kriebelmücken – immer wieder diese Mücken –, und am Ende kamen zaghafte Nachfragen über das Leben der Schwestern in der Stadt, ihre Ausbildung, ihre Interessen.

«Wie geht es denn dem guten alten George Barlow?», fragte Mr Van Laar senior zwischen zwei Bissen. «Den habe ich nicht mehr zu Gesicht bekommen, seit Peter auf dem College war. Ich fand ihn ja immer irgendwie komisch.»

Seine Stimme hatte etwas Überhebliches, und Alice musterte Delphine, um festzustellen, ob sie beleidigt war. Aber sie lächelte nur.

«Er ist immer noch witzig», sagte sie.

«Gefällt ihm seine Arbeit?»

«Sie meinen sein Studienfach», sagte Delphine, und Mr Van Laar hob eine Augenbraue.

«Er studiert? In seinem Alter? Das ist ja wohl schlecht möglich.»

«Oh doch», sagte Delphine in verschwörerischem Tonfall. «Er hat sich aus dem Familienunternehmen zurückgezogen und studiert jetzt an der Columbia Ornithologie.»

Ihre Augen leuchteten, als sie den Van Laars eröffnete, was daheim vor einem halben Jahr Gesprächsthema Nummer eins gewesen war. In ganz Manhattan hatte man darüber gegrinst, als wäre es die Pointe eines besonders gelungenen Witzes. *Ornithologie!* Wenn es etwas gab, das Alice an ihrer Schwester respektierte, dann die Tatsache, dass sie bei der Wahl ihres Ehemannes eine mutige Entscheidung getroffen hatte. George Barlow stammte zwar aus reichem Hause, passte aber ansonsten in keiner Weise zu Delphine. Er sah nicht einmal besonders gut aus; er war dünn und schmächtig, hatte einen Überbiss, buschige dunkle Augenbrauen und eine Stirn, die ständig in Falten lag. Und doch wusste Alice: Ihre Schwester liebte diesen Mann.

«Davon hast du doch bestimmt schon gehört, Dad», sagte Peter. «Es hat für einigen Wirbel gesorgt.» Auch in seiner Stimme erkannte Alice einen humorvollen Unterton.

«Das kann man wohl sagen», gab Mr Van Laar zurück. Er nahm einen Bissen und kaute nachdenklich darauf herum. «Wissen Sie, ich würde denken, um die Vogelwelt zu studieren, sollte man vielleicht eher nach Cornell gehen.»

«Stimmt», sagte Delphine. «Aber wir konnten nicht fort aus Manhattan, also musste Columbia reichen.»

«Hat er denn gute Noten?»

«Bester seines Jahrgangs», sagte Delphine.

Das war der Punkt, an dem die Konversation ins Stocken geriet. Das Geräusch von Besteck auf Tellern erfüllte das Zimmer.

Delphine fragte: «Dürfen wir erfahren, was es mit dem Ferienlager auf sich hat?»

Peter und sein Vater tauschten einen vielsagenden Blick aus. Dann begann Peter.

In den 1870er-Jahren, als die Adirondacks ein noch recht junges Urlaubsziel für die Bewohner Neuenglands waren, kam der allererste Peter Van Laar aus Massachusetts herüber und verliebte sich in diese Gegend.

Er kam mehrmals her, um das Land vermessen zu lassen. Schließlich wählte er mithilfe eines geschickten örtlichen Fremdenführers das Areal aus, wo Haus *Self-Reliance* errichtet werden sollte.

Wie Alice feststellte, unterschied sich die Version der Ereignisse, die die Van Laars erzählten, deutlich von der ihres Fahrers. Die Einwohner von Shattuck kamen bei ihnen kaum vor. Stattdessen packte *Peter I.* – wie die Van Laars ihren Vorfahren nannten – in ihrer Version tüchtig mit an, kletterte auf hohe Leitern, überwachte höchstpersönlich, dass sämtliche Elemente des Gebäudes aus der Schweiz eintrafen, und sorgte dafür, dass sie korrekt wieder zusammengebaut wurden. Unweit vom Haus entstand eine Farm, um die Gäste mit allem zu versorgen, das sie für einen angenehmen Aufenthalt benötigten.

Peter I. war ein unkonventioneller Mann gewesen. «Der letzte Van Laar», sagte Peter III., «den man so bezeichnen könnte.» Er lächelte verschmitzt. Und fuhr fort: Er war ein Spitzbube mit ausgeprägtem Spieltrieb, zeitlebens voll von kindlichem Übermut, von seinen Geschäftspartnern in gleichem Maße geliebt wie geschmäht. Tauchte ständig in den Klatschspalten auf. Hatte Dutzende Geliebte.

Insofern war niemand in seinem sozialen Umfeld überrascht, als Peter I. verkündete, er wolle ein Ferienlager einrichten. Hohn und Spott blieben ihm dennoch nicht erspart.

Peter I. ließ sich nicht beirren und baute mehrere Häuschen um, die er ursprünglich als Jagdhütten hatte errichten lassen. Da er selbst bereits über achtzig war und sich nicht mehr mit ganz so viel Elan wie früher körperlich betätigen konnte, beauftragte er schließlich eine Gruppe von Einheimischen aus Shattuck mit dem Bau der restlichen notwendigen Gebäude auf dem Gelände. Sein großer Traum war es, Generationen von Kindern die Bedeutung des Umweltschutzes nahezubringen und sie einen verantwortungsvollen Umgang mit der Natur zu lehren. Er benannte das Ferienlager nach seinem Lieblingsschriftsteller und -philosophen, ebenfalls ein Verfechter des Lebens in und mit der Natur, aus dessen Feder der Essay stammte, von dem das

Haupthaus seinen Namen hatte. Fortan lief Camp Emerson, wie Peter III. erzählte, jeden Sommer acht Wochen lang. Am Anfang kamen nur wenige Ferienkinder. Aber im Laufe mehrerer erfolgreicher Saisons – in denen sie dennoch Verluste einfuhren – wuchs das Ansehen des Ferienlagers. Innerhalb von zehn Jahren wurde Camp Emerson zu einem begehrten Reiseziel für die Kinder wohlhabender Familien aus Neuengland und Manhattan. Heute waren die meisten Teilnehmer die Kinder von Freunden und Bekannten der Van Laars.

Delphine klatschte begeistert in die Hände. «Hach, was für ein Mann», sagte sie. «Peter der Erste! Ich liebe die ganze Geschichte. Du nicht, Alice?»

«Doch», sagte Alice.

«Hast du jemals selbst den Sommer da verbracht?», fragte Delphine, und Peter schüttelte sofort den Kopf.

«Im Camp Emerson? Gütiger Himmel, nein», sagte er, als hätte sie etwas komplett Abwegiges gefragt.

Mrs Van Laar, die gegenüber von Alice saß, gab kaum ein Wort von sich. Sie saß still und zufrieden da in ihrem altmodischen Kleid, das sie ganz gut ausfüllte. Ihr Lippenstift war leicht schief geraten. Sie lächelte Alice ab und zu an, und wenn sie aß, war ihr anzusehen, wie sehr sie das Essen genoss. Beim Kauen schloss sie die Augen.

Irgendwann merkte Alice, dass weder sie noch Mrs Van Laar in der letzten Stunde auch nur ein einziges Wort gesagt hatten und dass das niemanden zu stören schien, und mit einem Mal wurde ihr klar, dass sie ein Konsumgut darstellte, das die beiden Männer am Tisch in Augenschein nahmen. Delphine war die Auktionatorin. Je weniger sie sich da einmischte, desto besser. Gegen Ende des Abendessens kam ihr der Gedanke, dass bereits eine Entscheidung für sie getroffen worden war.

Dieser Gedanke war ihr gar nicht unangenehm.

Er ermöglichte es ihr, sich ihrem bevorzugten Wesenszustand hinzugeben: einer verträumten Nichtverfügbarkeit, einem Hauch des Geheimnisvollen, den sie kultivierte und von dem sie hoffte, dass er den Mangel an Intellekt überdecken würde, den sie bei sich längst als gegeben ansah und akzeptiert hatte.

Ab und zu bemerkte sie, wie Peter Van Laar sie anschaute. Immer öfter gestattete sie sich, seinem Blick zu begegnen. Ihr Puls wurde schneller. Sie war noch ein Kind. Sie stellte sich drei Fragen: Konnte sie außerhalb der Großstadt leben? Würde sie einen Teil jedes Jahres hier, inmitten der Wildnis, überstehen? Konnte sie einen Mann wie Peter heiraten?

Ihre Mutter hatte ihren Vater seit ihrer Kindheit gekannt, aber nicht sehr gut; als sie kurz nach ihrem ersten Rendezvous geheiratet hatten, war sie achtzehn Jahre alt gewesen.

Ihre Schwester und George Barlow hatten einander zwei Monate gekannt, bevor sie sich verlobt hatten.

Sie schaute aus dem Fenster. Der See hatte etwas Hypnotisches, Verwunschenes an sich. Es war 20 Uhr, aber es war Juli, und das Wasser reflektierte das kraftvolle Abendlicht. Die großen Fenster, die nach Osten hinausgingen, ließen eine sanfte, warme Brise herein. Die Kiefern vor den Fenstern standen still und beobachteten sie, warteten auf ihre Antwort.

Ja und ja und ja, dachte sie. Falls er ihr diese Fragen stellte, würde die Antwort jedes Mal Ja lauten.

Und so kam es. Im September jenes Jahres, nach zwei weiteren Besuchen in der Stadt – das zweite Mal mit seinen Eltern –, hielt Peter Van Laar um ihre Hand an. Ihr Vater gab ihm seinen Segen.

Den Ring wählte er aus dem Fundus seiner Vorfahren aus.

Er ging mit ihrer Mutter zu einem Goldschmied, um die Größe

anpassen zu lassen, und kaufte bei Van Cleef & Arpels noch einen zweiten Ring sowie ein passendes Tennisarmband.

Sie sagte Ja und war dankbar, dass jemand anderes darüber entschied, was mit ihrem Leben geschah. Sie hatte keine Ahnung, was sie sonst damit anfangen sollte.

Ihr Hochzeitskleid war aus Duchesse mit einem weiten Rock und einem herzförmigen Ausschnitt. Zwei Tage nach ihrem achtzehnten Geburtstag wurde sie in Saint John the Divine getraut, der anschließende Empfang fand im Pierre statt.

Sie hatte keine Brautjungfern. Sie hatte nie enge Freundinnen gehabt. Und eine verheiratete Frau – sprich: Delphine – zur Trauzeugin zu haben, galt in jenen Tagen als unschicklich.

Richtige Flitterwochen gab es nicht. Sie fuhren lediglich nach Albany, in ein Haus, das sie noch nie gesehen hatte, ein Stadtpalais mit hohen Decken, kalten Marmorböden und Fensterläden, die im Winter klapperten.

Neun Monate später – einen Monat zu früh – kam Peter IV. zur Welt. Alle nannten ihn Bear, weil es bei den Van Laars schon so viele Peters gab und weil er ein kleiner Pummel war und der Flaum auf seinem Kopf jeden, der darüberstrich, an den Pelz eines Tierbabys erinnerte.

Sie konnte ihn stundenlang einfach nur ansehen. Sein seidiges Haar. Sein Gewicht auf ihrer Brust spüren, wenn sie im Schlafzimmer des Hauses in Albany oder im Wintergarten von Haus *Self-Reliance* vor sich hin döste. Das warme, zarte Gewicht ihres Sohnes. Sie stellte sich die Knochen in seinem Inneren vor, die so sorgfältig arrangiert waren, dass sie den Rest von ihm in perfekter Schwebe hielten; die winzige Lunge, die dafür sorgte, dass sich sein Rücken hob und senkte; die kleinen Gliedmaßen, die zuckten, wenn er eingeschlafen war; der ganze Körper dieses Säuglings war quasi ein Ding der Unmöglichkeit, seine Größe, sein Geruch, seine Struktur, ganz zu schweigen von der Ruhe, die das Kind in ihr auslöste und die sie – diese Erkenntnis traf sie eines Tages wie ein Amboss – nie wieder in ihrem Leben empfinden würde.

Alice

1950er | 1961 | Winter 1973 | Juni 1975 | Juli 1975 | August 1975

Wenn Alice ausnahmsweise versuchte, objektiv zu sein, gestand sie sich mitunter ein, dass sie am Anfang ein oder zwei sehr gute Jahre gehabt hatten.

Vor und nach Bears Geburt behandelte Peter sie wie ein Kind, und genau das war sie: ein Kind. Das bedeutete auch, dass er sie auslachte; aber sein Blick dabei war freundlich, und manchmal legte er ihr liebevoll die Hand auf den Kopf, wenn sie wieder einmal ihren *Mangel an gesundem Menschenverstand* zur Schau stellte, wie er das nannte, und seufzte, als denke er darüber nach, was er ihr noch alles würde beibringen müssen. Aber das machte ihr nichts aus; sie fühlte sich beschützt, und das war es, was sie brauchte – wie sie zumindest anfänglich glaubte.

Aber irgendwann veränderte sich Peters Reaktion, und er machte sich nicht mehr über ihre Fehltritte lustig, sondern wurde wütend. Als sie achtzehn war und erst noch lernen musste, wie man eine Dinnerparty ausrichtet, lächelte Peter, wenn er ihre Schreibfehler auf den Tischkarten korrigierte oder ihr erklärte, dass Calla-Lilien auf dem Esstisch nichts zu suchen hatten; fünf Jahre später schaute er genervt drein, und manchmal brüllte er sie an.

In einer Hinsicht waren sie sich jedoch stets einig: wie wichtig ihnen ihr Sohn war, den Alice sofort in ihr Herz geschlossen hatte. Sie wusste, dass Peter ihn ebenso lieb hatte, aber seine Liebe kam ihr manchmal vor wie eine Investition, etwas, das er unter der Bedingung gewährte, dass er später eine Gegenleistung dafür bekäme.

Peter beschloss, dass sie keine weiteren Kinder haben würden, ein Junge sei genug. Alice wusste, was er damit sagen wollte: Mehr als ein Junge würde es kompliziert machen, die Bank zu vererben. Vier Generationen in Folge hatte es immer nur einen Jungen gegeben. Nur einen Peter Van Laar. Manchmal hatte Alice das Gefühl, dass sie so schnell einen Jungen bekommen hatte (und dann auch noch einen so wunderbaren), war das Einzige an ihr, womit ihr Mann zufrieden gewesen war.

In den Sommermonaten in Haus *Self-Reliance* waren die drei am häufigsten zusammen. Dort brachte Peter seinem Sohn Segeln bei und Reiten und Schach und Tontauben vom Himmel zu schießen. Er war ein guter Lehrer, und wenn er seinem Sohn etwas beibrachte, dann tat er das mit einer Geduld, die ihm in anderen Bereichen seines Lebens völlig abging. Von ferne beobachtete Alice die beiden zufrieden, und zum ersten Mal in ihrer Ehe spürte sie so etwas wie wahre, reine Liebe für ihren Mann.

Es half, dass Bear in allem, das er anpackte, gut war. Er konnte schon früh lesen und mit Zahlen umgehen. Er war ein großer, kräftiger Junge, genau wie sein Vater – sehr zur Erleichterung von Alice, die befürchtet hatte, er könne ihre schmächtige Statur geerbt haben.

Trotz dieser Gaben war er überhaupt nicht arrogant; die Geringschätzung, die sein Vater manchmal an den Tag legte, war ihm völlig fremd. Im Gegenteil, er hatte für jeden, dem er begegnete, ein Lächeln übrig und lernte die Namen aller, die im Haus und auf dem Gut arbeiteten, unabhängig von Status oder Rang. In dieser Hinsicht erinnerte sie ihn an jemanden, aber sie kam lange nicht darauf, an wen, bis es ihr schlagartig klar wurde: ihre eigene Schwester. Delphine.

Insbesondere Tessie Jo, die Tochter des Aufsehers, hatte es ihm angetan. Sie war vier Jahre älter als er, behandelte ihn freundlich, verwöhnte ihn. Im Gegenzug folgte er ihr auf Schritt und Tritt und rief ihr *Tessie, Tessie* hinterher. Peter und Alice amüsierten sich über Bear und machten Witze darüber, dass der Knirps in das Mädchen verliebt sei. Es kam selten vor, dass sie sich gemeinsam über etwas amüsierten.

Im Frühling, Herbst und Winter arbeitete Peter meistens und war regelmäßig bis 8 oder 9 Uhr abends im Büro. Oft blieb er in Manhattan, um sich mit potenziellen Kunden zu treffen.

Ohne ihren Sohn wäre Alice in Albany ziemlich einsam gewesen. Sie hatte nicht viele Freunde, eigentlich gar keine. Sie war eine schlechte Gesellschafterin.

Bei diesem letzten Punkt war Peter ganz ihrer Meinung, und das sagte er ihr auch oft und gerne in einem so sachlichen Ton, wie er immer alles sagte – als gäbe er niemals persönliche Ansichten von sich, sondern nur Tatsachen.

«Auf Partys bist du nun einmal langweilig, Alice», sagte er. «Nimm doch mal ein, zwei Drinks, dann kommst du vielleicht ein wenig aus dir heraus.»

Sie war zwanzig, als er das zum ersten Mal sagte. Hatte gerade den zweijährigen Bear auf dem Arm. Sie öffnete den Mund, um zu antworten, aber es kam kein Wort heraus. Peter kritisierte sie oft, und zwar immer in Form von Ratschlägen. Dabei war sie sogar meistens seiner Meinung. Auf Partys *war* sie langweilig. Sie hatte keine Ahnung von aktuellen Themen. Sie war weder viel gereist, noch hatte sie irgendwelche Hobbys. Sie war längst nicht so klug und schlagfertig wie ihre Schwester. Sie hegte zwar manchmal unschöne Gedanken über andere, aber sie beherrschte nicht die Kunst, sie auf witzig-boshafte Weise auszudrücken, mit anderen Worten: Sie eignete sich nicht einmal dazu, Klatsch und Tratsch zu verbreiten. Wenn sie an irgendetwas dachte, dann meistens an Bear und daran, dass sie ihn lieber hatte als alles andere auf der Welt. Manchmal hatte sie das Gefühl, als hätte sie dadurch, dass sie Mutter geworden war, eine neue Dimension oder einen neuen Sinn entdeckt.

«Und nimm nicht ständig den Jungen auf den Arm», sagte Peter. «Er wächst noch an dir fest.» Er griff nach Bear, aber der weigerte sich, Alice loszulassen, vergrub seinen Kopf in ihrer Schulter und klammerte sich nur noch fester an sie.

Wenn Peter ihr Ratschläge gab, nahm sie sie meistens an. Und wie sie feststellen musste, hatte er zu den meisten Aspekten ihres Aussehens und ihrer Persönlichkeit eine Meinung. Sie solle Kleider tragen, die ihre Schultern bedeckten, denn die seien nicht gerade das Hübscheste an ihr. Sie solle die höchsten Absätze tragen, auf denen sie gehen könne, da sie und er so unterschiedlich groß seien. Sie solle Männern, denen sie vorgestellt würde, nicht die Hand schütteln, sondern ihnen nur zunicken. Oft hatte sie den Eindruck, dass sie keinen Ehemann, sondern einen Ausbilder an ihrer Seite hatte: Er versuchte immer, ihr etwas beizubringen, sie zu einem besseren Menschen zu machen, sie auf sein eigenes Niveau zu heben. Sie nahm es ihm nicht übel; bevor sie Peter kennenlernte, hatte sie wenig Orientierung gehabt. Sie redete sich ein, dass er so etwas wie ein Mentor für sie war.

Also ging Alice dazu über, jedes Mal, wenn irgendwelche Kunden zum Dinner zu Besuch kamen, vor dem Essen ein Glas Brandy zu trinken. Sie tat dies ganz bewusst im Beisein von Peter, der nüchtern blieb. Und eine Zeit lang funktionierte es: Sie fühlte sich sofort reifer, kultivierter und besser in der Lage, zu reagieren, wenn die Frauen am Tisch den Ball der Konversation in ihre Hälfte des Spielfelds schlugen – Frauen, die in der Regel zehn oder zwanzig Jahre älter waren und sie mit Blicken bedachten, die zwischen Mitleid und Verachtung schwankten.

Sie tat das mehrere Jahre lang, sah den Alkohol als Aufgabe, der sie nachkam, wenn sie dazu aufgefordert wurde. Wenn keine gesellschaftlichen Verpflichtungen drohten, trank sie nicht.

Doch genau das änderte sich im Laufe der Zeit; wann oder wieso, hätte sie später nicht mehr genau sagen können. Sie gewöhnte sich an, abends zu Hause ein Glas Wein zu trinken. Manchmal auch zwei. Mehr, wenn sie ausging. Und wenn sie zusammen ausgingen, trank sie Martinis, Manhattans oder sogar Gimlets.

Das reichte, wie sie fand: zu Hause Wein, auswärts Cocktails. Ihr liebster Moment an jedem Tag war ein Glas Wein, wenn sie ihren Sohn in der Nähe wusste. Nie war ihre Liebe zu ihm größer gewesen.

Diese Menge Alkohol erschien ihr vernünftig und verantwortungsvoll. Damit konnte sie leben. Falls sie eine Grenze überschritt, würde Peter sie schon darauf hinweisen. In dieser Hinsicht war auf ihn immer Verlass.

Genau so, mit dieser Menge an Drinks, hätte sie weitermachen können, und alles wäre in Ordnung gewesen. Letztendlich war es George Barlow, der dafür sorgte, dass sich das änderte.

Carl

1950er | **1961** | Winter 1973 | Juni 1975 | Juli 1975 | August 1975

Es war bereits 19 Uhr, als in der Feuerwache das Telefon klingelte und Carl Stoddard weckte. Er hatte einen langen Tag in der Sonne hinter sich und war auf einer der Pritschen eingeschlafen. Als es zum zweiten Mal klingelte, setzte er sich auf und blinzelte. Als es zum dritten Mal klingelte, war er bereits hellwach und nahm mit dem gleichen mulmigen Gefühl den Hörer ab, das ihn immer befiel, wenn jemand anrief. Er redete ohnehin nicht gerne, aber in einen Telefonhörer zu sprechen, fand er noch schlimmer.

«Carl Stoddard?», sagte eine Stimme am anderen Ende der Leitung. Es war Marcy Thibault, die örtliche Telefonistin, die aufgrund ihrer jahrelangen Erfahrung erstaunlich gut darin war, Stimmen zu erkennen.

«Wo brennt's denn?», fragte Carl – sein Standardsatz. Wie aus einem Drehbuch.

«Ich habe jemanden vom Van-Laar-Naturreservat für dich in der Leitung», sagte Marcy.

«Ach was?», sagte Carl.

Das war seltsam. Carl arbeitete als Gärtner im Naturreservat, aber sein Arbeitgeber hatte ihn noch nie in seinem Leben direkt kontaktiert.

Vielleicht hatte er etwas vergessen. Oder etwas falsch gemacht.

Peter Van Laar war ein Mann, der wusste, was er wollte, und die Landschaftsgestaltung lag ihm besonders am Herzen. Jedes Jahr im Juli veranstalteten die Van Laars ein einwöchiges Fest, das sie *Blackfly Goodbye* nannten. Damit feierten sie den Zeitpunkt, an dem die Jahreszeiten wechselten und die nervigen *blackflies*, die Kriebelmücken, aus der Gegend verschwanden. Wenn das *Blackfly Goodbye* ins Haus stand, musste alles immer genau so laufen, wie Mr Van Laar sich das vorstellte.

«Woher wissen die denn, dass ich hier auf der Wache bin?», fragte Carl. Sein Herz pochte. Er war ein großer, kräftiger Mann mit blondem Bart, war in diesem Sommer vierzig geworden, hatte in seiner Jugend Football gespielt – aber er war schüchtern, reagierte empfindlich auf Wetterumschwünge und auf die Emotionen anderer, und Konflikten ging er am liebsten aus dem Weg. Das war schon immer so gewesen. Der Beruf des Gärtners passte zu ihm wie die Faust aufs Auge.

«Das wissen die gar nicht», sagte Marcy. «Sie wollen nur die Feuerwehr sprechen.»

In jenem Jahr bestand die Freiwillige Feuerwehr von Shattuck Township aus vier Personen. Neben Carl waren das Dick Shattuck, der Lebensmittelhändler, Bob Alcott, seines Zeichens Geschichtslehrer an der nahe gelegenen Central School, und Bob Lewis, der meistens arbeitslos war.

Knapp zehn Jahre zuvor hatten sie die Feuerwehr aus dem Nichts aufgebaut. Sie schauten sich das Handwerkliche bei den Feuerwehren der benachbarten Städte ab und sammelten immer zu Weihnachten und am 4. Juli Spenden für die Ausrüstung. Sobald sie Feuerwehrstiefel hatten, sammelten sie das Geld mit den traditionellen *boot drives*, bei denen die edlen Spender einen Stiefel mit ihren Scheinen füllten. Sie mieteten eine alte Autowerkstatt und bauten sie zu einer Feuerwache mit Schlafraum und Küche um. Dicks künstlerisch begabte Frau Georgette, die immer die Schaufenster seines Lebensmittelladens dekorierte, malte ein Schild.

Es dauerte vier Jahre, bis sie ein richtiges Löschfahrzeug bekamen, aber im Juli 1961 war es so weit. Sie hatten ein Feuerwehrauto, Schläuche und vier Hydranten in der Stadt, einen Steinwurf von Shattucks einziger Ampelkreuzung entfernt. Die Feuerwehrmänner waren gut ausgebildet, und alle (bis auf Bob Lewis) galten als Männer der Tat.

Es war kein Zufall, dass Carl in der Nacht des 10. Juli 1961 Dienst hatte: Er war gern in der Feuerwache. Er meldete sich so oft wie möglich für Nachtschichten an. Abgesehen von seinem Auto war dies der einzige Ort, an dem Carl jemals wirklich seine Ruhe hatte. Hier in der Wache konnte er lesen, träumen oder ein Nickerchen machen, das Telefon klingelte nur selten.

Es dauerte ein paar Sekunden, bis Marcy Thibault den Anrufer durchgestellt hatte. Und als eine Stimme durch die Leitung drang, war es nicht die irgendeines Mitarbeiters, sondern die von Peter Van Laar höchstpersönlich, dem Carl jedes Mal zunickte, wenn sie einander im Naturreservat begegneten, mit dem er aber höchstens zweimal in seinem Leben ein Wort gewechselt hatte. Bei seinen Angestellten und Geschäftspartnern galt Van Laar als ernster, wenig duldsamer Mann, stiller als seine Frau, aber bösartiger. Er gab sich kaum jemals mit Leuten ab, die für ihn arbeiteten, höchstens mit jenen, die in der Hierarchie seiner Angestellten ganz oben standen, wie dem Aufseher oder der Hausdame, und selbst mit denen sprach er nur flüchtig. Er wirkte wie ein Wolf, war so hager, dass man meinen konnte, er hätte ständig Hunger.

«Hallo? Feuerwehr?», fragte Van Laar, nachdem die Verbindung hergestellt war. Sein Tonfall sorgte dafür, dass sich Carl unwillkürlich aufrichtete und eine Hand auf den Tisch legte.

«Ja», sagte Carl, «hier ist Carl Stoddard von der Freiwilligen Feuerwehr in Shattuck.» Einen Moment lang überlegte er, ob er Mr Van Laar daran erinnern sollte, dass er für ihn arbeitete. Aber die Dringlichkeit in der Stimme des Mannes hielt ihn davon ab.

In der Leitung war es still. Dann vernahm Carl ein Klickgeräusch, bei dem ihm im nächsten Moment klar wurde, dass es von Van Laar stammte, der mehrmals schluckte.

«Mr Van Laar?», fragte Carl. «Ist alles in Ordnung?»

«Es scheint, dass mein Sohn verschwunden ist», sagte Van Laar schließlich.

«Bear?», fragte Carl reflexartig. Er schloss die Augen. Hob eine Faust an seine Stirn. Es war zu kompliziert zu erklären, woher er den Spitznamen von Van Laars Sohn kannte. Aber er kannte ihn; alle kannten diesen Spitznamen, jeder, der auf dem Gelände arbeitete. Sie kannten ihn, seit Bear ein winziger Knirps gewesen war. Jedes Jahr im Mai, wenn er in das Naturreservat zurückkehrte, war er wieder gewachsen und gesprächiger geworden. Jetzt war er acht Jahre alt. Stets lächelnd und pfeifend, patrouillierte er über das Gelände und war freundlich zu allen Angestellten – das genaue Gegenteil seines launischen Vaters. Er war ein richtiger kleiner Naturbursche, der sich für die gleichen Dinge interessierte, für die sich Carl als Kind interessiert hatte. Wie man im Wald einen Unterstand baut, Nahrung sucht und so weiter. In diesem Sommer hatte er mit dem Jungen besonders viel zu tun: Erst letzte Woche hatte Carl ihm gezeigt, woran man erkennt, wie Holz beschaffen sein muss, um damit Feuer zu machen. *Locker, leicht und trocken*, hatte Carl gesagt. *Fast schon weich*. Um zu demonstrieren, was er meinte, nahm er ein kleines Messer und schnitt der Länge nach ein Stück Zedernholz auf. Steckte seinen Daumennagel hinein.

Kurz vor seinem Feierabend hatte Carl Bear noch gesehen: Er hatte vor der Eingangstür von Haus *Self-Reliance* gesessen und war gerade dabei gewesen, sich die Schuhe zuzubinden. Er war aufgestanden und hatte Carl zugewinkt, als er mit seinem Pick-up an ihm vorbeigefahren war, und Carl hatte zurückgewinkt.

Falls sich Van Laar wunderte, wieso Carl seinen Sohn kannte, behielt er es für sich. Stattdessen musste Carl miterleben, wie der Mann ein unkontrolliertes Winseln von sich gab, in dem Carl ein Gefühl erkannte, das ihm nur allzu vertraut vorkam – er war selbst Vater von drei Kindern und war früher einmal Vater von vier Kindern gewesen.

«Keine Sorge», sagte Carl. «Keine Sorge, Mr Van Laar. Wir werden ihn schon finden.»

Binnen fünf Minuten hatte er seine drei Feuerwehrkollegen an der Strippe.

Binnen zwanzig Minuten saßen sie im Einsatzfahrzeug und rasten zum Naturschutzgebiet, während draußen die Sonne unterging.

Carl

1950er | **1961** | Winter 1973 | Juni 1975 | Juli 1975 | August 1975

Es war schon fast dunkel, als die vier Feuerwehrmänner eintrafen. Ihr Wagen – ein geländegängiges Löschfahrzeug von International Harvester, das sie kurz vor seiner Ausmusterung in Schenectady günstig erworben hatten – hatte in diesem Monat Probleme mit dem Auspufftopf und röhrte ganz erbärmlich, als sie die Einfahrt hinauffuhren.

Bevor sie aufgebrochen waren, hatte Carl den anderen alles erzählt, was er wusste. Viel war das nicht, das Gespräch mit Mr Van Laar war ziemlich kurz gewesen.

«Der Junge der Van Laars ist verschwunden», sagte Carl. «Er wollte am Nachmittag mit seinem Großvater auf den Berg wandern. Auf dem Weg zu der Stelle, wo der Wanderweg beginnt, ist er umgekehrt, weil er sein Taschenmesser in seinem Zimmer vergessen hatte. Er ist nicht zu dem alten Herrn zurückgekommen.»

«Wie weit war er vom Haus entfernt, als er umgekehrt ist?», fragte Bob Lewis.

«Keine Ahnung», sagte Carl.

«Wie lange hat Van Laar dort gewartet», fragte Bob Alcott, «bevor er sich auf die Suche nach dem Jungen machte?»

«Keine Ahnung.»

«Was wollte der Junge mit dem Taschenmesser?», fragte Dick Shattuck.

«Keine Ahnung», sagte Carl genervt. «Ich denke mal, vor Ort werden wir mehr erfahren.»

In diesem Moment meldete sich in seinem Hinterkopf eine Erinnerung: Der Junge hatte einmal ganz beiläufig etwas über seinen Großvater gesagt, das Carl nicht weiter beachtet hatte.

Das Feuerwehrauto hielt am oberen Ende der Einfahrt. Dick Shattuck stellte den Motor ab.

Dann war es still. Im ganzen Naturreservat: still.

Carl, der auf der Ladefläche saß, wusste nicht, was er erwartet hatte – dass Leute durcheinanderliefen vielleicht, dass jemand schrie oder weinte oder immer wieder den Spitznamen des Jungen rief: *Bear*. Aber nein, alles war still.

Mühsam rappelte er sich auf. Er sprang von der Ladefläche und landete geräuschvoll. Er hatte in den letzten Jahren fünfundzwanzig Kilo zugenommen und war längst nicht mehr so wendig wie früher. Seine Frau machte sich ernsthafte Sorgen um ihn.

Hinter ihm kletterten seine drei Mitstreiter aus dem Führerhaus.

Vor ihnen stand jemand auf dem Rasen. Erst erkannte Carl ihn nicht, dann sah er, dass es Vic Hewitt war, der Aufseher. Carls Boss.

Vics Umrisse zeichneten sich im schwachen Licht ab, das aus dem Haus kam. Er war groß und breit und hatte die seltsame Angewohnheit, mit an den Seiten ausgestreckten Armen dazustehen, was immer seltsam förmlich wirkte. Ein Soldat, der strammsteht.

Er wartete auf sie.

Carl war genau einmal im Haupthaus gewesen, als er vor fünf Jahren eingestellt worden war. An jenem Tag hatte er es durch die Küchentür betreten; drinnen hatte die Haushälterin Limonade und Kekse hingestellt, während er sich mit seinem künftigen Boss unterhielt.

«Es ist harte Arbeit», hatte Hewitt gesagt. «Da will ich ganz ehrlich sein. Ein großes Gelände, wenig Personal. Und zwar das ganze Jahr über, nicht nur im Sommer.»

Carl hatte genickt, doch er hatte sich nicht wirklich konzentrieren können. Es war reiner Zufall gewesen, dass er von dem Job erfahren hatte. Ein Cousin hatte ihm davon erzählt, der den letzten Gärtner gekannt hatte und wusste, dass jener gerade in Rente gegangen war. Carl hatte wenig Erfahrung mit Gartenarbeit, aber er hatte einen Bibliotheksausweis. Er hätte jeden Job angenommen, den man ihm angeboten hätte. Eines seiner Kinder war krank, und er hatte kein Geld. Bis vor Kurzem hatte er in der Papierfabrik in der Stadt gearbeitet, dann war sie geschlossen worden, und rund sechzig Männer hatten ihre langjährige Arbeitsstelle verloren.

«Harte Arbeit macht mir nichts», sagte Carl. Er hatte Hunger und überlegte, ob er einen der Kekse nehmen sollte, ein verziertes braunes Ding, das eher dekorativ als essbar wirkte. Schließlich entschied er sich dagegen. Hewitt hatte auch keinen genommen.

«Kennst du dich mit Blumen und so aus?», fragte Hewitt.

«Na sicher», antwortete Carl. «Ich bin auf einer Farm aufgewachsen.»

«Aber Blumen?» Hewitt schien skeptisch.

Wieder nickte Carl. «Meine Mutter hat Blumen gezüchtet. Hat mehrmals den Wettbewerb beim County Fair gewonnen.» Das war nicht ganz richtig: Seine Mutter, die noch lebte, hatte Jahr um Jahr am dortigen Wettbewerb *teilgenommen* und sich jedes Mal beschwert, dass sie nicht aufs Treppchen gekommen war.

«Sie hat mir alles beigebracht, was sie wusste», sagte Carl. Ihm war klar, wie verzweifelt er klingen musste.

«Du bist der Cousin von Joe Stoddard, oder?», fragte Hewitt.

Carl nickte.

Schließlich klopfte Hewitt mit den Fingerknöcheln auf die Tischplatte und sagte, wenn er wolle, könne er den Job haben.

Er wollte.

Wie er hinterher erfuhr, hatte sein Cousin Hewitt verraten, dass sein Kind in Albany im Krankenhaus lag. Seither hatten weder er noch Vic Hewitt das Thema jemals angesprochen. Jetzt, 1961, arbeitete Carl bereits seit fünf Jahren dort. Fünf Jahre, in denen er sich alles beigebracht hatte, was er wissen musste, doch erst in diesem Jahr waren die gewünschten Ergebnisse zu sehen. Um ehrlich zu sein, war es ein Wunder, dass weder Vic Hewitt noch Mr Van Laar ihn gefeuert hatten – wobei er mitunter den Verdacht hatte, dass Vic so manches Mal für ihn in die Bresche gesprungen war, wenn Van Laar sich beschwert hatte.

Vic Hewitt begrüßte die vier, als sie über den Rasen auf ihn zugingen.

Wortlos hob er eine Hand. Dann ließ er sie wieder sinken.

«Ihr wisst, was los ist, schätze ich mal», sagte er, als sie in Hörweite waren. Er nickte Carl zu. Schüttelte den anderen die Hand.

Carl warf einen Seitenblick auf Dick Shattuck, der normalerweise ihr Wortführer war.

Doch Dick sagte nichts, erwiderte nur seinen Blick.

Erst jetzt wurde Carl klar, dass die anderen davon ausgingen, dass er die Führung übernahm, schließlich war er hier angestellt, und diese Erkenntnis verunsicherte ihn. Er hatte es nie gemocht, irgendwo den Ton anzugeben. Schon in der Highschool hatte er den Posten des Kapitäns der Footballmannschaft, den sein Coach ihm angeboten hatte, ausgeschlagen.

«Wie ist die Lage?», fragte Carl nach einer Pause, weil ihm sonst nichts einfiel.

«Gibt noch nichts Neues», sagte Hewitt. «Der Junge ist immer noch verschwunden. Bin jetzt schon seit fünf Stunden dabei, den Wald abzusuchen.»

Er ließ die Schultern hängen. Sah zu Boden.

Vic war ein stoischer Mann und ein fachkundiger Fremdenführer. Auf Außenstehende wirkte er wie ein harter Bursche, der es mit allem und jedem aufnahm, wovon sein rechtes Ohr zeugte, dem das Ohrläppchen fehlte. Man erzählte sich, ein Schwarzbär habe es ihm abgerissen, den Vic anschließend zu Boden gerungen habe. Aber er war auch ein alleinerziehender Vater, wie Carl wusste. Seine Tochter, Tessie Jo, war jetzt zwölf oder dreizehn. Sie sah aus wie ein Junge und wurde ihrem Vater immer ähnlicher. Wenn sie nicht gerade in der Schule war, ging sie ihm zur Hand und wich nicht von seiner Seite. Carl merkte, dass Vic in Gedanken bei seiner Tochter war – genauso wie er, Carl, bei seinen Kindern. Er stellte sich vor, wie sie sich im Wald verirrten und die ganze Nacht im Unterholz kauern mussten, das noch feucht war vom Gewitter. Er dachte an Scotty, wie er mit rasselnden Bronchien in dem Krankenhausbett mit den weißen Laken gelegen und um jeden Atemzug gekämpft hatte.

Vic Hewitt wandte sich um und blickte über seine Schulter am Haus vorbei zum Waldrand.

«Hört mal», sagte er. «Da drinnen sind alle in Aufruhr. Mrs V. ist völlig außer sich. Die ganze Familie, alle Gäste. Was ich damit sagen will: Achtet darauf, wie ihr auftretet. Wir wollen sie nicht noch mehr beunruhigen.»

Damit ging er wortlos voran zur großen Eingangstür des Hauses – jener Tür, durch die Carl in all den Jahren, die er dort arbeitete, noch nie gegangen war.

Alice

1950er | 1961 | Winter 1973 | Juni 1975 | Juli 1975 | August 1975

In der Familie Van Laar begannen die Planungen für die *Blackfly-Goodbye*-Festwoche bereits Ende Mai.

Zunächst musste entschieden werden, wen sie einladen würden. Das Haupthaus mit seinen zehn Schlaf- und Gästezimmern bot mindestens sechzehn Personen Platz. In den Nebengebäuden ließen sich weitere achtzehn Personen unterbringen. Ein paar Stammgäste gab es, bei denen man nicht groß nachdenken musste: die McLellans, seit zwei Generationen die engsten Freunde und Geschäftspartner der Familie Van Laar, und die Barlows – Peters Freund George und Alice' Schwester Delphine. Weitere Einladungen galten den Wards, Alice' Eltern – wobei Peter gleich deutlich machte, dass er sie nur seiner Frau zuliebe einlud –, einigen von Peters Collegefreunden und einigen Geschäftsleuten, die Peter als Kunden für die Bank gewinnen wollte; Letztere wechselten von Jahr zu Jahr und wurden in der Regel von der Liste gestrichen, sobald sie ihr Konto eröffnet hatten. Schließlich lud Peter noch einige mehr oder minder bekannte Prominente ein, die er in New York City kennengelernt hatte und die in erster Linie zur allgemeinen Unterhaltung beitragen sollten. Diese «zusätzlichen» Gäste waren meist hübsche und harmlose Frauen oder sehr witzige Männer, die alle allein anreisten und in den Nebengebäuden übernachteten.

Nachdem die Gäste ausgewählt und die Zimmer verteilt waren, wurden weitere Vorbereitungen getroffen. Blumen wurden bestellt. Ein örtliches Folkmusic-Ensemble wurde gebucht und ein Caller für den Square Dance angeheuert, der in der Mitte der Festwoche stattfand. Früher, bevor Autos und Lieferwagen zum Alltag gehörten, hatte das Naturreservat über eine eigene Farm verfügt, die die Bewohner versorgte. Jetzt waren sie auf lokale Erzeuger angewiesen, um die rund dreißig Gäste, die sich im Haus breitmachten, eine Woche lang zu verköstigen.

Im Großen und Ganzen verliefen diese einwöchigen Partys dank Peter, der sie sorgfältig plante, und Alice, die seine Anweisungen befolgte, stets reibungslos.

Aber in dem Jahr, in dem Bear fünf wurde, gab es ein Problem: Alice' Schwager und Peters guter Freund George Barlow war im Juni unerwartet an einem Herzinfarkt gestorben, und sie fragte sich, ob sie ihre Schwester Delphine, die trauernde Witwe, einladen sollten oder nicht.

Alice war hin und her gerissen. Sie wusste, dass sie sich um ihre Schwester nach dem Tod von deren Mann nicht so sehr gekümmert hatte, wie sie es vielleicht hätte tun sollen. Aber die beiden wohnten vier Stunden voneinander entfernt. Alice hatte ein Kind, Delphine nicht. Die letzten Jahre hatten sie sich nur anlässlich des *Blackfly Goodbye* gesehen. Jetzt überkam Alice eine leichte Panik bei dem Gedanken, dass ihr erster Brief seit der Beerdigung eine Einladung zu einer wochenlangen ausgelassenen Party wäre.

Peter lachte sie aus, als sie ihre Befürchtung äußerte.

«Papperlapapp. Ein wenig Ablenkung wird Delphine guttun», sagte er, «und außerdem ist sie ein intelligenter Mensch. Ich bin mir sicher, sie kann selbst entscheiden, ob sie die Einladung annimmt.»

Alice fühlte sich durch seine Wortwahl gekränkt. *Intelligenz* war eine Eigenschaft, die Peter sehr schätzte. Eine, von der sie wusste, dass er sie seiner Frau nicht zuschrieb.

Tatsächlich nahm Delphine die Einladung an. «Mit Vergnügen», schrieb sie zurück.

Alice war erleichtert. Vielleicht, so dachte sie, wäre dies eine Gelegenheit, sich mit ihrer Schwester zu versöhnen. Sich für die letzten Jahre zu entschuldigen, in denen sie den Kontakt hatte schleifen lassen. Ein Neuanfang mit Delphine, die sie als Kind so bewundert hatte, als wäre sie eine Prominente. Jetzt, da sie beide erwachsen waren, dachte Alice, könnten sie vielleicht Freundinnen werden.

An dem Freitag, als die ersten Gäste eintreffen sollten, überlegte sich Alice ganz genau, was sie anziehen sollte. Dann ging sie den Flur hinunter in den Wintergarten, wo sie vor dem Fenster stand und sich auf ihre Aufgabe als Gastgeberin vorbereitete.

Sie wandte sich einem Beistelltisch zu, bereit für ihr Ritual. Sie nahm ein Glas in die Hand. Sie schenkte sich ein Glas Brandy ein – eigentlich war das ja auch nichts anderes als Wein, fand sie.

Sie hob es an die Lippen.

Hinter sich nahm sie eine Bewegung wahr, und sie sah, wie Vic Hewitt den Raum verließ.

«Vic?», sagte sie, und er drehte sich verlegen um, den Anglerhut in Händen.

«Ich wusste gar nicht, dass Sie hier sind», sagte Alice.

Er nickte. Er war die einzige Person auf dem Gelände, die noch weniger sprach als sie. Peter sagte immer, er sei zwar einfältig, aber niemand kümmere sich so gut um das Land wie er. Er trug einen Bart. Er war der letzte in einer langen Reihe von Fremdenführern in den Adirondacks, von denen der berühmteste sogar namentlich in dem legendären Reiseführer erwähnt worden war, der die gesamte

Tourismusindustrie im Adirondack Park begründet hatte. Der erste Peter Van Laar hatte Vic eingestellt, als jener noch ein Jungspund war, sechzehn oder so. Zuerst sollte er die sommerlichen Jagdausflüge leiten, später ernannte Peter I. ihn zum Aufseher über das Gelände, und schließlich, als ihm die Idee für das Ferienlager kam, übertrug er Vic auch noch die Leitung von Camp Emerson. Wie alle, die für die Van Laars arbeiteten, versah Vic Hewitt diverse Rollen, und er erledigte all seine Aufgaben, ohne zu murren.

Aber jetzt wirkte Vic nervös.

«Alles okay mit Ihnen?», fragte Alice, der es ein wenig peinlich war, dass er sie allein beim Trinken erwischt hatte.

Vic nickte. «Ich gehe nur alle Pläne durch», sagte er. «Um sicherzugehen, dass ich alles vorbereitet habe.»

Und plötzlich verstand Alice. Das *Blackfly Goodbye* war die eine Woche in jedem Sommer, in der ihm die Leitung des Ferienlagers entzogen wurde. Dann musste er mehrere Jagd- und Angelausflüge leiten und mit zahlreichen Fremden reden. Vic, vermutete sie, war genau wie sie. Er war am liebsten allein oder bei seiner Tochter, Tessie Jo.

Alice wandte sich wieder dem Stehtisch zu. Sie goss ein zweites Glas ein.

«Hier», sagte sie. «Das wird helfen.»

Er lächelte. Neigte den Kopf. Nahm mit beiden Händen das Glas.

In dem Moment drang von draußen das Geräusch von Reifen auf Kies herein.

Das *Blackfly Goodbye* hatte begonnen.

Delphine kam am Samstag, einen Tag nach den anderen Gästen. Als sie am frühen Nachmittag eintraf, trat eine betretene Stille ein. Die anderen Gäste murmelten ihr Beileid und erkundigten sich nach ihrem Befinden, manche auch ein zweites und drittes Mal. Doch kaum eine Stunde später gingen die Anwesenden wieder der Aktivität nach, die für diesen Tag vorgesehen war: Vic Hewitt hatte am Strand Zielscheiben aufgestellt, und die Gäste – Männer wie Frauen – schossen Pfeile in Richtung des südlichen Waldrands.

Leider wusste niemand so recht, was sie mit einer alleinstehenden Frau anfangen sollten, die nicht bloß da war, um hübsch zu sein oder die Männerwelt zu ergötzen. Die Ballerinen und Schauspielerinnen waren entweder wegen ihres Aussehens eingeladen worden oder wegen der Aura des Skandalösen und Sexuellen, die sie dem Fest verliehen. Seltsamerweise hatte sich Alice in ihrer Gegenwart noch nie unwohl gefühlt. Sie glaubte nicht, dass irgendjemand von ihren eigentlichen Gästen mit ihnen schlief; sie ging davon aus, dass sie miteinander schliefen, die jungen Männer und Frauen, die jedes Jahr nach Haus *Self-Reliance* kamen, und insgeheim bewunderte sie sie dafür. Manchmal fragte sie sich, wie es wohl wäre, einen anderen Mann als ihren Gatten zu spüren – den einzigen Mann, den sie je gekannt hatte.

Wie sich herausstellte, wurde Delphine größtenteils ignoriert, außer von ihren Eltern, mit denen sie bei den Mahlzeiten an einem Tisch saß.

Als George Barlow noch lebte, hatten sie ständig zusammengegluckt. Sie waren das glücklichste Paar, das Alice je erlebt hatte, hatten den gleichen Sinn für Humor und die gleichen exzentrischen Neigungen. Nachdem sie George geheiratet hatte, achtete Delphine nicht mehr so sehr auf ihr Äußeres und zog die Bequemlichkeit der Eleganz vor. Meistens trug sie Hosen, und dann auch noch solche, die ihrer Figur nicht gerade schmeichelten. Trotzdem hatte George Delphine im Beisein anderer immer wieder für ihr Aussehen gelobt. Und Alice hatte die zwei immer wieder dabei ertappt, wie sie einander beim Essen zärtliche oder amüsierte Blicke zuwarfen.

Doch jetzt, wo George nicht mehr da war, wirkten Delphines exzentrische Anwandlungen plötzlich nicht mehr so charmant wie früher. Außerdem hatte sie ohne George niemanden mehr, dem sie ihre Beobachtungen und Gedanken mitteilen konnte; und offenbar hatte sie im Zuge dessen auch die Fähigkeit eingebüßt, diese Gedanken zu filtern.

Als sie zum Beispiel jemand fragte, wie es ihr nach dem Tod ihres Mannes gehe, antwortete Delphine offen und ehrlich: «Furchtbar. Ich kann gar nicht mehr schlafen.»

Was, so fragte sich Alice, sollte man mit solcher Offenheit anfangen? Was konnte man darauf denn erwidern?

So jung und ohne Kinder verwitwet, war Delphine quasi wieder selbst zum Kind geworden. Dieser Eindruck verstärkte sich dadurch, dass sie viel Zeit mit den Kindern auf dem Grundstück verbrachte: mit ihrem Neffen Bear, aber auch mit den Kindern der McLellans und mit Tessie Jo Hewitt, die in diesem Sommer neun Jahre alt war und die Delphine besonders zu mögen schien. Sie brachte ihnen Kartenspiele bei, mit Zahnstochern als Einsatz. Sie ging mit ihnen wandern und brachte ihnen die Namen der Vögel bei; sie trug stets Georges Fernglas um den Hals und reichte es den Kindern, damit sie sich einen Rotschwanz-Waldsänger, eine Schwarzkopfmeise oder einen Bussard anschauen konnten; und manchmal, wenn sie glaubte, dass niemand sie beobachte, wiegte sie das Fernglas zärtlich in ihren verschränkten Armen, als wäre es ihr verstorbener Mann.

Ein, zwei Mal näherte sich Alice ihr, um mit ihr zu plaudern, aber jedes Mal wimmelte Delphine sie ab.

«Ich weiß doch, dass du viel zu tun hast», sagte Delphine. «Geh und hilf Peter. Es ist alles in Ordnung, Bunny, ehrlich.»

Und Alice gehorchte und ließ ihre Schwester mit einer Mischung aus Erleichterung und Gewissensbissen stehen.

Es stimmte schon, ihre Tage waren genau strukturiert – eine Tatsache, mit der seine ältesten Freunde Peter gerne aufzogen. Frank McLellan, Howie Southworth, Merrill Williams und – bis vor Kurzem – George

Barlow waren, das wusste Alice, die Einzigen, die das durften. Diesen Aspekt der jährlichen Zusammenkunft genoss sie ganz besonders. Sie genoss es zu hören, wie die anderen auf bissig-witzige Weise aussprachen, was sie an ihrem Mann so störte. «Wie hältst du es bloß mit ihm aus, Alice?», fragten sie sie immer wieder, und sie lachte mit und war erleichtert, dass die Seiten von Peter, die ihr manchmal richtiggehend Angst machten, offenbar doch nicht so schlimm waren.

Um halb elf gab es die erste Mahlzeit des Tages. Peter frühstückte am liebsten viel früher, denn er war stolz darauf, wie wenig Schlaf er brauchte, aber die jahrelange Erfahrung hatte ihn gelehrt, dass Gäste, die bis 3 Uhr morgens getrunken hatten, kaum um 7 Uhr zum Frühstück erschienen.

Ganz gleich, ob es regnete oder die Sonne schien: Nach dem Frühstück gab es irgendeine organisierte Aktivität im Freien, und diese Aktivitäten waren immer als Wettbewerb angelegt. Bei Wanderungen ging es darum, wer als Erster wieder zurück war, beim Angeln, wer die meisten Fische fing. Am Ende der Woche bekam das Paar mit der höchsten Punktzahl feierlich einen Pokal überreicht, den es im nächsten Jahr wieder mitbringen sollte. Die McLellans, sportliche Katholiken aus Manhattan, waren kaum zu schlagen und hatten schon zehnmal gewonnen, sehr zu Peters Leidwesen.

Für Alice war das Ganze bloß eine weitere Gelegenheit, ihren Mann zu enttäuschen. So sportlich sie war: Wettkämpfe waren ihre Sache nicht, Druck nahm ihr die Kraft und die Konzentration, und wenn Peter sie dann auch noch frustriert ansah, glitt ihr alles aus den Fingern, das sie festzuhalten versuchte.

Entsprechend erleichtert war sie jedes Mal, wenn die tägliche Freiluft-Aktivität vorüber war und ein Imbiss auf sie wartete. Danach zogen sich alle auf ihre Zimmer zurück, um sich auszuruhen und umzuziehen, bevor um Punkt 17 Uhr auf dem Rasen hinter dem Haus die Cocktailstunde begann.

Im Laufe der Woche wurden die Abende immer ausgelassener. Um 19 Uhr gab es Abendessen und anschließend Gesellschaftsspiele, je nach Wetterlage am Kamin oder rund ums Lagerfeuer.

Auch bei den Gesellschaftsspielen ging es darum, Punkte zu sammeln. Und diese Spiele fand Alice noch schlimmer als die Freiluft-Aktivitäten. Immer wieder war sie den Tränen nahe – zum Beispiel bei der Scharade, als Peter so lange falsch riet, bis er sie anschnauzte: *Verdammt noch mal, Alice, dann probier halt etwas anderes!*

Am schlimmsten war für sie das sogenannte Lexikon-Spiel, bei dem eine kolossale Ausgabe des *Oxford English Dictionary* aus den 1930er-Jahren zum Einsatz kam. Dabei musste der Spielleiter der jeweiligen Runde ein Wort finden, das so obskur war, dass keiner der Mitspieler es kannte. *Wadmiltilt* war so ein Wort. *Absquatulate. Opsimath.* Der Spielleiter schrieb die echte Definition auf einen Zettel, alle anderen dachten sich eine eigene aus und schrieben sie auf. Dann bekam der Spielleiter alle Zettel, mischte sie und las laut die Definitionen vor, woraufhin alle darüber abstimmten, welche sie für richtig hielten, und der Spieler, auf dessen erdachte Definition die meisten getippt hatten, gewann.

Alice eignete sich in keinerlei Hinsicht für dieses Spiel.

Da sie sich ohnehin für völlig unkreativ hielt, waren ihre Definitionen immer die gleichen: *Vogel aus Südamerika* war einer ihrer Favoriten, und wenn sie glaubte, dass es sich um ein Verb handelte: *vergnügt lachen.* Aber das war noch längst nicht das Schlimmste: Wenn sie an der Reihe war, gelang es ihr partout nicht, ein Wort zu finden, das niemand kannte. Sie spürte die ungläubigen Blicke auf sich, wenn sie ein Wort wie *melee* vorschlug, das sie dann auch noch falsch aussprach und bei dem sie, als ein sichtlich genervter Peter sie korrigierte, feststellen musste, dass sie es sehr wohl kannte.

Am entgegengesetzten Ende des Spektrums war Delphine, die nicht nur die Bedeutung jedes einzelnen Wortes kannte, sondern ihrem desinteressierten Publikum sogar ganz unbefangen seine Etymologie darlegte, und das, obwohl ihre Eltern ihr das Collegestudium verwehrt hatten. Immer wieder legte sie ihr Veto ein und erklärte fröhlich, dass sie das gesuchte Wort kenne. Als dies zum fünften Mal geschah, grummelten einige am Tisch. Beim zehnten Mal herrschte höfliches Schweigen. Und da veränderte sich schließlich Delphines Gesichtsausdruck: Sie hatte begriffen, welchen gesellschaftlichen Fauxpas sie begangen hatte.

Mitten in einer der nächsten Runden fiel jemandem auf, dass sie sich still und heimlich verabschiedet hatte.

«Wo ist Delphine?», fragte Katherine Southworth, und Howie Southworth sagte: «Sie hatte genug von uns Opsimathen», und alle lachten laut und lange.

«Gute Nacht, Miss Superschlau», sagte Merrill Williams, der Betrunkenste aller Anwesenden, und als jemand ihm bedeutete, still zu sein, sagte er es noch einmal, noch lauter, hielt sich die Hände an den Mund und brüllte: «Gute Nacht, Miss Superschlau!»

Einige der Gäste schnappten nach Luft. Und dann wurde wieder gelacht, wenn auch ein wenig leiser.

«Williams», zischte Peter. «Es reicht.» Merrill verdrehte die Augen, erhob sich von seinem Stuhl und wankte zur Terrassentür hinaus auf den Rasen.

Dann erklärte man das Spiel für beendet.

Alice überlegte, ob sie nach ihrer Schwester sehen sollte. Aber dieser Moment – wenn die Spiele vorbei waren und man endlich tun durfte, was man wollte – war für Alice immer der schönste des Tages. Es waren die einzigen Minuten, in denen sie das Gefühl hatte, dass es nichts mehr gab, wofür Peter sie maßregeln konnte. Wenn sie dann bereits so viel Alkohol im Blut hatte, dass sie sich zufrieden und beschwingt fühlte, sah sie sich in dem wunderschönen Haus um, das ihnen gehörte, schaute aus den Fenstern auf das wunderschöne Land, das ihnen gehörte, schlich durch den stillen Flur, betrat das stille Zimmer, in dem ihr wunderschöner Sohn schlief, und gab ihm einen Kuss, und dann konnte sie wirklich, *wirklich* spüren, was für ein Glück sie hatte, dass sie solch ein Leben führen durfte. Nie wurde ihr das deutlicher als in diesen paar Stunden nach Mitternacht, wenn alle Gäste tun und lassen konnten, was sie wollten.

Statt also nach ihrer Schwester zu sehen, wie es sich gehört hätte, begab sie sich zum Zimmer ihres Sohnes. Sie schlich an einigen Gästen vorbei, die volltrunken auf dem Sofa eingeschlafen waren, und wich anderen – den «Künstlertypen», wie Peter sie nannte – aus, die auf dem Weg hinaus in die Finsternis waren, um zum Strand zu laufen, sich auszuziehen und schwimmen zu gehen.

Doch auf dem Flur blieb sie stehen, als sie hörte, dass jemand leise weinte. Sie erstarrte und lauschte. Dann wurde ihr klar, dass das Geräusch aus Delphines Zimmer kam.

Alice war so betrunken, dass sie den Mut aufbrachte, sich flach auf den Fußboden zu legen und unter dem Türspalt hindurchzuspähen. Sie sah ihre Schwester, die mit gesenktem Kopf auf der Bettkante saß, zitternd schluchzte und sich die Hände vor das Gesicht hielt.

Erschrocken stand Alice wieder auf. Bestimmt hatte Delphine gehört, wie die anderen lachten, und geahnt, über wen sie lachten. Auch Delphine schämte sich, dachte Alice, aber aus einem ganz anderen Grund: Alice schämte sich dafür, dass sie zu dumm war, Delphine dafür, dass sie zu klug war. Eine Frau durfte weder das eine noch das andere sein. Sie fasste sich ein Herz und klopfte leise an die Tür, und als keine Antwort kam, drehte Alice den Türknauf.

Delphine blickte erschrocken auf. Das lange weiße Nachthemd und ihr dunkles Haar, das ihr ins Gesicht fiel, verliehen ihr ein gespenstisches Aussehen.

«Geht es dir gut?», fragte Alice.

Delphine starrte sie noch einen Moment an, dann wischte sie sich mit dem Ärmel über das Gesicht und klopfte neben sich auf das Bett.

«Komm, setz dich her», sagte sie, als Alice zögerte. Und dann gehorchte sie, ging langsam zum Bett und setzte sich neben ihre Schwester. So nah war sie ihr nicht mehr gewesen, seit sie Teenager gewesen waren.

«Es tut mir leid, Delphine», sagte Alice, und dann bekam sie – wie peinlich! – einen Schluckauf.

«Was denn, Liebes?», fragte Delphine.

«Die anderen waren nicht sehr nett», sagte Alice.

«Ach, *das*», sagte Delphine. «Das ist mir egal.» Sie wedelte mit der Hand, als wollte sie eine Fliege verscheuchen. «Leute wie die finden ganz automatisch eine gemeinsame Zielscheibe für ihren Spott. Leute unserer gesellschaftlichen Schicht, meine ich. So wurden wir erzogen. Das tun wir seit unserer Geburt.»

Sie hielt inne.

«Na ja, manche von uns zumindest», sagte sie.

Delphine griff nach einem Glas Wasser, das auf ihrem Nachttisch stand. Trank daraus. Und als hätte sie Alice' Gedanken gelesen, reichte sie ihr das Glas, und Alice nahm es dankbar und trank es aus.

«Warum hast du geweint?», fragte Alice, als sie ausgetrunken hatte.

«Wegen George», sagte Delphine. «Ich muss ständig wegen George weinen. Deshalb habe ich diese Einladung überhaupt angenommen. Ich dachte, in diesem Haus würde ich mich ihm näher fühlen.»

Alice nickte. Wieder hickste sie.

«Gib her», sagte Delphine, und Alice reichte ihr das Glas. Delphine stand auf und verschwand kurz aus dem Zimmer, dann kam sie mit einem vollen Wasserglas zurück.

«Trink», sagte sie, «morgen früh wirst du froh sein.»

Alice gehorchte. Manchmal hatte sie das Gefühl, ihr ganzes Leben bestehe darin, entweder die Befehle derer zu befolgen, die in der

Rangordnung über ihr standen, oder selbst ihren Untergebenen Befehle zu erteilen. Allein zu ihrem Sohn hatte sie eine Beziehung jenseits aller hierarchischen Autorität. Sie hatte ihn einfach nur lieb. Eine bedingungslose, simple Liebe. Und sie glaubte, dass er für sie das Gleiche empfand.

«Hat es denn geklappt?», fragte sie Delphine, nachdem sie das Glas wieder abgesetzt hatte.

«Hat was geklappt?»

«Fühlst du dich George näher, seit du hier bist?»

«Nein», sagte Delphine und lachte auf. «Nicht wirklich.»

Dann sah Delphine Alice so durchdringend an, wie sie noch nie in ihrem Leben jemand angesehen hatte.

«Bist du glücklich hier, Bunny?»

Alice rutschte hin und her. «Natürlich», sagte sie.

«Ich meine, wirklich glücklich? Ich weiß, dass du Bear lieb hast. Natürlich tust du das, er ist ja auch ein echtes Goldstück. Aber Peter? Behandelt er dich gut?»

Alice nickte stumm. «Natürlich», sagte sie – aber diesmal etwas leiser.

Delphine seufzte. «Ich mache mir schon lange Vorwürfe, weißt du», sagte sie. «Irgendwie habe ich das Gefühl, dass ich dich mit ihm verkuppelt habe. Und seitdem mache ich mir Sorgen, dass dir das alles über den Kopf wächst. George und ich dachten beide, er würde sich um dich kümmern. Jetzt bin ich mir nicht mehr so sicher, ob ihr zwei überhaupt zueinander passt.»

Bei dem letzten Satz wurde Alice stutzig. «Was meinst du damit?»

«Nur, dass er sehr unflexibel sein kann, Bunny. Dabei bist du so ein lieber Mensch. Ich hoffe, du kannst dich ab und zu gegen ihn durchsetzen. Ich hoffe, du bekommst ebenfalls, was du dir von diesem Leben erhoffst.»

Nicht weinen, dachte Alice. Weinen hieße, die Prüfung, der ihre große Schwester sie gerade unterzog, nicht zu bestehen. *Bloß nicht weinen.*

Es nützte nichts. Tränen stiegen ihr in die Augen und kullerten ihr über die Wangen.

«Ach, Alice», sagte Delphine. Sie versuchte, eine von Alice' Händen zu ergreifen, aber Alice zog sie weg. Sie wollte fort. Sie wollte aufstehen und gehen, hinaus aus dem Zimmer. Es war ein Fehler gewesen, Mitleid mit Delphine zu haben – erst jetzt fiel ihr wieder ein, dass ihre Schwester so direkt sein konnte, dass es wehtat.

«Hör zu», sagte Delphine. «Wenn ich in den zehn Jahren, die ich mit George Barlow verheiratet war, etwas gelernt habe, dann, dass es völlig in Ordnung ist, nicht immer alles zu tun, was von einem erwartet wird. Diese Erkenntnis war sehr befreiend für mich. So, wie wir erzogen wurden – wie unsere Eltern uns erzogen haben, meine ich –, haben wir gelernt, dass es unsere Aufgabe ist, in allem, was wir tun, absolut *korrekt* zu sein. Aber das stimmt nicht, Bunny. Verstehst du? Wir können unsere eigenen Gedanken haben, unsere eigene Persönlichkeit. Wir können alles tun, was wir wollen, wenn wir nur lernen, uns nicht so sehr darum zu scheren, was andere davon halten.»

Alice fühlte sich immer unwohler. Die Augen ihrer Schwester strahlten plötzlich; auf Alice wirkte sie ein wenig verrückt.

Aber ihre Schwester war nicht zu bremsen.

«Das Spannende an George war», sagte sie, «dass er das schon vor langer Zeit erkannt hatte – dass man im Leben tun kann, was man will, ohne auf irgendjemandes Erwartungen Rücksicht zu nehmen. Trotzdem hat seine Freundschaft zu seiner alten Clique nie darunter gelitten. Den Leuten da drinnen, meine ich.» Sie nickte in Richtung Wohnzimmer. «Seit er tot ist, versuche ich, ihm in dieser Hinsicht ähnlicher zu werden: allen Menschen gegenüber offen zu sein. Sogar *denen.*»

Weiteres Gelächter von ferne. Alice trank aus ihrem Glas.

«Manchmal», fuhr Delphine fort, «ertappe ich mich dabei, dass ich sie beobachte wie Studienobjekte, statt mich mit ihnen zu beschäftigen, wie man es mit Freunden tut. Und wie George es immer getan hat. Das ist eine schreckliche Neigung von mir», sagte sie. «Weißt du schon, dass ich mich für den Herbst in Barnard für Anthropologie eingeschrieben habe? Das ist das Einzige, was mich am Leben hält. Ich werde endlich studieren.»

Dann drehte sich Delphine zu ihr um. «Alice, denkst du nicht auch manchmal daran, doch noch aufs College zu gehen?»

«Huch?», sagte Alice. «Nein, nein, ich muss mich um Bear kümmern.»

«Wie alt ist er denn? Fünf? Kommt er nicht im Herbst in die Schule?»

«Ja», sagte Alice zögerlich. «Aber dann muss ich mich … um den Haushalt kümmern.»

«Du solltest es dir wirklich überlegen», sagte Delphine. «Du bist klüger, als alle glauben. Ich kann mich noch genau erinnern, wie gut du immer im Rechnen warst.»

Alice saß einen Moment da und dachte über diese Worte nach. Sie wusste nicht so recht, was sie damit anfangen sollte. Sie versuchte sich zu erinnern, ob sie jemals in ihrem Leben ein Kompliment bekommen hatte, das sich nicht auf ihr Aussehen oder ihre Kleidung bezog.

«Darf ich dir eine Frage stellen?» Und bevor Alice antworten konnte, fragte Delphine: «Machst du dir manchmal Sorgen, dass uns das ganze Geld, mit dem wir aufgewachsen sind, geistig hat verkümmern lassen?»

Alice errötete.

«Ich meine das gar nicht böse», sagte Delphine. «Es ist nur … In letzter Zeit frage ich mich immer wieder, ob es überhaupt gut für uns war, dass alle unsere materiellen Bedürfnisse von Geburt an erfüllt wurden. Ich habe den Eindruck, dass das dazu geführt hat, dass wir uns keine echten Ziele setzen. Dass es nichts mehr gibt, das wir noch erreichen wollen. Wenn schon unsere Eltern oder Großeltern alles erreicht haben, was bleibt den nachfolgenden Generationen dann noch zu tun?»

Sie blickte einen Moment lang in die Ferne und dachte nach. «Das», sagte sie schließlich, «ist die Erwartung, der ich mich am allermeisten widersetzen möchte.»

Alice war wie erstarrt. Sie wusste nicht, was sie sagen sollte. Über Geld zu sprechen, verstieß gegen alles, was sie in ihrem Leben gelernt hatte. Es kam ihr vor wie eine Sünde. Es folgte ein langes Schweigen.

Schließlich brach Delphine die Stille. «Denk einfach mal darüber nach, Bunny. Die Sache mit dem College, meine ich. George hat – hatte – einen sehr guten Freund, der in Vassar unterrichtet. Wie weit ist Vassar von Albany entfernt?»

Aber Alice schüttelte den Kopf. «Peter würde das nicht wollen», sagte sie. Die Wahrheit war: Sie würde es auch nicht wollen. Aber sie spürte, dass sie Delphine nicht enttäuschen wollte; dass sie den Eindruck nicht zerstören wollte, den ihre Schwester in diesem Moment von ihr hatte.

Delphine hielt inne. «Warum nicht? Was glaubst du?»

«Na ja, er hat immer so viele Ideen, was ich alles tun kann», sagte Alice. «Er würde mir wahrscheinlich nicht glauben, dass ich dafür auch noch Zeit habe.»

Delphine nickte. «Und wenn du darauf bestehst?», fragte sie.

Alice hätte beinahe losgelacht. Der Gedanke, auf etwas zu bestehen, was Peter nicht wollte, war für sie unvorstellbar. Sie hatte keine Angst vor ihm, auch wenn es ein, zwei beunruhigende Vorfälle gegeben hatte. Nein, es war eher so, dass sie sich selbst inzwischen hauptsächlich durch seine Augen wahrnahm und schon deshalb alles vermied, was ihn vor den Kopf stoßen könnte. Das war für sie der einfachste Weg zu Zufriedenheit und Wohlbefinden.

«Ich würde nicht darauf bestehen», sagte sie schlicht.

«Weißt du», sagte Delphine, «mir war schon immer klar, dass Peter jemand ist, der mehr bellt, als dass er beißt.»

Delphine lächelte.

«Aber du bist ein erwachsener Mensch», sagte Delphine. «Und du kennst ihn besser als ich.»

Als Alice aus Delphines Zimmer kam, war es kurz vor 3 Uhr morgens, und Schnarchgeräusche hallten durch das Haus. Jetzt fühlte sie sich wieder nüchtern. Sie ging auf den Fußballen und vermied die Dielen, von denen sie wusste, dass sie knarrten.

Als sie an Bears Zimmer vorbeikam, öffnete sie die Tür und warf endlich einen Blick auf ihren schlafenden Sohn, dann ging sie weiter zum Schlafzimmer.

Peter war noch wach.

Er lag auf dem Rücken, die Hände hinter dem Kopf verschränkt, sein schlanker Oberkörper nackt. Er war im Zwielicht gerade eben zu erkennen.

Er drehte langsam den Kopf in ihre Richtung, sagte aber nichts.

Alice zog sich unbeholfen vor ihm aus und spürte trotz der Dunkelheit seinen prüfenden Blick. Sie wusste, dass sich das ganze Essen und Trinken der einwöchigen Party bereits an ihrer Taille bemerkbar machte, und nahm sich vor, morgen den ganzen Tag lang nichts zu essen – oder zumindest bis zum Dinner.

Sie schlüpfte in ihr Nachthemd und stieg zu Peter ins Bett.

«Wo warst du?», fragte er sie.

«In Bears Zimmer», antwortete sie automatisch. «Er war unruhig.» Sie wusste nicht recht, warum, aber sie hatte Angst davor, ihm die Wahrheit zu sagen.

Ein paar Momente schwieg Peter; sie dachte schon, er sei eingeschlafen.

Aber dann drehte er sich zu ihr herum, und sein Blick war eiskalt. «Du lügst», sagte Peter. «Ich habe in Bears Zimmer nachgesehen. Ich habe dich überall gesucht.»

Plötzlich stemmte er sich auf einen Ellbogen. Alice straffte sich.

«Wo warst du?», fragte er noch einmal. Sie kannte diesen Tonfall und wusste: Jetzt wurde es gefährlich.

«Ich war sehr wohl in Bears Zimmer», sagte sie. «Zweimal. Aber ich war auch bei Delphine im Zimmer.»

Peter stutzte, damit hatte er offenbar nicht gerechnet. Sie wusste genau, was er erwartet hatte. Als sie noch ganz frisch verheiratet gewesen waren, hatte sie auf einer dieser Partys einen schrecklichen Fehler gemacht. Sie hatte so viel getrunken, dass sie nicht mehr genau begriff, was vor sich ging; der Rest war die Schuld eines anderen. Eines ehemaligen Freundes von Peter, der seitdem nicht mehr zu ihren Partys eingeladen wurde.

«Was um alles in der Welt hast du denn bei Delphine im Zimmer gemacht?», fragte er.

«Nach ihr gesehen», antwortete Alice. «Ich habe sie weinen gehört. Und Merrill hatte so etwas Gemeines zu ihr gesagt.»

Peter schwieg einen Moment. Dann ließ er sich wieder auf sein Kopfkissen sinken, und damit war die Unterhaltung beendet.

Alice schloss die Augen. Sie dachte an Delphines freundliches Gesicht, ihr dunkles Haar und ihre aufrechte Haltung. Die Zuversicht und das Selbstvertrauen, die sie ausstrahlte, obwohl kürzlich ihr geliebter Mann gestorben war.

Dann hob Peter doch wieder zu sprechen an.

«Ich weiß, dass sie deine Schwester ist, Alice», sagte er. «Und es tut mir leid, das sagen zu müssen. Aber an deiner Stelle würde ich mich von Delphine fernhalten. Sie kam mir schon immer manipulativ vor.»

Die Worte hallten von den leeren Wänden des Zimmers wider.

«Wir hatten uns alle Sorgen gemacht, dass George sich verändern würde, wenn die beiden heiraten», sagte Peter. «Und weißt du was? Das hat er.»

Dann schwiegen sie.

Carl

1950er | **1961** | Winter 1973 | Juni 1975 | Juli 1975 | August 1975

Im großen Wohnzimmer von Haus *Self-Reliance* hielt Vic Hewitt in dem steinernen Kamin in der Mitte des Raumes das Feuer am Laufen. Ein Dutzend Menschen standen oder saßen um den Kamin herum, niemand sagte ein Wort. Ihr Alter reichte von zwanzig bis achtzig. Außer den Van Laars kannte Carl nur die Eltern der jüngeren Mrs Van Laar, die aus der Stadt heraufgekommen waren. Ihre Tochter – Bears Mutter – war nirgends zu sehen. Vielleicht war sie zu Bett gegangen. Oder weinte in einem anderen Zimmer. Wie Carls Frau in Scottys letzten paar Wochen. Und das ganze Jahr danach.

Alle Anwesenden schienen gerade erst ins Haus zurückgekehrt zu sein, nachdem sie stundenlang im Wald unterwegs gewesen waren. Sie schauten wie benommen drein, ihre Gesichter waren schmutzig, ihre Kleidung steif, gerade vom Kaminfeuer getrocknet, nachdem es vorhin draußen geregnet hatte.

Eine unheimliche Stille erfüllte den Raum. Allen wurde klar, wie ernst die Lage war. Er dachte daran, wie die ganzen Leute hier wohl bei Tageslicht gewirkt hatten, am frühen Nachmittag, als sie mit der Suche begonnen hatten. Er stellte sich vor, wie sie nervös lachten, während sie das Gelände durchkämmten, überzeugt, dass sie das Kind finden würden; wie sie im Regen nach ihm riefen, in der Hoffnung, dass der Junge ihnen nur einen Streich spielte und dass sie zur

Cocktailstunde mit einem Drink in der Hand von der Suchaktion berichten würden.

Er stellte sich vor, wie ihre Stimmung gekippt war.

Sie hätten früher anrufen sollen, dachte Carl. Das hatten alle vier Feuerwehrmänner gedacht, als sie zum Naturreservat gefahren waren, auch wenn es keiner ausgesprochen hatte. Wenigstens Vic Hewitt hätte es besser wissen müssen. Alle vier Männer hatten Grundkenntnisse im Fährtenlesen, und Dicks Bruder Ronald hatte eine Spürhündin, Jennie, die eine gute Nase hatte. Aber sie hatten Ronald nicht erreicht, daher hatten sie sich ohne die Hündin auf den Weg gemacht. Morgen würde sie es aufgrund des Regens und des zertretenen Bodens schon schwieriger haben, die Witterung aufzunehmen. Warum hatte Hewitt nicht angerufen?

Von dem Dutzend Anwesenden machte sich keiner die Mühe aufzustehen, als sie das Wohnzimmer betraten. Erst als Vic Hewitt das Wort ergriff, schienen sie von ihnen Notiz zu nehmen.

«Die Leute von der örtlichen Feuerwehr sind hier», sagte er und wandte sich an den jüngeren Mr Van Laar. «Falls Sie mit ihnen reden möchten.»

Van Laar senior und junior und die Männer von der Freiwilligen Feuerwehr verließen das Wohnzimmer und gingen in die Küche. Erst als sie dort einander gegenüberstanden, merkte Carl, dass er immer noch seinen Hut trug, einen Schlapphut aus Filz, den ihm seine Frau vor ein paar Jahren zum Geburtstag geschenkt hatte. Er nahm ihn schnell ab und strich sich Haare und Bart glatt.

Da sonst niemand etwas sagte, tat er es.

«Also», sagte Carl und sah zu Boden, wollte keinen der Anwesenden anschauen. «Wann haben Sie den Knaben zum letzten Mal gesehen?»

«15 Uhr», sagte Van Laar senior.

«Und Sie waren … wandern?»

«Das wissen Sie doch», sagte Van Laar junior. «Wir haben vorhin telefoniert.» Er klang ungeduldig.

Carl dämmerte, dass er wahrscheinlich davon ausging, dass sie noch in dieser Nacht in den Wald aufbrachen. Da würden sie nicht weit kommen, sie hatten nur eine Taschenlampe und eine Stirnlampe, und wenn sich Carl recht erinnerte, waren die Batterien der Stirnlampe leer. Vielleicht gab es auf dem Grundstück noch mehr Gerätschaften, aber trotzdem: Um überhaupt voranzukommen, würden sie die Staatspolizei rufen müssen, die dank Steuergeldern viel besser ausgerüstet war.

«Würden Sie diese Informationen bitte für die anderen wiederholen, Sir?», fragte Carl. «Nur für den Fall, dass ich etwas vergessen habe, als ich es ihnen erzählt habe.»

«Wir waren zusammen wandern, ja», sagte Van Laar senior. «Bear hatte mich angebettelt, wandern zu gehen. Wir gingen gegen drei zu Hause los und dann durch den Wald – es gibt eine Abkürzung, über die ist es nur eine Viertelmeile von unserem Haus zu der Stelle am Fuße von Hunt Mountain, wo der Wanderweg beginnt. Aber kaum waren wir da, meinte Bear, er habe sein Taschenmesser vergessen. Er wollte umkehren und es holen.»

«Wofür brauchte er das denn?», fragte Dick Shattuck, der offenbar nicht länger stillhalten konnte, wie Carl erleichtert zur Kenntnis nahm.

«Er meinte, er wolle mir etwas zeigen», sagte Van Laar senior. «Ich weiß nicht, was es war.»

Für einen Moment wurde Carl schwindelig. Feuerholz, dachte er. *Locker, leicht und trocken, fast schon weich*. Er wollte ihm zeigen, wie man herausfindet, welches Holz sich zum Feuermachen eignet, dachte Carl. Und dann dachte er: Das habe ich ihm beigebracht. Dabei hatte er Bear so vieles beigebracht. Wie man auf einem Eichelhütchen pfeift. Wie man eine Eule, einen Bären und einen Fuchskopf schnitzt. Woran man erkennt, wann es regnen wird. Das Gleiche, was er seinem Scotty beigebracht hatte.

«Und Sie haben gesagt: okay?», half Shattuck Mr Van Laar auf die Sprünge.

«Ja», sagte Mr Van Laar. «Ich war ungeduldig. Aber ich habe Ja gesagt.»

«Sie haben gesehen, wie er in Richtung Haus ging», sagte Shattuck.

«Ja.»

«Wann haben Sie ihn aus den Augen verloren?»

Van Laar senior überlegte. «Fast sofort», sagte er. «Es gibt eine Stelle, vom Wanderweg aus etwa dreißig Schritte zurück in Richtung Haus, an der der Weg eine Biegung macht.» Van Laar demonstrierte es mit der Hand. «Ich konnte Bear bis zu dieser Stelle sehen, dann bog er nach links ab und war weg.»

«Wie ist es denn da, wo der Wanderweg beginnt?», fragte Shattuck.

Carl wusste es. Er war schon ein paarmal mit Bear dort gewesen. Seine Eltern hatten Bear erlaubt, wann immer er wollte, bis zum Fuß des Berges zu gehen, aber nicht weiter. Der Ausgangspunkt des Wanderwegs lag an einem Parkplatz am Ende einer unbefestigten Straße, über die man die Route 29 erreichte, die Hauptstraße in die Stadt. Der Hunt Mountain war nicht hoch genug, um zu den beliebtesten Gipfeln der Adirondacks zu zählen, aber bei schönem Wetter parkten dort mitunter ein halbes Dutzend Autos.

«Was meinen Sie?», fragte Van Laar senior.

«Ich meine, sind da viele Leute? Andere Wanderer?»

«Normalerweise nicht», sagte Van Laar senior.

«Und heute? Glauben Sie, es waren noch andere Leute unterwegs?»

«Glaube ich kaum», sagte Van Laar senior. «Es standen keine

Autos auf dem Parkplatz, aber bis zum Berg bin ich ja nicht gekommen. Ich stand am Anfang vom Wanderweg und wartete auf Bear, bis es anfing zu regnen.»

Dann: Stille. Eine unbehagliche Stille.

Carl beobachtete Bob Lewis. Er war der Zyniker von den vieren, der Pessimist. Er hatte eine paranoide Ader, die ihn manchmal zu voreiligen Schlüssen verleitete und Menschen zweifelhafte Motive unterstellen ließ. Zweimal war er felsenfest davon überzeugt, dass sie es mit Brandstiftung zu tun hatten, als sich die Ursache eines Brandes nicht eindeutig klären ließ. (Bis heute hatte es in Shattuck Township keinen einzigen Fall von Brandstiftung gegeben; zumindest nicht, seit die vier im Amt waren.)

Wie aufs Stichwort meldete sich Bob Lewis zu Wort.

«Warum wollten Sie überhaupt bei Gewitter wandern gehen?», fragte er Mr Van Laar.

Die Frage kam sehr unvermittelt. Das war wohl auch Lewis klar, denn er schob hinterher: «Wenn Sie mir die Frage gestatten, Sir.»

«Das Gewitter kam urplötzlich», sagte Mr Van Laar. «Sozusagen aus dem Nichts. Der Himmel war klar, als wir das Haus verließen. Die Sonne schien. Es lag nicht einmal ein Hauch von Feuchtigkeit in der Luft. Und dann …» Er sprach nicht weiter.

Dick Shattuck räusperte sich. «Mr Van Laar», sagte er, «was würden Sie sagen, wie lange haben Sie dort auf Bear gewartet, nachdem er zurück zum Haus gegangen war?»

«Schwer zu sagen», sagte Van Laar senior. «Eine Viertelstunde vielleicht. Zwanzig Minuten. Ich habe erst auf meine Taschenuhr gesehen, als es zu regnen begann. Da war es 15:35 Uhr. Da habe ich die Geduld verloren und bin selbst zurück zum Haus gegangen. Durch den Wald ist es ja nicht weit. Wie gesagt. Er hätte nicht lange brauchen dürfen.»

Das Gespräch ging weiter, aber Carl schwieg. Er rechnete. Mr Van Laar hatte gesagt, dass Bear um drei mit seinem Großvater zu der Wanderung aufgebrochen war. Carl hatte an diesem Tag früh Feierabend gemacht, um halb vier. Da hatte er gesehen, wie sich der Junge vor dem Haus hingehockt und sich einen Schuh zugebunden hatte, als wolle er gleich irgendwohin gehen.

Wenn er richtig gerechnet hatte, war er, Carl Stoddard, möglicherweise der Letzte, der den Jungen gesehen hatte, bevor er verschwunden war.

Er überlegte, ob er das erzählen sollte. Entschied sich aber dagegen. Fürs Erste.

Beide Van Laars lehnten sich gleichzeitig gegen die Arbeitsplatte hinter ihnen und wirkten mit einem Mal sehr müde. Überhaupt bewegten sie sich immer unisono. Sie waren gleich groß, hatten die gleichen Augen, die gleichen gleichmäßigen, fließenden Bewegungen. Sie waren so athletisch, wie Carl es reichen Leuten normalerweise nicht zutraute. Er hatte Peter III. vor ein paar Jahren im Rahmen des *Blackfly Goodbye* bei einem improvisierten Baseballspiel auf dem Rasen erlebt. Er hatte einen Ball so weit geschlagen, dass man ihn nicht mehr sehen konnte, und war dann um die improvisierten Bases in einem betont lässigen Tempo gelaufen, hinter dem sich eine bemerkenswerte Kraftreserve verbarg, wie Carl seine Erfahrung aus seiner Zeit als Footballspieler verriet.

«Hat ihn danach noch irgendjemand gesehen?», fragte Shattuck. «Außer Ihnen, meine ich.»

«Nicht, dass ich wüsste», antwortete Van Laar senior.

«Glauben Sie, dass er bis zum Haus gegangen ist?»

«Ich weiß es nicht», sagte der Junior. Bears Vater. «Niemand hat ihn dort gesehen, aber viele der Gäste haben sich um die Zeit herum ausgeruht. Oder waren draußen, schätze ich.»

Carl schluckte schwer. Er wollte es erzählen. Er wollte sagen: *Ich habe ihn gesehen. Er hat sich die Schuhe zugebunden. Da war es halb vier.* Aber er wusste genau, was sich verändern würde, sobald er das verriet.

Shattuck redete weiter, und die Gelegenheit war vorüber.

«Was glauben Sie, wer alles im Haus war?»

Van Laar junior nickte. «Ich», sagte er. «Meine Frau auch. Einige Gäste, wie gesagt. Einige vom Personal.»

«Und wann haben Sie angefangen, nach Bear zu suchen?»

Die beiden Van Laars schauten einander an.

«Dad hat mich im Haus angetroffen», sagte der Junior. «So gegen Viertel vor vier. Ich hatte im Schlafzimmer ein Nickerchen gemacht. Er sagte mir, er könne Bear nirgends finden.»

Sobald er den Namen aussprach, wurde er lauter.

Carl wandte den Blick ab, weil er plötzlich fürchtete, ihm kämen gleich die Tränen.

«Und dann?», fragte Shattuck, ein wenig behutsamer.

«Wir sind in den Regen hinaus», sagte Van Laar senior, «nur wir beide. Wir wollten die anderen nicht beunruhigen. Wir haben zuerst nur … nach ihm gerufen. Nach Bear. Und ich glaube, die anderen haben uns gehört. Und dann wurde ein Suchtrupp gebildet. Wir schwärmten aus. Wir gingen alle eine Weile durch den Wald. Dann teilten wir uns in kleinere Gruppen auf. Eine Gruppe nahm sich Hunt Mountain vor, die gingen bis ganz zum Gipfel hinauf. Eine ging hinunter zum Strand und von dort immer am Wasser entlang. Eine durchsuchte Camp Emerson, alle Hütten, alle Gebäude. Wir waren etwa zwanzig Leute, die suchten. Insgesamt haben wir etwa drei Stunden gesucht. Hinterher waren wir völlig durchnässt.»

Wie auf Kommando nickten alle vier Feuerwehrmänner.

«Wann haben Sie der Mutter des Jungen Bescheid gesagt?», fragte Bob Lewis. Wieder fühlte sich die Frage fehl am Platz an, zu abrupt, das Thema zu heikel.

Diesmal antwortete Van Laar junior. «Sie hörte uns rufen», sagte er. «Sie kam nach draußen.» Seine Stimme klang belegt.

Carl vermied es, auch nur in die Richtung der Van Laars zu sehen. Wenn er jetzt weinte …

Endlich gestattete er sich, aus seinem Unterbewusstsein eine Erinnerung hervorzuholen, die schon seit Stunden an ihm nagte: Bear, wie er im letzten Sommer neben Carl, der gerade Blumen pflanzte, auf einem Baumstumpf saß. Der kräftige Knirps schnitzte zufrieden an etwas, das er sich ausgedacht hatte. Als Bear eine tiefe Männerstimme seinen Namen rufen hörte, hielt er inne und erstarrte.

Carl schaute zu ihm auf. Einen Moment lang beobachtete er ihn. Er ging davon aus, dass der Junge antworten würde.

Doch das tat er nicht.

«Wer ruft dich da?», fragte Carl ihn leise. «Dein Vater?»

Wieder ertönte die Stimme: *«Bear Van Laar! Peter Nummer vier!»*

Bear schüttelte den Kopf. «Mein Großvater», sagte er. Und dann, so leise, dass man es kaum hören konnte: «Den mag ich nicht so sehr.»

Dann seufzte er tief, klappte sein kleines Taschenmesser zusammen und steckte es in die Hosentasche. Er stand auf und ging mit hängenden Schultern in Richtung Haus *Self-Reliance*.

Es war jetzt 20:45 Uhr. Die Sonne war untergegangen. Sie gingen zurück durch das dunkle Wohnzimmer, das sich ein wenig geleert hatte, seit sie eingetroffen waren. Dann durch die Vordertür hinaus auf den mit Grundwasser vollgesogenen Rasen, auf dem jeder Schritt ein schmatzendes Geräusch verursachte. Es war Vollmond, und der Mond schien so hell, dass sie Schatten warfen. Die vier und Vic Hewitt gingen nach Norden zu dem Weg durch den Wald, den der Junge und sein Großvater am Nachmittag genommen hatten.

«Wissen Sie, was er anhatte?», fragte Bob Alcott Hewitt.

«Kurze Hosen, wenn ich mich recht erinnere», sagte Hewitt. «Und ein rotes Hemd, glaube ich. Mit kurzen Ärmeln. Das trug er zumindest, als ich ihn heute Morgen gesehen habe.»

«Lange Hosen», sagte Carl reflexartig. Daran konnte er sich noch genau erinnern. Der Junge hatte die Hosenbeine hochgezogen, um sich die Schuhe zuzubinden.

Eine Pause entstand.

«Ach ja?», fragte Hewitt.

«Ich glaube schon.»

«Wieso?»

«Ich glaube, ich habe ihn gesehen. Draußen vor dem Haupthaus. Kurz bevor ich Feierabend hatte.»

Vic Hewitt sah ihn streng an. «Um wie viel Uhr war das?»

«Halb 4 oder so.»

Alle blickten in Richtung Wald.

«Carl», sagte Vic. «Gibt es irgendeinen Grund, warum Sie uns das nicht schon früher erzählt haben?»

Carl dachte nach. «Es ist mir jetzt erst wieder eingefallen», sagte er. «Gerade eben.»

Shattuck hielt die einzige Taschenlampe, die sie im Lastwagen gefunden hatten, und ließ den Lichtkegel über die Bäume am Rande der Wiese gleiten. Überall dort, wo die Lampe die Bäume erhellte, wurde deutlich, wie dicht der Wald war. Stellenweise wirkte er wie ein undurchdringliches Dickicht. Die einzige freie Stelle war der Eingang zu besagtem Waldweg. Bears letztem bekannten Aufenthaltsort.

«Sollen wir nach ihm rufen?», fragte Carl.

Hewitt zögerte. «Ich glaube nicht, dass das etwas bringt», sagte er schließlich. «Wir haben den ganzen Tag über keine Antwort bekommen. Das würde die Familie nur noch mehr aufregen. Die sollen lieber ein wenig zur Ruhe kommen.»

Shattuck nickte. Er richtete die Taschenlampe wieder auf den Weg und leuchtete noch einmal zurück zum Haus, bevor er sprach.

«Schauen Sie», sagte er bedächtig. «Wir könnten jetzt zu viert in den Wald gehen und eine Weile mit unserer einen Taschenlampe herumlaufen. Nachschauen, ob wir Spuren finden. Oder zurück zum Haus gehen und versuchen, ein paar mehr Taschenlampen oder Fackeln aufzutreiben, und dann gehen alle noch einmal hinaus und schwärmen aus. Aber bei den vielen Leuten, die hier schon herumgetrampelt sind, sollten wir lieber zuerst einen Spürhund besorgen, bevor die Fährte des Jungen ganz verschwunden ist. Meinen Sie nicht auch?»

Vic Hewitt nickte. Er sah die Männer nicht an, sondern blickte in Richtung des Waldes.

«Wenn Sie mich fragen», sagte Shattuck, «sollten wir die State Troopers alarmieren. Meine Meinung.» Das hatte Carl auch gedacht. Zweifellos waren sie alle vier dieser Meinung.

Hewitt antwortete nicht. Er hörte nur zu.

«Vic?», fragte Shattuck. «Geht es Ihnen gut?»

Plötzlich bewegte sich im Wald etwas. Sie hörten ein hektisches Rascheln, wie von einem in die Falle gegangenen Tier. Auf dem Waldweg, der zum Berg führte, tauchte eine kleine Gestalt auf und kam auf sie zu gerannt.

Einen Moment lang waren alle voller Hoffnung.

Aber es war nicht Bear. Carl sah, dass es ein Mädchen war. Shattuck richtete die Taschenlampe auf die Kleine. Ihr Gesicht war blass und voller Angst, der Mund geöffnet, als würde sie schreien, aber kein Ton kam heraus. Ihre Kleider waren nass; ihr feuchtes Haar klebte ihr am Kopf, ihr langer Zopf hing ihr über eine Schulter nach vorne wie ein durchnässtes Seil.

«Was zum Teufel», sagte Hewitt leise, und Carl erkannte erst jetzt, wer es war.

Hewitt lief seiner Tochter Tessie Jo entgegen.
Die anderen blieben, wo sie waren.

Carl

1950er | **1961** | Winter 1973 | Juni 1975 | Juli 1975 | August 1975

Tessie Jo hatte den Mund offen und die Augen geschlossen, als ihr Vater sie ins Wohnzimmer trug und weiter den Flur hinunter. Eines der Dienstmädchen ließ ihr ein Bad ein, während ihr Vater sie in einem der benachbarten Zimmer zu beruhigen versuchte.

Die wenigen verbliebenen Gäste zerstreuten sich. Die Feuerwehrmänner kehrten auf den Rasen vor dem Haus zurück, Carl ging voran. Dort standen sie unschlüssig herum und überlegten, was sie tun sollten.

Bob Lewis brach das Schweigen. «Glaubt ihr, sie hat etwas gesehen?»

Dick Shattuck: «Hoffentlich.»

Aber Carls Gedanken gingen in eine andere Richtung. «Sie waren gute Freunde», sagte er. «Bear ist ihr überallhin nachgelaufen. Hat sie bewundert. Vielleicht für sie geschwärmt.»

Die anderen drei sahen ihn an.

«Bestimmt ist sie nur traurig, dass er weg ist», sagte Carl.

Und tatsächlich war es genau das, was Vic Hewitt ihnen berichtete, als er wieder den Flur heraufkam: Das Mädchen stand unter Schock. Sie war müde, fror und hatte Hunger, weil sie die ganze Zeit, seit Bear am Nachmittag verschwunden war, ohne Essen und Trinken durch den Wald geirrt war. Sie hatte schreckliche Angst, ihren Freund zu verlieren – einen der wenigen Freunde, die sie hatte, sagte Vic und fügte hinzu, dass sie sich mit den anderen Kindern in ihrer kleinen Schule noch nie gut verstanden hatte. Darla McCray war jetzt bei Tessie Jo. Sie hatte ihr einen Teller Suppe eingeflößt und die Kleine, die immer noch zitterte, ins Bett gebracht. Alle hofften, dass sie sich nicht erkältet hatte.

Die vier Männer quittierten diese Informationen mit Kopfnicken. Dann sagte Vic ihnen, sie sollten nach Hause gehen und etwas schlafen. Er würde wach bleiben und aufpassen. Morgen würden sie zu fünft gemeinsam mit den State Troopers noch einmal mit der Suche beginnen. Diesmal mit Hunden.

Als der Feuerwehrwagen die Zufahrt hinunterfuhr, sahen sie im schwachen Licht, das vom Haus *Self-Reliance* ausging, noch einmal Vic, der gerade in Richtung Holzschuppen ging. Bestimmt würde er sich für seine einsame Nachtwache ein Lagerfeuer anzünden, dachte Carl; vielleicht würde der Feuerschein oder der Rauch dem Jungen den Weg zurück zum Haus weisen.

In diesem Moment, als er von der Ladefläche aus zusah, wie in Haus *Self-Reliance* nach und nach die Lichter ausgingen, kam Carl ein Gedanke, der schon länger am Rande seines Bewusstseins schwebte, gegen den er sich aber bis jetzt gewehrt hatte: Wenn das sein Junge wäre, der verschwunden war und mitten in der Nacht in dem kalten Wald herumirrte, vielleicht sogar verletzt irgendwo lag, dann wäre er, Carl, immer noch da draußen und würde nach ihm suchen. Er würde nicht aufhören, Bears Namen zu rufen, bis er selbst den Geist aufgab.

Zu Hause war Maryanne immer noch wach. Sie saß am Küchentisch und legte eine Patience, wie sie es seit Scottys Tod fast jeden Abend tat; sie meinte, so würde sie vor dem Schlafengehen den Kopf frei bekommen.

«Habt ihr ihn?», fragte sie Carl, ohne sich umzudrehen. Ihr Rücken war gerade, sie wirkte angespannt.

«Nein», sagte Carl. «Morgen wird die Suche ausgeweitet. Wir nehmen Ron Shattucks Spürhund mit.» Er dachte einen Moment nach.

Er hatte noch niemandem erzählt, was Bear über seinen Großvater gesagt hatte. Wie sich Bears ganze Haltung verändert hatte, als er gehört hatte, wie diese strenge Stimme seinen Namen rief. Kurz erwog er, es Maryanne zu erzählen. Aber seit einer Weile konnte er nicht mehr vorhersehen, wie sie auf seine Worte reagieren würde. Wenn er etwas Falsches sagte, konnte es gut sein, dass sie wütend wurde. Wut war die Emotion, die sie in letzter Zeit am häufigsten zeigte, als wolle sie ihre Trauer über Scottys Tod unbedingt durch irgendetwas anderes ersetzen. Aber sie sprach zuerst.

«Ich komme mit», sagte Maryanne ruhig.

«Zum Reservat?», fragte Carl.

«Ja.»

Carl stutzte. Seine Ehrfurcht vor den Van Laars war so groß, dass er sich automatisch fragte, ob sie auf deren Gelände überhaupt willkommen war. Dann kam er zur Besinnung: Sicherlich wollten die Van Laars so viele Helfer wie möglich. «Bist du sicher?», fragte er.

Maryanne nickte. Sie legte eine Sieben an eine Acht. «Mutter passt auf die Mädchen auf. Ich habe sie schon gefragt.»

«Okay», sagte Carl, immer noch zögerlich. Schließlich entschied er sich für das einzige Thema, von dem er wusste, dass es unverfänglich war: «Wie geht es denen denn so?»

Maryanne lächelte und wedelte mit einer Hand. «Ach, ganz gut. Jeannie ärgert sich über eine Note. Margaret ärgert sich über einen Jungen. Antonia ärgert sich über eine Freundin.» Endlich wandte sie sich zu ihm um, und für einen kurzen Moment sah er einen Anflug von Humor in ihren Augen. «Ich würde mir mehr Sorgen machen, wenn es allen gut geht.»

Eine Welle der Zuneigung stieg in ihm auf. Er verspürte das Bedürfnis, zu ihr zu gehen, zu seiner hübschen Frau mit dem geraden Rücken, seine Hände auf ihre Arme zu legen und eine Weile einfach nur so stehen zu bleiben. Sie hatten einander in letzter Zeit so selten berührt. Seit einem Jahr hatten sie nicht mehr miteinander geschlafen, und nach dem letzten Mal hatte Maryanne so heftig geweint, dass er sich geschworen hatte, sich ihr nie wieder zu nähern. Jedenfalls nicht, ohne dass sie ihm signalisierte, dass sie es ebenfalls wollte, und bis jetzt hatte sie das nicht getan. Also ließ er sie auch an diesem Abend in Ruhe, räusperte sich und ging die Treppe hinauf ins Bad, wusch sich und ging zu Bett. Er wusste, in ein bis zwei Stunden würde Maryanne leise ins Zimmer kommen, schon im Nachthemd, und sie würde sich neben ihn legen, ohne dass sich ihre Körper berührten.

Am frühen Morgen erwachte er mit dem Duft von Frühstück in der Nase.

Seine Schwiegermutter saß bereits mit einem Becher Kaffee in der Hand am Küchentisch. Maryannes Aufmachung wirkte auf den ersten Blick ziemlich unpassend für einen Tag draußen im Wald: Ihr blaues Kleid und den Glockenhut trug sie normalerweise, wenn sie zur Kirche gingen, wo sie die Sonntagsschule unterrichtete; nur die Stiefel fehlten. Aber schließlich ging es um den Wald der Van Laars, und ihr Outfit war für Maryanne ein Ausdruck des Respekts.

Um 6 Uhr rief Carl in der Feuerwache an, um Bob Lewis mitzuteilen, dass er mit seinem eigenen Wagen hinfahren würde, weil Maryanne beschlossen habe mitzukommen.

«Alles klar», sagte Bob Lewis. «Die Frauen der anderen kommen übrigens auch mit.» Ihm war anzuhören, dass er davon nicht allzu begeistert war.

Dass die Ehefrauen beschlossen hatten mitzukommen, mochte ein Vorbote dessen gewesen sein, was sie im Naturreservat erwartete, aber erst, als sie dort eintrafen, wurde Carl klar, wie groß die Unterstützung war.

Fast alle erwachsenen Bürger von Shattuck hatten sich auf dem Rasen vor dem Haus versammelt: Mehrere Hundert Personen warteten auf Anweisungen. Ron Shattuck hatte seine Hündin Jennie mitgebracht, und einige andere Männer, die Carl nicht bekannt vorkamen, hatten ebenfalls Spürhunde dabei.

Am Haus parkten vier Polizeiwagen mit heruntergekurbelten Scheiben.

Oben auf dem Hügel standen Van Laar senior und junior vor der Eingangstür von Haus *Self-Reliance*. Zu ihrer Rechten unterhielt sich Vic Hewitt gerade mit den State Troopers.

Carl betrachtete diese Szene mit Maryanne an seiner Seite und kam sofort ins Grübeln. Gestern Abend hatten sie, die Mitglieder der Freiwilligen Feuerwehr, hier das Sagen gehabt, heute waren sie nur noch vier Männer unter vielen. Er suchte die Menge ab, bis er Dick Shattuck erblickte, der ausnahmsweise ähnlich unsicher wirkte wie er. Neben ihm stand seine Frau – die dünne Georgette, von der Maryanne sagte, sie sei schon genauso hochnäsig gewesen, als sie mit ihr auf der Grundschule gewesen war. Maryanne räusperte sich leise, was nichts anderes bedeuten konnte, als dass sie wollte, dass er, Carl, aktiv wurde und in irgendeiner Weise Verantwortung übernahm.

Also ging Carl mit Maryanne im Schlepptau auf die Gruppe zu, die seiner Wahrnehmung nach das Sagen hatte. Unterwegs erspähte er Bob und Dick Shattuck; sie folgten ihm.

Als sie die Männer erreichten, die vor Haus *Self-Reliance* standen, nahm niemand Notiz von ihnen.

Zögerlich ergriff Carl das Wort.

«Guten Morgen», sagte Carl, woraufhin Vic Hewitt verstummte und mehrere State Troopers die Augenbrauen hoben.

«Leute, das ist Carl Stoddard», erklärte Hewitt. «Er ist einer der

Aufseher hier auf dem Gelände und außerdem bei der örtlichen Freiwilligen Feuerwehr. Carl, diese Männer sind von der Staatspolizei. Sie werden uns bei der Suche helfen.»

«Ist über Nacht irgendwas passiert?», fragte Carl, und Hewitt schüttelte den Kopf.

«Ich habe ein Lagerfeuer gemacht», sagte Hewitt. «Das ging ganz gut, trotz der Feuchtigkeit. Ich war die ganze Nacht auf. Kann sein, dass ich hin und wieder etwas eingenickt bin.»

«Also keine Spur», sagte Carl, was zugegebenermaßen wenig hilfreich war.

Hewitt schüttelte den Kopf. «Wie ich gerade sagte», fuhr er fort, «das Wichtigste ist, dass wir keine Spuren verwischen, die sich vielleicht noch finden lassen. Oder Fährten. Noch mehr als bisher, meine ich. Wir lassen zuerst die Männer mit den Hunden gehen, bis sie einen ordentlichen Vorsprung haben. Bis dahin teile ich den Rest der Leute in Gruppen ein und zeige ihnen, wo sie suchen sollen. Und wonach sie Ausschau halten sollen.»

Die State Troopers nickten und hörten zu. Carl fand es interessant, dass sie hier keinerlei Autorität für sich beanspruchten; anscheinend akzeptierte sogar die Polizei, dass sie hier nur Untergebene waren – Gehilfen der Familie, die die Suchaktion leitete, und von Vic Hewitt. Zumal die Hewitts seit Generationen als die besten Fremdenführer der Gegend bekannt waren, und Vic Hewitt sagte man eine ganz besondere Gabe nach. Einige der State Troopers waren Jungs aus der Gemeinde, die seinen Ruf zweifellos kannten.

Vic Hewitt drehte sich abrupt weg und ließ Carl und die anderen mit den State Troopers allein, die sich von ihnen abwandten und einen engen Kreis bildeten.

Bob Lewis, der sich nie scheute, seine Meinung zu sagen, sprach aus, was sie alle vier dachten. «Es ist, als wären wir gar nicht hier.»

Zuerst gingen die Männer mit den Hunden los, wie geplant.

Zehn Minuten nach den Spürhunden machte sich der Rest der Gruppe auf den Weg zu den Orten, die ihnen Vic Hewitt zugewiesen hatte, einige per Auto. Die vier Feuerwehrmänner und ihre Frauen hatten den Auftrag, eine Quadratmeile Wald jenseits der Route 29 zu durchsuchen; sie fuhren dorthin und parkten hintereinander am Waldrand.

Das Ziel, hatte Vic gesagt und dabei so laut geredet, wie er konnte, damit ihn möglichst alle Anwesenden hörten, das Ziel sei es, sich gleichmäßig zu verteilen und als Gruppe in einer Reihe vorwärts zu gehen. Haltet die Augen auf den Boden gerichtet, hatte Vic gesagt. Schaut immer von links nach rechts und sucht nach ungewöhnlichen Farben, nach ungewöhnlichen Vertiefungen im Gestrüpp. Ungefähr alle dreißig Sekunden sollten sie den Namen des Jungen rufen.

Letzteres erwies sich als unerwartet schwierig für Carl. Für alle Männer.

Sie waren es nicht gewohnt, immer wieder ganz laut jemandes Namen zu rufen.

Wie sich herausstellte, konnten die Frauen das viel besser, daher waren es bald nur noch ihre Stimmen, die durch den Wald hallten. Sie waren allesamt Mütter und waren es gewohnt, ihren angeborenen Sinn für Sitte und Anstand zu ignorieren, um voller Inbrunst nach ihren Kindern zu rufen.

Überall im Naturreservat hörten sie, wie andere das Gleiche taten, und der Name des Jungen hallte wider wie ein Echo.

Eine Stunde verging. Zwei, drei. Es war heute nicht besonders heiß, aber Carl schwitzte trotzdem. Ständig Bears Namen zu hören, nagte an seinem Gewissen, ließ sein Herz schneller schlagen und beschwor wieder die Erinnerung herauf, die ihm seit gestern Nachmittag im Kopf herumschwirrte.

«Bear Van Laar», hatte der Großvater des Jungen gerufen. Und

Bear war erschrocken aufgesprungen, Carl hatte gemerkt, dass er lieber bei ihm bleiben wollte.

Jetzt setzte er einen Fuß vor den anderen. Der mit Kiefernnadeln bedeckte Waldboden knirschte unter seinen Sohlen. Wäre Carl allein gewesen, hätte er sein Hemd ausgezogen. Er versuchte, sich auf den Boden zu konzentrieren, wie man es ihm gesagt hatte – was kaum nötig gewesen war, er kannte sich schließlich aus. Dennoch begann die Umgebung vor seinen Augen zu verschwimmen. Er nahm einen Schluck aus der Wasserflasche, die um seinen Hals hing.

Normalerweise merkte es Maryanne sofort, wenn es ihm oder einem der Kinder nicht gut ging, aber heute war sie voll und ganz auf ihre Aufgabe konzentriert. Gleich zu Beginn hatte sie den Saum ihres Kleides in Höhe ihrer Knie zu einem Knoten gebunden. Sie machte große Schritte und rief nach dem Jungen.

Plötzlich stolperte Carl und fiel zu Boden. Die anderen blieben stehen.

Er spürte einen Schmerz in Bauch und Brust, wie ein Schraubstock, der immer weiter zugedreht wurde. Er brachte kein Wort heraus.

Jetzt hörte er einen anderen Namen. *Carl!*, riefen sie.

Carl! Carl!

Das war das Letzte, was er hörte, bevor er das Bewusstsein verlor.

III

Wenn du dich verläufst

Tracy

1950er | 1961 | Winter 1973 | Juni 1975 | **Juli 1975** | August 1975

Sie traute sich nicht, das Wort auszusprechen, nicht einmal daran zu denken. Aber manchmal hatte Tracy das Gefühl, dass sie drauf und dran war, sich in Barbara Van Laar zu verlieben.

Sie war fasziniert von allen Einzelheiten von Barbaras Gesicht und Körper, von ihren Augen mit den langen Wimpern, ihrem stets schläfrigen Blick, von der Form ihrer kräftigen Beine, von den Nägeln, die sie sich bis zum Nagelbett herunterbiss, und von den hellblonden Haaren auf ihren Unterarmen und Oberschenkeln, die im Sonnenlicht wie gesponnenes Gold aussahen und das künstliche Schwarz ihrer Haare betonten. Wenn sie Tracys Blicke bemerkte – und das tat sie, ganz bestimmt –, sagte sie nichts, sondern lächelte nur vage in ihre Richtung, als wäre sie es gewohnt, dass man sie anstarrte.

Aber vor allem war Barbara Tracys erste Freundin, die Tracy genauso zu mögen schien wie Tracy sie. Zum Beispiel sagte sie Tracy, dass sie witzig sei, lachte oft und laut über etwas, das Tracy sagte, und zog damit die interessierten Blicke der Umstehenden auf sich. Sie sagte Tracy, dass sie klug sei. Sie verachtete alles Gewöhnliche, aber nicht die Menschen, die sich für gewöhnliche Dinge interessierten. Im Grunde hatte Tracy noch nie einen so wenig voreingenommenen Menschen kennengelernt.

Barbaras Position im Camp Emerson war spannend: Sie hatte den

Nimbus einer Außenseiterin, weil sie in diesem Sommer zum ersten Mal als Ferienkind dabei war, und doch kannte sie sich hier besser aus als alle anderen. Sie war die Einzige, die sich regelmäßig außerhalb der Saison auf dem Gelände herumtrieb, hatte schon in Schränke, Räume und Küchen geschaut, die für die normalen Ferienkinder tabu waren.

Am spannendsten aber war, dass sie offenbar eng mit T. J. Hewitt befreundet war, der Leiterin des Camps, die auf alle anderen Ferienkinder sehr mysteriös wirkte. Zwar unterrichtete sie das Überlebenstraining, aber selbst dann war sie ernst und unnahbar. Das Einzige, was Tracy über ihr Privatleben wusste, drehte sich darum, was sie mit dem Ferienlager zu tun hatte: dass sie die Tochter von Vic Hewitt war, dem langjährigen Leiter des Camps, einer Legende, dessen Bild an prominenter Stelle in der Kantine hing. Es hieß, dass er irgendwie krank sei. Ansonsten wussten sie rein gar nichts über T. J.; die Betreuer verehrten sie und tratschten niemals über sie. Sie schien eher ein Maskottchen zu sein als eine lebende Person: jemand, den man respektierte, mit dem man aber niemals direkt sprach.

Als Tracy das erste Mal zusammen mit Barbara T. J. begegnete, staunte sie nicht schlecht, als ihre neue Freundin der Campleiterin zurief: «Hey, T. J., was macht die Kunst?»

T. J. war die einzige Person auf dem Gelände, die keine Uniform trug. Stattdessen trug sie Shorts aus Cord oder Jeans und ein T-Shirt oder ein kariertes Flanellhemd und hohe Socken und braune Wanderstiefel von Danner, die sie oben fest zuschnürte. Ihre Frisur wirkte so schief und krumm, dass man jede andere Frau dafür ausgelacht hätte. Aber bei T. J. kam dadurch nur zum Ausdruck, dass irdische Belange sie einfach nicht kümmerten. Wie ein Mönch durch seine Tonsur hob sie sich so von den Laien im Camp ab.

Sie kniete vor einer der kleinen Brücken, die über den Bach führten, der die Hütten der Jungen von denen der Mädchen trennte. Mit beängstigender Geschwindigkeit schlug sie eine Reihe Nägel ein. Jetzt blickte sie auf und runzelte die Stirn.

«Solltest du nicht gerade irgendwo anders sein?», fragte sie.

«Weiß ich nicht mehr», neckte Barbara sie. Sie drehte sich zu Tracy um. «Du etwa, Tracy?»

«Mittagessen», sagte Tracy schnell. «Wir sind auf dem Weg zum Mittagessen.»

«Ach ja, richtig. Tut mir leid, T. J., ich bin neu hier.» Barbara grinste. T. J. nicht. Aber es war offensichtlich, dass sie sich bemühte, ein Lächeln zurückzuhalten.

«Dann geht mir nicht auf den Wecker», sagte sie, hob erneut den Hammer und wandte sich wieder ihrer Arbeit zu.

Sie gingen weiter. Aber Barbara bemerkte schnell, dass Tracy große Augen machte und auf eine Erklärung wartete.

«Was?», fragte sie.

Tracy blickte über die Schulter zurück.

«Ach, T. J.?», fragte Barbara. «Die ist harmlos. Ich weiß gar nicht, warum alle solche Angst vor ihr haben.»

«Was macht sie eigentlich den Rest des Jahres über?», fragte Tracy.

«Sie kümmert sich um ihren Vater. Um das Gelände. Wohnt bei mir in Albany, wenn meine Eltern irgendwohin müssen.»

Tracy sah sie an. «Wie … Als Babysitter?» Das konnte sie sich nicht vorstellen. Die langen Pausen, in denen keiner der beiden etwas sagte, wären sicherlich kaum zu ertragen.

Barbara lachte. «So würde ich es nicht nennen. Sie ist einfach da und passt auf, dass ich keinen Ärger mache. Die Hewitts gehören praktisch zur Familie.»

Tracy zuckte die Schultern. «Wenn du meinst», sagte sie.

Wenn Tracy nicht gerade mit Barbara zusammen war, versuchte sie, mehr über sie herauszufinden. Sie wurde immer neugieriger auf ihre

Vorgeschichte. Falls ihre Hüttengenossinnen mehr über das Verschwinden von Barbaras Bruder wussten, hatte Barbaras Ankunft dafür gesorgt, dass aus Respekt niemand mehr über das Thema sprach.

Nur einmal erfuhr Tracy etwas, das über vage Andeutungen hinausging.

Als sie einmal, mitten in der Saison, gerade auf dem Weg vom Waschhaus zurück zur Hütte war, sah sie Lowell Cargill, das andere Objekt ihrer Zuneigung, an einem der Picknicktische sitzen. Sein Gesicht steckte hinter einer Zeitung.

Über dem Falz stand das Datum: *13. Juli 1975*. Darunter prangte das Gesicht eines bebrillten, kahlköpfigen, ernst dreinschauenden Mannes. Aus der Bildunterschrift erfuhr sie, dass es sich um Jacob Sluiter handelte, den die Ferienkinder den «Schlitzer» nannten. Während der Bettruhe hatte sie die anderen über ihn flüstern gehört. Offenbar kursierten Gerüchte, der Schlitzer hätte etwas mit Bear Van Laars Verschwinden zu tun, aber Einzelheiten hatte Tracy bisher nicht erfahren.

So lässig wie möglich ließ sie sich an einem anderen Tisch nieder und setzte sich so hin, dass sie die Zeitung sehen konnte. Sie kniff die Augen zusammen, um den Text des Artikels entziffern zu können. In Momenten wie diesen ärgerte sie sich ausnahmsweise, dass sie ihre Brille nicht trug. *ENTLAUFENER GESICHTET* lautete die Überschrift. Und darunter fielen ihr Worte wie *gefährlich* und *bewaffnet* ins Auge.

«Schiss?»

Tracy zuckte zusammen.

Lowell Cargill sah sie über die Zeitung hinweg an. «Da steht, es kann sein, dass er auf dem Weg nach Norden ist, in sein altes Jagdrevier», sagte Lowell betont beiläufig.

Er faltete die Zeitung zusammen. Schlug ein Bein über das andere, Knöchel auf Knie.

Als er Tracys Gesicht sah, fügte er hinzu: «Du musst wirklich keine Angst haben. Er ist ganz unten in Fishkill ausgebrochen. Wenn er zu Fuß unterwegs ist, kann er noch nicht hier sein. Und ich wette, sie finden ihn, bevor er hier ankommt.»

Er hielt kurz inne.

«Es sei denn, er ist getrampt», fügte er nachdenklich hinzu. «Aber wer nimmt so einen schon mit?»

«Woher hast du die Zeitung?», wollte Tracy wissen.

«Aus der Kantine», sagte Lowell. «Die verkaufen da jeden Tag Zeitungen. Die meisten wollen nur keine haben.»

Ich schon, dachte Tracy. Zu Hause las sie immer gerne mit ihrer Mutter die Tageszeitung. Und dass auch Lowell Cargill das tat, sah sie als weiteren Beweis dafür, wie gut sie zueinander passten. Ihrer Erfahrung nach lasen nur wenige Jungen in seinem Alter Zeitung.

Unvermittelt stand Lowell auf und streckte die Arme in die Höhe, wobei er ein Stück seiner Hüfte entblößte, wie sie erfreut zur Kenntnis nahm.

«Du kannst sie haben, wenn du willst», sagte Lowell. «Ich bin durch damit.»

Sie nahm die Zeitung in die Hände und wusste jetzt schon, dass sie sie für den Rest der Saison in ihrem Koffer aufbewahren würde, als wäre sie eine heilige Reliquie, gesegnet durch die Berührung Lowell Cargills.

Dann knackte es in der Lautsprecheranlage, und eine Durchsage ertönte, dass die Freistunde vorbei sei, und Lowell wandte sich zum Gehen.

Doch er drehte sich noch einmal um, als wäre ihm etwas eingefallen. «Hey», sagte er. «Barbara meinte, du wärst eine tolle Sängerin. Hast du Lust, mal mit mir zu singen?»

Tracy spürte, wie alles Blut aus ihrem Kopf wich.

Lowell runzelte die Stirn. «Ist schon okay, wenn du nicht willst», sagte er. «Ich dachte halt nur. Ich bin gerade dabei, zu lernen, wie man zweistimmig singt.»

Er ging.

Tracy sah ihm hinterher und verfluchte ihre Feigheit. Als er schon zehn Schritte entfernt war, zwang sie sich, den Mund aufzumachen. «Sehr gerne», sagte sie. Und dann noch einmal, lauter.

«Prima», sagte Lowell. «Ich sag dir Bescheid.»

Zwischen Abendessen und Schlafengehen lag Tracy oben auf ihrem Etagenbett, faltete das Titelblatt des *Saratogian* zu einem kleinen Quadrat zusammen und las den Artikel.

Darin erfuhr sie die ganze Geschichte von Jacob Sluiter. Sie las, dass er ein berüchtigter Mörder war, der vor über zehn Jahren den Adirondack Park heimgesucht hatte. Sluiter wurde wegen elf Morden angeklagt und verurteilt. Er beging seine Taten zwischen 1960 und 1964, als er schließlich verhaftet wurde. Die meisten Morde ereigneten sich auf Zeltplätzen und in abgelegenen Hütten. Die Opfer – Paare, manchmal auch alleinstehende Frauen – fesselte und erstach er; Schusswaffen benutzte er nie. Dass Sluiter seinen Verfolgern so lange entging, hatte er der Tatsache zu verdanken, dass er sich so gut damit auskannte, wie man in der Wildnis überlebt. Diese Kenntnisse hatte er sich in seiner Kindheit angeeignet. Er war in ärmlichen Verhältnissen auf dem Lande aufgewachsen und hatte gelernt, wie man Fallen stellt und Fische fängt. In den vier Wintern, in denen er auf der Flucht war, zog Sluiter von einer unbewohnten Blockhütte zur nächsten und stahl Konserven und andere Vorräte, die die Besitzer zurückgelassen hatten. Von Mai bis September, wenn die Besitzer wieder in ihre Häuschen zurückkehrten, campierte er im Freien. So hätte es ewig weitergehen können. Doch dann hatte er Pech: Wider Erwarten stand die Hütte, die er sich ausgesucht hatte, gar nicht den Winter über leer. Die Besitzer feierten hier jedes Jahr Weihnachten, und als sie in die Einfahrt einbogen, sahen sie Rauch aus dem Schornstein steigen. Bevor Sluiter seine Pistole gefunden hatte, war der Hausherr schon im Haus und überwältigte ihn.

Der Besitzer fesselte Jacob Sluiter an einen Stuhl und rief die Polizei. Am 23. Dezember 1964 wurde er verhaftet.

Er gestand keine seiner Taten und beteuerte immer wieder seine Unschuld. Dabei war die Beweislast erdrückend: Er hatte Gegenstände, die den Opfern gehört hatten, in seinem Besitz, seine Fingerabdrücke befanden sich an sämtlichen Tatorten, es gab Aussagen zweier seiner Geschwister über seine sadistischen Neigungen, und schließlich war er von jemandem identifiziert worden, der einen seiner Mordversuche überlebt hatte. Doch selbst hier bestritt Sluiter alles. Dass er keinerlei Angaben zu den Taten machen wollte, habe, so der Reporter, zu Spekulationen geführt, Sluiter könne für noch mehr Morde verantwortlich sein, als ihm zur Last gelegt wurden. Einige Fälle von Wanderern, die als vermisst gemeldet waren und von denen man bislang annahm, sie hätten sich im Wald verirrt, wurden wieder aufgerollt.

Ob er auch Bear Van Laar umgebracht hat?, fragte sich Tracy. Das war das beängstigende Gerücht gewesen, das sie in ihrer ersten Nacht im Camp gehört hatte.

In dem Artikel hieß es weiter, Jacob Sluiter habe zehn Jahre nach seiner Verhaftung und Verurteilung – lebenslänglich ohne die Möglichkeit einer vorzeitigen Entlassung – eine Krankheit vorgetäuscht, um in ein Gefängnis mit geringerer Sicherheitsstufe verlegt zu werden. Und vor drei Wochen sei Jacob Sluiter aus ebenjenem Gefängnis, das mehr als zweihundert Meilen südlich von Camp Emerson lag, ausgebrochen. Bei Erscheinen der Ausgabe des *Saratogian*, die sie in der Hand hielt, war er seit über drei Wochen auf der Flucht; die Schlagzeile bezog sich darauf, dass er möglicherweise in der Nähe von Schoharie, New York, gesichtet worden war.

Neben dem Artikel befand sich ein Diagramm, eine Art Karte, auf der die Tatorte der bekannten Morde Sluiters eingezeichnet waren sowie der Ort, an dem er seinerzeit verhaftet worden war. Und Tracy stachen zwei der diversen Ortsnamen auf der Karte ins Auge. Der eine war die Stadt Shattuck, die fünf Meilen von Camp Emerson entfernt war. Der andere das Van-Laar-Naturreservat. Mithilfe ihres Fingers und der Legende schätzte Tracy die Entfernung zwischen ihrem Standort und dem Ort, an dem Sluiter verhaftet worden war, ab. Zwanzig Meilen, höchstens dreißig. Sie fuhr mit dem Finger von Camp Emerson über den Ort der Verhaftung bis zum nächstgelegenen Tatort, der ebenfalls zwanzig oder dreißig Meilen entfernt war. Das Resultat war ein gleichschenkliges Dreieck. Ein Pfeil, der nach Osten zeigte, mit Camp Emerson als Spitze.

Tracy

1950er | 1961 | Winter 1973 | Juni 1975 | **Juli 1975** | August 1975

Lowell Cargill hielt Wort. Eine qualvolle Woche musste Tracy warten, aber dann erschien er mit dem Gitarrenkoffer in der Hand auf der Veranda von Haus *Balsam* und klopfte an die Tür. Eine der Melissas öffnete und sah ihn perplex an. Als er nach Tracy fragte, klappte ihr die Kinnlade herunter.

Lowell schlug vor, zum Üben zum Amphitheater zu gehen, und Tracy ging ihm schweigend über das Gelände des Ferienlagers hinterher. Sie wollte sich so gerne mit ihm unterhalten, doch ihr fiel nichts ein. Aber dass sie schwiegen, schien Lowell nichts auszumachen. Als sie ihr Ziel erreicht hatten, setzte er sich auf einen Baumstumpf und öffnete seinen Gitarrenkoffer.

Schon neulich, als Tracy Lowell zum ersten Mal hatte singen hören, war ihr aufgefallen, dass er dabei überhaupt nicht schüchtern oder gehemmt wirkte, sondern einfach nur *sang*. Manchmal schloss er dabei sogar die Augen, als wolle er den Rest der Welt ausblenden.

Heute war das nicht anders. Er begann mit dem Lied von Ian & Sylvia, das er schon einmal gesungen hatte – dem Lied, das Tracy kannte.

Als sie Lowell jetzt so gegenübersaß, war Tracy hin und her gerissen: Sie hatte das Gefühl, dass sie kurz davor war, in hysterisches Kichern auszubrechen, und sie grub ihre Fingernägel in ihre Handfläche, um das zu verhindern. Andererseits fand sie Lowells Leidenschaft inspirierend, fühlte sich davon angezogen. Seine ernste Miene und die hübschen Gesichtszüge, die sich gefühlvoll bewegten – das war vielleicht das Erotischste, das Tracy mit ihren zwölf Jahren je gesehen hatte.

«Okay», sagte Lowell, nachdem er das Lied einmal gesungen hatte. «Jetzt bringe ich es dir bei.»

«Ich kann das schon», sagte Tracy.

Eine Stunde lang probten sie, und bald war es Tracy, die ihm beibrachte, den Ton zu halten, während sie ihren sang. Plötzlich vermisste sie ihre Mutter, die Rennbahn-Queen und Sportreiterin, burschikos und frech, hochgewachsen, mit rotem Haar und Sommersprossen wie Tracy. Sie scherte sich nicht um Tischmanieren, beugte sich über den Teller, lachte laut, drückte beim Gehen Knie und Ellbogen durch, sodass ihre wackelnden Glieder Tracy an eine Marionette erinnerten. So etwas wie Anmut verströmte sie nur auf dem Rücken eines Pferdes. Im Jahr nach der Scheidung ihrer Eltern hatte sich Tracys Wut hauptsächlich gegen ihre Mutter gerichtet – kein Wunder, schließlich wohnte sie bei ihr. Aber jetzt dankte Tracy ihr im Stillen dafür, dass sie ihrer Tochter zumindest eine Sache beigebracht hatte: zweistimmig zu singen.

Später am Abend schwebte Tracy wie auf Wolken zu ihrer Hütte zurück. Als sie eintrat, sah Barbara sie neugierig an. Anscheinend hatte sie mitbekommen, wo Tracy gewesen war.

Sie setzte sich neben Barbara auf das untere Bett und sah zu Boden.

«Was ist passiert?», flüsterte sie.

Tracy erzählte es ihr leise.

Zum ersten Mal in ihrem Leben hatte sie das Gefühl, eine wirklich gute Geschichte erzählen zu können. Eine, in der sie – Tracy

Jewell – die Protagonistin war. Barbara, die neben ihr saß, nickte weise, während sie erzählte.

«Hat er gesagt, dass er dich wiedersehen will?», fragte Barbara.

«Ja», sagte Tracy.

Barbara dachte kurz nach. «Also, eines ist sicher», sagte sie. «Er mag dich.»

Es war seltsam, aber Tracy wusste, dass sie recht hatte. Kein Zweifel: Lowell Cargill mochte sie.

«Und wie geht es jetzt weiter?», fragte Tracy.

Sie zuckte mit den Schultern. «Kommt darauf an, wie erfahren er ist», sagte Barbara. «Vielleicht lädt er dich zur Tanzparty ein. Oder er versucht etwas, wenn ihr das nächste Mal zusammen singt.»

Versucht *was*?, fragte sich Tracy, wobei ein Teil von ihr die Antwort wusste.

«Du hast doch keine Angst, oder?», fragte Barbara.

«Nein», sagte Tracy. «Ich habe keine Angst.» Sie hatte ganz gewaltige Angst.

Eine lange Stille folgte.

«Hörst du manchmal Musik?», fragte Barbara.

Das tat sie, aber sie würde Barbara sicher nicht auf die Nase binden, welche. Sie hörte die Musik, die ihre Mutter hörte, oder Platten von Bands und Jungs, die das Cover von *Tiger Beat* zierten.

Barbara fuhr, ohne zu zögern, fort. «Jemanden zu küssen – jemanden, den *du* küssen willst, meine ich – ist, wie im besten Song zu leben, den du je gehört hast. Es ist genau dasselbe Gefühl.»

Später, oben auf ihrem Bett, holte Tracy ihr Tagebuch hervor und machte eine Liste von allem, was sie über Sex wusste.

Welche Körperteile involviert waren, stand ganz oben auf der Liste.

Aber was genau passierte, wenn sich diese Körperteile begegneten?

Sie kannte zwar die technischen Details, doch die Mechanik konnte sie noch nicht ganz überblicken.

Sie wandte ihr Gesicht dem Fenster zu: Es war beinahe Vollmond.

Das war das Letzte, was sie bewusst wahrnahm, bevor sie am Morgen von einem Signalhorn geweckt wurde.

«Der Survival-Trip», flüsterte eine der Melissas. Um Tracy herum wurden die anderen Bewohnerinnen von Haus *Balsam* aktiv.

Barbara im Bett unter ihr war die Erste, die sich angezogen hatte und zur Tür hinausging.

Tracy

1950er | 1961 | Winter 1973 | Juni 1975 | Juli 1975 | **August 1975**

Tracy weiß seit einer Stunde, dass Barbara verschwunden ist. Bisher hat sie noch nicht lügen müssen.

Die folgenden zwei Fragen sind ihr immer wieder gestellt worden: *Weißt du, wo sie ist?* Und: *Hast du gehört, wie sie weggegangen ist?* Tracy kann auf beide Fragen, ohne zu lügen, antworten: Nein.

Jetzt, da die Betreuer von ihren gewöhnlichen Aufgaben abgezogen worden sind, um nach Barbara zu suchen, ist es an den Betreuer-Azubis, dafür zu sorgen, dass niemand aus der Reihe tanzt. Auf dem Weg zur Kantine schmiedet Tracy einen Plan. Sie lässt sich zurückfallen, sodass sie am Ende der Gruppe geht, und dann versteckt sie sich hinter einem Gebäude. Wartet schwer atmend, bis ihre Hüttengenossinnen außer Sichtweite sind.

Sie muss an einen ganz bestimmten Ort. Nur kurz, denkt sie, nur um nachzusehen, ob sie die Stelle, von der sie glaubt, dass Barbara dorthin gegangen ist, ausschließen kann. Sie schwört sich: Wenn sie Barbara dort nicht findet, dann erzählt sie der Polizei alles, was sie weiß.

Diese Entscheidung verlangt ihr einiges ab. Schließlich hat Tracy Barbara versprochen, nichts zu verraten. Und dass sie Tracy – Tracy! – ein so wichtiges Geheimnis anvertraut hat, macht die Vorstellung, sie könne Barbaras Vertrauen enttäuschen, umso schlimmer.

Sie weiß, wohin Barbara jede Nacht geht.

Auch wenn sie Tracy nicht verraten hat, wer ihr Freund ist, hat Barbara ihr immerhin erzählt, wo sie sich immer treffen: in einer Hütte auf dem Gipfel von Hunt Mountain, die früher von der Feuerwache benutzt wurde, Männern, die nach Waldbränden Ausschau hielten. Daneben steht ein Feuerturm, von dem aus man einen noch besseren Blick hat. Beide Gebäude werden seit einiger Zeit wegen Personalmangels nicht mehr besetzt. Aber beide bieten Schutz vor schlechtem Wetter. Und sie eignen sich wunderbar, um sich dort heimlich zu treffen.

«Mitten in der *Nacht*?», flüsterte Tracy ungläubig. Und Barbara lachte.

«Weißt du, wie oft ich schon auf den Berg da gestiegen bin?», fragte sie. «Das könnte ich im Schlaf.»

«Aber wie lange brauchst du dafür? Und wie orientierst du dich?», fragte Tracy.

«Eine halbe Stunde. Ich laufe. Und ich nehme die hier mit.» Barbara schaute sich um. Dann schob sie eine Hand zwischen Matratze und Bettgestell. Sie holte eine Taschenlampe hervor – offenbar ihre eigene und nicht die, die sie für die nächtlichen Toilettengänge benutzten.

Tracys Theorie ist, dass Barbara heute Nacht da oben eingeschlafen ist; zumindest will sie diese Möglichkeit ausschließen. Sie glaubt, dass sie es in anderthalb Stunden auf Hunt Mountain hinauf und wieder hinunter schafft. Sie wird rechtzeitig zurück sein, bevor das Programm für heute losgeht – und hoffentlich mit Neuigkeiten über Barbara oder vielleicht sogar mit Barbara selbst. Bestimmt wird sie Ärger bekommen, das weiß sie, aber es ist ihr egal. Barbara ist sowieso das Einzige, was ihr am Ferienlager gefällt.

Hinter dem Personalquartier geht sie schnurstracks zum nächstgelegenen Waldrand. Dort, zwischen Camp Emerson und der Route 29, stehen die Bäume dichter, und sie hofft, dass sie keiner sieht.

Doch das klappt nicht: Keine zwanzig Sekunden später sieht sie Lee Towson, einen der Köche. Ein hübscher Bursche. Angeblich befreundet mit Louise.

Er trägt zwei Müllsäcke und setzt so bedächtig einen Schritt vor den anderen, als wolle er möglichst kein Geräusch machen. Tracy zuckt erschrocken zusammen, als sie ihn sieht, und er nimmt die plötzliche Bewegung wahr und blickt in ihre Richtung.

Einen Moment lang stehen sie nur da und starren einander an. Dann legt Tracy einen Finger an ihre Lippen und schaut ihn flehend an, und Lee nickt und geht weiter.

Der August in den Adirondacks fühlt sich für Tracy nicht wie August an. Sie stellt sich vor, wie brütend heiß es jetzt auf Long Island ist. Hier in den Wäldern ist es viel angenehmer. Sie hat das Gefühl, als könne sie hier niemals Durst bekommen: Die Luft fühlt sich so samtig auf der Haut an, als wäre sie voll mit kühlem Wasser. Tracy geht weiter, voller Elan, und achtet darauf, dass sie hinter den Bäumen verborgen bleibt, zu ihrer Rechten aber immer die Gebäude von Camp Emerson im Auge behalten kann.

So vergehen fünf Minuten, dann bleibt sie stehen. Vor ihr liegt die Straße, die von der Route 29 zu Haus *Self-Reliance* führt. Sie muss sie überqueren, um weitergehen zu können, aber das geht gerade nicht: Eine langsame Kolonne von Polizeiautos nähert sich. Sie bleibt im Halbdunkel stehen und wartet.

Vier Wagen fahren an ihr vorbei, dann ein fünfter.

Zaghaft lugt sie hinter einem Baum hervor und wartet ab, bis sie unbemerkt die Straße überqueren kann. Dann betritt sie den Teil des Waldes, der sich nach Norden erstreckt.

Jetzt gibt es keinen Waldrand mehr, dem sie folgen kann.

Zu ihrer Rechten erstreckt sich der Wald in Richtung von Haus *Self-Reliance*, zu ihrer Linken in Richtung der Route 29. Durch die Wipfel einiger Bäume in der Nähe kann sie den Gipfel von Hunt Mountain sehen. Wenn sie geradeaus weitergeht, ist sie in zehn Minuten dort.

Die Zeit vergeht. Sie erreicht eine Senke und verliert den Berg aus den Augen, aber sie sagt sich, solange sie immer die Sonne zur Rechten hat, kann nichts passieren. Das Problem ist, dass es schwieriger wird, die Sonne zu sehen, je dichter der Wald wird. Die Bäume stehen immer näher zusammen. Das Unterholz, in der Nähe der Zufahrt zum Haus noch kaum der Rede wert, wird an manchen Stellen fast undurchdringlich. Schon jetzt hat sie Schnittwunden an Schienbeinen und Waden.

Vor sich sieht Tracy, dass das Gelände wieder ansteigt, und das beruhigt sie: Sie weiß, dass es auf dem Weg zum Hunt Mountain bergauf gehen muss. Bestimmt kann sie bald wieder den Gipfel sehen.

Sie hat nicht einmal eine Armbanduhr. Später wird sie begreifen, wie dumm, wie respektlos gegenüber den Wäldern es war, zu denken, sie könne sie ohne Uhr, ohne Kompass, ohne lange Hose und sogar ohne Wasser betreten. Sie hat alles missachtet, was T. J. Hewitt ihnen in diesem Sommer beigebracht hat. Aber Tracy ist fast dreizehn Jahre, und in dem Alter wechselt man ständig zwischen Selbsterniedrigung und Selbstüberschätzung. Dazwischen ist nichts.

Tracy zählt in ihrem Kopf mit, wie viel Zeit vergeht. *Einundzwanzig, zweiundzwanzig* und so weiter, bis mindestens zehn Minuten vergangen sind, ohne dass Hunt Mountain oder die Sonne wieder aufgetaucht ist.

Erst jetzt gesteht sich Tracy ein, was sie getan hat. Was für einen Riesenfehler sie begangen hat.

Sie setzt sich hin – es ist zu spät. Sie ist schon zu weit gegangen. Eigentlich hat sie sich schon vor einer halben Meile verlaufen.

Sie setzt sich trotzdem und hört in ihrem Kopf die Stimme des Betreuers, der sie damals willkommen geheißen hat, des ersten Menschen, der je auf diesem Stück Land mit ihr gesprochen hat.

Sie schreit.

Judyta

1950er | 1961 | Winter 1973 | Juni 1975 | Juli 1975 | August 1975: **Tag eins**

Viele Jahre lang war Judyta Luptack, geboren und aufgewachsen in Schenectady, nirgendwo die Nummer eins. In ihrer Familie war sie die Dritte, hatte zwei große Brüder und einen kleinen. In der Schule war sie in den meisten Fächern mittelgut. Nur wenn sie im Sportunterricht um die Wette liefen, war sie meistens unter den Ersten. Aber gewonnen hat sie nie.

Deshalb überkam sie, als die *Times Union* diesen Artikel veröffentlichte, ein Gefühl, das sie nicht so recht einzuordnen wusste. War das Stolz? Nicht wirklich. Eher Überraschung. «Pionierinnen: Erste weibliche State Troopers der USA beenden in Albany ihre Ausbildung», lautete die Schlagzeile. Und darunter war ein Foto von vier Frauen zu sehen: Cindy und Linda und Niecy und sie – *Judyta Luptack, 21*, so die Bildunterschrift.

«Wenn schon eines unserer Kinder in die Zeitung kommt», sagte ihr Vater zu ihrer Mutter, «dann bin ich doch froh, dass es wegen so etwas ist.» Damit war das Thema abgehakt – abgesehen davon, dass ihr Bruder Leonard sie aufzog, indem er sie ab sofort nicht mehr Judyta, sondern «Pionierin» nannte.

Seitdem sind fünf Jahre vergangen, und Judy, die inzwischen sechsundzwanzig ist, hat sich gut geschlagen. Jahr für Jahr hat sie die an sie gestellten Anforderungen übertroffen. Ihre Berichte und ihre Festnahmen sind tadellos. Sie ist jemand, der *agiert,* statt nur zu *reagieren.* (Laut ihrem ehemaligen Sergeant fallen alle State Troopers in eine dieser beiden Kategorien.) Im vergangenen Jahr wurde sie wegen ihrer beeindruckenden Leistungen für eine Beförderung ins Bureau of Criminal Investigation des Bundesstaates New York vorgeschlagen, und seither ist sie dort die erste weibliche Kriminalpolizistin überhaupt.

Vor Kurzem hat sie ihre mehrmonatige Ausbildung beim BCI abgeschlossen, und jetzt ist sie mit einem ihrer Vorgesetzten auf dem New York State Thruway unterwegs. Sein Name ist Denny Hayes, und es scheint, als hätte er sich selbst – ohne dass er es jemals direkt ausgesprochen hätte – zu Judys Mentor ernannt. Zumindest ist er in den letzten zwei Wochen nicht von ihrer Seite gewichen. Der Grund liegt auf der Hand: Sie ist zwar nicht die einzige neue Kraft beim BCI, aber alle anderen sind Männer.

Auf dem Beifahrersitz schlägt Judy ein Bein über das andere, nimmt es dann aber wieder herunter. Sie ist sich unschlüssig, wie sie am besten zeigen kann, dass sie völlig asexuell ist. (Im wahren Leben ist sie nicht asexuell, aber sie weiß, dass es in ihrem Beruf praktisch wäre, wenn man sie dafür hielte.) Immerhin darf sie jetzt, als Kriminalpolizistin, in Zivil herumlaufen und daher endlich Hosen tragen.

Denny Hayes neben ihr pfeift vor sich hin. Ständig pfeift der Mann. Sie kennt diese Typen: Anfang vierzig, Vater, früher sehr sportlich, in der Highschool beliebt.

«Das Van-Laar-Naturreservat», sagt Denny zwischen zwei gepfiffenen Melodien. «Könnte interessant werden.»

Heute Morgen waren sie auf dem Weg zu Befragungen im Zusammenhang mit einem Diebstahl in Long Lake, als ein Anruf über Funk einging: In einem abgelegenen Gebiet in den Bergen nahe der

Kleinstadt Shattuck ist ein dreizehnjähriges Mädchen spurlos verschwunden. Sie waren mit ihrem Auto am nächsten an Shattuck dran, daher sind sie jetzt die ersten BCI-Ermittler vor Ort.

«Kennst du die Familie Van Laar?», fragt Denny.

Sie sagt, sie hätte den Namen schon einmal gehört. (Was gar nicht stimmt.)

«Erinnerst du dich an die Sache mit dem Jungen, der in den Bergen verschwunden ist? Das war Anfang der Sechziger», sagt Hayes.

Da war Judy noch ein Kind. Aber manchmal werden die Leute sauer, wenn sie sie daran erinnert, wie jung sie noch ist, daher sagt sie: «Ja, ich glaube schon.»

«Also, das Interessante ist», sagt Hayes, «dass sie den Kerl geschnappt haben, der den kleinen Jungen getötet hat. Völlig krank im Kopf. Aber jetzt ist er tot. Und nun ist genau da wieder ein Kind verschwunden. Wer war es diesmal?» Er schaut Judy an und zwinkert ihr zu, als hätte er gerade einen Witz erzählt.

Die Gegend, durch die sie fahren, wird immer ländlicher. Nach ihrer Berufung zum BCI wurde Judy zur «Truppe B» versetzt, deren Hauptquartier in Ray Brook in den Adirondacks liegt. Das wäre völlig in Ordnung, ja eigentlich sogar ganz schön, wäre da nicht der Umstand, dass Judy zwei Wochen, nachdem sie den neuen Job angetreten hat, immer noch bei ihren Eltern in Schenectady wohnt; ihr täglicher Arbeitsweg ist eine echte Zumutung.

Von zu Hause nach Ray Brook sind es zwei Stunden. Aber wie sie ihren Eltern mehrfach erklären musste, war die Versetzung ihre einzige Option, um als Ermittlerin eingesetzt zu werden. Bald wird sie ihnen beibringen müssen, dass es sinnvoller für sie ist, zu Hause auszuziehen und sich eine eigene Wohnung zu suchen, die näher an ihrer Arbeitsstelle liegt. Judys große Brüder haben das Elternhaus erst verlassen, als sie geheiratet haben, daher will Judy möglichst keine schlafenden Hunde wecken. Stattdessen steht sie seit zwei Wochen immer um 4 Uhr morgens auf und muss das Gemecker ihres kleinen Bruders ertragen, wenn der Wecker klingelt.

«Da sind wir», sagt Hayes.

Sie fahren eine lange Zufahrt hinunter. Links liegt eine Gruppe alter Farmgebäude, die anscheinend nicht mehr genutzt werden. Eine abschüssige Wiese kommt in Sicht, und plötzlich taucht ein Haus auf, das aussieht wie aus einem der Geschichtsbücher damals in der Schule.

Sie spürt Hayes' Seitenblicke, als sie vor dem Haus vorfahren. Er taxiert sie. Was Hayes nicht weiß: Judy ist es gewohnt, mit reichen Leuten zu verkehren. Ab ihrem zwölften Lebensjahr jobbte sie – erst schwarz, später mit Vertrag – im Iroquois Golf Club, wo ihr Vater der Chefhausmeister ist. Sie wusch Geschirr, räumte Tische ab und kellnerte. Noch heute ruft sie der Geschäftsführer Chick Janowicz manchmal an, ob sie eine Schicht übernehmen möchte, wenn sich jemand krankmeldet. Und jedes Jahr im Dezember hilft sie bei der rauschenden Weihnachtsfeier aus. Das tun alle in der Familie Luptack, sogar ihre Mutter. Das Geld gibt es bar auf die Hand.

Hayes parkt in einem seltsamen Winkel auf dem Rasen. Ein paar State Troopers sind schon da. Außerdem vier Fahrzeuge der Naturschutzbehörde, aber es sitzt niemand drin: Die Ranger sind wahrscheinlich schon im Wald und führen eine erste Suche durch.

Hayes mustert die anderen Autos einen Moment lang. Dann fragt er: «Was glaubst du?»

Judy sieht ihn an.

«Wenn du raten müsstest. Was glaubst du, was ist mit dem Mädchen passiert?»

«Oh», sagt Judy. «Keine Ahnung.»

«Ausreißerin, würde ich tippen», sagt Hayes. «Wenn ein Mädchen in dem Alter verschwindet, dann fast immer, weil sie von zu Hause wegläuft.»

Judy schweigt.

«Wahrscheinlich steht sie in diesem Moment irgendwo an einer der Nebenstraßen und hält den Daumen raus. Wir können nur hoffen, dass wir sie finden, bevor ihr jemand was antut», sagt Hayes.

Ohne auf Judy zu warten, steigt er aus und geht auf den nächstbesten State Trooper zu, einen korpulenten Mann mit hellen Augenbrauen, und streckt ihm die Hand entgegen.

Judy zögert. Sie steigt ebenfalls aus, dreht sich langsam um die eigene Achse und betrachtet das Haus, auf der anderen Seite den See und die Wälder ringsum. Im Süden scheinen irgendwelche organisierten Aktivitäten abzulaufen, eine Art Sommerschule oder ein Feriencamp vielleicht. Zumindest hört sie von dort Kinderstimmen, Geschrei und Gelächter.

Als Denny Hayes zurückkommt, berichtet er ihr, was passiert ist.

Die Tochter der Van Laars werde vermisst. Die dreizehnjährige Tochter ebenjener Familie, deren Sohn vor über zehn Jahren spurlos verschwunden ist.

Sie heiße Barbara Van Laar, so Hayes, habe an dem Ferienlager teilgenommen, das auf dem Gelände stattfinde, und sei zuletzt am späten Abend gesehen worden, wie sie im Bett in ihrer Hütte schlief.

Die State Troopers hätten einige knappe Zeugenaussagen gesammelt, aber die hätten noch keine Theorien oder Hinweise ergeben. Alle seien überrascht, dass sie verschwunden sei. Niemand habe eine Ahnung, wo sie stecken könne.

Erschwerend komme hinzu, dass noch ein weiteres Ferienkind vermisst werde: Barbaras Zimmergenossin Tracy Jewell, die ansonsten keinerlei Verbindung zu den Van Laars habe. Sie sei zuletzt vor ein paar Stunden gesehen worden, als sie die Hütte verlassen habe, um in der Kantine zu frühstücken. Ihre Eltern seien verständigt worden und bereits auf dem Weg hierher.

Angesichts der beiden Vermisstenfälle seien alle Ferienkinder im Großen Saal zusammengetrommelt worden, wo zwei Polizisten Posten bezogen hätten. Nacheinander würden nun alle Eltern angerufen, damit sie ihre Kinder abholen. Aber bei einundneunzig Familien und nur zwei Telefonanschlüssen dauere das eine ganze Weile. In der Zwischenzeit dürfe niemand den Großen Saal betreten oder verlassen, ohne sich auszuweisen. Falls notwendig, sollten alle Ferienkinder, deren Eltern es heute nicht nach Camp Emerson schafften, dort übernachten.

«Die Familie ist dagegen, kannst du dir das vorstellen?», sagt Hayes.

«Wogegen?»

«Dass die Eltern ihre Kinder abholen kommen. Zwei Kinder sind verschwunden, zwei separate Vorfälle. Eines davon ihre eigene Tochter. Und die meinen, man soll ganz normal weitermachen mit dem Ferienlager. Weil sie niemanden unnötig beunruhigen wollen.»

Judy ist eigentlich davon ausgegangen, dass sie sich den Tag über einfach an Hayes' Fersen heftet, aber er möchte, dass sie sich aufteilen, um getrennte Aussagen aufzunehmen. Um mehr zu schaffen.

«Du kannst dich mit Leuten ins Auto setzen, um sie zu befragen», sagt er. «Da bist du ungestört.» Dann zeigt er hinunter zum Camp. «Siehst du das Gebäude da hinten? Das lange, flache Haus? Der Trooper, mit dem ich gesprochen habe, meint, das würde sich gut für Befragungen eignen. Er meint, die Eltern von Barbara sind auch schon da unten. Da findest du mich, wenn du mich brauchst.»

Er wendet sich ihr wieder zu. Zwinkert.

«Aber du kommst auch ohne mich zurecht. Oder?»

«Na sicher», sagt Judy. Hayes tätschelt ihr den Rücken. Sie hat jetzt schon die Nase voll von den beiläufigen Berührungen ihrer Kollegen, selbst wenn sie – wie in Hayes' Fall – eher väterlich wirken als lasziv. Er neigt den Kopf zu ihr.

«Hör zu, Schätzchen», flüstert er. «Ich kümmere mich um die schwierigen Fälle. Die Freunde und Betreuer der Tochter der Van Laars. Und um die Eltern – auf die müssen wir ganz besonders aufpassen. Du befragst die Leute hier im Haus. Die Randfiguren, verstehst du? Du musst nicht nervös sein.»

Sie würde am liebsten einen Schritt zur Seite tun. Möglichst weit weg von ihm. Stattdessen nickt sie nur.

«Du weißt, was du zu tun hast? Erinnerst dich an deine Ausbildung?»

Judy nickt.

«Viel Glück», sagt Hayes und geht den Hügel hinunter in Richtung Ferienlager.

Judy Luptack steht vor der Eingangstür des Hauses, das den Namen *Self-Reliance* trägt, und wundert sich über den eisernen Türklopfer, der die Form einer riesigen Kriebelmücke hat. Dreimal hebt sie ihn und lässt ihn wieder fallen. Sie weiß gar nicht, warum sie sich so davor ekelt, ihn anzufassen.

Nach einer Weile kommt eine Frau an die Tür. Vielleicht ein Dienstmädchen.

Die Frau mustert sie kurz, dann fragt sie: «Kann ich Ihnen helfen?»

Judy sagt zum ersten Mal laut die Worte, die man ihr beigebracht hat: «Ich bin Judyta Luptack von der Kriminalpolizei. Ich bin hier, um bei der Suche nach Barbara Van Laar zu helfen.»

Im Wohnzimmer stehen und sitzen ein Dutzend Personen in kleinen Gruppen. Das hier sind nicht die reichen Leute, wie sie sie von ihrer Arbeit im Golfclub her kennt – keine alten Männer und Frauen, die unbequeme, formelle Kleidung tragen und mit geradem Rücken auf ihren Stühlen sitzen.

Stattdessen fläzen sich die Leute hier in Pyjamas und Bademänteln herum. Judy hat das Gefühl, dass niemand es allzu eilig hat, sich anzuziehen. Zwei Frauen tragen seidene Nachthemden, durch die sie deutlich die Konturen ihrer Brüste erkennen kann. Zwei Mädchen – ganz eindeutig Bedienstete – schleichen leise umher und räumen die Überreste einer Party fort.

Judy schaut auf ihren Notizblock und stählt sich dafür, sich einen der Anwesenden vorzuknöpfen.

Sie hat bereits beschlossen, wer das sein wird: ein älterer Mann, der sie am ehesten an die Mitglieder des Iroquois Golf Club erinnert. Er ist groß und hat weißes Haar, sitzt auf einer niedrigen Bank neben der Eingangstür und zieht sich gerade ein robustes Paar Wanderschuhe an. Neben ihm sitzt eine Frau, vielleicht seine Ehefrau.

Judy geht auf sie zu, baut sich vor den beiden auf und räuspert sich. Der Raum kommt ihr sehr still vor. Alle Gespräche sind verstummt.

Entweder haben die zwei sie nicht gehört, oder sie ist ihnen egal.

«Entschuldigen Sie, Sir?», fragt Judy – und fühlt sich plötzlich an ihre Arbeit im Club erinnert.

Träge blickt der Mann auf.

«Darf ich Ihnen ein paar Fragen stellen?»

Jacob

1950er | 1961 | Winter 1973 | Juni 1975 | Juli 1975 | August 1975: **Tag eins**

Im Morgengrauen war er kurz hinter dem Waldrand am Northway an einen Bach gekommen und hatte den unerklärlichen Drang verspürt, ihm bis zur Quelle zu folgen. Eine Erinnerung war in ihm erwacht, die sich beinahe so alt anfühlte, als hätte sie irgendetwas mit seinen Vorfahren zu tun: Er wusste nicht, woher, aber er *kannte* diesen Bach.

Jacob glaubt an keinen Gott außer sich selbst. Aber er ist abergläubisch und überzeugt davon, dass es keine Zufälle gibt und dass man, wenn einem etwas Unerwartetes oder Unheimliches begegnet, sich Zeit nehmen sollte, darüber nachzudenken, *warum.*

Warum, fragte er sich daher jetzt, war er mitten auf seinem Weg nach Norden auf diesen Bach gestoßen? Warum kam er ihm so bekannt vor? In der Dämmerung überlegte er, was er tun sollte. Eigentlich war es jetzt Zeit, sich einen Schlafplatz für den Tag zu suchen, aber der Bach zog ihn mit aller Macht hinein in den Wald. Was konnte es schon schaden, dachte er, ihm eine Weile zu folgen?

Die nächsten Stunden wanderte er und watete und sank hier und da im sumpfigen Boden ein. Bald waren seine Schuhe nass und voller Schlamm; er würde sie so schnell wie möglich gegen die eines Fremden tauschen müssen. Der Wald lichtete sich: Durch die letzten

Bäume vor ihm sah er, dass eine Landstraße seinen Weg kreuzte. Der Bach verschwand in einem Kanal, der unter der Straße hindurchführte.

Er wartete eine Weile, und als er keine Autos mehr sah, sprintete er über die Straße, fand den Durchlass auf der anderen Seite und ging weiter den Bach entlang.

Dann tauchten plötzlich zwei Reihen kleiner Hütten auf, die beide Ufer säumten. Mehrere kleine Brücken führten über den Bach. Zu seiner Linken befanden sich größere Gebäude, dahinter erhob sich ein Hügel.

Und dann war ihm mit einem Mal klar, warum er den Drang verspürt hatte, dem Wasserlauf zu folgen.

Er war schon einmal hier gewesen.

Judyta

1950er | 1961 | Winter 1973 | Juni 1975 | Juli 1975 | August 1975: **Tag eins**

Nachdem Judy Luptack den älteren Herrn, der vor ihr sitzt, um ein paar Minuten seiner Zeit gebeten hat, wartet sie auf Antwort.

Sie setzt noch einmal an. «Ich bin Investigator Luptack. Ich bin hier, um Barbara zu finden. Darf ich …»

«Ich fürchte, nein», sagt der Mann. Und wendet sich demonstrativ von ihr ab. Schaut aus dem Fenster in Richtung der Bäume.

Einen Moment lang ist sie ganz perplex und unschlüssig, was sie tun soll. Ihr altes Ich neigt dazu, sich diesem Mann, der sie so sehr an die Leute erinnert, die sie immer im Golfclub bedient hat, zu fügen. Ihr neues Ich gibt nicht so schnell klein bei.

«Sir?», sagt sie. «Es dauert nur einen Moment. Es sind nur ein paar Fragen.»

«Ich warte lieber auf Ihren Sergeant», sagt der Mann. «Ich möchte ungern alles zweimal erzählen.»

«Es gibt …», setzt Judy an. Beim BCI gibt es keinen *Sergeant*, ihr Vorgesetzter heißt *Senior Investigator*. Aber sie hat wenig Lust, ihrem Vorgesetzten Denny Hayes zu beichten, dass sie jetzt schon versagt hat.

Stattdessen sagt sie nur: «Bitte.»

Als er dieses Wort hört und den unterwürfigen Ton in ihrer

Stimme registriert, lässt der Mann die Schultern sinken. Er sieht sie an.

«Na gut», sagt er. «Wenn es schnell geht.»

«Wir können zu meinem Auto gehen.»

«Wir können auch in die Küche gehen», sagt der Mann.

Die Küche ist riesig. Das ältere Ehepaar sitzt ihr gegenüber an einem großen Tisch. Der Mann verschränkt die Arme, schlägt die Beine übereinander und lehnt sich in seinem Stuhl zurück.

Judy umklammert den Notizblock. Sie will ihn ungern auf den Tisch legen, sonst lesen die beiden womöglich, was sie aufschreibt.

«Name?», beginnt sie.

«Peter Wallingford Van Laar II.», sagt der Mann.

«Geburtsdatum?», fragt Judy.

Der Mann hebt eine Augenbraue. «23. Februar 1898.»

Judy notiert sich die Daten auf dem linierten Block. Und fügt hinzu: *Haltung: angespannt.*

«In welcher Beziehung stehen Sie zum Opfer?», fragt Judy.

«Opfer?»

«Zu Miss Van Laar», sagt Judy.

«Ich wäre Ihnen sehr verbunden, wenn Sie meine Enkelin nicht als Opfer bezeichnen würden», sagt der Mann.

Judy errötet. Er hat recht.

«Da haben Sie Ihre Antwort», sagt Mr Van Laar. «Ich bin ihr Großvater. Das hier ist ihre Großmutter», sagt er und nickt in Richtung seiner Frau. «Mrs Helen Van Laar. Geburtsdatum: 3. Mai 1898.»

Auch das notiert Judy pflichtbewusst.

Sie denkt einen Moment lang nach und versucht sich daran zu erinnern, was sie in ihrer Ausbildung gelernt hat.

«Erzählen Sie mir bitte von Ihrem bisherigen Tag. Um wie viel Uhr sind Sie aufgewacht, und was haben Sie danach getan?»

Der Mann seufzt theatralisch. Er gehört zu jener Sorte Mensch, denen man es sofort anmerkt, wenn ihnen etwas nicht passt. Er faltet die Hände auf dem Tisch.

«Miss …?», sagt er.

«Luptack.»

Investigator Luptack, denkt Judy.

«Miss Luptack, Sie sehen sehr jung aus», sagt Mr Van Laar. Seine Frau wirft ihm einen kurzen Blick zu. «Wie alt sind Sie – zwanzig? Zweiundzwanzig?»

Er wartet. *Sechsundzwanzig*, denkt Judy. Sie sagt es nicht.

«Ich nehme an, dass Sie diesen Job noch nicht sehr lange machen», sagt Mr Van Laar. «Vielleicht darf ich Ihnen ein wenig unter die Arme greifen.»

«Peter», sagt seine Frau – das erste Mal, dass sie den Mund aufmacht –, aber ihr Mann hält eine Hand in ihre Richtung, und sie spricht nicht weiter.

«Unsere Enkelin ist weggelaufen», sagt er. «Ich weiß das, weil sie seit zwei Jahren fast jeden Tag damit droht, dass sie von zu Hause wegläuft. ‹Seid nett zu Barbara›, heißt es immer, ‹passt auf, dass ihr Barbara nicht ärgert› – das ist inzwischen fast das einzige Gesprächsthema in der Familie meines Sohnes. Sie ist ein dreizehnjähriges Mädchen und verhält sich so, wie sich die meisten dreizehnjährigen Mädchen verhalten. Nur noch schlimmer.»

Er bricht ab. Hustet.

«Wo wir uns heute Morgen aufgehalten haben, ist ein ganz unbedeutendes Puzzleteil Ihrer Ermittlung. Sie und Ihre Leute sollten einen großen Suchtrupp in den Wald schicken. Denn der Wald ist im Moment die einzige Gefahr für Barbara, abgesehen von Barbara selbst.»

Er steht abrupt auf und sieht hinunter zu seiner Frau, während er darauf wartet, dass sie es ihm gleichtut. Sie tut es, wenn auch ein wenig zögerlich.

«Und genau dort», sagt Mr Van Laar, «werde ich mich jetzt hinbegeben, mit ein paar Hunden. Dort wollte ich hin, als Sie mich aufgehalten haben. Schreiben Sie sich das in Ihr Notizbuch. Für den Fall, dass einer Ihrer Vorgesetzten mich sucht.» Er geht in Richtung Tür. Seine Frau sieht Judy noch einen Moment lang an, bevor sie ihm hinterhergeht. Ihr Gesichtsausdruck ist schwer zu deuten.

«Sir», sagt Judy. Das Wort ist heraus, bevor sie weiß, was sie als Nächstes sagen soll.

Er wartet. «Was denn noch?»

«Es ist nur … Angesichts des Verschwindens Ihres Enkels damals …», sagt Judy. «Mir scheint, wir sollten Barbaras Verschwinden mit der gleichen Sorgfalt behandeln.»

Der Gesichtsausdruck des Mannes verändert sich. Bisher war er genervt von ihr, jetzt ist er wütend. Er öffnet den Mund, um zu sprechen, und Judy fühlt sich an ein Tier erinnert, das die Zähne fletscht.

«Lassen Sie meinen Enkel aus dem Spiel», sagt Mr Van Laar. «Wagen Sie es nicht, auch nur seinen Namen auszusprechen.»

Er geht. Seine Frau folgt ihm.

Judy bleibt eine Weile allein in der großen Küche sitzen. Es sieht aus, als hätte am Vorabend eine Party stattgefunden. Auf dem Tresen stehen Schüsseln mit Lebensmitteln, die eigentlich gekühlt werden müssten. Salate, Schokoladenpudding.

Judy schaut hinunter auf ihren Notizblock. Hinter *Haltung* streicht sie das Wort *angespannt* durch.

Sie schreibt: *feindselig*.

Das zu einem kunstvollen Gebilde aufgetürmte Besteck in der Spüle bewegt sich plötzlich, das metallische Geräusch hallt von den Wänden wider. Judy zuckt nicht einmal zusammen. Küchenlärm findet sie meistens beruhigend.

Sie denkt über die unverhältnismäßige Reaktion von Mr Van Laar nach, als sie seinen Enkel erwähnt hat. Den Hass in seinen Augen, das Aufblitzen seiner gelben Zähne. So einen Gesichtsausdruck hat sie schon einmal bei jemand anderem gesehen.

Jetzt fällt es ihr wieder ein: Mrs Charles Hanover, denkt sie. Bei einer Weihnachtsfeier im Golfclub vor ein paar Jahren war sie still und leise um eine Ecke gebogen und hatte Mrs Hanover dabei beobachtet, wie sie die Taschen der Pelzmäntel in der Garderobe durchstöberte. Ab und zu nahm sie etwas heraus, betrachtete es und steckte es in ihre eigene Tasche. Judy schaute ihr verblüfft zu, bis Mrs Hanover sich umdrehte und ihrem Blick begegnete. Dann lächelte sie, nahm ihren eigenen Mantel, schlüpfte hinein und ging hinaus.

Judy lief in die Küche und berichtete es Chick Janowicz, dem Geschäftsführer. Er fuhr sich mit den Händen über die Wangen und starrte ein paar Herzschläge lang auf den Fußboden. Dann nickte er, ergab sich in sein Schicksal und ging.

Die empörten Rufe vom anderen Ende des Flurs drangen bis zu Judy in die Küche. Dann flog die Schwingtür auf, und da standen die Hanovers. Die Ehefrau trat vor und zeigte mit einem wütenden Finger in Judys Richtung. Ihr Gesichtsausdruck war genau der gleiche, den sie jetzt wieder bei Mr Van Laar gesehen hat, als sie seinen Enkel erwähnt hat.

«Zum Teufel, du hast doch keine Ahnung, was du gesehen hast», sagte Mrs Hanover zu Judy. «Du kleine …»

«Paulette!», unterbrach ihr Mann sie.

Mr Janowicz musste damit drohen, die Polizei zu rufen, bevor Mrs Hanover endlich den Inhalt ihrer Handtasche preisgab. Darin befanden sich fünf Geldbörsen und zwei Zigarettenetuis. Die Hanovers erhielten Hausverbot im Club, aber Paulette Hanover wurde nie bei der Polizei angezeigt.

Reiche Leute, dachte Judy damals (und das denkt sie heute noch), werden vor allem dann wütend, wenn sie merken, dass sie für ihre Vergehen zur Rechenschaft gezogen werden sollen.

Tracy

1950er | 1961 | Winter 1973 | Juni 1975 | Juli 1975 | August 1975: **Tag eins**

An diesem Tag erfährt sie die Antwort auf eine Frage, die sie sich gleich zu Beginn des Ferienlagers gestellt hat.

Was genau soll man schreien, wenn man sich verlaufen hat? Diese Information fehlte in den Anweisungen.

Tracy entscheidet sich für: «Ich habe mich verlaufen!»

Zuerst ruft sie es ununterbrochen, in einer Art hysterischem Sprechgesang; dann erinnert sie sich daran, dass sie ihre Stimme schonen muss, und macht längere Pausen.

Zuerst ist sie voller Selbsthass und schämt sich, als sie diesen lächerlichen Satz ruft, denn sie ist sich sicher, dass sie nur einen Steinwurf vom Waldrand entfernt ist und jeden Augenblick ein zehnjähriger Junge in Uniform vorbeikommen und mit höhnischem Blick in Richtung Ferienlager zeigen wird. Doch sie fügt sich ihrem Schicksal und ruft weiter. Dann habe ich es hinter mir, denkt sie.

Sie hat schon eine ganze Weile Durst. Jetzt kommt Hunger dazu. Allein das verrät ihr, dass bereits viel zu viel Zeit vergangen ist. Wird das Licht um sie herum etwa schwächer? Das kann nicht sein, denkt sie. Es war früh am Morgen, als sie losgegangen ist. Aber im Wald scheint die Zeit ganz anders zu vergehen, als sie es gewohnt ist. Sie ist in eine Realität eingetreten, die mit ihrer gewohnten wenig zu tun hat.

«Ich habe mich verlaufen!», ruft Tracy immer wieder.

Die Welt um sie herum ist verschwommen, alles ist grün. Sie verflucht sich dafür, dass sie zu eitel ist, die Brille zu tragen, die man ihr dieses Jahr verschrieben hat.

Das hier ist längst kein Abenteuer mehr. Eine ganz reale Angst nimmt von ihr Besitz, und sie schreit ohne Worte. Jetzt ruft sie nicht mehr: «Ich habe mich verlaufen!» oder: «Hilfe!», sondern brüllt nur noch vor sich hin, ein kehliges Heulen, in das sie ab und zu «Mom» oder «Dad» einfügt, was sie selbst überrascht. Tracy glaubt immer, dass sie bestens alleine zurechtkommt, auch wenn sie noch jung ist. Aber hier sitzt sie jetzt, hat Durst, Hunger, weint und ruft nach ihren Eltern, die nicht einmal mehr miteinander sprechen.

Nach einer Weile verstummt Tracy und lauscht mit ihrem ganzen Körper. Sie hält den Atem an. Da war etwas, das sich wie Schritte anhört.

Sie wartet einen Moment.

«Hallo?», sagt sie.

Eine Weile ist nichts zu hören, aber dann ist da wieder das Geräusch.

«Hallo?»

Tracy rappelt sich auf. Langsam dreht sie sich um. Schließlich sieht sie, halb von einem Baumstamm verdeckt, ein Gesicht, das sie anstarrt.

Dann tritt jemand hinter dem Baum hervor.

Louise

1950er | 1961 | Winter 1973 | Juni 1975 | Juli 1975 | August 1975: **Tag eins**

Hinter der Bühne im Großen Saal befinden sich drei provisorische Umkleideräume, eine Garderobe und ein Flur, der nach draußen führt. Die State Troopers, die als Erste eingetroffen sind, haben den Saal zu ihrer Einsatzzentrale erklärt, und die Räume hinter der Bühne dienen offenbar als Vernehmungszimmer.

Im ersten Umkleideraum, dem kleineren, sitzt Louise allein auf einem Plastikstuhl.

Vor einer Stunde hat ihre Auszubildende bemerkt, dass plötzlich noch ein Ferienkind fehlt, ist wie eine Verrückte über das Gelände gerannt und hat nach Louise gerufen, die gerade auf dem Weg vom Personalquartier zurück zum Haus der Campleiterin war.

«Tracy ist auch weg!», hat Annabel atemlos verkündet – darauf ein State Trooper in der Nähe: «Wer?»

Kurz darauf sind sie beide von einer Phalanx von Polizisten in den Großen Saal geleitet worden.

Auf dem Weg dorthin hat Louise immer wieder versucht, Annabels Blick zu erhaschen. *Denk dran*, hat sie ihr zu verstehen geben wollen. *Denk dran, was du mir versprochen hast!*

Aber Annabel hat sie gar nicht angesehen.

Jetzt sitzt Annabel in einem der Umkleideräume, Louise in dem anderen. Durch die dünne Wand, die sie trennt, hört Louise ein gedämpftes Geräusch, vielleicht ein Schluchzen.

Und sie hört die wütenden Stimmen einer Frau und eines Mannes: Mr und Mrs Southworth, vermutet sie. Annabels Eltern. Sie sind diese Woche bei den Van Laars zu Gast.

Es klopft leise an Louises Tür, und bevor sie reagieren kann, wird sie geöffnet.

Ein Mann tritt ein, um die vierzig, Halbglatze. Er bleibt stehen und starrt sie einen Moment an, als wäre ihm gerade eine Erkenntnis gekommen. Er trägt keine Uniform, sondern ein kurzärmeliges gelbes Oberhemd und eine rote Krawatte. Sein braunes Jackett hat er über dem Arm.

«Louise Donnadieu?»

Sie nickt.

Der Mann lächelt. Er ist schlank, kaum muskulös.

«Erinnerst du dich an mich?», fragt er.

Erst jetzt sieht sich Louise sein Gesicht genauer an und stellt fest, dass er ihr tatsächlich vage bekannt vorkommt.

«Denny Hayes», sagt er. «Habe früher in Shattuck gewohnt. Ich kenne deine Mutter.»

«Oh», sagt sie. «Mr Hayes.»

Er hebt eine Hand und schüttelt den Kopf. «Bitte», sagt er. «Nenn mich Denny. Du bist ja jetzt auch eine erwachsene Frau, was?»

Sie erschrickt kurz über diese Formulierung, auch wenn er wohl recht hat, wie ihr klar wird.

«Wie geht es ihr?», fragt Denny Hayes.

«Wem?»

«Deiner Mutter.»

Louise stutzt. «Ganz gut, nehme ich an. Wir haben nicht viel Kontakt.»

Er nickt knapp. Offenbar möchte er genauso gerne das Thema wechseln wie sie.

Wenn sie sich recht erinnert, war Denny Hayes einer von diversen Männern, die für eine Weile ständig bei ihr zu Hause herumlungerten, nachdem ihr Vater weggezogen war. Sie schaut auf seine Hand. Er trägt einen Ehering. Sie fragt sich, ob er damals schon verheiratet war ... Es würde sie nicht weiter wundern.

Ohnehin wundert sie sich schon lange nicht mehr darüber, was ihre Mutter anstellt. Weder als Louise elf war und ihre Mutter mit Jesse schwanger wurde noch als sie gestand, dass sie keine Ahnung hatte, wer der Vater war.

Lieber Gott, denkt Louise jetzt – bitte lass diesen Kerl nicht Jesses Vater sein.

«Und du?», fragt Denny. «Bist du verheiratet oder so? Hast du Kinder?»

«Nein», sagt Louise. «Ich arbeite nur.»

«Ich habe zwei», sagt Denny. «Junge und Mädchen. Ein drittes ist unterwegs. Bin vor sieben Jahren aus Shattuck weggezogen, als ich befördert wurde. Ich wohne jetzt in North Elba. In der Nähe der Dienststelle.»

Louise nickt.

«Darf ich mich setzen?», fragt Denny.

Der Umkleideraum ist klein und hell, die einzigen beiden Stühle im Raum stehen nebeneinander. Er stellt seinen Stuhl schräg vor den von Louise und setzt sich, für ihren Geschmack ist er ihr viel zu nah. Im Spiegel beobachtet sie, wie er Notizblock und Stift aus seiner Brusttasche kramt.

«Also», sagt Denny. «Du bist die Betreuerin von der kleinen Van Laar?»

Louise nickt.

«Hast du eine Ahnung, wo sie stecken könnte?»

«Nein», sagt Louise. Sehr leise.

Denny sieht sie an. «Die Frau da draußen», sagt er und schaut in seine Notizen, «T. J.? Die Frau mit den kurzen Haaren?»

«Die Campleiterin», sagt Louise.

«Genau. Sie sagt, du hättest als Erste Bescheid gesagt, dass das Mädchen weg ist. Stimmt das?»

Louise nickt.

Denny sieht sie eine Weile an. Überlegt, was er sagen soll.

«Hast du nichts davon mitbekommen?», fragt er. «Hast du die Tür nicht gehört?»

Louise spürt, wie sich ihr die Kehle zuschnürt. Sie ist kurz davor, in Tränen auszubrechen, und denkt: Das kann ja wohl nicht wahr sein. Sie kann sich nicht erinnern, wann sie das letzte Mal geweint hat.

«Du hast doch auch in der Hütte geschlafen?», fragt Denny.

Louise öffnet den Mund, um zu antworten, aber es kommt kein Ton heraus.

Denny lässt den Notizblock sinken. Legt vorsichtig den Stift darauf. «Hör zu», sagt Denny. «Eigentlich darf ich hier niemandem irgendwelche Ratschläge geben. Aber bei einer alten Bekannten mache ich schon mal eine Ausnahme.» Er beugt sich zu ihr und senkt die Stimme. «Pass auf, dass du dich nicht selbst in Schwierigkeiten bringst», sagt er. «Sag nichts, was du nicht mehr zurücknehmen kannst. Denn wenn du lügst», sagt er, «kommst du in Teufels Küche.»

Louise schaut zu ihm auf. Er ist nur ein paar Handbreit von ihrem Gesicht entfernt. Sein Schnurrbart sieht feucht aus.

«Nebenan sitzt ein Mädchen», sagt er. «Die arbeitet mit dir zusammen, glaube ich. Ich gehe gleich rüber und spreche mit ihr. Wenn sich herausstellt, dass sie etwas anderes erzählt als du», sagt Denny, «na ja, das würde einen schlechten Eindruck machen. So was wirft immer Fragen auf.»

«Ich verstehe», sagt Louise.

«Du warst damals so ein nettes Mädchen», sagt Denny. «Ich habe dich immer gemocht. Als du älter wurdest, habe ich mitbekommen, dass einige Leute dir das Leben schwer gemacht haben. Üble Dinge über dich erzählt haben und so. Ich habe denen nie geglaubt.»

Louise wartet. «Danke», sagt sie schließlich. In diesem Moment hasst sie ihn und seine dämlichen Anspielungen. Was man damals über Louise erzählt hat, war größtenteils erstunken und erlogen. Dass sie es mit diesem oder jenem Schüler getrieben hätte. Und einmal sogar mit einem Lehrer.

«Deshalb gebe ich dir jetzt einen Rat», sagt er.

Er steht auf und steckt Notizblock und Stift ein.

«Bitte um einen Anwalt», sagt er. «Und sag nicht, dass ich dir das gesagt habe.»

«Ich habe schon einen», platzt Louise heraus, ohne nachzudenken.

Es fühlt sich gut an, das zu sagen und zuzusehen, wie er einen Moment lang nicht genau weiß, wie er reagieren soll.

«Schön», sagt er. «Dann müssen wir dir keinen PV besorgen. Falls du einen Anwalt brauchst.»

Sie sieht ihn ausdruckslos an.

«Du weißt, was ein PV ist?»

Schweigen.

«Ein Pflichtverteidiger», sagt Denny. «Ein kostenloser Rechtsanwalt. Klingt so, als bräuchtest du keinen von denen.»

Erst jetzt begreift Louise, was sie gerade getan hat.

Alice

1950er | 1961 | Winter 1973 | Juni 1975 | Juli 1975 | August 1975: **Tag eins**

Ein freundlicher Ranger hat Alice ein Handtuch um die Schultern gelegt; nach einer Weile bringt er ihr noch eines. Um 13 Uhr sitzt sie auf der Terrasse in einem Adirondack-Stuhl und zittert trotz des Sonnenscheins so heftig, dass ihre Zähne klappern. Sie erinnert sich an dieses Gefühl von damals, als Bear verschwand. Das ist der Schock, hat ihr seinerzeit jemand erklärt.

«Keine Sorge, Ma'am», sagt der Ranger, geht in die Hocke und legt eine Hand auf ihr Knie. «Wir werden sie finden, okay? Für so etwas sind wir schließlich ausgebildet.»

Alice nickt knapp. Sie hätte gerne, dass er bei ihr bleibt.

Mehrere Ranger mit Spürhunden durchstreifen das Ferienlager auf der Suche nach einer Fährte. Zuvor hatte sie einer der Ranger gebeten, eine benutzte Unterhose von Barbara zu holen, damit die Hunde ihre Witterung aufnehmen konnten. Sie hatte den Ranger entsetzt angestarrt, bis er sich entschuldigte.

«Tut mir leid, aber das ist das nützlichste Kleidungsstück für die Hunde», sagte er.

Sie selbst brachte es nicht über sich. Stattdessen bat sie ihn, einer Betreuerin Bescheid zu sagen.

Sollte die doch Barbaras Sachen durchwühlen.

Jetzt ist Peter mit irgendeinem Kriminalpolizisten in einem der Gebäude des Ferienlagers. Er hat ihr gesagt, dass sie mit niemandem sprechen soll, bis Captain LaRochelle aus Albany eintrifft. Damals, als Bear verschwand, war Captain LaRochelle der leitende Ermittler.

Peter vertraut ihm.

Vor allem aber vertraut er sonst niemandem.

Alice blickt auf den See. Sie hat keine Ahnung, wo Barbara steckt. Alle scheinen zu glauben, dass sie nur von zu Hause weggelaufen ist, aber Alice fürchtet, dass es etwas anderes ist.

Barbara war schon immer schwierig.

Als Kleinkind hatte sie so schreckliche Wutanfälle, dass Alice sich Gedanken machte, was die Nachbarn in Albany wohl davon hielten. Als sie sechs war, hatte sie diese Wutanfälle immer noch, sie wollte einfach nicht damit aufhören. Wenn sie herumbrüllte, konnte nichts und niemand sie beruhigen, weder Anschreien noch Bestechungsversuche halfen. Peter versuchte es sogar mit Ohrfeigen, aber selbst ein Schlag ins Gesicht nützte nichts, wenn sie so außer sich war. Dann schrie Barbara nur noch lauter, so furchtbar laut, dass man nicht mehr klar denken konnte.

So etwas hatte Bear nie getan.

Diese Episoden von Barbara waren schließlich ausschlaggebend für die Entscheidung gewesen, sie so früh wie möglich aufs Internat zu schicken. Als sie sieben war, meldeten sie sie an der Emily Grange Boarding School an, wo sie dem Vernehmen nach keinerlei Probleme machte – zumindest fürs Erste.

Bis auch von dort Beschwerden kamen.

Mitten im vergangenen Schuljahr rief die Schulleiterin Susan Yoder an. Sie war eine beeindruckende Frau – eine Lesbierin, wie Alice dachte –, die als besonders progressiv galt. Sie war die erste Person, die Alice je kennengelernt hatte, die vor ihren Namen ein «Ms» setzte und so vermied, ihren Familienstand preiszugeben. Sie bat Alice und Peter, in ihre Sprechstunde zu kommen. Darum hatte sie noch nie ein Lehrer gebeten.

Peter war stocksauer. «Für die Summen, die wir denen zahlen», sagte er, «sollte man meinen, dass diese Person nachvollziehen kann, was für eine Zumutung es für einen Mann ist, sich von seiner Arbeit freizunehmen.»

Ms Yoder begann das Gespräch mit einer Bemerkung über «Empathie» – ein Wort, das sie ständig benutzte und das Alice bis zu diesem Tag noch nie jemanden laut in einem Gespräch hatte sagen hören.

Dann beschrieb sie Barbaras «unangemessenes» Verhalten auf dem Schulgelände, wie sie es nannte.

«Das letzte Mal», sagte Ms Yoder, «wurde sie mit einem jungen Mann aus der Stadt in ihrem Zimmer … ertappt.»

Neben ihr krallte sich Peter in die Armlehne des Stuhls.

«In was für einem Zustand?», fragte er.

«Wie bitte?»

«In was für einem Zustand befand sich meine Tochter, als sie ertappt wurde?»

«Oh», sagte Ms Yoder und wurde rot. «Durchaus bekleidet.»

«Na, sehen Sie», sagte Peter.

«Nun, wir wissen nicht genau, was sie taten, bevor Mrs Burke das Zimmer betrat. Aber ein Junge ohne Aufsicht im Zimmer eines Mädchens, das ist gewiss nicht ideal.»

Sie lächelte matt. Offenbar wollte sie die Situation entschärfen. *Kinder!*, schien Ms Yoders Mund zu formen, ohne dass sie es laut sagte.

Aber Peter blieb stumm wie ein Stein. Alice konnte sehen, dass er dabei war, eine Entscheidung zu treffen.

«Mr Van Laar, ich möchte Ihnen versichern, dass wir uns keine allzu großen Sorgen machen. Dieses Verhalten ist für ein Mädchen in Barbaras Alter ganz normal», sagte Ms Yoder. «Wir wollen nur sichergehen …»

Peter unterbrach sie.

«Wer trägt die Verantwortung für den Vorfall?»

Ms Yoder runzelte verwirrt die Stirn. «Was …»

«Wer hat diesen Jungen zu den Mädchen hineingelassen?»

«Nun ja, Barbara», sagte Ms Yoder.

Für einen Moment hatte Alice Angst, dass Peter ausrasten würde. Das tat er nicht oft, aber es kam durchaus vor. Doch Peter ließ Ms Yoders Worte einfach im Raum stehen.

«Wie heißt der Knabe?», fragte er schließlich.

«Das weiß ich nicht», antwortete Ms Yoder. Ihr Gesichtsausdruck veränderte sich, sie schaute jetzt trotzig drein. Alice fragte sich, ob sie ebenfalls zu Wutausbrüchen fähig war. Sie war meistens so mit Peters Launen beschäftigt, dass sie nur selten daran dachte, dass andere Leute auch welche haben könnten.

«Wie alt war er?», fragte Peter.

«Ich bin mir nicht sicher», sagte Ms Yoder, «aber Mrs Burke vom Westflügel schien sich nicht allzu große Sorgen zu machen, falls Sie das meinen.»

Aber Peter war noch nicht fertig. «Wie sah er aus?», fragte er.

Ms Yoder seufzte. «Ich habe keine Ahnung, wie er aussah, ich war ja nicht dabei», sagte sie. «Aber Mrs Burke vom Westflügel beschrieb ihn als schlank und dunkelhaarig.» Auch sie habe ihn nur von hinten gesehen, fuhr Ms Yoder fort, als er durch das Fenster – Barbaras Zimmer lag im ersten Stock – entkommen und im Wald, der an die Schule grenzt, verschwunden sei.

«Was hatte er an?», hatte Peter gefragt.

«Das weiß ich leider nicht.»

«Hat er irgendetwas gesagt?»

«Mrs Burke hat nichts erwähnt.»

«Und Barbara?»

«Sie sagte, er sei ein Freund aus der Stadt.»

Peter schnaubte. Eine peinliche Stille setzte ein.

Alice konzentrierte sich auf die Gegenstände im Raum. Eine kleine Marmorstatue von Justitia mit verbundenen Augen. Regale voller Bücher, ordentlich aufgereiht, ohne Schutzumschläge und der Höhe nach geordnet. An der Wand ein gerahmtes Foto einer Mädchen-Feldhockeymannschaft aus längst vergangenen Tagen. Ms Yoders Team, als sie jung war, mutmaßte Alice.

Sie hatte gar nicht mitbekommen, dass Peter von seinem Stuhl aufgestanden war. «Danke, Miss Yoder», sagte er und betonte dabei das *Miss*.

Die Frau runzelte die Stirn.

«Ich fürchte, es gibt noch mehr zu besprechen», sagte sie. «In solchen Situationen ergreifen wir normalerweise bestimmte Disziplinarmaßnahmen.»

«Nun, Sie werden es schon wissen», sagte Peter. «Komm, Alice.»

Sie stand auf. Doch bevor sie den Raum verließen, ergriff Ms Yoder noch einmal das Wort.

«Mrs Van Laar», sagte sie und sah sie direkt an. Wie aus Prinzip. «Kann ich Ihnen noch irgendwelche Fragen beantworten?»

Falls sie Fragen hatte, fielen sie ihr nicht ein. Also schüttelte sie den Kopf und folgte ihrem Mann wortlos aus dem Raum.

Auf dem Weg zum Auto fragte Alice ihn, ob er auf Barbara warten wolle, um persönlich mit ihr zu sprechen. Er schüttelte den Kopf.

«Sie würde mich ohnehin nur anlügen», sagte Peter. «Das ertrage ich jetzt nicht.»

Im Auto auf der Rückfahrt nach Albany schwieg er, während Alice auf dem Beifahrersitz um Worte rang.

In letzter Zeit war ihr aufgefallen, dass sie sich immer öfter wie Peters Mutter verhielt, die bei den meisten Gelegenheiten freundlich lächelnd am Rand saß und ihrem Mann weitestgehend das Feld überließ. Als Alice ihr zum ersten Mal begegnet war, hatte sie sich gefragt, wie es um die Intelligenz dieser Frau bestellt war, doch bei den seltenen Gelegenheiten, wenn sie beide allein gewesen waren, hatte Mrs Van Laar eine Eloquenz bewiesen, die weit über das hinausging, was sie an den Tag legte, wenn ihr Mann dabei war. Auf ihre Art war sie richtig schlagfertig und klug.

«Die Blätter verfärben sich dieses Jahr aber ganz schön früh», sagte Alice schließlich. Und Peter gab ihr recht.

Am Abend teilte er Alice mit, dass er eine Entscheidung getroffen habe. Das Emily-Grange-Internat sei nicht das Richtige für Barbara. Sie würden sie anderswo hinschicken müssen.

Nachdem er später an jenem Abend mit einem Bekannten telefoniert hatte, kam Peter aus seinem Arbeitszimmer und verkündete, Barbara würde ab dem kommenden Schuljahr die Élan School besuchen, ein Internat in Maine für Kinder, denen es an Disziplin mangelte. Er sagte, dort gebe es ein «Programm zur Modifizierung von Verhaltensmustern».

Sie würden den Sommer gemeinsam im Naturreservat verbringen, sagte er ihr, und dann würde sie nach Maine gehen.

«Setz Barbara bitte davon in Kenntnis, ja?», sagte er beiläufig. Alice zuckte zusammen.

«Sie wird das furchtbar finden», sagte Alice.

«Darum geht es nicht», sagte Peter. «Wichtig ist, dass man sie auf den rechten Weg bringt. Dass sie davor bewahrt wird, etwas anzustellen, was sie nicht wiedergutmachen kann. Stell dir nur mal vor ...», sagte er – aber er redete nicht weiter.

Alice verstand auch so. Ein Junge in Barbaras Zimmer im Internat bedeutete, dass die Möglichkeit bestand, dass sie Sex haben würde – wenn nicht jetzt, dann bald. Und Sex bedeutete, dass die Möglichkeit bestand, dass sie schwanger würde.

Bevor sie in den Clan der Van Laars eingeheiratet hatte, war Alice noch nie eine Familie untergekommen, die dermaßen besessen von ihrem Ruf war. Peter hatte es ihr einmal ganz präzise erklärt, als sie jünger waren; als Bear vier oder fünf war.

«Das Bankgeschäft basiert auf Vertrauen», sagte er. «Wenn wir wollen, dass unsere Kunden uns ihr Geld überlassen, dann müssen sie sich auf uns auch in jeder anderen Hinsicht verlassen können.» Das war einer der Gründe, warum Peter I. das Naturreservat eingerichtet und das Camp Emerson ins Leben gerufen hatte: Das Interesse der Familie am Naturschutz war zwar durchaus authentisch, aber zugleich berechnend, denn es diente dazu, ihr in der Region ein enormes Ansehen zu verschaffen. Die Freundschaften, die sie im Laufe der Zeit mit einigen gut vernetzten Menschen schlossen, waren ebendas: berechnend. Wählerisch. Die Van Laars prüften jeden, dem sie gestatteten, in ihr Leben zu treten, und begegneten jenen, von denen sie sich abwandten, mit gnadenloser Härte.

Dummerweise hatte Alice es immer noch nicht übers Herz gebracht, Barbara von ihren Plänen für den Herbst zu erzählen. Jedes Mal, wenn sich die Gelegenheit bot, fürchtete sie sich vor dem Wirbel, den es unweigerlich geben würde: Barbara würde ausrasten und ihr eine Szene machen.

Sie hatte schon immer etwas Gewalttätiges an sich gehabt. Seit das Mädchen auf der Welt war, hatte Alice bemerkt, wie aggressiv Barbara war. Hatte sie als kleines Kind zu sporadischen Trotzausbrüchen geneigt, schien sie als Jugendliche nun ständig so aufbrausend, als würde sie beim nächsten Missverständnis um sich schlagen.

Als Barbara sie darum bat, den Sommer im Camp Emerson verbringen zu dürfen, war das für Alice ein willkommener Vorwand, die Mitteilung noch einmal hinauszuschieben.

Zuletzt hatte sie beschlossen, es Barbara zu sagen, wenn die Ferien zu Ende gingen. Das wäre das Beste, fand Alice. Ein kurzer Schock und dann: auf nach Élan. Vielleicht konnte sie es sogar hinausschieben, bis Barbara mit ihrem Gepäck für die Emily Grange Boarding School im Auto saß. Bis sie beide im Auto saßen, mit einem Chauffeur am Steuer.

Ja, so würde sie es machen.

Barbara, würde sie leise und gefasst zu ihr sagen. Wir haben dir etwas mitzuteilen.

Plötzlich ertönt irgendwo von ferne ein Geräusch, das Alice aus ihren Gedanken reißt.

Es klingt wie ein Mädchen, das etwas ruft.

«Hört das sonst noch jemand?», fragt sie.

Sie dreht sich um und schaut über die Schulter, aber der Ranger, der sich eben noch um sie gekümmert hat, ist nicht mehr da.

Judyta

1950er | 1961 | Winter 1973 | Juni 1975 | Juli 1975 | August 1975: **Tag eins**

Durch das Küchenfenster beobachtet Judy, wie das alte Ehepaar Van Laar über den Rasen läuft und auf den Wald zusteuert. Er geht mit schnellen, aggressiven Schritten voran, sie gibt sich alle Mühe, mit ihm mitzuhalten. Diese Männer haben ihre Frauen nicht wirklich gern, denkt Judy. Weder die im Club noch die hier. Ihr eigener Vater ist da ganz anders. So streng er zu seinen Kindern ist – seine Frau ist sein Ein und Alles, er vergöttert sie geradezu. Sie weiß noch, wie er ihr an ihrem fünfundzwanzigsten Hochzeitstag ein ganz fürchterliches selbst geschriebenes Gedicht vorlas. Das Papier knisterte in seinen zitternden Händen, und Judy und ihre Brüder mussten sich sehr zusammenreißen, nicht laut loszulachen.

Judy sammelt noch einmal ihre Kräfte, bevor sie wieder das große Wohnzimmer mit dem Kamin betritt. Um den Kamin herum sitzen noch immer einige Männer und Frauen, die nicht viel älter sind als sie selbst. Sie weiß nicht genau, wie sie ins Bild passen; es ist ihre Aufgabe, das herauszufinden. Sie findet die Aufmachung dieser Leute unangemessen lässig, und sie geben sich so entspannt, dass es fast schon den Tatbestand der Beleidigung erfüllt.

Einen Moment lang ist sie unschlüssig, was sie tun soll, und schaut auf ihren Notizblock, als hätte sie dort etwas Wichtiges entdeckt.

«Frau Polizistin», sagt jemand. Der Ton ist ironisch, spöttisch.

Investigator, denkt sie, bevor sie sich umdreht. Eine junge Frau liegt auf einem Sofa, die Füße über der Lehne, und schaut in ihre Richtung. Ihr Kopf ruht auf dem Schoß eines jungen Mannes. Sie kommt ihr bekannt vor – eine Schauspielerin? Eine Sängerin? Judy hat das Gefühl, dass sie sie schon einmal im Fernsehen gesehen hat.

«Hat die Polizei schon eine Theorie zu den Ereignissen?», fragt die Frau.

Der junge Mann, auf dem sie liegt, hält sich die Hand vor den Mund, als wolle er ein Lachen unterdrücken.

Judy ignoriert sie. Sie schaut wieder auf ihren Notizblock.

«Wer ist denn der Hauptverdächtige?», probiert die junge Frau es noch einmal und setzt sich auf.

«Halt die Klappe, Polly!», ruft jemand von der anderen Seite des Wohnzimmers, eine junge Frau mit lockigem Haar, die sich den Schlaf aus den Augen reibt.

Polly schaut den jungen Mann neben sich an. «Was ist denn so witzig?»

«Ach, wie du das gesagt hast», sagt er zu ihr. «Das klang so … ernst!» Und jetzt lässt er das Lachen heraus, das er zurückgehalten hat.

«Tut mir leid», sagt er und schaut Judy an. «Ich weiß, dass es ernst ist. Ich habe nur einen Kater.»

«Das interessiert mich halt», sagt Polly. «Ich will das wissen.»

Judy verachtet diese Leute. Dann fällt ihr ein, was sie in ihrer Ausbildung gelernt hat, und bekommt ein schlechtes Gewissen, dass sie sich so schnell von ihren persönlichen Gefühlen übermannen lässt.

Zu ihrer eigenen Überraschung geht Judy unbeirrt geradeaus durch das Wohnzimmer, ignoriert alle Anwesenden und betritt einen Flur auf der anderen Seite. Sie muss erst ihre Gedanken ordnen, bevor sie einen von denen befragt.

Sie muss sich eingestehen, dass es pure Neugier ist, die sie dazu treibt, das Zimmer mit den Leuten, die sie eigentlich befragen soll, zu verlassen. Sie hat sich schon immer gefragt, wie die reichen Schnösel, die sie im Golfclub bedient, wohl eingerichtet sind. Und dieses Haus hier ist bestimmt noch größer, noch aufwendiger. Falls ein Kollege sie dabei erwischt, wie sie hier herumstöbert, kann sie immer noch sagen, dass sie nach weiteren Personen sucht, die sie befragen kann.

Einige der Türen, die vom Flur abgehen, stehen offen, einige sind geschlossen. Sie beschränkt sich auf die offenen, steckt ihren Kopf hinein und klopft leise an den Türrahmen.

Die meisten Zimmer sind unaufgeräumt. Die Betten sind nicht gemacht, Koffer stehen offen, der Inhalt ist zerwühlt.

In einem Zimmer schläft ein Mann, der laut schnarcht. Er scheint von der Aufregung um ihn herum nichts mitbekommen zu haben, oder er interessiert sich nicht dafür.

Sie geht weiter. Die nächste Tür ist angelehnt.

Sie drückt sie mit einem Finger auf. Im Zimmer riecht es leicht nach frischer Farbe. Die Wände sind in einem hellen Rosa gestrichen, bei dessen Anblick Judy unwillkürlich die Nase rümpft.

Vor ihr auf dem Fußboden liegt ein geöffneter Koffer.

Judy tritt zögernd vor, ihr Gewicht lastet auf den Fersen.

Darin ist Frauenkleidung, die jemand achtlos hineingeworfen hat: Kleider und Slips und Stöckelschuhe und ein Bikini, leuchtend orange, noch feucht vom Baden. Judy – die selbst sehr ordentlich ist – muss den Drang unterdrücken, den Bikini irgendwo aufzuhängen.

Man sieht den Wänden an, dass sie in aller Eile gestrichen wurden. Eine Blitzaktion der Gastgeber, vermutet Judy, damit vor der Party alles möglichst schön aussieht. Ihre eigene Mutter hätte das wahrscheinlich genauso gemacht.

Ein hektisches Klopfen an der Haustür reißt sie aus ihren Gedanken.

Die Stimmen im Wohnzimmer verstummen.

Judy geht ermitteln.

Louise

1950er | 1961 | Winter 1973 | Juni 1975 | Juli 1975 | August 1975: **Tag eins**

Annabel erzählt dem Ermittler tatsächlich eine andere Geschichte.

Denny Hayes hat sich entschuldigt und Louise gesagt, sie solle auf ihn warten. Die erste halbe Stunde, in der sie allein im Umkleideraum sitzt, hört sie immer wieder, wie Annabel nebenan gequält aufheult. Aber dann ändert sich die Stimmung, hin und wieder lacht Annabel sogar. Sie ist jetzt ruhig. Aus dem Schneider. Denny Hayes plaudert mit ihren Eltern.

Die Heulsuse, denkt Louise. Die Petze.

Louise ist sonnenklar: Annabel hat gequatscht.

Endlich klopft es.

Denny Hayes tritt ein, ohne eine Antwort abzuwarten. In seinen Händen hält er etwas, das Louise sofort wiedererkennt.

Er sagt nichts. Legt die braune Papiertüte auf den Waschtisch links von Louise. Dann setzt er sich Louise gegenüber und schaut sie schweigend an.

Louise fegt einen abgepulten Fingernagel von ihrem Schoß.

Als sie der Geruch von Annabels Erbrochenem erreicht, der noch aus der Chipstüte dringt, muss sie würgen. Sie versucht, es zu verbergen.

Warum um alles in der Welt, fragt sie sich, hat sie Annabel damit beauftragt, dieses Beweisstück zu beseitigen? Warum hat sie es nicht selbst getan?

Denny räuspert sich.

«Ich habe deine Tüte gefunden», sagt er.

Louise lacht auf. «Wohl eher Annabels Tüte.»

«Sie meint, das sei deine.»

Louise braucht einen Moment, um das zu verdauen. Sie hatte erwartet, dass Annabel einknicken würde – dass sie zugeben würde, dass sie beide über Nacht weg waren; dass Annabel feiern war, als sie auf die Mädchen hätte aufpassen sollen. Dass Annabel betrunken und high war. Dass ihr am nächsten Morgen schlecht war. Das hätte Louise nicht überrascht. Mädchen wie Annabel knicken immer ein.

Sie hat nicht damit gerechnet, dass Annabel die Polizei eiskalt anlügen würde.

«Annabel hat uns von deiner Nacht berichtet», sagt Denny.

«Meiner Nacht?», fragte Louise. «Hat Annabel Ihnen auch von *ihrer* Nacht berichtet?»

Denny steht auf, geht zum Waschtisch und öffnet die Tüte. Wieder muss Louise würgen. Denny hingegen scheint der Geruch nichts auszumachen. Wenn doch, kann er es gut verstecken.

Aus der Tüte holt er die Bierflasche, das Ende eines Joints und ein kleines Tütchen mit weißem Pulver darin – einer beträchtlichen Menge weißem Pulver.

«Was zum Teufel soll das sein?», fragt Louise. Natürlich weiß sie genau, was das ist. Sie ist seit vier Jahren mit John Paul zusammen. Und fast genauso lange streiten sie sich schon darüber, dass er dieses Zeug nimmt.

«Hast du dir das hier im Camp besorgt?», fragt Denny. «Oder in Shattuck?»

«Das ist nicht meins», sagt Louise. «Wenn es da drin war, hat Annabel es hineingetan.»

Langsam begreift Louise, dass Annabel nicht das unschuldige kleine Mädchen ist, für das sie sie gehalten hat.

«Ich habe noch nie in meinem Leben gekokst», sagt Louise.

Denny hält inne. «Aber offenbar weißt du, wie Koks aussieht.»

Louise sagt nichts.

«Der Anwalt, den du erwähnt hast», sagt er. «Kannst du den bitte kontaktieren?»

Louise geht in Begleitung von Denny Hayes langsam den Hügel zum Haupthaus hinauf. Sie ist ungewohnt kurzatmig: Da sie seit Jahren steile Hänge hinaufläuft, hat sie einen niedrigen Ruhepuls, und sie ist generell ein ruhiger Mensch. Doch jetzt geht ihr Atem schnell und flach, ihre Nasenflügel zittern, ihre Achselhöhlen sind feucht.

John Paul, sagt sie sich, ist ihr das schuldig.

Vier Jahre sind sie schon zusammen. Vier Jahre ihres Lebens. Ihre Beziehung hat also doch einen Sinn, denkt sie. Man hat jedes Recht dazu – in einer Notsituation den eigenen Verlobten um Hilfe zu bitten, ist das Normalste der Welt.

Genau das wird Louise tun: Wenn sie oben auf dem Hügel ankommen, wird sie an die große Doppeltür von Haus *Self-Reliance* klopfen und verlangen, mit John Paul McLellan sprechen zu dürfen.

John Pauls Vater ist Rechtsanwalt.

Als Denny wissen wollte, wohin sie mit ihm gehe, ist sie vage geblieben und hat nur gesagt, sie kenne jemanden im Haupthaus.

«Wirklich?», hat Denny gefragt. Skeptisch.

Vor dem Haus hat sich eine kleine Gruppe junger Frauen versammelt, die in Louise' Alter sind und sich leise unterhalten. Sie mustern Louise. Ihre Betreueruniform.

Denny betätigt den gusseisernen Türklopfer in Form einer riesigen Kriebelmücke. Schlägt dreimal gegen die Tür.

Louise steht mit pochendem Herzen hinter ihm und sagt im Kopf noch einmal die Worte auf, die sie sich zurechtgelegt hat.

Nach einer Weile öffnet eine junge Frau in einem seidenen Nachthemd. Sie ist schockierend hübsch. Louise blinzelt und überlegt, ob sie berühmt ist.

Denny sieht genauso verwirrt aus wie Louise. Einen Moment lang steht er mit offenem Mund da.

«Brauchen Sie etwas?», fragt die junge Frau.

Denny weicht theatralisch zurück und macht mit einer Hand eine ausladende Geste, um Louise zu bedeuten, dass es ihre Idee war, herzukommen, nicht seine.

«Ist John Paul da?», fragt Louise. «John Paul McLellan?»

Die junge Frau mustert sie von Kopf bis Fuß. Louise tritt von einem Fuß auf den anderen. Zupft an den Uniformshorts, die ihr die Beine hochrutschen.

«Senior oder junior?», fragt die junge Frau. In ihrer Stimme hört Louise einen Akzent. Italienisch vielleicht.

«Junior», sagt Louise.

Die junge Frau nickt und verschwindet im Flur. Louise schließt die Augen, stellt sich vor, was die Frau zu ihm sagt – «Da ist so eine Aufpasserin vom Camp, die will dich sprechen, John Paul» – und wie sie dabei ihr hübsches Gesicht zu einem süffisanten Grinsen verzieht. Geradezu reflexhaft setzt ihre Eifersucht ein. Trotz allem.

Ihr ist nicht entgangen, dass Denny Hayes respektvoll einen Schritt zurückgetreten ist.

Sie kann sich nicht mehr an viele Einzelheiten aus dem Jahr oder den Jahren erinnern, in denen er mit ihrer Mutter zusammen war. Aber wenn sie jetzt darüber nachdenkt, meint sie sich zu entsinnen, dass sie ihn immer sehr nett fand. Oder dass er zumindest nicht unfreundlich war oder fies.

Sie fragt sich, ob er sich in diesem Moment, wo sie vor der gewaltigen Fassade eines Hauses stehen, in dem sie offensichtlich nicht willkommen sind, genauso klein fühlt wie sie.

Sie hört Schritte: Die junge Frau kommt zurück, John Paul im Schlepptau. Sie fragt sich, an wie viel er sich von letzter Nacht noch erinnert. Er hat sich schon früher ein paarmal geprügelt und sich hinterher reumütig und versöhnlich gezeigt, hat für eine Weile dem Alkohol abgeschworen, nur um dann wieder eifrig zu trinken, sobald er sich mit irgendwelchen Schulfreunden getroffen hat.

Sie hofft, dass das heute Morgen auch so ist. Sie hofft, dass er nicht wütend auf sie ist, sondern wegen gestern Nacht ein schlechtes Gewissen hat.

Doch als die Schritte im Flur lauter werden und dann verstummen, sieht sie, dass sie nicht John Paul jr. mitgebracht hat.

Sondern John Pauls Vater.

Mr McLellan sieht besorgt aus, blass, ganz anders als das letzte Mal, als sie ihn gesehen hat, vor über einem Jahr: Damals hat er beschwipst und mit rotem Gesicht in einem Restaurant gesessen, das John Paul ausgesucht hatte, und hat einen Drink nach dem anderen gekippt. Als sie dort ankam, war Louise sofort klar, dass die McLellans sie gar nicht erwartet hatten. Sie hatte geglaubt, der Anlass des Dinners sei, den Eltern zu erzählen, dass sie sich verlobt hatten, aber das kam überhaupt nicht zur Sprache, und auf dem Heimweg stritten sie sich darüber. Der Vater war bei dieser Gelegenheit in Ordnung, zumindest netter als seine Frau und die Schwester. Sie weiß noch, dass die McLellans die ganze Zeit über Politik geredet haben. Louise versteht durchaus etwas von Politik, zu vielen Themen hat sie eine ganz dezidierte Meinung. Aber die hat an dem Abend niemand hören wollen.

Als Mr McLellan jetzt vor ihr steht, merkt sie gleich, dass er sie nicht wiedererkennt. Sein Blick ist völlig leer.

«Mr McLellan», beginnt Louise. Und ringt nach Worten.

«Ja bitte», sagt John Pauls Vater zerstreut. «Kann ich Ihnen helfen?»

«Ich weiß nicht, ob Sie sich an mich erinnern», sagt Louise. «Ich bin … Ich kenne John Paul.»

Mr McLellan schaut sie an und neigt leicht den Kopf. Versucht vergeblich, sie einzuordnen. Doch im nächsten Moment verändert sich sein Gesichtsausdruck.

«Oh verdammt», sagt Mr McLellan. So leise, dass nur sie ihn hören kann. «Ist er Ihretwegen weg?»

Louise blinzelt. *«Weg?»*, fragt sie.

Aber Mr McLellan ignoriert sie. «Waren Sie bei ihm?», fragt er.

Dann zögert sie – nicht aus Angst, sondern eher aus Unsicherheit.

«Wie man's nimmt. Ganz kurz.»

Mr McLellan wirkt ungeduldig.

«Ich weiß nur, dass er furchtbar aussah, als er mitten in der Nacht durch die Tür kam», sagt er. «Wir saßen mit unseren Gästen gerade im Wohnzimmer und unterhielten uns, als er hereinkam. Man sah ihm an, dass er schlimm verprügelt worden war. Er blutete an der Lippe. Er sagte irgendetwas über ein Mädchen – dich, nehme ich an – und stolperte den Flur hinunter. Stockbetrunken.» Mr McLellan schüttelt angewidert den Kopf. «Und das vor den Augen all unserer *Freunde*. Und heute Morgen war er fort. Keine Spur von ihm und seinem Auto.»

Mr McLellan sieht sie an, als warte er auf eine Entschuldigung. Als keine kommt, fährt er fort.

«Gibt es etwas, das ich über vergangene Nacht wissen muss? Wenn ja, dann sollten Sie es mir sagen. Und zwar schnell.»

«Nein», sagt Louise. «Ich meine, nicht wirklich. Wir haben uns gestritten. Er …»

Sie hält inne, überlegt, wägt ab, was sie sagen soll. Er hat mir gedroht, möchte sie am liebsten sagen. «Er war wütend auf mich. Mein

Bekannter musste … dazwischen gehen. Dabei wurde John Paul verletzt.»

«Ihr Bekannter», sagt Mr McLellan. Schaut sie an.

«Ich weiß nicht, wo John Paul ist», sagt Louise. «Ich dachte, er wäre hier. Ich wollte mit ihm reden. Ich wusste nicht, dass er weg ist.»

Mr McLellan nickt bedächtig. Louise fällt auf, dass er die gleichen Augen wie John Paul hat: ein sehr helles Grün, das im Sonnenlicht wunderschön strahlt. Doch an diesem Morgen sind Mr McLellans Augen von kleinen roten Äderchen durchzogen, die im Laufe des Gesprächs immer zahlreicher zu werden scheinen.

«Ist Ihnen klar, was das für einen Eindruck macht?», fragt er Louise. Seine Stimme ist tief und voller Zorn. «Dass er jetzt fort ist? Ist Ihnen klar, wie das aussieht, jetzt, da Barbara ebenfalls fort ist?»

Natürlich ist ihr das klar. Genau das hat Louise ja auch gedacht.

Denny räuspert sich hörbar, er hat offenbar genug und will gehen.

Mr McLellan wendet sich von ihr ab, um wieder hineinzugehen, hält aber noch einmal inne. «Werden Sie wegen irgendetwas festgenommen?», fragt er.

«Ja», sagt Louise.

«Weswegen denn?»

«Drogen», sagt Louise. «Aber es sind nicht meine.»

Einen Moment lang hegt sie die leise Hoffnung, dass Mr McLellan ihr noch schnell einen Rat geben kann.

Aber Mr McLellan macht nur einen Schritt rückwärts in den dunklen Flur, als würde er von einer unsichtbaren Kraft ins Innere des Hauses gezogen.

«Viel Glück», sagt er, dreht sich um und lässt die Tür hinter sich zufallen.

Tracy

1950er | 1961 | Winter 1973 | Juni 1975 | Juli 1975 | August 1975: **Tag eins**

Der Fremde sagt nichts. Er ist zehn Meter von ihr entfernt. Ohne ihre Brille nimmt Tracy alles, was weiter als sechs Meter von ihr entfernt ist, nur verschwommen wahr.

«Hallo?», sagt Tracy.

Aber die Gestalt antwortet nicht. Sie legt nur einen Finger an die Lippen, macht eine Geste, dass Tracy mitkommen soll, und geht wortlos in die Richtung, aus der sie offenbar gekommen ist.

Silbernes Haar schimmert im spärlichen Licht, das über ihr durch die Bäume fällt. Die Art und Weise, wie sie sich bewegt, wirkt gespenstisch, und für einen Moment muss Tracy an Scary Mary denken, eines der legendären Gespenster des Naturreservats, die immer als eine grauhaarige Dame beschrieben wird, die schweigend im Wald steht. Wenn Ferienkinder berichten, dass sie sie gesehen haben, dann immer nur aus der Ferne, bevor sie wieder weiterzog.

Das Problem an dieser Theorie ist, dass die Gestalt in Tracys Augen weniger wie eine Frau, sondern eher wie ein Mann aussieht.

Der Fremde dreht sich um und wartet. Für einen Moment überlegt Tracy, ob sie nicht lieber bleiben sollte, wo sie ist. Doch Hunger und Durst nehmen ihr die Entscheidung ab. Sie geht ihm hinterher.

Sie sind vielleicht zwanzig Minuten unterwegs. Tracy hält Abstand zu dem Fremden. Sie ist sich unschlüssig, ob er sie in Sicherheit bringt oder in Gefahr.

Dann sieht sie durch die Bäume eine Lichtung, und plötzlich weiß sie, wo sie ist.

Der Fremde deutet schweigend in Richtung Haus *Self-Reliance* und verschwindet wieder im Dickicht des Waldes.

Dort, vor Tracy: hektische Aktivität auf dem Hügel vor dem Haus. Die Polizeiautos, die an diesem Morgen an ihr vorbeigefahren sind, stehen jetzt kreuz und quer auf dem Rasen, außerdem vier Pick-up-Trucks und ein Krankenwagen. Tracy fragt sich, ob Barbaras Verschwinden vielleicht für so viel Aufregung gesorgt hat, dass keiner mitbekommen hat, dass sie ebenfalls verschwunden war. Mit diesem Gedanken wendet sie sich nach Süden und rennt los in Richtung Camp Emerson. Sie hält den Kopf gesenkt, läuft schneller.

Sie hat fast die Kante erreicht, hinter der der Hügel steil zum Lager abfällt, als sie eine Frau rufen hört: «Da ist sie!»

Die Stimme klingt irgendwie vertraut.

«Barbara?», fragt jemand.

«Nein», ruft die Frau. «Tracy! Tracy ist wieder da.»

Während sie Haus *Self-Reliance* immer noch den Rücken zukehrt, wird Tracy plötzlich klar, warum die Stimme so vertraut klingt: Das ist Donna Romano.

Judyta

1950er | 1961 | Winter 1973 | Juni 1975 | Juli 1975 | August 1975: **Tag eins**

Fünf Minuten lang steht Judy in einer Ecke des Wohnzimmers und beobachtet einen Mann mittleren Alters, der an der Schwelle der Haustür steht und leise mit einer jungen Frau redet. Die junge Frau vor der Tür ist hübsch und zierlich, hat langes dunkles Haar, Mittelscheitel. Sie trägt ein Camp-Emerson-Poloshirt und schaut den großen Mann mit einem Gesichtsausdruck an, der an Verzweiflung grenzt. Judy kann nicht hören, was die beiden sagen.

Das Mädchen wendet sich ab, der Mann wendet sich ab, die Eingangstür fällt zu. Einen Augenblick später geht die Tür wieder auf, und Denny Hayes betritt das Haus. Er fängt Judys Blick auf und winkt sie zu sich.

«Hör zu, Schätzchen», sagt Hayes, als sie bei ihm ist. «Ich habe Barbara Van Laars Betreuerin bei mir. Ich nehme sie mit aufs Revier nach Wells. Mal sehen, ob ich mehr aus ihr herausbekomme. In ein, zwei Stunden bin ich zurück.»

Sie runzelt die Stirn. Das kommt ihr merkwürdig vor.

«Keine Sorge», sagt er. «Du bleibst nicht lange allein. Ein Dutzend Kollegen vom BCI sind auf dem Weg hierher. Der Captain kommt extra aus Albany.» Er zieht die Augenbrauen hoch. «Die Familie ist ziemlich einflussreich. Du weißt schon.»

Sie nickt. «Wer war der Mann?», fragt sie. «Da eben an der Tür?»

Denny schaut auf seinen Notizblock und sucht nach dem Namen. «John Paul McLellan senior», sagt er. «Der Anwalt der Van Laars. Das Mädchen meinte, sie würde ihn kennen. Ein Freund der Familie.»

Denny und Judy schauen einander einen Moment lang an. Anscheinend halten sie beide diese Behauptung für unwahrscheinlich.

«Was haben die Eltern gesagt?»

«Die Eltern?» Hayes wirkt überrumpelt.

«Die Van Laars», sagt Judy. Das Letzte, was er zu ihr gesagt hat, als sie sich heute Morgen verabschiedet haben, war, dass er im Großen Saal unterhalb des Hügels die Eltern befragen würde.

«Ach so», sagt er und wirkt plötzlich ganz nervös. «Die sind zum Haus zurückgegangen. Sie wollten auf Captain LaRochelle warten. Ich glaube, sie kennen sich persönlich.»

Er reißt sich zusammen und fährt fort. «Wenn du Hunger hast, die Jungs vom Naturschutz haben Sandwiches mitgebracht. Die sind draußen auf dem Rasen.»

Hunger hat sie keinen. Aber sie muss pinkeln. Am Morgen hat sie auf dem Revier mehrere Becher Kaffee getrunken. Im Grunde muss sie schon aufs Klo, seit sie hier angekommen sind.

Sie weiß nicht, was sie tun soll. Gibt es dafür Vorschriften? Dieses Szenario ist in ihrer Ausbildung nirgendwo vorgekommen: Was tut man, wenn man sich stundenlang in einer Privatwohnung aufhält und keinen Zugang zur Außenwelt hat? Und dann auch noch bei reichen Leuten. Sie will diese Leute auf keinen Fall um irgendetwas bitten müssen. Wäre sie ein Mann, würde sie nichts dabei finden, kurz in den Wald zu gehen, um zu pinkeln.

Genau das will sie gerade tun, als sie eine Stimme hört. «Entschuldigung?»

Sie dreht sich um. Es ist eine junge Frau im seidenen Nachthemd. Judy hatte sie schon bemerkt, als sie das erste Mal hereinkam.

«Haben Sie einen Moment Zeit?», fragt sie, und Judy bemerkt einen Akzent in ihrer Stimme.

Judy nickt. Zückt ihr Notizbuch.

«Ich möchte Ihnen etwas mitteilen», sagt die Frau. Sie schaut ihr über die Schulter.

«Ich höre», sagt sie.

«Ganz früh heute Morgen», sagt die Frau, «kam ein Mann zurück ins Haus, der fast die ganze Nacht weg gewesen war. Und er sah aus, als hätte er sich geprügelt. Sein Gesicht sah … fürchterlich aus. Er blutete.»

Judy schreibt sich Stichworte auf.

«Jetzt ist er weg», sagt sie. «Als die Frau vom Camp und der andere Polizist kamen und nach ihm fragten, habe ich die Tür geöffnet. Sie baten mich, ihn zu holen, aber ich konnte ihn nicht finden. Ich habe überall im Haus geguckt.» Sie hebt die Augenbrauen und streckt die Hände aus, die Handflächen nach oben, eine Geste, die wahrscheinlich bedeuten soll: *Verstehen Sie, was ich meine?*

«Wissen Sie, wie er heißt?»

«John Paul McLellan», sagt die Frau. «Es gibt zwei davon. Ich meine den Jüngeren. Den Sohn. Aber da waren nur sein Vater und seine Schwester», sagt die Frau. «Sie meinten, er sei weggefahren. Stattdessen hat dann sein Vater mit der Frau gesprochen.»

Judy nickt. Das stimmt mit dem überein, was Denny ihr erzählt hat.

«Wissen Sie, woher die Betreuerin sie kannte? Die McLellans?»

«Nein.»

«Und Sie haben keine Ahnung, von wem der Sohn so zugerichtet wurde?»

«Nein. Niemand redet darüber. Ich finde das merkwürdig. Sie nicht auch?» Die Frau beugt sich zu ihr. «Sein Vater soll ein enger Freund der Familie sein. Ich glaube, er arbeitet bei der Bank.»

Judy sieht sie an und überlegt, wie vertrauenswürdig sie wirkt. «Haben Barbaras Eltern ihn so gesehen? Mr und Mrs Van Laar?»

«Nein», sagt die Frau. «Die waren schon im Bett.»

Sie zögert einen Moment, und dann sagt sie: «Ich glaube, wenn die ihn so gesehen hätten, dann wüssten Sie das längst.»

Judy schreibt es auf.

«Gut, danke», sagt sie. «Noch irgendetwas?»

«Ich glaube, er war betrunken. Als er durchs Haus ging, roch er nach Alkohol. Aber diese Leute trinken eh alle viel zu viel», sagt die Frau und macht mit einer Hand eine unbestimmte Geste, die offenbar alle Gäste im Haus einschließen soll.

«Ach ja», sagt sie, «er fährt einen blauen Trans Am.»

Judy blickt auf und wundert sich darüber, wie spezifisch diese Bemerkung ist. Sie hätte nicht gedacht, dass sich so eine Frau für Automarken interessiert.

«Woher wissen Sie das?», fragt sie.

Die Frau schaut sie unverwandt an. «Ich saß schon drin», sagt sie.

Judy errötet. Dann senkt sie den Blick und macht sich Notizen.

«Und wie ist Ihr Name?», fragt sie.

«Den möchte ich lieber nicht nennen», sagt die Frau. «Falls das in Ordnung ist.» Sie schaut zu Boden. Und dann wieder hoch zu Judy. «Ich kenne diese Leute eigentlich gar nicht», sagt sie. «Eine Bekannte hat mich eingeladen mitzukommen. Die habe ich in New York kennengelernt, als ich für ein Theaterstück vorgesprochen habe. Ich fand, es klang spaßig. Die Landschaft hier ist schön, aber die Leute sind … grauenhaft. Ich kann es kaum erwarten, nach Los Angeles zurückzufahren.»

Judy nickt.

«Oder nach Rom», sagt die Frau. «Vielleicht sollte ich einfach heim nach Rom. Dort hatte ich einen festen Job. Anders als hier.»

Und dann lächelt sie Judy an, als hätte sie sich dabei ertappt, wie sie ihr ein Geheimnis verrät, und Judy wird – gegen ihren Willen – rot.

«Wie heißen Sie denn, meine Hübsche?»

«Judyta», sagt Judy. Nicht *Investigator Luptack*. Nicht *Judy*. Nicht *Dschuhdietah*, wie die meisten Amerikaner ihren Vornamen aussprechen. Sondern so, wie ihre Mutter ihren Namen sagt: *Juditta*. Und die Italienerin seufzt, als hätte sie ein Gedicht gehört, und sagt ihr, wie schön das klingt.

Louise

1950er | 1961 | Winter 1973 | Juni 1975 | Juli 1975 | August 1975: **Tag eins**

In Wells, New York, gibt es eine Außenstelle der Staatspolizei, und dorthin fährt Denny Hayes mit Louise. Unterwegs erzählt er ihr von seinem Leben, schwärmt von den drei Kindern, die er mit einer Frau hat, die er über alles liebt, berichtet von deren Hobbys und von den Problemchen, die die Kleinen in letzter Zeit hatten – nichts Ernstes.

Er wartet ab, vielleicht erwartet er, dass sie seine Ausführungen kommentiert. Oder zumindest erkennen lässt, dass sie ihm zuhört.

Als Louise nichts sagt, bleibt er ebenfalls stumm.

Das Revier in Wells ist klein und schlicht, ein Betonbau, dessen einziger Wandschmuck ein Münzfernsprecher ist.

Ein State Trooper sitzt an einem Schreibtisch. Ansonsten ist das Gebäude wie ausgestorben.

«Hast du fünf Cent?», fragt Denny. Als sie den Kopf schüttelt, kramt er aus seiner Hosentasche ein Fünfcentstück hervor, und dann deutet er auf das Telefon. «Nur zu», sagt er. Denny begibt sich in eine andere Ecke des Raums, senkt respektvoll den Kopf und tut so, als würde er dadurch nicht alles mitbekommen, was sie sagt.

Louise legt einen Finger auf die Wählscheibe. Zögert. Eigentlich möchte sie ihre Mutter nicht anrufen, aber sie weiß nicht, wen sonst.

Schließlich wählt sie widerwillig die Nummer ihrer Eltern, schließt die Augen und versucht, die Erinnerungen zu verdrängen, die dabei hochkommen: wie ihre Eltern vergessen haben, sie bei einer Freundin abzuholen; wie sie mit Fieber im Krankenzimmer der Schule sitzt und zu Hause anruft, obwohl sie weiß, dass niemand rangehen wird. Damals wie heute klingelt es immer und immer wieder, doch dann meldet sich am anderen Ende plötzlich eine leise Stimme, und Louise zuckt zusammen.

«Hallo?»

«Jesse?», fragt Louise. «Jesse?»

Er geht sonst nie ans Telefon. Er ist so schüchtern, dass er fast schon lebensunfähig ist – ein Umstand, über den sich ihre Mutter bei jeder Gelegenheit beklagt.

«Jesse, geht es dir gut?»

«Louise», sagt Jesse. «Mom ist krank.»

«Wieso krank? Was hat sie denn?», fragt Louise.

«Sie ist im Bett.»

«Ist sie wach?», fragt Louise. «Atmet sie? Jesse?»

Am anderen Ende des Raums hebt Denny Hayes den Kopf.

«Es geht schon», sagt Jesse. «Aber sie ist eine Weile nicht mehr aus ihrem Zimmer gekommen.»

Louise schließt die Augen.

«Hast du heute schon etwas gegessen?», fragt sie leise. Sie hätte so gerne ein wenig Privatsphäre.

Sie dreht Denny den Rücken zu.

Am anderen Ende der Leitung hört sie Jesse kurz und zittrig einatmen. Offenbar versucht er, nicht zu weinen. Sie stellt sich sein Gesicht vor, seine nach unten gezogenen Mundwinkel.

«Pass auf», sagt Louise. «Geh zu Shattuck's. Kauf etwas zu essen und lass es auf meinen Namen anschreiben. Nicht auf Moms Namen, hörst du?», sagt sie. «Auf meinen.»

«Ach, Lou», sagt Jesse, und sie kann beinahe hören, wie sein Gesicht allein bei dem Gedanken daran rot wird. Mit einem Erwachsenen zu reden, der nicht zur Familie gehört, ist für Jesse quasi undenkbar.

«Bitte tu es», sagt Louise. «Jesse, du musst es wenigstens versuchen. Du hast doch bestimmt Hunger.»

Jesse zögert. Hinter sich hört Louise, wie Denny sich räuspert.

«Was soll ich denn kaufen?», fragt Jesse schließlich.

Plötzlich ertönt eine andere Stimme: die der Telefonistin, die darum bittet, dass Louise noch eine Münze einwirft. Sie hat keine.

«Billige Sachen, die dich satt machen», sagt Louise mit Nachdruck. «Brot und Käse. Dieser Käse aus der Dose. Nimm fertig zubereitetes Fleisch mit, wenn welches im Angebot ist. Was auch immer sie haben.»

«Okay», sagt Jesse, die Stimme voller Tränen. «Ich versuch's.»

Einen Moment lang schweigen sie beide. Dann sagt er: «Louise? Warum hast du denn eigentlich angerufen?»

Aber dann klickt es in der Leitung. Die Zeit ist um, und die Telefonistin beendet abrupt das Gespräch.

Sie steht eine Weile mit dem Hörer in der Hand da und sammelt Kraft, um sich wieder Denny zuzuwenden, der offensichtlich alles mitangehört hat und sich sicherlich gerade ihre Mutter in Erinnerung ruft, die er in ihrer wohl schlimmsten Phase erlebt hat. Bestimmt hat er Mitleid mit mir, denkt Louise. Wenn es etwas gibt, das Louise verabscheut, dann ist es das Gefühl, bemitleidet zu werden – vor allem von jemandem wie Denny Hayes, der selbst in mehr als einer Hinsicht bemitleidenswert ist.

Und tatsächlich: Als sie den Hörer auflegt und sich umdreht und ihm ins Gesicht sieht, schaut er sie mit trauriger Miene an, die Lippen zusammengepresst, der Blick voller Mitleid, ob gespielt oder echt, kann sie nicht ausmachen. Louise starrt herausfordernd zurück.

«Ist was?», sagt sie.

«Alles okay mit dir?» Er hat etwas in der Hand. Einen Pappbecher mit Kaffee. Er hält ihn ihr hin. Sie reagiert nicht.

«Natürlich», sagt Louise. «Außer dass ich für etwas verhaftet werde, das ich nicht getan habe. Das ist alles andere als okay.»

Dennys Miene verhärtet sich.

«Komm mit», sagt er, führt sie in eines der beiden Hinterzimmer, setzt sie an einen Tisch und stellt achtlos den Pappbecher hin. Ein wenig Kaffee spritzt heraus und verbrüht ihr die Hand. Er sagt ihr, dass sich in Kürze noch ein Kollege mit ihr unterhalten werde. Er selbst müsse zurück ins Naturreservat.

Dann schließt er die Tür hinter sich und dreht den Schlüssel um.

Alice

1950er | 1961 | Winter 1973 | Juni 1975 | Juli 1975 | August 1975: **Tag eins**

Alice setzt sich aufrecht hin und horcht, ob das Geräusch wiederkommt. Das war die Stimme eines Mädchens, das irgendetwas gerufen hat. Was, hat sie nicht verstanden, aber dem Tonfall nach zu urteilen, ist das Mädchen in Schwierigkeiten.

Barbara war das nicht. Die Stimmen ihrer beiden Kinder würde sie überall wiedererkennen.

Sie rührt sich nicht. Sie schließt die Augen, was ihr manchmal hilft, besser zu hören. Sie lehnt sich in ihrem Adirondack-Stuhl zurück und lauscht, ob sie die Stimme noch einmal hört.

«Alice.»

Sie denkt erst, dass es der junge Ranger ist, der auf sie aufpassen sollte. Stattdessen steht ihr Mann vor ihr, der sie geradezu angewidert ansieht.

«Wie siehst du denn aus?»

«Ich habe ein Mädchen schreien gehört», sagt Alice. «Ich habe gelauscht, ob ich es noch einmal höre.»

Peter sieht sie skeptisch an. «Barbara?»

«Nein. Nicht Barbara.»

«Das andere Mädchen haben sie inzwischen gefunden», berichtet Peter. «Die mit Barbara in der Hütte wohnt. Anscheinend hat sie nach Barbara gesucht.»

Alice nickt. Zufrieden.

«Hat dich die Polizei befragen wollen, seit wir das letzte Mal gesprochen haben?»

«Nein.»

«Gut.»

Unsicher erhebt sich Alice von ihrem Stuhl. Die Sitzfläche ist so tief, dass sie ein paarmal vor und zurück schwingen muss, bevor es ihr gelingt aufzustehen. Peter macht keine Anstalten, ihr zu helfen. Schaut ihr nur teilnahmslos zu.

«Captain LaRochelle ist auf dem Weg von Albany», sagt er. «Vater hat ihn persönlich angefordert. Wir werden nur noch mit ihm kommunizieren, sobald er da ist.»

«Meinst du, er wird auch mit mir sprechen wollen?», fragt Alice.

«Nein», sagt Peter. «Du bist zu aufgewühlt.»

«Wie meinst du das?»

«Du bist zu aufgewühlt. Du bist wieder zu Bett gegangen.»

Sie sagt nichts. Sie hätte gerne eine Tablette.

«Na los», sagt er. «Ich begleite dich ins Haus.»

Zwei Tabletten. Sie hört Dr. Lewis' Worte in ihrem Kopf, wie immer: an *besonders schlechten Tagen.*

Wenn heute nicht so ein Tag ist, wann dann?

Ja, zwei Stück wird sie nehmen, denkt sie, gleich, wenn sie wieder im Haus *Self-Reliance* ist. Ausgerechnet.

IV

Besucher

Carl

1950er | **1961** | Winter 1973 | Juni 1975 | Juli 1975 | August 1975

Als Carl Stoddard wieder zu sich kam, lag er flach auf dem Rücken auf der Ladefläche von Dick Shattucks Pick-up-Truck und starrte in den Himmel. Unter ihm rumpelte die Pritsche, über ihm raste die Welt dahin. Die überhängenden Äste der Bäume verschwammen zu einer einzigen grünen Masse. Er blinzelte langsam und versuchte sich zu erinnern, was passiert war, wie er hier gelandet war. Dann hörte er Maryannes Stimme.

«Gott sei Dank», sagte sie. «Gott sei Dank.»

Sie schob sich in sein Blickfeld, ihr Gesicht verkehrt herum, bei jeder Bodenwelle wackelte ihr Kopf.

Dr. Treadwell drückte behutsam ein Stethoskop auf seine nackte Brust und sagte, es sei eine Herzrhythmusstörung. Seine Praxis war höchstens für Erste-Hilfe-Maßnahmen gewappnet und für eine gelegentliche Entbindung, falls die Mutter es nicht mehr nach Glens Falls schaffte. Der inzwischen achtzigjährige Dr. Treadwell kannte seine Grenzen, und die verhinderten, dass er eine exaktere Diagnose stellte.

«Sie müssen ins Krankenhaus, fürchte ich», sagte er.

Carl sah Maryanne an. Er wusste, dass sie beide das Gleiche dachten: Die Notaufnahme war viel teurer als ein niedergelassener Arzt.

Sie waren immer noch dabei, den Berg von Rechnungen zu bezahlen, die Scottys Behandlung verursacht hatte.

«Ist es denn so dringend?», fragte Carl. «Kann ich nicht anrufen und einen Termin vereinbaren? Mir tut ja gar nichts weh.»

Das war gelogen; allerdings tat es nur weh, wenn er sich anstrengte.

«Carl», sagte Maryanne.

Dr. Treadwell räusperte sich. Er setzte sich. «Aus fachlicher Sicht kann ich Ihnen nicht empfehlen, lange zu warten», sagte er. «Aber *falls* Sie das tun, würde ich mich an Ihrer Stelle so wenig wie möglich bewegen, im Bett bleiben und viel Wasser trinken. Ich würde Zigaretten und Kaffee meiden und ...» Er sah Maryanne an. «Jede Aktivität, die die Herzfrequenz erhöht.»

Zu Hause geleitete Maryanne ihn die Treppe hinauf in ihr Schlafzimmer. Knipste das Licht an. Stützte mit einer Hand seinen Rücken, als er sich ins Bett legte. Sie konnte spüren, dass er immer noch diesen dumpfen Schmerz in der Brust hatte.

Als er sich hingelegt hatte, setzte sie sich auf den Rand der Matratze. Wie immer hatte er das Gefühl, dass sie seine Gedanken las.

«Ist schon in Ordnung», sagte sie. «Ob Carl Stoddard bei der Suche nach dem Jungen dabei ist oder nicht, wird keinen großen Unterschied machen.»

Er wandte den Blick von ihr ab. Sah an die Decke. «Ich kenne das Gelände», sagte er.

«Weißt du, wer das Gelände noch besser kennt? Sogar besser als du?»

Carl nickte.

«Vic Hewitt», sagte Maryanne.

«Und wenn du wieder hinfährst?», fragte Carl. «Ich bin mir sicher, die können jede Hilfe gebrauchen.»

Maryanne sah ihn an. «Und wer soll sich dann um dich kümmern?»

«Mir geht es gut», sagte Carl. «Dr. Treadwell hat es doch gesagt. Ich ruhe mich ein wenig aus. Jeannie kann mir helfen.»

«*Unsere* Jeannie?», fragte Maryanne. «Kannst du dir die als Krankenschwester vorstellen?»

Er lächelte. Der Humor zwischen ihnen bestand meistens aus sanftem Spott über ihre verbliebenen Kinder. So banal das schien: Es erinnerte sie an früher, als sie noch nicht ständig Angst um deren Leib und Leben gehabt hatten. Maryanne hatte ihm nach Scottys Tod einmal gebeichtet, dass sie fürchte, sie werde die Mädchen nie mehr aus den Augen lassen können. Sich gelegentlich ein wenig über sie lustig zu machen, hielt sie beide dazu an, hin und wieder auch einmal locker zu lassen.

Maryanne legte ihm eine Hand auf die Wange. Seit einem Jahr hatte sie ihn nicht mehr so zärtlich berührt. Sie strich ihm das Haar aus der Stirn. Er blinzelte, um nicht zu weinen.

«Du bist so ein guter Mensch», sagte sie.

Er legte seine Hand auf ihre. Führte sie an seinen Mund. Küsste sie.

«Na gut», sagte Maryanne. «Dann fahre ich jetzt los.»

Einige Zeit später wachte er auf und hörte Maryannes Schritte. Sie klangen anders als die Schritte seiner Töchter, die unbekümmert durch die Zimmer getrampelt waren, nachdem ihre Mutter das Haus verlassen hatte.

Er stützte sich probeweise auf einen Ellbogen, um zu schauen, wie sich das anfühlte, und dann, als er merkte, dass ihm wider Erwarten nicht schwindelig wurde, schwang er die Beine über die Bettkante und drückte sich langsam hoch, bis er auf den Füßen stand.

«Maryanne?», rief er zaghaft.

Als keine Antwort kam, schlurfte er zur Schwelle des Schlafzimmers. Das Haus – ihr Haus – war seit 150 Jahren im Besitz von Maryannes Familie. Die Zimmer waren klein, die Decken niedrig, offenbar waren ihre Vorfahren, die das Haus gebaut hatten, von nicht allzu stattlicher Statur gewesen. Auf der anderen Seite des Flurs im Obergeschoss befand sich das Zimmer mit den Dachgauben, das sich die drei Mädchen teilten; Scottys Zimmer war eine ehemalige Veranda im Erdgeschoss gewesen, die Carl mehr schlecht als recht winterfest gemacht hate, indem er einige der Fenster verrammelt hatte. Obwohl das Haus so klein war, betraten sie dieses Zimmer nur ganz selten.

Entsprechend überrascht war er, als er die Treppe herunterkam und Maryanne reglos auf der Schwelle von Scottys Zimmer stehen sah. Einen Moment lang betrachtete er ihren geraden Rücken im Sonntagskleid. Sie hielt sich mit beiden Händen am Türrahmen fest, als müsste sie sich gegen einen Sturm stemmen.

Er sagte leise ihren Namen, um sie nicht zu erschrecken, aber sie zuckte trotzdem zusammen.

«Was machst du denn hier unten?», fragte sie ihn. «Du gehörst ins Bett.»

«Mir geht es besser», sagte Carl – was nicht ganz stimmte. Auf der Treppe war ihm schwindelig geworden.

Er ging auf sie zu, und gemeinsam blickten sie hinaus auf die Veranda.

An einer Wand stand noch ein Bett, aber der Rest des Zimmers war leer, sie hatten alles in Kartons gepackt und im Keller verstaut. Das war Maryannes Aufgabe gewesen. Sie hatte ihn gebeten, irgendetwas damit anzustellen, den Raum auf irgendeine Weise zu nutzen. Carl wusste, dass ihr Wunsch in erster Linie dem Selbstschutz entsprang.

«Vielleicht sollten wir es wieder zur Veranda umbauen», sagte Carl jetzt – und stellte sich vor, dass genau dieser Gedanke auch Maryanne gerade durch den Kopf ging. «Die Frontscheibe freilegen. Hier könnte man im Sommer schön essen.»

Aber Maryanne sagte nichts.

Langsam hatte Carl das Gefühl, dass er sich setzen sollte. Er verlagerte sein Gewicht von einem Bein auf das andere.

«Wie war es noch?», fragte er. «Haben sie etwas gefunden?»

Maryanne nickte.

«Was denn?»

«Carl», sagte Maryanne. «Wie gut kennst du den Jungen?»

Er runzelte die Stirn. «Ach, ein wenig schon», sagte er. «Er mochte die Natur. Er kam oft zu mir und fragte mich über die Pflanzen aus, die wir einsetzten. Einmal habe ich ihm gezeigt, wie man Feuer macht.»

«Carl», sagte Maryanne, «warum redest du von ihm, als wäre er tot?»

Er stutzte. «Was meinst du damit?»

«Du hast gesagt, er *mochte*», sagte Maryanne. «Du hast gesagt, er *mochte* die Natur.»

«Keine Ahnung.»

«Sie haben etwas gefunden», sagte Maryanne. «Ein paar Schritte neben dem Pfad, der zum Ausgangspunkt vom Wanderweg führt, lag etwas im Unterholz. Ron Shattucks Spürhund hat es erschnüffelt. Ein kleiner geschnitzter Braunbär. Genau wie die, die du manchmal schnitzt.»

«Na so was», sagte Carl.

«Das ist schon seltsam», sagte Maryanne. «Findest du das nicht auch seltsam?»

«Nicht wirklich», sagte Carl. «Ich habe ihm beigebracht, wie man schnitzt. Also, Bear meine ich. Ich habe ihm beigebracht, wie man verschiedene Sachen schnitzt. Vielleicht auch so einen Bären.»

«Weiß davon sonst noch jemand?»

«Keine Ahnung. Vic Hewitt, denke ich mal. Bei Vic war der Junge auch oft.»

Er korrigiert sich: «*Ist* der Junge auch oft.»

«Ich habe zufällig mitgehört, wie sie geredet haben», sagte Maryanne. «Sie meinen, das Ding wirft Fragen auf. Sie wollen herausfinden, wer es geschnitzt hat. Das hat die Polizei gesagt, und es hat sich herumgesprochen. Sie haben den ganzen Tag gesucht, das ist die einzige Spur, die sie gefunden haben. Wegen des Regens sind die Spürhunde nutzlos. Sie haben keine Fährte, nichts. Aber sie wollen weitersuchen. Hm.»

Sie sah aus, als wäre sie mit ihren Gedanken woanders. Dann wandte sie abrupt den Blick von Scottys Zimmer ab, drehte sich um und ging in die Küche. Dort öffnete sie die Schränke. Suchte nach etwas Essbarem.

«Soll ich dir helfen?», fragte Carl.

«Nein», sagte Maryanne. «Geh wieder ins Bett. Eigentlich hast du hier unten gar nichts zu suchen.»

Sie überlegte einen Moment, dann fragte sie: «Warum hatte er das Ding wohl dabei?»

«Keine Ahnung», sagte Carl. «Muss ihm wohl gefallen haben.»

«Und warum, glaubst du, hat er es fallen lassen?»

«Keine Ahnung.»

Carl ging Stufe für Stufe die Treppe hoch und machte vor jedem Schritt einige Sekunden Pause. Aus dem Augenwinkel sah er seine Töchter, die ihn vom Esstisch aus schweigend beobachteten, statt ihre Hausaufgaben zu machen. Er winkte ihnen zu. *Zurück an die Arbeit.*

Als er oben ankam, konnte er sich endlich eingestehen, warum er über Bear Van Laar in der Vergangenheitsform gesprochen hatte. Er hatte dabei an Scotty gedacht. In seinen Gedanken verschmolzen die beiden Jungen immer mehr.

Carl

1950er | **1961** | Winter 1973 | Juni 1975 | Juli 1975 | August 1975

Am nächsten Tag beteiligte sich Maryanne wieder an der Suche und am darauffolgenden auch. Jeden Abend berichtete sie von den Ereignissen des Tages: Je mehr sich herumsprach, was geschehen war, desto mehr Menschen versammelten sich auf dem Rasen. Am zweiten Tag waren es hundert. Am dritten Tag fünfhundert. Ganz Shattuck hatte sein Tagwerk unterbrochen, um bei der Suche zu helfen: alle Bürgerinnen und Bürger jenseits des schulpflichtigen Alters und auch einige Kinder. Zwei Tage lang blieb der Lebensmittelladen geschlossen, weil das Ehepaar Shattuck und ihre Angestellten mit nach Bear suchten; wer Milch, Brot oder Toilettenpapier benötigte, musste eine halbe Stunde fahren.

Vic Hewitt, sagte Maryanne, war bislang für die Organisation zuständig. Jeden Tag schickte er die Helfer in kleinen Gruppen weiter hinaus, in alle Richtungen. Doch von Bear fehlte nach wie vor jede Spur.

Jeden Morgen hielt Vic vor der versammelten Menge eine Ansprache, die förmlich und hoffnungsvoll klang; sie war nicht nur für die Ohren der Helfer gedacht, sondern auch für die der Eltern. Was Maryanne im Flüsterton von den anderen Frauen erfuhr, klang ganz anders.

Die Hunde, sagten sie, hätten die Fährte des Knaben schon am ersten Tag verloren. Ron Shattucks Jennie hatte auf halbem Weg zwischen dem Haus und dem Wanderweg den hölzernen Bären erschnüffelt, aber danach hatte sie den Rest des Tages nicht mehr angezeigt.

Das Problem war, dass es an dem Tag, an dem der Junge verschwand, so stark geregnet hatte. *Wenn der Regen nicht gewesen wäre*, sagten sie … aber niemand wollte den Satz beenden.

«Vic hat kaum noch Hoffnung», sagte Maryanne am Abend des dritten Tages. «Das sieht man richtig. Seine Haltung hat sich verändert.»

Carl nickte. Es war schwer vorstellbar, dass ein Junge in Bears Alter lange auf sich allein gestellt in der Wildnis überlebte. Selbst einer, der sich so gut auskannte.

«Haben die Leute irgendwelche Theorien?», fragte Carl.

Maryanne zögerte einen Moment, bevor sie antwortete.

«Sicher», sagte sie vorsichtig. «Viele glauben, dass der Junge einfach von zu Hause weggelaufen ist. Aus Neugier oder aus Wut, das weiß keiner so genau. Es kann sich auch keiner vorstellen, wie weit so ein kleiner Junge gegangen sein mag, bevor er gemerkt hat, dass er sich verlaufen hat. Und falls er sich später verletzt hat», sagte sie, «könnte er über Nacht erfroren sein.»

Carl nickte. Das war auch seine Theorie. Oder zumindest seine Haupttheorie. Er mochte das nicht laut aussprechen, ja nicht einmal denken, aber es klang wie die wahrscheinlichste Theorie. Außer …

«Aber die Leute haben auch noch eine andere Theorie, Carl», sagte Maryanne.

Er wusste, welche das war, bevor sie es aussprach.

«Der geschnitzte Bär», sagte er.

«Nein», sagte sie. «Das meine ich nicht.»

«Was dann?», fragte Carl.

Maryanne zögerte. «Es geht ein Gerücht um», sagte sie, «dass du der Letzte warst, der Bear lebend gesehen hat.»

Carl stutzte. Er nickte.

«Das stimmt. Ich habe ihn gesehen, als ich Feierabend machen wollte. Er saß auf der Treppe vor *Self-Reliance*. Band sich die Schuhe zu.»

Sie sah ihn an und blinzelte. «Warum in aller Welt hast du mir das nicht erzählt?»

«Und ich muss dir noch etwas anderes sagen», sagte Carl.

Maryanne vergrub ihr Gesicht in den Händen.

«Nein, Maryanne», sagte Carl. «Nicht so etwas. Mein Gott.»

Er ergriff eine ihrer Hände.

«Bear hatte Angst vor seinem Großvater», sagte er.

«Woher willst du das wissen?»

Er erzählte ihr, wie sich der Gesichtsausdruck des Jungen verändert hatte, als er gehört hatte, wie der Großvater seinen Namen rief; erzählte ihr, was er gesagt hatte. *Mein Großvater. Den mag ich nicht so sehr.* Er traute sich nicht, zu sagen, was er dachte. Maryanne schon.

Dann fing sie an zu weinen.

«Was ist denn, Maryanne?»

«Nichts», sagte sie.

«Bitte, sag es mir.»

Sie wischte sich die Nase. «Also gut», sagte sie. «Ich weine, weil ich glaube, dass du wahrscheinlich recht hast.»

Sie zog die Schultern hoch und ließ den Kopf hängen.

«Und weil ich fürchte, dass dir niemand glauben wird», sagte Maryanne.

In der Nacht konnten sie beide nicht schlafen. Maryanne wälzte sich hin und her. Carl lag reglos da, blickte an die dunkle Decke und spürte, wie ihm das Herz wehtat, das in seiner Brust vor sich hin pochte. Es war ihm gelungen, für Montagmorgen einen Termin bei einem Arzt in Glens Falls zu bekommen. Bis dahin bestand seine einzige Aufgabe darin, Ruhe zu bewahren, auch wenn ihm das immer schwerer fiel.

Plötzlich klopfte es an der Haustür. Maryanne setzte sich auf und lauschte; es klopfte wieder, diesmal lauter. Carl fragte sich, wie spät es war. Mitternacht oder vielleicht 1 Uhr.

«Ich sollte nachsehen, wer das ist», sagte Carl. Aber als er sich aufsetzen wollte, merkte er, wie sein Blickfeld an den Rändern verschwamm.

«Du bleibst schön hier», sagte Maryanne. Sie ging zum Schrank und holte die Schrotflinte vom obersten Brett, die früher ihrem Vater gehört hatte. Sie lud sie. Ging zur Tür.

«Maryanne», flüsterte Carl. Er fühlte sich nutzlos. «Wer immer das ist, er soll morgen früh wiederkommen.»

Aber sie ignorierte ihn.

Er lauschte angespannt. Die Haustür ging auf. Er hörte Männerstimmen, leise und murmelnd. Er richtete sich auf, um besser hören zu können.

Dann eine Pause, gefolgt von Schritten auf der Treppe, vielen Schritten, was nur bedeuten konnte, dass Maryanne nicht allein zurückkam.

Carl fuhr sich mit den Händen über das Gesicht, den Mund. Seit drei Tagen hatte er sich nicht rasiert, sein Kinn war rau von den Bartstoppeln. Er trug ein weißes Unterhemd, das am Hals und unter den Achseln vergilbt war.

Dann betrat Maryanne das Zimmer, gefolgt von Dick Shattuck, Bob Lewis und Bob Alcott.

Mit den drei gewichtigen Männern war das kleine Zimmer mit der niedrigen Decke fast schon überfüllt. Als Carl von seinem Bett aus zu ihnen aufblickte, fühlte er sich wie ein Kind.

«Carl, diese Männer haben dir etwas zu sagen», sagte Maryanne.

Seine Freunde wollten ihn vorwarnen. Die Polizei würde morgen früh kommen und ihn festnehmen.

«Wir glauben nicht, dass du etwas mit dem Verschwinden des Jungen zu tun hast», sagte Dick Shattuck. «Wir möchten, dass du das weißt. Ich schätze, deshalb sind wir hier.»

Carl legte sich eine Hand auf die Brust. «Was soll ich denn tun?»

Er hörte selbst, wie jämmerlich das klang.

«Abhauen», sagte Bob Lewis. «Diese Radaubrüder knüpfen dich sonst auf.»

«Bob», sagte Shattuck tadelnd.

«Sorry, Maryanne.»

«Ich weiß nicht, Carl», sagte Shattuck mit gesenktem Kopf. «Ich wünschte, wir könnten dir irgendwie helfen.»

Einen Moment lang war es still im Raum.

«Sie haben keinerlei Beweise», sagte Bob Alcott. Es war das erste Mal, dass er den Mund aufmachte. Er war ein stiller Mann, Geschichtslehrer an der Central School. «Sie haben keine Beweise, nur Indizien. Das wird vor Gericht niemals reichen.»

Carl wusste nicht genau, was das bedeutete, aber es waren die ersten tröstlichen Worte, die er zu hören bekam.

Kurz nachdem die Männer gegangen waren, diskutierten sie darüber, ob er wirklich verschwinden sollte. Maryanne war dafür. Carl dagegen. Seine Brust schmerzte mehr denn je; er musste sich bewusst ermahnen, sich nicht mehr die Hand auf die Brust zu legen, denn jedes Mal, wenn er das tat, sah Maryanne aus, als würde sie gleich wieder in Tränen ausbrechen.

Um 3 Uhr morgens schlang Maryanne ihre Arme um ihn und hielt ihn wie ein Kind, und so schliefen sie beide ein.

Um 7 Uhr morgens klopfte es zum zweiten Mal.

Alice

1950er | **1962** | Winter 1973 | Juni 1975 | Juli 1975 | August 1975

Sie wollte das neue Baby so gerne lieb haben.

Während der fast unerträglich schmerzhaften Wehen sagte sich Alice diese Worte im Kopf immer wieder auf wie ein Gebet: *Ich werde das neue Baby lieb haben. Ich werde das neue Baby lieb haben.*

Peter war natürlich nirgends zu sehen. Andere werdende Väter saßen im Wartezimmer und lasen Zeitung – nicht so ihr Mann. Der hatte einen Termin, den er nicht verpassen durfte. Sobald das Baby da war, würde er sich von der Bank herüberfahren lassen. Man würde ihm kurz das Baby zu halten geben. Er würde sich wieder seiner Arbeit widmen, und das Baby würde auf die Säuglingsstation gebracht werden. Und dann würde Alice endlich schlafen dürfen.

Das war das Einzige, das sie sich während der Wehen konkret ausmalte: diesen Moment der Ruhe.

Ich werde das neue Baby lieb haben, dachte Alice.

Bei Bear war das ganz anders gewesen. Als sie seinen ersten Tritt gespürt hatte, war ihr sofort klar gewesen, wie lieb sie ihn haben würde. Damals war sie achtzehn, und sie waren erst wenige Monate verheiratet. Peter kam immer erst abends heim, und sie hatte in ihrem neuen Haus nichts, womit sie sich tagsüber die Zeit vertreiben konnte. Die ersten Bewegungen des Babys in ihrem Bauch waren für sie wie ein Geschenk.

Nachdem sie ihren Sohn fast zehn Monate lang wie eine Perle in sich getragen hatte, brachte sie ihn zur Welt, und ab da gehörte er nicht mehr ihr allein. Sobald Alice ihren Sohn nach Hause brachte, kamen immer wieder Menschen, die ihn ihr wegnahmen.

Die Erste war ihre eigene Mutter, die ihr das Baby förmlich aus den Armen riss, sobald sie durch die Tür des Hauses in Albany kam. Sie befahl Alice, nach oben zu gehen und sich die Haare zu waschen.

Als Nächstes kamen die Van Laars, insbesondere Peters Vater, der Bear begutachtete, als handele es sich um ein Stück Vieh. Er begutachtete die Größe seines Kopfes und die Länge seiner Beine, befand beides lautstark für gut. Dann bekam sie das Baby zurück.

Als Letztes kamen die beiden Kinderschwestern. Das war Peters Idee gewesen. Eine für den Tag. Eine für die Nacht.

Die Einstellungsgespräche hatte Peter ohne ihre Anwesenheit geführt, daher lernte sie die beiden erst an ihrem ersten Arbeitstag kennen. Francine, die Kinderschwester für tagsüber, war eine grauhaarige, schlanke Hausmutter, die still und effizient ihre Arbeit erledigte und oft lächelte und sich vor allem in den Monaten nach der Geburt um Alice genauso kümmerte wie um Bear. Alice mochte sie sehr, und das sagte sie Peter auch.

Sharon, die Kinderschwester für die Nacht, war ganz anders. Sie hatte rotes Haar, war kräftig gebaut und kaum älter als Alice. Bestimmt eine Katholikin, dachte Alice: Sie wohnte noch zu Hause bei ihren Eltern und erwähnte ständig, dass sie das Älteste von zehn Kindern sei. Aus ihrer Stimme klang ein gewisser Stolz, der in einen Kommandoton umschlug, sobald Alice irgendetwas, das sie tat, infrage stellte.

Das Schlimmste war, dass sich Peter meistens auf ihre Seite schlug.

«Ihm ist kalt», sagte Alice, als sie Bear in der Nacht weinen hörte. «Sie hat ihm diesen dünnen Schlafanzug angezogen. Dabei zieht es im Haus doch so.»

Und Peter sagte: «Wenn man die Körpertemperatur senkt, hilft das beim Einschlafen.»

«Er hat Hunger», sagte Alice. «Er hat heute Abend nicht genug gegessen.»

Und Peter sagte: «Wenn er nachts noch etwas bekommt, will er nachher nur immer noch mehr.»

Sharon war mehrere Jahre bei ihnen, nachdem Bear auf der Welt war, und ließ sich wenig davon beeindrucken, dass Alice fast alle ihre Entscheidungen missbilligte. Sie summte fröhlich vor sich hin, wenn sie ihn ins Bett brachte, und Alice sah ihr voller Neid dabei zu. Sie sehnte sich danach, den weichen, kleinen Körper ihres Sohnes zu halten; sehnte sich danach, sein Gewicht in ihren Armen zu spüren.

«Wie wäre es», sagte sie eines Tages zu Peter, «wenn ich Bear immer abends ins Bett bringe? Dann könnte Sharon nachts aufwachen und sich um ihn kümmern, wenn er unruhig ist.»

Peter, der gerade las, sah verärgert auf. «Also ehrlich, Alice», sagte er. «Glaubst du, wir bezahlen sie dafür, dass sie schläft? Dann sollte Sharon wohl eher uns bezahlen», sagte er. «Nämlich Miete.»

Die zwei Stunden am Morgen, nachdem Sharon das Haus verlassen hatte und bevor Francine eintraf, und die zwei Stunden am Abend, beim zweiten Schichtwechsel, waren für Alice die schönste Zeit des Tages. In diesen vier Stunden war niemand da, der ihr sagte, was sie zu tun und zu lassen hatte oder was sie schon wieder falsch machte. Sie konnte mit ihm spielen oder ihm vorlesen, und manchmal lag sie auch nur mit ihm auf dem Bett und sah ihn an. Er war intelligent, und das war die Hauptsache, fand Alice. Er konnte schon früh sprechen, und die Beobachtungen, die er über seine Umgebung anstellte, waren von schockierendem Scharfsinn. Er konnte früh zählen. Mit seiner engelsgleichen Stimme sang er alle Lieder, die sie ihm beibrachte – Alice sang gern –, und auf Alice' Drängen hin sang er sie manchmal Peter vor. Sogar der musste dann lächeln.

Wenn er weine, lasse er sich leicht trösten, sagte Sharon. Wenn Alice ihn nachts hörte – und das tat sie immer –, hörte sein Weinen schnell wieder auf.

Als Bear zwei Jahre alt war und richtige Wörter sprechen konnte, fing er plötzlich damit an, nachts nach Alice zu rufen. *Mama!,* rief er.

In der ersten Nacht, in der das geschah, saß Alice aufrecht im Bett.

«Was ist los?», fragte Peter schläfrig.

Am anderen Ende des Flurs rief Bear wieder. *Mama!*

«Das hat er noch nie gemacht», sagte Alice.

Peter zuckte mit den Schultern. Drehte sich um. «Sharon ist bei ihm im Zimmer», sagte Peter. «Sie wird es uns schon sagen, wenn etwas nicht stimmt.»

Das Rufen hörte bald wieder auf, aber Alice konnte trotzdem eine ganze Stunde lang nicht einschlafen. Was, wenn er nach ihr gerufen hatte, weil Sharon ihm etwas getan hatte? Was, wenn sie ihm irgendwie wehtat?

In der folgenden Nacht geschah dasselbe und in der darauffolgenden auch. Bis eines Nachts klar und deutlich sein trauriges Stimmchen ertönte: *Mama, hörst du mich?*

Als er zum ersten Mal auf diese Weise nach ihr rief, überkam Alice ein Gefühl der Dringlichkeit, das sie so noch nie empfunden hatte, und sie sprang buchstäblich aus dem Bett. Ihr ganzer Körper brannte vor Sehnsucht nach ihrem Sohn. Peter rief ihr hinterher, aber sie ließ sich nicht beirren.

Sie stieß die Tür zu Bears Kinderzimmer auf, das Licht vom Flur fiel hinein. Sharon lag im Bett in ihrer Ecke des Zimmers, wach, aber reglos. Als sie Alice sah, setzte sie sich auf. Ihr Nachthemd war bis zu den Knien hochgezogen. Sie trug Lockenwickler.

«Mrs Van Laar, was machen Sie denn hier?», fragte Sharon, aber Alice stand schon an Bears Bett. Da lag er, ihr Sohn, in seinem weichen Frotteeschlafanzug, streckte die Arme nach ihr aus und lächelte sie an, freute sich darüber, nachts seine Mutter zu sehen. Das war etwas ganz Neues für ihn. Sie hob ihn hoch, und er klammerte sich an ihr fest, und ihr Körper belohnte sie und durchflutete sie mit jener Ruhe, die sie jedes Mal empfand, wenn sie endlich wieder ihren Sohn auf dem Arm hatte.

«Mrs Van Laar», sagte Sharon, und Bear sagte: «Mama!» Er freute sich. Er legte beide Hände an ihre Wangen. Sie legte ihre Stirn an seine.

Dann hörte sie vom Flur Peters Stimme. Wütend. «Alice», sagte er. «Was denkst du dir eigentlich?»

Sie drehte sich zu ihm um, den Jungen immer noch auf dem Arm. «Er hat nach mir gerufen», sagte sie.

Peter streckte eine Hand mit der Handfläche nach oben in Sharons Richtung aus. «Dort sitzt seine Kinderschwester», sagte er. Sharon nickte knapp und triumphierend.

«Gib ihn Sharon», sagte Peter. «Alice.»

Ihr Sohn drückte sich noch fester an sie.

«Alice», sagte Peter. Er ging zu ihr und nahm ihr vorsichtig den Jungen ab – Bear fing sofort an zu greinen – und reichte ihn Sharon, mit ihren Lockenwicklern, in ihrem Nachthemd, und dann packte er Alice am Arm und bugsierte sie aus dem Zimmer.

Bear weinte. Zehn Minuten lang weinte, schrie er mit aller Kraft und rief nach Alice.

Es war eine Qual, eine physische Qual, die fast alles an Schmerzen übertraf, das sie je erlebt hatte. Alice weinte ebenfalls. «Er braucht mich», sagte sie. «Peter, er ruft nach mir.»

«Stopf dir Wachs in die Ohren», sagte Peter. «Binde dich an einen Mast.» Sie wusste nicht, was er meinte. Er sprach oft in Rätseln, benutzte Anspielungen auf Literatur oder Geschichte, die sie nicht verstand. Sie hatte das Gefühl, dass es ihm Spaß machte, mit seiner

Bildung zu prahlen, während ihre nicht der Rede wert war. Oder zumindest nicht mit seiner vergleichbar. Wenn ihr zwischen ihrer morgendlichen und abendlichen Zeit mit Bear die Stunden zu lang wurden, ging sie manchmal in Peters Bibliothek und versuchte, die Bücher zu lesen, die er vom College übrig behalten hatte. Aber meistens fand sie sie langweilig, und sie ging stattdessen spazieren oder las die Schundromane, die sie in der Mülltonne vor der Stadtbücherei gefunden hatte.

Mama?, rief Bear vom Ende des Flurs. Wieder klang seine Stimme so traurig, wieder blieb seine Frage unbeantwortet, und schließlich verstummte er.

«Ich kann das nicht», flüsterte Alice. Sie war überzeugt, dass Peter schlief. Er hatte sich seit Minuten nicht bewegt.

Aber dann er sprach mit ihr. «Das schaffst du schon», sagte er.

Du tust, was ich dir sage, meinte er.

Jetzt war Alice zum zweiten Mal in den Wehen und kämpfte gegen den Drang an, zu pressen.

Wenn sie das Kind nur noch ein wenig in sich behalten könnte, dachte sie – wenn sie es nur eine Minute länger vor der Welt schützen könnte.

Aber der Drang wurde unerträglich, und schließlich kam ein glatzköpfiger Arzt mit einer Gummimaske, die er ihr ohne Vorwarnung über das Gesicht zog. So war das bei Bears Geburt auch gewesen. Das ist ganz schön unhöflich, dachte Alice, und dann hatte sie plötzlich keine Worte mehr.

In diesem Moment hörte sie, wie jemand nach ihr rief – nicht *Alice*, sondern *Mama*, eine verzweifelte Stimme, die sie sofort wiedererkannte. Das war ihr Sohn.

Bear war da.

Er stand in der Ecke, acht Jahre alt, mit einem Ausdruck, den sie nur selten in seinem hübschen Gesicht gesehen hatte.

Sie sah ihn über die Schulter der Krankenschwester hinweg und schrie auf.

«Er ist da», rief sie, «da steht er!»

Warum bemerkte ihn niemand? «Er ist wieder da», sagte Alice. Die Suche war zu Ende.

Sie wollte auf ihn zeigen, aber die Schwester drückte ihre Arme nach unten.

«Bitte», sagte Alice. «Bitte lassen Sie mich zu ihm. Ich will nicht, dass er wieder weggeht.»

Bears Erscheinung flackerte jetzt, wie eine Kerzenflamme.

«Dann gehen Sie wenigstens zu ihm», sagte Alice. «Bitte, bitte. Sonst ist er gleich wieder weg.»

Sie musste aufstehen. Sie musste zu ihm. Wenn sie nicht sofort zu ihm ging, würde er wieder verschwinden. Sie warf sich hin und her.

«Mrs Van Laar», sagte der Arzt, «Mrs Van Laar, Sie müssen stillhalten.»

Mit aller Kraft riss sie ihre Fußgelenke aus dem Griff des Arztes und stand von der Liege auf. Sie versuchte, mit den Füßen den Boden zu erreichen.

In der Ecke stand Bear und streckte die Arme nach ihr aus, als wäre er wieder ein Kleinkind, das auf den Arm möchte. Sie fand es unerträglich – unerträglich –, nicht bei ihm zu sein. Der Arzt brüllte etwas, das sie nicht verstand. Sie weinte und sah alles verschwommen, aber sie hatte schon fast die Ecke erreicht, in der Bear stand. Er streckte die Hände nach ihr aus, und sie machte einen großen Schritt in seine Richtung. Sie konnte ihn beinahe berühren. Sie konnte beinahe seine Haut spüren. Sie streckte ihm ihre Hände entgegen, er ihr die seinen.

Jemand packte sie. Man zerrte sie rückwärts. Drückte sie auf die Liege. Fixierte ihre Arme und Beine, erst mit Händen, dann mit Seilen.

Sie heulte und jammerte, hielt nichts mehr zurück, ihre lauten Schreie ließen ihren ganzen Körper erzittern, und die Krankenschwester legte ihr eine Hand auf die Stirn und sagte ihr, alles werde gut werden, bald werde ihr Baby kommen.

Mein Baby ist da drüben, dachte Alice. In der Ecke. Da steht er.

Immer wieder rief sie seinen Namen. *Bear. Bear.* Der Name wurde zu einem Singsang, einer Beschwörungsformel. Wenn sie das nur oft genug sagte, dachte sie, würde es ihn vielleicht anlocken, dass er zu ihr kam.

Aber es war zu spät: Er flackerte, löste sich vor ihren Augen auf, und dann war er fort.

Er hatte sie wieder allein gelassen. Die Stelle in der Ecke, wo er gestanden hatte, war leer.

Wieder presste man ihr die Maske über den Mund, diesmal länger. Dann schlief sie ein.

«Es ist ein Mädchen, Mrs Van Laar», sagte der Arzt.

Sie öffnete die Augen. Schloss sie wieder. Das Licht über ihr war zu hell. *Bear*, dachte sie und richtete sich auf, so gut sie konnte, aber er war immer noch fort.

«Mein Sohn», sagte sie – es war kaum mehr als ein Krächzen.

«Ihre Tochter», sagte der Arzt und brachte ihr das Baby. Es war in eine Decke gewickelt. Erwartungsvoll hielt er es Alice entgegen, aber ihre Arme lagen schwer an ihren Seiten.

«Mrs Van Laar», sagte der Arzt. Trotz Halbglatze war er noch jung, und er klang ängstlich. «Geht es Ihnen gut?»

Das Zimmer hatte ein Fenster, das auf einen Innenhof hinausging. Durch die Scheibe sah Alice einen sehr grünen Baum, dessen

Äste sich im Wind wiegten. Dahinter war ein weiteres Gebäude zu sehen, dann der Himmel.

«Mrs Van Laar?»

Eine Krankenschwester kam und schnappte sich ihren Arm.

«Das hier wird dafür sorgen, dass Sie keine Milch produzieren», sagte die Schwester. Und bevor Alice reagieren konnte, gab sie ihr eine Spritze. Bear hatte sie nicht gestillt, aber sie hatte sich eigentlich überlegt, dass sie es bei diesem Kind gerne versuchen würde.

Im Flur Gemurmel. Peters Stimme: Er kam direkt von der Arbeit.

Einen Moment später betrat er das Zimmer mit dem neuen Baby auf dem Arm. Er setzte sich zu ihr aufs Bett. Zwei Krankenschwestern folgten ihm, er wandte sich zu ihnen um: «Etwas Privatsphäre, bitte», herrschte er sie an, und sie verschwanden.

Dann wandte er sich wieder Alice zu.

«Peter», sagte Alice eindringlich. «Ich habe Bear gesehen. Da hat er gestanden.» Sie zeigte auf die Ecke. Sie hatte ihn genau vor Augen: groß für sein Alter und hübsch, auch wenn er mal wieder zum Friseur müsste. Er trug sein Lieblingshemd, das blaue. Seine Fingernägel waren schmutzig, weil er so gerne im Wald spielte. Ein Milchzahn fehlte.

«Wir müssen ihn finden», sagte sie. «Er lebt, Peter. Er war hier.»

Doch Peter schüttelte nur den Kopf. «Das war das Gas, das sie dir gegeben haben.»

«Das stimmt nicht», sagte Alice. Ihre Stimme wurde lauter, und sie wusste, dass sie gleich weinen würde. «Ich habe ihn genau gesehen.»

Peter schüttelte den Kopf.

«Ich glaube, das war ein Zeichen», sagte Alice. «Auch wenn er nicht wirklich da war. Ich glaube, das war ein Zeichen, dass er noch lebt.»

Sie vergrub ihr Gesicht in den Händen. Versteckte sich. Peter konnte es nicht leiden, wenn sie weinte.

In der Dunkelheit hinter ihren Händen hörte sie ihn seufzen. Gleich würde er losbrüllen.

Doch stattdessen spürte sie seine Hand an ihrer Wange. Sie griff danach.

«Sieh mich an», sagte Peter, und seine Stimme klang ungewohnt sanft. «Sieh mich an. Er ist fort.»

«Das kannst du nicht wissen», sagte Alice.

Peter hielt inne. «Wir müssen unser Leben leben, als ob er fort ist, Alice.» Er blickte hinunter auf das Baby in seinen Armen, das plötzlich eine winzige Hand nach oben streckte und sie dann wieder fallen ließ.

«Barbara», sagte Peter. Er sprach es in drei Silben. *Bar-ba-ra.* «Ich möchte, dass wir sie Barbara nennen.»

Alice war überrumpelt. Zweimal in den letzten Monaten hatte sie versucht, mit ihm über Namen zu sprechen. Falls sie einen Jungen bekämen, gefiel ihr *Darien* – sie hatte in ihrer Jugend einen Jungen gekannt, der so hieß, und den Namen immer hübsch gefunden – und *Charlotte*, falls es ein Mädchen war. Aber immer, wenn sie mit ihm darüber reden wollte, hatte Peter abgewinkt und gesagt, er hätte zu tun.

Jetzt saß er neben ihr und schlug einen Namen vor, der ihr noch nie in den Sinn gekommen war. Barbara. Sie kannte einige Leute mit diesem Namen, alle in Peters Alter. Es war ein Name, den sie eher mit seiner Generation in Verbindung brachte.

«Falls du einverstanden bist», fügte Peter schließlich hinzu.

«Warum Barbara?», fragte Alice.

«Der Name hat mir schon immer gefallen», sagte Peter. «Ich finde, das klingt sehr schön. Bar-ba-ra Van Laar.»

Und dann sah er seine Tochter plötzlich so zärtlich an, dass Alice sagte, ihr gefalle der Name auch. Sie hatte gehört, dass es wichtig sei, dass der Mann sich für die Kinder interessiere. Daher müsse jegliches Interesse, das er aufbringe, belohnt werden.

Als sie nach einer Woche im Krankenhaus wieder zu Hause in Albany waren, suchte Alice das Buch über Vornamen heraus, das sie in einer Buchhandlung gekauft hatte, als sie mit Bear schwanger gewesen war. Auch dessen Name war über ihren Kopf hinweg bestimmt worden.

Sie blätterte zum Abschnitt über Mädchennamen und dann zur Seite mit *Barbara.*

Das griechische Wort «barbaros», so stand es im Buch, *bedeutet «fremd», «wild» oder «grausam».*

Alice blickte erschrocken auf. Wie schrecklich, dachte sie, wie fürchterlich, ein Baby *grausam* zu nennen.

Es ging noch weiter. *Daher kommen auch die Wörter «Barbar» und «barbarisch»*, vermeldete das Buch ganz unbefangen.

Alice erschauderte. Ob jeder außer ihr wusste, was *Barbara* bedeutete? Sie war sich oft nicht sicher, ob bestimmte Informationen allgemein bekannt waren oder eher als obskur galten.

Resigniert klappte sie das Buch zu. Mit Peter würde sie nicht darüber reden – das konnte sie nicht. Der Name stand fest, die Geburtsurkunde war ausgestellt. Sie würde damit leben müssen, dachte sie. Immerhin gab es viele berühmte Barbaras.

Alice

1950er | **1962** | Winter 1973 | Juni 1975 | Juli 1975 | August 1975

Die ersten zwei Monate, nachdem Barbara nach Hause gekommen war, schien alles besser zu werden. Das Neugeborene im Haus lenkte sie von ihrer Trauer ab, die gedroht hatte, sie mit Haut und Haaren zu verschlingen.

Sie hatte es nicht darauf angelegt, so kurz nach Bear wieder schwanger zu werden. Peter hatte darauf bestanden, dass sie es versuchten. *Wir werden nicht jünger*, sagte er.

Und außerdem, sagte er, *hast du dann etwas, womit du dich beschäftigen kannst.*

Aber als Barbara zehn Wochen alt war, veränderte sich etwas. Alice wachte in den frühen Morgenstunden auf, weil ein Kind nach ihr rief.

Sie wusste, dass ein Kind in Barbaras Alter noch nicht *Mama* sagen konnte, wie Bear sie immer genannt hatte.

Sie setzte sich im Bett auf. Saß regungslos da. Lauschte.

Da war es wieder.

Mama.

Im Kinderzimmer war es dunkel und still. Sie schlich auf Zehenspitzen hinein. Lorraine, die neue Kinderschwester, schlief auf der einen

Seite des Zimmers, Barbara auf der anderen Seite. Zwei Minuten lang stand Alice im Nachthemd mitten im Zimmer und lauschte. Aber es blieb still.

Sie schlich wieder hinaus, doch sobald sie die Tür hinter sich geschlossen hatte, kam es wieder: *Mama.*

Sie fuhr herum, ging zu dem anderen Kinderzimmer, wo Bear damals geschlafen hatte.

Legte eine Hand auf die Türklinke.

«Alice.»

Sie zuckte zusammen.

Am Ende des Flurs stand Peter und sah sie finster an.

«Geh wieder ins Bett», sagte er.

Es passierte immer wieder. Jede Nacht hörte sie diese Stimme. Manchmal schien sie von draußen zu kommen, vor ihrem Fenster. Manchmal aus dem Untergeschoss. Oft aus dem Kinderzimmer.

Obwohl nachts die Kinderschwester für Barbara zuständig war, bekam Alice kaum Schlaf.

Als Peter das bemerkte, ließ er ihren Hausarzt kommen – jenen älteren Herrn Doktor, der die Van Laars behandelte, seit Peters Vater Mitte zwanzig gewesen war.

Dr. Lewis hieß er, und die erste Tablette, die er Alice verschrieb, sollte ihr beim Einschlafen helfen.

Aber gegen das Wort kamen die Tabletten nicht an. Es bevölkerte ihre Träume mit dunklen, beängstigenden Bildern. *Mama. Mama!,* rief er sie.

Mit Peter konnte sie nicht darüber reden. Mit ihrer eigenen Familie auch nicht. Ihr ganzes Umfeld riet ihr, sich damit abzufinden, dass man Bear niemals finden würde.

Aber das war für Alice ein Ding der Unmöglichkeit.

Bis ihr jemand das Gegenteil bewies, würde sie sich ausmalen, dass ihr Sohn immer noch auf der Welt war, irgendwo außer Sichtweite, ein Schauspieler hinter den Kulissen, der jeden Moment die Bühne betreten konnte.

Später fragte sich Alice, ob es dieser Gedanke war, der sie davon abhielt, Barbara so lieb zu haben, wie sie es sollte. Irgendwo tief in ihrem Inneren fürchtete sie, wenn Bear – wo immer er auch sein mochte, in dieser Welt oder in der nächsten – spürte, dass ihm nicht mehr ihre ganze Mutterliebe galt, würde er vollends verschwinden.

Jeden Abend, bevor sie sich der Wirkung von Dr. Lewis' Tabletten aussetzte, betete sie nicht etwa darum, dass Bears Stimme verstummte, sondern ganz im Gegenteil: dass sie wiederkam. Dass Bear sie für den Rest ihres Lebens immer wieder besuchen würde, auf jede erdenkliche Weise.

Die Probleme begannen, als Bears Besuche länger wurden.

Alice

1950er | **1962** | Winter 1973 | Juni 1975 | Juli 1975 | August 1975

Es sei *schön* dort und sehr *diskret.*

Diese zwei Wörter benutzten alle, die davon erzählten.

Ihre Eltern fuhren sie dorthin, wahrscheinlich auf Wunsch ihres Mannes und ihres Schwiegervaters. Während der dreistündigen Fahrt sagte keiner ein Wort. Nicht einmal das Radio lief.

Wenn Alice sich die Klinik vorgestellt hatte, dann hatte sie immer ein historisches Gebäude im Stil von Haus *Self-Reliance* vor Augen gehabt. Mitten in der Natur. Ein schönes altes Gebäude, in dem sie zur Ruhe kommen konnte. Stattdessen war der Bau an der Nordküste von Long Island ein nagelneuer Kasten im brutalistischen Stil, aus gelblichem Beton, der sich im Regen dunkel verfärbte. Das Gelände rundherum war baumlos und karg. Auf Bänken hier und da saßen uniformierte Mitarbeiter mit ihren Schützlingen, die aussahen, als würden sie jeden Moment einschlafen.

Erst dachte Alice, sie hätten sich vielleicht verfahren. Aber nein, da war das Schild: *The Dunwitty Institute.* Gegründet von einem Freund von Dr. Lewis, der es ihnen empfohlen hatte.

Ihr Vater wandte den Kopf zu ihrer Mutter, die auf dem Beifahrersitz saß, und versuchte vergeblich, ihren Blick einzufangen. Sie sahen doch sicher ebenfalls, was Alice sah; sie mussten doch merken, dass irgendjemand einen Fehler gemacht hatte. Aber ihre Mutter stieg nur wortlos aus, ihr Vater einen kurzen Moment später. Dann öffnete er Alice die Tür.

Sie hatte ein Zimmer für sich. Wenigstens das. Dieses Privileg genieße sie nur wegen ihrer familiären Beziehungen zu Dr. Dunwitty, teilte eine Krankenschwester ihr mit, eine schlanke Frau mittleren bis fortgeschrittenen Alters, die ständig die Stirn runzelte. Sie machte aus ihrer Missbilligung keinen Hehl und räusperte sich, als hätten diese Worte in ihrem Mund einen üblen Nachgeschmack hinterlassen.

Bücher waren nicht gestattet. Auch kein Fernseher.

Die einzigen erlaubten Aktivitäten waren Rätsel aller Art: Kreuzworträtsel, Silbenrätsel, auch Puzzles. Zweifellos steckte dahinter irgendeine Theorie, und Alice fragte sich unwillkürlich, welche das wohl sein mochte.

Am schlimmsten fand sie, dass Bear sie hier nicht besuchte. In der ersten Nacht hatte sie gebetet, dass er zu ihr kam. Ein wenig Gesellschaft wäre schön gewesen.

Stattdessen träumte sie von der fürchterlichen Zeit, als die Suche nach Bear begonnen hatte. In diesen Albträumen wurde sie ein ums andere Mal von unsichtbaren Mächten oder Personen ausgebremst, über die sie keine Kontrolle hatte. Als Kind hatte Delphine so etwas als *Man-schafft-es-nicht-*Träume bezeichnet: wenn man davon träumte, dass man einen Zug verpasste oder zu einer Prüfung zu spät kam oder das Auto im Stau steckte, kurz bevor das Schiff ablegte. Ihr ganzes Leben lang hatte Alice solche Albträume gehabt, aber nichts davon war vergleichbar mit dem, was sie im Dunwitty Institute heimsuchte.

Einen Monat lang bekam sie keinen Besuch und durfte auch nicht telefonieren.

Am einunddreißigsten Tag ihres Aufenthaltes kam eine Krankenschwester in ihr Zimmer und holte sie ab. Alice folgte ihr erstaunt einen langen Flur hinunter, den sie noch nie betreten hatte. Am Ende des Flurs befand sich ein Münztelefon. Die Schwester drückte Alice ein Geldstück in die Hand.

Alice sah es an.

«Na los», sagte die Schwester. «Machen Sie schon.»

Aber Alice fiel niemand ein, den sie anrufen wollte.

Sie steckte die Münze in den Schlitz. Wählte eine Nummer, die ihr aus ihrer Kindheit einfiel. Am anderen Ende der Leitung meldete sich eine Frauenstimme.

«Ist Geraldine da?», fragte Alice. Eine Freundin aus Brearley, mit der sie nicht mehr gesprochen hatte, seit sie mit Peter verheiratet war.

Pause. «Wer ist denn da bitte?»

«Hier ist Alice, Mrs DeWitt. Alice Ward.»

«Ach, Alice», sagte Mrs DeWitt. «Alice, es hat mir so leidgetan, als ich gehört habe, dass …»

Sofort legte sie wieder auf.

Eine Woche später teilte man ihr mit, dass sie Besuch hatte.

Hätte sie gewusst, wer es war, hätte sie ihr Zimmer gar nicht erst verlassen. Aber sie fragte nicht nach, und so saß sie plötzlich an einem Tisch, auf dem ein Damespiel aufgebaut war, ihrer Schwester Delphine gegenüber.

Alice wandte sich an die Krankenschwester. «Ich möchte gehen», sagte sie, «ich möchte nicht hier sein. Ich möchte bitte wieder auf mein Zimmer.»

Aber die Krankenschwester sagte: «Kommen Sie schon, das ist Ihre Schwester, und sie ist so weit gefahren.»

Delphine bedachte erst die Krankenschwester und dann Alice mit einem angespannten Lächeln. «Es wird nicht lange dauern», sagte

Delphine betont munter und würdevoll zu der folgsamen Krankenschwester, die mit einer Verbeugung das Zimmer verließ.

Mehrere Minuten saßen sie schweigend da. Sie würde das hier nur überstehen, dachte Alice, wenn sie sich in eine andere Welt versetzte. Und so schloss sie, wie sie es schon als Kind getan hatte, die Augen, setzte sich gerade hin und verließ die irdische Welt.

Du stehst vor Bears Zimmer, dachte sie. *Er wird gleich aufwachen. Er wird nach dir rufen.*

«Alice», sagte ihre Schwester.

Mama, dachte Alice.

«Alice. Kannst du mich hören?»

Mama.

«Es tut mir so leid», sagte Delphine.

V

Gefunden

Judyta

1950er | 1961 | Winter 1973 | Juni 1975 | Juli 1975 | August 1975: **Tag eins**

Judy steht draußen, die Hände in die Hüften gestemmt, und mustert die Autos auf dem Parkplatz neben dem Haus. Hauptsächlich stattliche Cadillacs, Oldsmobiles und Lincolns. Sie versucht, sich dazwischen einen blauen Trans Am vorzustellen. Der wäre einem sofort aufgefallen.

Sie dreht sich einmal um die eigene Achse. Zwei dunkle, wütende Spuren in der unbefestigten Zufahrt deuten darauf hin, dass ein Auto schwungvoll zurückgesetzt hat und dann zur Route 29 gefahren ist.

Ihr ist klar, dass das, was sie jetzt über John Paul McLellan jr. weiß, wichtig ist. Dass er so spät nachts zurück ins Haus kam, dass er Verletzungen im Gesicht hatte und dass er heute Morgen verschwand, macht ihn nicht direkt zum Verdächtigen, aber zumindest sollten sie ihn im Auge behalten. Doch von ihrem Dienstrang her ist sie ohnehin nicht befugt, ohne die Zustimmung ihres Vorgesetzten irgendetwas zu unternehmen.

Sie schaut auf die Uhr und fragt sich, wann Denny Hayes wohl zurückkommt.

Nach ein paar Minuten geht sie wieder ins Haus. Sie weiß, dass sie eigentlich alle anderen Personen, die sie finden kann, getrennt voneinander befragen sollte, während sie auf Hayes wartet.

Mit den schlaksigen jungen Leuten, die auf den Wohnzimmermöbeln herumliegen, möchte sie am allerwenigsten reden. Irgendwie sehen sie aus, als müssten sie sich gegenseitig mit Weintrauben füttern; wie junge Götter – zumindest in ihrer eigenen Vorstellung. Trotzdem spricht sie einen nach dem anderen an, fragt sie höflich, ob sie sich mit ihr unterhalten möchten, und geht dann mit ihnen in einen leeren Wintergarten, den sie bei ihrem Rundgang durchs Haus entdeckt hat.

Dort stellt sie ihnen ihre Standardfragen: Name, Alter, Beruf, Hauptwohnsitz – worauf alle entweder *Manhattan* oder *Los Angeles* antworten.

Die Letzte, die sie befragt, ist eine schlanke, streng wirkende Dreiundzwanzigjährige. Die Einzige, die Judy mitteilt, dass sie nicht in einem Nebengebäude wohnt, sondern im Haupthaus.

Sie heiße Marnie McLellan, sagt sie.

Als sie den Nachnamen des Mädchens hört, hält Judy inne, schweigt einen Moment. «Beruf?», fragt sie.

«Galeristin.»

Judy weiß nicht, was das sein soll. Sie schreibt es auf und beschließt, es später nachzuschlagen.

«In welcher Beziehung stehen Sie zu den Van Laars?», fragt sie.

«Ich bin die Patentochter.»

«Stehen Sie sich nahe?»

Marnie McLellan hebt das Kinn. «Ja, sehr.»

Judy hält ihren Stift über den Notizblock. Sie weiß, dass sie jetzt besonders aufmerksam sein muss.

Sie stellt der jungen Frau die gleichen Fragen, die sie allen anderen auch schon gestellt hat, und bekommt ähnliche Antworten: Sie sei auf der Party gewesen, sei lange aufgeblieben, es sei sehr laut gewesen und habe viel Alkohol gegeben. Um 4 Uhr morgens sei sie zu Bett gegangen. Sie kenne Barbara gut, die Familien verbrächten viel Zeit miteinander, seien auch schon öfter gemeinsam in den Urlaub gefahren. Trotzdem habe sie keine Ahnung, wo das Mädchen stecken könne.

«Wie würden Sie Barbara beschreiben?»

«Oh, unglücklich», sagt das Mädchen. «Einfach ein sehr unglücklicher Mensch.»

Judy nickt. Sie schreibt in ihren Notizblock: *Mag B. nicht.*

«Wie meinen Sie das?», fragt sie.

«Na ja, sie hat es ihrer Familie schon immer schwer gemacht. Ich weiß, dass sie in der Schule Probleme hatte. Sie ist ziemlich reif für ihr Alter. Und sie trägt Kleider und Make-up, die …» Marnie hält inne und sucht nach Worten, um sie zu beschreiben. «Die sind einfach fürchterlich. Alles ist schwarz. Dunkle Ringe um die Augen. Stacheln in den Ohrläppchen. Wirklich schrecklich, wenn Sie mich fragen. Ausdruck eines gestörten Geistes.»

Das hat Judy noch keiner über Barbara erzählt.

Sie schreibt: *B. seltsam gekleidet.*

Endlich kommt Judy zu den Fragen, die sie schon die ganze Zeit stellen will.

«Sind Ihre anderen Familienmitglieder auch hier auf dem Gelände?»

«Ja.»

«Würden Sie mir bitte deren volle Namen sagen?»

«Warum?»

«Ich versuche, eine Liste aller Gäste zusammenzustellen. Um sicherzugehen, dass ich von meiner Seite aus alles fertig habe, wenn mein Chef zurückkommt», fügt Judy hinzu. Sie lächelt ehrerbietig.

Marnie ist ganz ruhig.

«Mein Vater», sagt sie, «ist John Paul McLellan senior und meine Mutter Nancy McLellan.»

Judy sieht sie an. «Beruf?»

«Meine Mutter ist Hausfrau», sagt Marnie. «Mein Vater ist Geschäftspartner der Van Laars.»

«Bankier?», fragt Judy.

«Anwalt. Er vertritt die Familie und die Bank.»

Judy nickt und macht sich Notizen. Sie zwingt sich, ganz ruhig zu bleiben, als sie fragt: «Haben Sie Geschwister?»

«Mein Bruder ist John Paul McLellan junior.»

«Beruf?»

Marnie lacht auf, dann fängt sie sich.

«Nicht wirklich», sagt sie. «Er hat letztes Jahr sein Studium abgeschlossen. Irgendwann wird er wohl die Bank übernehmen. Falls er bis dahin die Kurve kriegt.»

Judy denkt nach. «Wie kommen Sie darauf?»

Marnie schaut sie an, als wäre sie unzurechnungsfähig. «Die Van Laars haben keinen Sohn. Jedenfalls nicht mehr. Aber wir schon.»

«Verstehe», sagt Judy. Sie schreibt es auf. «Und wissen Sie, wo ich sie finden kann?»

«Wen?»

«Den Rest Ihrer Familie. Ihre Eltern und Ihren Bruder.»

«Ich habe keine Ahnung», sagt Marnie nach einer Pause.

«Haben Sie sie heute Morgen gesehen?»

Marnie zögert kurz. «Ich habe nur meinen Vater gesehen», sagt sie. «Aber wo der jetzt ist, weiß ich nicht.»

Fünf Minuten später verlässt Judy das Haus durch den Haupteingang, die Tür mit dem Kriebelmücken-Türklopfer. Sie schaut den Hügel hinunter zum Ferienlager. Die Indizien gegen John Paul McLellan jr. verdichten sich.

Ein einsamer State Trooper steht auf dem Rasen.

«Entschuldigung», sagt sie. «Ist Captain LaRochelle schon eingetroffen?»

Der Mann sieht sie ausdruckslos an.

«Ich bin Investigator Luptack», sagt sie. «Mir wurde gesagt, dass der Captain bald kommt? Um mit der Familie zu sprechen?»

Er schüttelt den Kopf. «Nee. Es sind schon ein paar Jungs vom BCI da unten, aber noch kein Captain.»

Judy bedankt sich. Dann geht sie zielstrebig zurück in die Küche von Haus *Self-Reliance*, wo sie an der Wand ein Telefon entdeckt hat. Sie schaut sich verstohlen um, nimmt den Hörer ab, wählt die Nummer vom Revier und leitet eine Fahndung in die Wege: Alle Polizisten in der Gegend werden per Funk informiert, dass sie nach einem blauen Trans Am Ausschau halten sollen.

Die Sache ist zu wichtig, um auf Denny Hayes' Rückkehr zu warten. Falls sie sich geirrt hat, wird sie später die Konsequenzen tragen müssen.

Nachdem sie jeden befragt hat, den sie im Haus finden kann, geht Judy wieder nach draußen, setzt sich für einen Moment in einen der Adirondack-Stühle und kritzelt hektisch in ihr Notizbuch. Sie will alle Worte und Sätze festhalten, an die sie sich erinnern kann.

Aus der Ferne hört sie jemanden rufen: «Ma'am?»

Sie schaut nicht auf.

«Ma'am?», fragt die Stimme wieder, diesmal etwas näher. Sie hört Schritte.

Schaut sich um.

Ein bärtiger Ranger um die fünfzig kommt auf sie zu; ein paar Schritte hinter ihm steht ein riesiges Mädchen mit einem Handtuch um die Schultern. Sie ist einen Kopf größer als Judy. Sogar größer als der Mann von der Naturschutzbehörde, der selbst nicht gerade klein ist.

Hinter den beiden nähert sich ein Paar, ein Mann um die fünfzig und eine Frau, die ungefähr so alt aussieht wie Judy. Ist das die Schwester des Mädchens?

«Ich suche jemanden vom BCI», sagt der Ranger.

Judy blickt an sich herunter. Mit ihrem Anzug unterscheidet sie sich deutlich von den State Troopers, den Rangern und den Gästen.

«Das bin ich», sagt Judy schließlich. «Investigator Luptack.»

Das Mädchen zittert leicht. Als sie die Adirondack-Stühle auf dem Rasen vor dem Haus erreicht, lässt sie sich in einen hineinplumpsen. Stützt die Ellbogen auf die Knie.

«Das hier ist Tracy Jewell», sagt der Ranger. «Sie hat sich mit Barbara Van Laar ein Stockbett geteilt. Sie möchte Ihnen gerne ein bisschen was erzählen.»

Tracy

1950er | 1961 | Winter 1973 | Juni 1975 | Juli 1975 | August 1975: **Tag eins**

Tracy sitzt in einem Stuhl auf dem Rasen, trinkt ein Glas Wasser und isst ein Sandwich, das ihr irgendwer gebracht hat. Neben ihr sitzt eine Polizistin. Tracy hat noch nie eine Polizistin von Nahem gesehen, geschweige denn kennengelernt.

Zumindest nimmt sie an, dass diese Frau Polizistin ist. Sie trägt keine Uniform, nur einen Hosenanzug. Sie sieht jung aus, aber Notizblock und Kugelschreiber verleihen ihr Autorität.

Sie wartet schweigend darauf, dass Tracy ihre Frage beantwortet.

«Was haben Sie gesagt?», fragt Tracy.

«Die Person, die dir im Wald begegnet ist. Kannst du uns die ein wenig genauer beschreiben?»

«Oh», sagt Tracy. «Nicht wirklich.»

«Weißt du, ob es ein Mann oder eine Frau war?»

«Ich glaube, es war ein Mann», sagt Tracy. «Aber ich bin mir nicht ganz sicher. Ich hatte meine Brille nicht auf.»

Sie denkt nach.

«Er hatte graue Haare», fügt sie hinzu.

«Hat die Person irgendetwas zu dir gesagt?»

Tracy schüttelt den Kopf. «Sie hat überhaupt nichts gesagt. Hat mir nur gewunken. Mir gezeigt, wie ich wieder aus dem Wald herauskomme.»

Die Frau nickt. Kritzelt schnell etwas in ihren Notizblock.

«Versuchen die jetzt, ihn zu finden?», fragt Tracy. «Die Ranger?»

«Ich glaube schon», antwortet die Frau.

«Er hat versucht, mir zu helfen», sagt Tracy. «Wer auch immer es war.»

«Da hast du wahrscheinlich recht», sagt die Frau. «Wir wollen mit diesem Menschen ja nur reden. Um festzustellen, ob er etwas gesehen hat, das uns weiterhilft.»

Sie hält inne. «Tracy», sagt sie. «Warum bist du überhaupt in den Wald gegangen?»

Tracy schweigt.

«Möchtest du mir das nicht erzählen?»

Tracy nimmt einen Bissen vom Sandwich. Kaut. Trinkt Wasser. Zieht das Handtuch, das sie trägt, noch fester um sich.

Und dann bricht sie ihr Versprechen an Barbara und hält zugleich das Versprechen, das sie sich selbst gegeben hat, und erzählt Investigator Luptack, warum Barbara in den Wald gegangen ist.

«Jede Nacht?», sagt Investigator Luptack und sieht ihr in die Augen. «Barbara hat sich jede Nacht weggeschlichen?»

«Fast jede», sagt Tracy. «Außer einmal, als sie verletzt war.»

«Und immer zur Hütte der Feuerwache?»

«Das hat sie zumindest gesagt.»

«Aber sie hat dir nicht verraten, wer ihr Freund war.»

Tracy schüttelt den Kopf. «Nein.»

Investigator Luptack nickt. «Danke, Tracy», sagt sie. «Das ist sehr hilfreich. Weißt du sonst noch irgendetwas, das uns helfen könnte? Hat sie jemals etwas darüber erwähnt, was sie für eine Beziehung zu ihrer Familie hat?»

Tracy zögert.

«Hat sie sich gut mit ihren Eltern verstanden?»

Tracy schüttelt den Kopf. «Nein», sagt sie leise.

«Hast du eine Ahnung, warum nicht?»

«Ich glaube schon … Sie waren sehr streng mit ihr. Zumindest ihr Vater. Ihre Mutter hat sich da herausgehalten.»

Investigator Luptack nickt. «Und weißt du, ob in letzter Zeit irgendetwas passiert ist, das Barbara Angst gemacht haben könnte? Oder worüber sie sich geärgert hat? Oder das sie wütend gemacht hat?»

Tracy denkt nach. Sie will erst Nein sagen – Barbara hat ihr nie erzählt, was genau sie an ihrer Familie so ärgert. Aber dann fällt ihr doch etwas ein.

«Ja», sagt sie, «sie haben ihr Zimmer gestrichen.»

Der Gesichtsausdruck von Investigator Luptack verändert sich. «Hier im Haus?»

«Ja. Ihre Mutter hat es rosa streichen lassen.»

«Und warum fand sie das so schlimm?»

«Ich weiß nicht», sagt Tracy. «Vielleicht mochte sie die Farbe nicht.»

Judyta

1950er | 1961 | Winter 1973 | Juni 1975 | Juli 1975 | August 1975: **Tag eins**

Zwanzig Minuten später. Das Mädchen ist in die Obhut eines Paares übergeben worden, von dem Judy nun annimmt, dass es sich um ihren Vater und dessen Freundin handelt, und Judy steht im Flur vor dem rosa Zimmer und betrachtet die Tür. Sie könnte sie öffnen, denkt sie. Es ist niemand drin. Aber sie weiß nicht genau, was das für Folgen hätte, und so bleibt sie eine Weile stehen und wartet.

Vom Ende des Flurs hört sie Schritte.

Eine Tür wird geöffnet, und durch einen Nebeneingang betreten ein Mann und eine Frau das Haus. Der Mann ist groß und elegant, sein dunkles Haar hat silbergraue Strähnen. Die Frau, die ihm folgt, ist so unglaublich dünn, als wäre sie krank.

Der Mann verharrt und starrt Judy einen Moment lang an. Er ist zehn Meter von ihr entfernt. Dann schüttelt er leicht den Kopf und führt die Frau in eines der Zimmer am Ende des Flurs.

Sind das die Eltern? Mr und Mrs Van Laar?

Als der Mann wieder herauskommt, ist er allein und geht durch dieselbe Tür wieder hinaus, ohne sie eines weiteren Blickes zu würdigen.

«Judy», sagt jemand, und sie zuckt zusammen.

Es ist Denny Hayes.

«Komm mit», sagt Hayes. «Ich habe dich schon gesucht. Der Captain ist gerade gekommen. Er beginnt gleich mit einer Lagebesprechung unten im Camp. Du kannst mir unterwegs von deinem Vormittag berichten.»

Er geht los. Judy folgt ihm und bemüht sich, Schritt zu halten.

Sie beginnt mit den wichtigsten Fakten: dass das Mädchen, das sich mit Barbara das Etagenbett teilt, gesagt hat, dass Barbara einen festen Freund hat und sich jede Nacht hinausgeschlichen hat, um sich mit ihm in der Hütte der Feuerwache auf dem Gipfel von Hunt Mountain zu treffen.

Sie erzählt ihm von dem Zimmer, das die Eltern rosa gestrichen haben – und dass Barbara sich darüber geärgert hat.

Dann erzählt sie ihm, was sie über John Paul McLellan herausgefunden hat: dass er mitten in der Nacht mit blutig geschlagenem Gesicht aufgetaucht ist; dass er das Haus fluchtartig verlassen hat und einen blauen Trans Am fährt.

Dass sie das Auto bereits zur Fahndung ausgeschrieben hat, hebt sie sich bis zuletzt auf. Denny bleibt abrupt stehen und dreht sich zu ihr um. Judy befürchtet, dass er sie maßregeln wird, weil sie für die Fahndung nicht die Erlaubnis eines Vorgesetzten eingeholt hat. Doch stattdessen sagt er: «Gute Arbeit, Judy. An und für sich machst du dich richtig gut.»

Judy runzelt die Stirn. Das *An und für sich* hätte nicht sein müssen, findet sie. Aber besser als gar kein Lob.

«Gleich bei der Besprechung mit dem Captain meldest du dich zu Wort, okay?», sagt Denny Hayes. Dann geht er weiter, ohne eine Antwort abzuwarten.

Wie Judy feststellt, hat man die Einsatzzentrale auf Anweisung von LaRochelle aus dem Backstage-Bereich des Großen Saals in das Haus der Campleiterin verlegt, wo sie Zugang zu einem Telefon haben.

Die Leiterin, die normalerweise dort wohnt, T. J. Hewitt, ist in ein leeres Zimmer im Personalquartier umgesiedelt worden.

Um 17 Uhr steht Captain LaRochelle im Wohnzimmer des Hauses der Campleiterin vor der langen Wand. Er ist ein stattlicher Mann. Militärischer Haarschnitt, kerzengerade Haltung.

Um ihn herum sitzen und stehen ein Dutzend Ermittler. Sie arbeiten in drei Schichten. Die Hälfte der Anwesenden gehört zur zweiten Schicht und bleibt länger, die anderen sind gerade zur dritten Schicht eingetrudelt. Judy und Hayes betreten als Letzte den Raum. LaRochelle ist gerade noch dabei, seine Notizen durchzusehen, dann hebt er zu sprechen an.

«Folgende Personen sind bisher auffällig geworden», sagt er. Er hakt sie an seinen Fingern ab. «John Paul McLellan jr., Patensohn der Familie Van Laar. Kam gestern Abend mit blutverschmiertem Gesicht nach Hause und war heute Morgen nicht auffindbar. Wir wissen nicht, wo er sich befindet. Er wurde zur Fahndung ausgeschrieben.»

Judy staunt. Sie hat immer noch nicht genau verstanden, wie innerhalb des BCI Informationen weitergegeben werden. Woher weiß Captain LaRochelle das denn jetzt schon?

Er fährt fort. «Louise Donnadieu. Barbaras Betreuerin. Sie ist wegen einer anderen Sache festgenommen worden, aber wir wissen nicht, wie lange sie in Gewahrsam bleiben kann. Ich habe …» – er schaut in seine Notizen – «… Investigator Lowry damit beauftragt, dieser Spur nachzugehen.»

Er hält inne.

«Eine unbekannte Person scheint sich in den Wäldern in der Nähe des Geländes herumzutreiben», sagt er. «Das hat ein Mädchen namens Tracy Jewell berichtet, die sich mit Barbara das Etagenbett teilt. Wir haben nur eine vage Beschreibung dieser Person, weil Tracy ihre Brille nicht trug. Wir wissen eigentlich nur, dass sie groß ist. Aber wir haben noch niemanden gefunden. Auch von Barbara selbst haben wir im Wald rund um das Camp keine Spur gefunden. Die Hunde haben zwar ihre Fährte aufgenommen, aber es sieht so aus, als würden sie einer Spur von vor ein paar Tagen folgen, als Barbara an einer organisierten Wanderung teilgenommen hat.»

Er blickt auf. «Nach neun Stunden Suche sind wir also noch lange nicht da, wo wir sein sollten.»

Ein anderer Kollege meldet sich zu Wort. «Sir, haben die Eltern irgendetwas gesagt, das uns weiterbringt?»

«Nicht wirklich», sagt LaRochelle. «Ich habe vorhin lange mit Mr Van Laar gesprochen. Er hat Barbara als unzufriedenes, problembelastetes Mädchen beschrieben. Er vermutet, dass sie einfach von zu Hause weggelaufen ist. Aber er hat keine Ahnung, wo sie sein könnte.»

«Haben wir Grund, ihn zu verdächtigen?»

«Soweit ich weiß, nein», sagt LaRochelle. «Aber wir werden ihn natürlich im Auge behalten.»

Er zeigt auf einen der Kollegen, die gerade für die dritte Schicht eingetroffen sind. «Das übernehmen Sie», sagt er. «Sie werden die Eltern über Nacht im Auge behalten.»

Eine Weile herrscht Schweigen. Dann meldet sich noch einmal der Kollege, der nach den Eltern gefragt hat. «Sir», sagt er, «finden Sie es verdächtig, dass der Vater mit keinem von uns reden wollte? Dass er auf Sie warten wollte?»

LaRochelle überlegt. «‹Verdächtig› würde ich nicht unbedingt sagen», sagt er. «Ich habe damals eng mit ihnen zusammengearbeitet, als ihr Sohn verschwunden war. Mag sein, dass es deshalb eine gewisse Vertrauensbasis gibt.»

Für Judy klingt das fragwürdig. Aber als dienstjüngste Kollegin im Raum hat sie wenig Lust, das laut zu sagen.

«Was haben Sie noch für mich?», fragt LaRochelle, und Hayes stupst sie sanft mit dem Ellbogen an.

Judy räuspert sich. Hebt die Hand.

Dann berichtet sie LaRochelle davon, was Tracy Jewell gesagt hat:

vom festen Freund, den nächtlichen Treffen in der Hütte auf dem Berg, dem frisch gestrichenen Zimmer.

LaRochelle hebt die Augenbrauen. «Hat noch jemand von einem festen Freund gehört?»

Im ganzen Raum werden Köpfe geschüttelt.

Er zeigt auf einen Kollegen. «Sie. Schnappen Sie sich einen der Ranger. Fragen Sie ihn, ob er schon bei der Hütte der Feuerwache war. Wenn nicht, machen Sie den Jungs Beine.» Er hält inne. «Wissen wir, wo Barbara Van Laar zur Schule gegangen ist?»

Ein Investigator hebt die Hand. «Emily Grange. In der Nähe von Latham.»

«Sie», sagt LaRochelle zu ihm. «Sie fahren dorthin. Besorgen Sie sich die Telefonnummern von Barbaras Freundinnen. Erkundigen Sie sich nach einem festen Freund.»

«Sie», sagt LaRochelle und zeigt auf einen Kollegen, der gerade seine Schicht beginnt und ein halbes Sandwich im Mund hat. «Sie fahren zum Haus der Van Laars in Albany. Durchsuchen Sie Barbaras Zimmer nach allem, was wichtig sein könnte. Machen Sie Polaroids, wenn Sie können. Irgendwelche Fragen?»

Einen Moment lang ist es still, dann hebt ein Mann die Hand, der ganz am Rand sitzt und Judy bisher nicht aufgefallen ist. Er ist bestimmt der älteste Kollege im Raum.

«Sollten wir in Betracht ziehen, dass Jacob Sluiter etwas mit dem Fall zu tun haben könnte?»

Die Stimmung im Raum verändert sich. LaRochelle scheint darauf zu warten, dass der Kollege weiterredet – sich erklärt, entschuldigt oder irgendwie rechtfertigt.

Tut er aber nicht.

LaRochelle verschränkt die Arme. «Möglich ist das schon, denke ich», sagt er. «Immerhin ist er auf freiem Fuß. Aber es scheint mir doch weniger wahrscheinlich als andere Erklärungen.»

Der Kollege nickt, aber man sieht ihm an, dass er mit dieser Antwort nicht ganz zufrieden ist. «Kann es nicht sein, dass Sluiter der Unbekannte im Wald war? Der die kleine Jewell in Richtung Haus geführt hat?»

LaRochelle runzelt die Stirn. «Wie stellen Sie sich das vor?», sagt er. «Ein verurteilter Sexualstraftäter und Mörder trifft auf ein Mädchen, das ganz allein ist und sich im Wald verlaufen hat, und bringt sie in Sicherheit? Würde er nicht eher die Gelegenheit nutzen, um zu tun, was er früher auch getan hat?»

Der alte Kollege schweigt. Die beiden Männer schauen einander an, als ob sie stumme Botschaften hin und her schicken, die die anderen im Raum nicht verstehen.

«Ich sage nicht, dass es unmöglich ist», sagt LaRochelle. «Ich sage nur: Wenn du Hufgetrampel hörst, erwarte nicht, dass ein Zebra um die Ecke kommt.»

Judyta

1950er | 1961 | Winter 1973 | Juni 1975 | Juli 1975 | August 1975: **Tag eins**

Es ist fast 18 Uhr am Ende ihres ersten Tages im Naturreservat. Judy kann das nicht nachvollziehen. Sie hat das Gefühl, als wäre sie mindestens ein Jahr lang dort gewesen.

Hayes fährt mit ihr nach Norden zum Hauptquartier des BCI in Ray Brook. Von da aus muss sie noch bis nach Schenectady fahren. Bei dem Gedanken daran würde sie am liebsten losheulen.

«Müde?», fragt Hayes.

«Ein bisschen.»

«Mach dich auf was gefasst», sagt Hayes. «Bei so einem Fall arbeiten wir rund um die Uhr.»

Er kurbelt die Scheibe hinunter. Schüttelt ein Päckchen Zigaretten und bietet Judy eine an, aber sie lehnt ab.

«Rauchst du nicht?»

«Nein.»

«Gut so», sagt Hayes. «Mein alter Herr ist daran gestorben, glaube ich. Krebs hat er es zwar nicht genannt, aber auf jeden Fall war er am Husten, als er starb.»

Er nimmt einen Zug. Bläst eine Rauchfahne aus dem offenen Fenster. «Ich rauche nur im Auto. Das ist mein ganz persönlicher Kompromiss.»

Judy lacht leise auf, damit er merkt, dass sie ihm zugehört hat.

«Darf ich dich etwas fragen?», fragt Hayes, und Judy verspannt sich sofort, weil sie erwartet, dass er sie über ihr Privatleben ausfragen will. Es wird noch eine ganze Weile dauern, bis Judy sich in der Gegenwart ihrer Kollegen wohl genug fühlt, um von ihrer Familie oder ihrem früheren Leben zu erzählen. Aber Hayes' Frage ist harmlos: «Warum bist du zur Polizei gegangen?»

Sie wägt die möglichen Antworten ab. *Ich wollte den Menschen helfen* klingt zu abgedroschen. *Ich fand, der Job klingt interessant* klingt viel zu vage.

Zu ihrer eigenen Überraschung sagt sie die Wahrheit.

«Der *Mod Squad*.»

«Der ...?», sagt Hayes, als hätte er sie nicht verstanden.

«*Mod Squad*», sagt Judy. «Das war früher meine Lieblingsserie.»

Hayes muss lachen. Er lacht, bis er husten muss, und schnippt seine Zigarette aus dem Fenster. «Verdammte Scheiße», sagt er. «Den höre ich zum ersten Mal.»

Judy grinst.

«Der *Mod Squad*», sagt Hayes und lacht und lacht, bis sich schließlich eine entspannte Stille über das Auto legt.

Im nächsten Moment knackt es im Funkgerät.

John Paul McLellan ist in seinem blauen Trans Am gesichtet und verhaftet worden. Er steht am Rand des Highways, zehn Meilen südlich.

Denny Hayes sieht sie an. Schaut auf die Uhr. «6 Uhr», sagt er. «Theoretisch haben wir Feierabend. Wir könnten nach Hause fahren.»

Er schaut sie an. «Willst du?»

Judy schüttelt den Kopf.

Hayes spricht seine Antwort ins Funkgerät, befestigt das magnetische Blaulicht auf dem Dach, wendet quer über den Grünstreifen und gibt Gas.

Als sie beim State Trooper eintreffen, sitzt John Paul McLellan mit angelegten Handschellen neben seinem Auto im Gras. Seine geschwollenen Lippen und sein blaues Auge zeugen von mehreren Schlägen ins Gesicht.

Der State Trooper klärt sie auf: McLellan sei offensichtlich betrunken, sagt er. Ihm sei als Erstes seine Fahrweise aufgefallen. Insofern hätte er ihn auch ohne die laufende Fahndung angehalten. Er habe ihn ins Röhrchen blasen lassen, das Ergebnis sei eindeutig.

«Bitte schön, er gehört Ihnen», sagt der State Trooper.

«Ich war in einem Restaurant», sagt McLellan.

Mit «Restaurant» meint er wohl eher eine Bar. Seine Schnapsfahne riecht man aus zwei Metern Entfernung. Und auch den Geruch von Marihuana.

Hayes öffnet die Beifahrertür. Beginnt zu suchen.

«Das dürfen Sie nicht», sagt McLellan. «Dazu brauchen Sie meine Erlaubnis.»

«Tut mir leid für Sie», sagt Hayes. Er beugt sich weit ins Auto hinein, seine Stimme klingt angestrengt und gedämpft. «Aber da es aus Ihrem Fahrzeug ganz deutlich nach einer illegalen Substanz riecht, habe ich das Recht, es auch ohne Ihre Erlaubnis zu durchsuchen.»

Nacheinander findet Hayes den Stummel eines Joints, zwei leere Dosen Genesee und auf der Mittelkonsole Spuren von etwas, das wie Kokain aussieht. Und er hat noch nicht einmal im Kofferraum nachgeschaut.

Aufgrund dieser Funde und McLellans offenkundiger Trunkenheit nimmt er ihn fest.

In der Zwischenzeit nimmt Judy Führerschein und Zulassung zum Einsatzfahrzeug und gibt beides per Funk nach Ray Brook durch.

Während sie auf Antwort wartet, beobachtet sie vom Fahrersitz aus McLellan. Er zieht die Nase hoch, sein Mund und sein Gesicht bewegen sich seltsam. Zuerst denkt sie: Das ist das Kokain. Sie selbst hat noch nie gekokst, aber in der Highschool hat sie anderen dabei zugesehen, vor allem Jungs, Sportlern. Aber als McLellan sein Gesicht zur Sonne wendet, wird ihr klar, dass er weint.

Hayes ist jetzt am Kofferraum und öffnet ihn.

Er steht mit dem Rücken zu ihr. Mit seinen behandschuhten Händen fördert er aus dem kleinen Kofferraum erstaunlich viele Gegenstände zutage und legt sie vorsichtig auf dem Boden ab. Golfschläger. Golfschläger. Reisetasche. Ledermappe. Buch. Schuh. Buch. Schuh.

Als Letztes holt Hayes eine Papiertüte heraus.

Judy fällt auf, dass McLellan gar nicht aufschaut. Er starrt zu Boden. Die Tüte, mit der Hayes vorsichtig hantiert, hat eine seltsame Farbe.

Sie sieht anders aus als die Papiertüten, die Judy sonst kennt.

Dann wird ihr klar, was es ist: Unten ist sie dunkler als oben.

Judy steigt aus dem Auto und geht auf Hayes zu, der vor dem Kofferraum hockt und in die Tüte schaut. Mit einem Auge beobachtet sie McLellan, um sicherzugehen, dass er sitzen bleibt. Während sie sich Hayes nähert, holt er mit spitzen Fingern einen Gegenstand nach dem anderen aus der Tüte.

Unterwäsche, Shorts, ein T-Shirt. Klein, weiß, blau.

Das ist eine Uniform. Und wie es aussieht, ist sie voller Blut.

Judy sieht McLellan an. Der hält den Kopf immer noch gesenkt.

Sie schaut zu Denny Hayes. Der sagt etwas, aber Judy kann es nicht hören. *Scheiße. Scheiße.*

Aus seinem Gesicht ist alle Farbe gewichen. Er ist ein tapferer Kerl, aber auf so etwas war er offensichtlich nicht vorbereitet. Judy fällt ein, dass er selbst Kinder hat. Auch das noch.

Auf der Fahrt zum Revier schweigen sie alle drei, bis Denny sagt: «Haben Sie sie umgebracht?» Die Frage durchbricht die Stille wie ein Pistolenschuss. Judy glaubt zu spüren, wie sie die Luft im Auto durcheinanderwirbelt.

Sie mustert McLellan im Rückspiegel. Er schaut aus dem Fenster, sein Blick ist unergründlich. Eine Weile glaubt sie, dass er gar nichts sagen wird – aber dann tut er es doch.

«Ich berufe mich auf mein Recht, zu schweigen und mich nicht selbst zu belasten», sagt er.

Vom Sohn eines Rechtsanwalts, denkt sie, war nichts anderes zu erwarten.

In Ray Brook wird er schnell erkennungsdienstlich behandelt und in eine Arrestzelle gesteckt. Er darf telefonieren. Judy ahnt, wen er anrufen wird.

Und tatsächlich kommt aus seinem Mund ein zittriges: «Dad?»

Dann hebt er die freie Hand und legt sie sich über die Stirn, um seine Tränen zu verbergen. Tränen des Selbstmitleids, wie Judy weiß.

Nichts von dem, was er sagt, ist überraschend: Er sei in Schwierigkeiten, er brauche Hilfe. Sein Vater müsse herkommen.

Hayes betritt den Raum. Er sagt: «Judy, fahr nach Hause.»

Es ist 8 Uhr abends. Bis sie in Schenectady ankommt, ist es zehn.

Louise

1950er | 1961 | Winter 1973 | Juni 1975 | Juli 1975 | August 1975: **Tag eins**

Es ist fast Mitternacht. Louise sitzt seit zehn Stunden in einer Arrestzelle. Sie hat Wasser bekommen, aber nichts zu essen.

Ihr ist schwindelig und übel. Sie hätte so gerne etwas frische Luft.

Sie schaut auf den Pappbecher mit dem Kaffee, der inzwischen kalt ist – sie trinkt sonst nie Kaffee –, und nippt daran.

Schließlich klopft es laut an der Tür. Jemand öffnet, ohne eine Antwort abzuwarten.

Es ist ein Mann um die fünfzig, der eine dicke Brille trägt und einen Pullunder über einer braunen Krawatte. Er sieht aus wie ein Englischlehrer, denkt Louise. In der Hand hält er eine Flasche Cola. Dass er bei der Polizei ist, erkennt man nur an seinem Dienstabzeichen. Er setzt sich Louise gegenüber und schlägt ein Bein über das andere.

Sie setzt sich gerade hin. Sie hat beschlossen, dass sie einfach die Wahrheit sagen wird: Sie war letzte Nacht unterwegs. Aber Annabel auch. Die Drogen in der Tüte stammen von Annabel, nicht von ihr.

Der Mann stellt sich nicht vor. Er nimmt einen Schluck von seiner Cola und fängt an zu reden.

Aufgrund seines Auftretens und seiner Kleidung ist sie irgendwie davon ausgegangen, dass er freundlich zu ihr sein würde, aber sein Ton ist streng.

«In welcher Beziehung stehen Sie zu John Paul McLellan?», fragt er. Er schaut sie direkt an. Er hat keinen Notizblock dabei, auf dem er sich ihre Antworten notieren könnte.

Sie ist völlig überrumpelt. Mit so einer Frage hat sie überhaupt nicht gerechnet.

«Ich bin seine Verlobte», sagt Louise automatisch. «Wir sind seit vier Jahren zusammen.»

«Hm», sagt der Mann.

Sie wartet, ist gespannt, was jetzt kommt. Sie zwingt sich zu schweigen.

«Uns hat er etwas anderes erzählt», sagt der Mann.

Louise rutscht ein wenig auf ihrem Stuhl hin und her. Frag nicht nach, sagt sie sich, Louise, frag nicht nach. Aber sie kann nicht anders.

«Was denn?»

Der Mann pult ein wenig Dreck unter einem Daumennagel hervor. Er schnieft, und seine dicke Brille rutscht ihm ein Stückchen die Nase hinunter.

«Er sagte, Sie hätten früher mal miteinander geschlafen», sagt der Mann. «Bis vor einer Weile. Jetzt ist es vorbei, sagt er, aber Sie würden immer noch an ihm hängen.»

«So ein Schwachsinn», sagt Louise, ohne nachzudenken.

«Wo ist Ihr Verlobungsring?»

Louise wird rot. Das war schon immer ein Streitpunkt zwischen ihr und John Paul. Er sagt immer, dass er ihr einen besonders schönen schenken will – und dass er das erst kann, wenn er einen richtigen Job hat.

«Den hab ich heute nicht an», sagt Louise. «Ich trage ihn nie im Ferienlager. Dazu ist er mir zu schade.»

«Schauen Sie, ich weiß nicht, wer recht hat», sagt der Mann. «Ich kann Ihnen nur sagen, was er mir gesagt hat.»

Louise sieht ihn von der Seite an. «Wie heißen Sie?», fragt sie.

Der Ermittler blinzelt.

«Wie ich heiße, wissen Sie ja», sagt sie. «Und wie heißen Sie?»

«Lowry.»

«Ich soll nicht mit Ihnen reden, Mr Lowry», sagt sie.

«Wer hat Ihnen das gesagt?»

Sei still, ermahnt sich Louise. Sag nichts.

Eine Minute lang sitzen die beiden schweigend da. Der Mann lehnt sich in seinem Stuhl zurück, die Hände hinter dem Kopf verschränkt. Macht es sich bequem. Er schaut nach oben, aus dem einzigen Fenster des Raumes.

Die Lehrerklamotten sind ein Trick, denkt Louise. Er tut so harmlos, damit Verdächtige ihm vertrauen. Dabei ist dieser Mann auch nicht anders als jeder x-beliebige Polizist, dem sie je begegnet ist.

Plötzlich knurrt Louises Magen so laut, dass das Geräusch von den Wänden widerhallt.

«Hunger», sagt der Mann. Eine Feststellung, keine Frage.

Er steht auf und geht ins Zimmer nebenan. Kommt mit einem Apfel zurück und einem kleinen Messer. Er schält den Apfel, viertelt ihn und reicht ihr ein Stück nach dem anderen. Sie sträubt sich nicht.

«Warum fragen Sie mich nach John Paul?», fragt sie, als sie den Apfel fast aufgegessen hat.

«Können Sie sich das nicht denken?»

Louise sagt nichts.

«Sie wissen, warum Sie hier sind, oder?», versucht es der Mann noch einmal. Aber wieder bleibt Louise stumm.

«Sie sind wegen eines minderschweren Vergehens festgenommen worden. Während wir uns hier unterhalten, wird der Termin für die Kautionsanhörung festgelegt. Die findet wahrscheinlich morgen früh statt. Aber Sie sind noch aus einem anderen Grund hier.»

Stille. Sie wartet ab. Der Mann beobachtet sie, versucht sie einzuschätzen. Sein Gesichtsausdruck gefällt ihr nicht: Er hält sie für leicht beeinflussbar, leichtgläubig, ein Kleinstadtmädchen, das noch zu Hause wohnt. Wenn er nur wüsste, denkt sie, wenn er nur wüsste, in was für Restaurants sie mit John Paul schon gegangen ist, was für Filme sie gesehen hat. Was für Bücher sie gelesen hat, auf John Pauls Empfehlung hin, aber auch aus bloßer Neugier. Ich bin nicht die, für die Sie mich halten, möchte sie ihm sagen. Aber Dennys Warnung geht ihr nicht aus dem Kopf: *Sag nichts ohne deinen Anwalt.*

Der Mann beugt sich vor.

«Wir wissen», sagt er, «dass Sie wissen, was mit Barbara Van Laar passiert ist.»

Damit hat sie nicht gerechnet.

«Ist ja gar nicht wahr», platzt Louise heraus, bevor sie sich bremsen kann. Aber aus irgendeinem Grund klingt das selbst für sie gelogen: hoch, schrill und verärgert.

«Das stimmt auch nicht überein», sagt der Mann.

«Womit?»

«Mit dem, was Ihr Freund gesagt hat.»

Alice

1950er | 1961 | Winter 1973 | Juni 1975 | Juli 1975 | **August 1975**

Das hier, dachte Alice, ist es, wofür Haus *Self-Reliance* gebaut worden ist. Um 10 Uhr morgens stand sie mitten im Wohnzimmer und drehte sich langsam um die eigene Achse, während das Haus um sie herum wieder zum Leben erwachte. Seit Bears Verschwinden hatten sie hier keine Party mehr gefeiert – weder das *Blackfly Goodbye* noch irgendein anderes Fest. Aber der hundertste Geburtstag des Hauses schien Peter eine gute Gelegenheit, diese Tradition wieder aufleben zu lassen. «Gut fürs Geschäft», sagte er. Er hatte mehrere potenzielle Kunden im Auge, die er einladen wollte.

Das einzige Hindernis war die Menge an Arbeit gewesen, die es zu erledigen galt. In die meisten Zimmer im Haus hatte schon seit der Zeit, bevor Barbara auf die Welt kam, niemand mehr einen Fuß gesetzt. Jetzt schloss man sie auf, nahm die Staubbezüge von den Möbeln und öffnete die Fenster. Ihr Florist aus Albany lieferte Wildblumen, und auf Peters Anweisung hin wurden überall im Haus und auf den Nachttischen in jedem Schlafzimmer Vasen mit Sträußen aus Sauerklee, Fieberklee und Feuerkolben aufgestellt. Peter hatte das Sofa und die Stühle im Wohnzimmer neu beziehen lassen und neue Möbel gekauft: drei Dutzend von einem örtlichen Tischler angefertigte Adirondack-Stühle, die nun in einem ordentlichen Halbkreis auf dem Rasen standen, der zum Lake Joan hinunterführte. Die alten zerschlissenen und verrotteten Gartenstühle hatte einer der Angestellten zu Brennholz verarbeitet.

Nicht nur das Haus hatte sich verändert. In den Wochen, seit Barbara ins Ferienlager gezogen war, hatte sich Alice zum ersten Mal seit Jahren wieder um sich selbst gekümmert, um ihren Körper. Es war eine willkommene Abwechslung. Diese Party zu planen, hatte einen ganz wesentlichen Teil ihrer Persönlichkeit wieder zum Leben erweckt. Sie hatte sich zwar nie komplett gehen lassen, aber sie war nicht mehr so sorgfältig mit ihrer Kleidung, ihrer Haut und ihren Nägeln umgegangen, wie sie es gewohnt war. Früher hatte sie ihr Haar als voluminösen Bob getragen, mit ausrasiertem Nacken. Sehr schick, hatte man ihr immer wieder bestätigt. Aber nach Bears Verschwinden war sie bald nicht mehr zu ihrem üblichen Friseur gegangen, weil sie nicht immer wieder dieselben Fragen beantworten wollte. Ihr Haar war so lang geworden, dass es ihr schon peinlich war. Um es zu verbergen, trug sie es als Dutt, mit Haarnadeln gesichert.

Eine Woche, nachdem Barbara ins Camp gegangen war, bat sie einen der Angestellten, mit ihr zu einem Friseur nach Albany zu fahren. Als sie zurückkamen, trug sie ihr Haar offen, geglättet und mit frischer Farbe, die das Grau an den Schläfen kaschierte. In der Hand hatte sie eine Tragetasche von Whitney's, in der sich sieben neue Outfits befanden, darunter zwei Miniröcke und ein Bikini. Die erstaunlich junge Verkäuferin hatte sie dazu ermutigt: «Sie haben die Figur dafür», hatte sie gesagt.

Nun war es Samstagmorgen – heute sollte die Party beginnen –, und Alice stand vor ihrem Kleiderschrank und überlegte, welches der neuen Outfits sie tragen sollte.

«Mrs Van Laar», sagte jemand.

Sie drehte sich um. Es war ein junger Mann, den sie auf den ersten

Blick gar nicht erkannte. Eine der Aushilfen, die Peter eingestellt hatte, vermutete sie. Jedenfalls trug er eine Uniform.

«Was ist denn?»

«Da ist jemand an der Tür», sagte der Bursche.

«Ein Gast?», fragte Alice erschrocken. Bitte jetzt noch nicht, dachte sie. Es war gerade 11 Uhr. Die Gäste sollten erst am späten Nachmittag kommen.

«Ich weiß nicht genau», sagte der junge Mann ausweichend. «Es ist ein Paar. Sie sind …»

In diesem Moment hörte Alice die Stimme ihrer Mutter, vertraut und bedrohlich zugleich, ungeduldig und unwirsch.

Alice blinzelte und erstarrte. Sie war in keiner Weise auf die Ankunft der beiden vorbereitet. «Danke», sagte sie zu dem Burschen. Der verschwand, und Alice holte widerstrebend einen Rollkragenpullover und einen Cord-Minirock aus ihrem Schrank und zog sich beides an.

«Meine Güte, Alice», sagte ihre Mutter im Wohnzimmer. Sie musterte Alice von oben bis unten: ihr frisch geglättetes Haar, ihren kurzen Rock, ihre nackten Beine und Füße. Und dann verkündete sie: «Du bist ja richtig *mager.*»

Es war zugleich ein Lob und eine Beleidigung.

«Mutter», sagte Alice. «Ihr seid aber früh dran.»

«Tja, ich dachte, du könntest Hilfe gebrauchen», sagte ihre Mutter und ließ ihren Blick durch das Zimmer schweifen. Es war klar, worauf sie damit anspielte.

Manchmal war Alice beeindruckt davon, wie kreativ ihre Mutter wurde, wenn es galt, andere zu kritisieren; was für poetische Ausdrücke sie für all das fand, woran es ihrer Meinung nach der Welt um sie herum mangelte. Eine andere Tochter hätte sich längst von ihrer Mutter distanziert oder würde sich zumindest darüber lustig machen. Alice war es selbst peinlich, als sie sich klarmachte, dass sie sich mit über vierzig Jahren immer noch bemühte, das Gemecker ihrer Mutter auszuhalten; ihre Flut von Bemerkungen, die bewusst neutral formuliert waren, dabei aber mitten ins Schwarze trafen.

«Geh ruhig und mach dich fertig», sagte Mrs Ward. «Ich kümmere mich um die anderen.»

Alice erstarrte. Befahl sich, laut zu sagen: *Ich bin fertig.*

«Danke, Mutter», sagte sie stattdessen. Sie vermied es, dem Blick ihres Vaters zu begegnen, sonst wäre sie möglicherweise in Tränen ausgebrochen, denn sie ahnte, wie mitleidig er sie gerade anschaute. Warum ließ sie sich das alles gefallen? In ihrem Alter? Peter sagte ihr seit Jahren, dass sie … Ach, egal. Der war genauso Teil des Problems.

Alice ging wieder in den Flur. Sie schämte sich wegen ihres Körpers und ihrer nackten Beine. Sie spürte immer noch, wie sich die Blicke ihrer Mutter in ihr Fleisch brannten.

Im Schlafzimmer öffnete sie die Tür ihres Kleiderschranks und stand eine ganze Weile davor, ohne zu verarbeiten, was sie vor sich sah. Es war ein Mischmasch aus Farben und Stoffen, Kleidung in verschiedenen Formen und Längen.

Und dann fiel ihr ein ganz anderes Stück Stoff ins Auge, über der Kleiderstange. Sie griff danach.

Während ihrer Auszeit – wie die anderen Alice' Aufenthalt im Dunwitty Institute konsequent nannten – hatte Dr. Lewis die Van Laars dazu angehalten, in ihrem Haus in Albany wie auch im Haus *Self-Reliance* alle Spuren von Bear zu entfernen. Seine beiden Zimmer wurden komplett leer geräumt und renoviert. Die Wände mit der Weltkarten-Tapete, die Bear so geliebt hatte, wurden weiß gestrichen. Seine Kleidung – weg. Sein Spielzeug und seine Bücher – weg. Dr. Lewis meinte, nur so werde sich Alice' Zustand bessern; und bei den Van Laars wurden Ratschläge von Dr. Lewis – einem Freund von Peter II. aus dessen Zeit in Yale – nun einmal nicht hinterfragt.

Aber eine Sache, die dem Jungen gehört hatte, hatten sie übersehen.

Als Bear zur Welt gekommen war, hatte jemand Alice eine Kuscheldecke für ihn geschenkt, eine blaue Decke mit einem Seidenband mit Mond-und-Sterne-Muster. Als er größer wurde, hatte er ständig diese Decke dabei. Aber als er sie mit vier Jahren immer noch durchs Haus schleppte, hatte Peter ihr befohlen, sie ihm wegzunehmen, und Alice hatte gehorcht. Sie hatte sie hier in ihrem eigenen Kleiderschrank versteckt, und das, obwohl der Junge eine Woche lang jeden Abend, wenn sie ihn ins Bett brachte, jämmerlich geweint hatte.

Als Alice von ihrer Auszeit zurückkehrte und feststellen musste, dass alles, was Bear gehört hatte, aus dem Haus entfernt worden war, war sie schlau genug, ihre Bestürzung zu verbergen. (Besser in einem Haus ohne Bear als zurück in der Klinik.) Sobald sie unbeobachtet war, ging sie ins Schlafzimmer und öffnete den Kleiderschrank. Und da lag sie: die Decke, die sie damals vor ihm versteckt hatte.

Jetzt drückte sich Alice die Decke ans Gesicht und spürte an ihrer Wange die ausgefranste Kante, an der Bear so gerne mit seinen kleinen Fingern herumgespielt hatte.

Sie würde sich nicht noch einmal umziehen, beschloss sie. Sie würde nichts zu ihrer Mutter sagen. Sie würde sich einfach nicht umziehen.

Mit der Decke über dem Gesicht lag sie eine Weile auf ihrem Bett. Seit ihrem Ausflug nach Albany hatte sie die Tabletten von Dr. Lewis nicht mehr genommen. Die Vorbereitungen für die Feierlichkeiten hatten sie abgelenkt. Endlich hatte sie etwas zu *tun*, dachte Alice. Bei all der Planung war ihr gar nicht in den Sinn gekommen, dass sie wieder einen richtig schlechten Tag haben könnte.

Irgendwo im Haus hörte sie ihre Mutter Befehle erteilen.

Dorthin, sagte sie. *Dorthin. Nein. Ja. Nein.*

Mechanisch ließ Alice ihre rechte Hand zum Nachttisch wandern und zog die Schublade auf. Sie spürte die beruhigende Form des Fläschchens und hörte das beruhigende Klappern der Pillen und steckte sich eine in den Mund, dann zwei, dann drei, dann vier. Sie zerbiss sie und kaute darauf herum. Dann zog sie sich Bears Decke wieder über das Gesicht. *Wie ein Leichentuch*, dachte sie, und dann musste sie lachen.

Als sie die Augen öffnete, hörte sie Stimmen auf dem Rasen. Viele Stimmen. Sie versuchte, sich aufzusetzen, aber es gelang ihr nicht. Über ihr und um sie herum war es dunkel. Als Kind hatte sie ungern Mittagsschlaf gemacht, denn immer, wenn sie von einem Nickerchen aufgewacht war, hatte sie eine fast schon übernatürliche Verzweiflung heimgesucht. Bei Bear war das genauso gewesen: Verschlafen und träge war er immer nur nach seinem Mittagsschlaf.

Genauso fühlte sie sich jetzt. Trotz der nachmittäglichen Hitze wickelte sie sich in die Bettdecke.

Eine Minute oder eine Stunde später stand sie auf.

Dann der Nachttisch, dann die Schublade, dann die Pillen. Noch zwei. Drei. Mit einer Hand stützte sie sich an der Wand ab. Sie tastete sich den Flur hinunter und in die Küche, wo sie sich mit ungelenken Bewegungen ein Glas aus dem Schrank nahm und an der Spüle mit Wasser füllte. Es kam aus einem Brunnen und schmeckte süßlich, nach Erde.

Ein wenig von dem Wasser verfehlte ihren Mund und lief ihr als dünnes Rinnsal den Hals hinunter. Sie hielt sich eine Hand unter das Kinn, um es aufzufangen. Dann nahm sie aus dem Augenwinkel eine Bewegung wahr: eine zögerliche menschliche Gestalt. Sie drehte sich um. Die neue Köchin. Das Mädchen aus der Stadt. Die Namenlose.

«Was?», sagte Alice.

«Nichts.»

«Nichts, *Ma'am*», sagte Alice, aber das Mädchen sah sie nur verständnislos an und blinzelte.

Die Schränke. Die Wand. Die zwei Stufen zum Wohnzimmer. Vorsichtig, ganz vorsichtig. Die Rückenlehne des Sofas. Das Mauerwerk des Kamins mitten im Zimmer, angenehm rau.

Vor der Glastür, die zum Rasen führte, blieb sie kurz stehen. Vor Alice standen ihre Gäste – das waren auch ihre, dachte sie, nicht nur Peters.

Jetzt hatten sie ohne sie angefangen. Niemand hatte daran gedacht, sie zu wecken, nicht einmal ihr eigener Mann. Draußen in der Sonne leerten sie ihre Gläser und plauderten ausgelassen.

Sie suchte die Menge nach Peter ab und entdeckte ihn im Gespräch mit den McLellans: Vater, Mutter, Tochter, Sohn – allesamt fürchterlich, fand Alice, jeder auf seine eigene Weise.

Sie hob eine Hand, um die gläserne Schiebetür zu berühren, merkte aber, dass sie offen war. Und so stolperte sie hinaus, woraufhin eine Frau, die drei Meter vor ihr stand, erst fröhlich ihren Namen rief – «Alice!» – und dann verstummte.

Die anderen Anwesenden hatten diese Begrüßung gehört, drehten sich zu ihr um ... und erstarrten. Langsam wurde Alice klar, dass sie zu viele Tabletten intus hatte.

Vor allem, weil sie eine Woche lang gar keine genommen hatte. Und den ganzen Tag nichts gegessen hatte. Sie griff sich an ihr Haar und merkte, dass es völlig durcheinander war, dicke Strähnen hingen ihr vor den Ohren. Sie griff nach ihrem kurzen Rock und stellte fest, dass er zu hoch um ihre Taille saß.

Ihr Blick wanderte zu Peter. Er stand zu weit von ihr entfernt. Er sagte etwas zu den McLellans. Sie sah, wie sich sein Mund bewegte, garantiert redete er über sie. Der Sohn der McLellans, John Paul junior, war ein richtiger Mann geworden. Es hieß, er würde irgendwann das Geschäft übernehmen, und sie konnte das nachvollziehen:

Er hatte schon jetzt die Ausstrahlung, die all diese Männer hatten. Das Gefühl, die Welt schulde ihm etwas. Alles.

Benebelt von den Pillen, hatte sie das unbestimmte Gefühl, dass sie das, was gerade passiert war, schon einmal erlebt hatte. Ein Déjà-vu.

Sie betastete ihr Gesicht, um sich zu vergewissern, dass es intakt war.

Dann trat sie den Rückzug an.

Zurück ins Haus, in den Schatten, den Flur hinunter, in Bears Zimmer, niemand hätte sie aufhalten können. Dort legte sie sich auf das Bett, das nicht mehr das ihres Sohnes war, dort rollte sie sich wieder zu einem kompakten Gebilde aus Knochen und Fleisch zusammen, dort würden sie einige Stunden später tief und fest schlafend zwei Gäste vorfinden.

Von draußen hörte sie die Stimmen ihrer Gäste, die nach und nach wieder lauter und ausgelassener klangen.

Die Party würde auch ohne sie weitergehen.

Louise

1950er | 1961 | Winter 1973 | Juni 1975 | Juli 1975 | August 1975: **Tag eins**

Louise ist übel.

«Ich glaube Ihnen nicht», sagt sie. Immer und immer wieder.

«Meinetwegen», sagt der Polizist. Lowry. Sie hat das Gefühl, dass sie ihm schon viel zu viel erzählt hat. Aber wenn es etwas gibt, das sie auf die Palme bringt, dann, wenn jemand Lügen über sie verbreitet. Ihr ganzes Leben lang tun die Leute das schon. Allein heute gleich zweimal: erst Annabel, und jetzt das hier. Ihr Gesicht glüht vor Wut, vor Ungerechtigkeit. Es wurmt sie so sehr, dass sie einfach nicht den Mund halten kann.

«Sie lügen mich an», sagt sie, und ihr Herz rast.

«Nein», sagt Lowry in einem so selbstsicheren Tonfall, dass sie am liebsten über den Tisch langen würde und …

«Wann hat das angefangen?», fragt Lowry.

«Leck mich», sagt Louise.

«Schon gut», sagt Lowry. «Sie können hier gerne noch ein bisschen sitzen bleiben. Ich habe keine Termine.»

John Paul, sagte Lowry, sei mit einer Papiertüte aufgegriffen worden, in der sich Barbaras Kleidung befand. Voller Blut, ergänzte er – und sah Louise in die Augen, als er das Wort aussprach.

John Paul habe keine Ahnung gehabt, was in der Tüte gewesen sei, sagte der Polizist. Aber er meinte, Louise hätte ihn gebeten, sie für sie zu entsorgen.

«Wissen Sie, woran mich das erinnert?», fragte der Polizist. «An die andere Papiertüte, die Sie heute Morgen jemandem gegeben haben, um sie für Sie zu entsorgen.»

Jetzt schaut Louise ihn unverwandt an, ihr Gesicht ist rot vor Zorn. Sie versucht, ganz ruhig zu sprechen, aber es gelingt ihr nicht.

«Hören Sie», sagt sie. «Ich habe mit keiner der beiden Tüten etwas zu tun. Ich wusste von Annabels. Aber das in der Tüte war ihr Zeug. Nicht meins.»

Lowry mustert sie.

«Ich verstehe schon», sagt er. «Barbara sah viel älter aus als dreizehn.»

Louise dreht sich der Magen um. Früher hat sie diesen Ausdruck öfter gehört, und zwar über sich selbst.

«Nein, tut sie nicht», sagt sie. Sie achtet darauf, das Präsens zu verwenden und nicht in die Grammatikfalle zu tappen, die der Polizist ihr gestellt hat. «Sie sieht aus wie eine Dreizehnjährige mit schwarzem Eyeliner. Sie sieht aus wie ein Kind.»

Lowry nickt. «Kann gut sein», sagt er. «Das macht sogar Sinn.»

Sie schluckt den Köder nicht.

Er versucht es noch einmal. «Wie lange kennen Sie Lee Towson schon?»

Sie schweigt. Sie stellt sich Lee in seiner Schürze vor, wie er von der Küche der Kantine zu ihr herüberschaut und sie angrinst. Sie fragt sich, wo er jetzt wohl steckt.

«Es war seine Idee, nicht wahr?», fragt Lowry. «Hat er Sie gebeten, das Mädchen zu ihm zu bringen?»

Die Absurdität dieser Anschuldigung macht sie wütend. Ihr wird immer mehr klar, wie recht Denny Hayes damit hatte, dass sie sich einen Anwalt besorgen soll. Dass nichts, was sie jetzt sagt, ihr weiterhelfen wird.

«Weswegen werde ich hier festgehalten?», fragt Louise schließlich. Sie hat jetzt keinen Hunger mehr, ihr ist nur noch schlecht.

Lowry sieht sie überrascht an.

«Sie können mich hier eigentlich gar nicht so lange einsperren, oder?», fragt Louise. «Darf ich gehen?»

«Nein», sagt Lowry und schüttelt den Kopf. «Technisch wird Ihnen der Besitz illegaler Betäubungsmittel zur Last gelegt», sagt er.

«Das ist auch gelogen», sagt Louise.

«Nun, das wissen wir noch nicht. Wir wissen nur, dass Ihnen das zur Last gelegt wird. Bis für diesen Anklagepunkt eine Kaution festgelegt ist und Sie sie bezahlt haben, bleiben Sie bei uns.»

«Aber das ist nicht der wahre Grund, warum Sie mich hier festhalten», sagt Louise. «Das haben Sie mir schon gesagt.»

Lowry lächelt. «Habe ich das?», fragt er.

Louise bleibt stumm.

«Louise», sagt Lowry. «Wenn Sie nicht mehr mit uns reden wollen, ist das in Ordnung. Das ist Ihr gutes Recht. Aber hören Sie mir zu. Ich werde Ihnen etwas sagen, das Ihnen vielleicht hilft.»

Er hält inne und nippt an seiner Cola. Aus der Innentasche seiner Jacke holt er einen in Plastik eingeschweißten, von der Wärme weich gewordenen Haferflocken-Rosinen-Keks hervor, packt ihn langsam aus, tunkt ihn in seinen Kaffee und knabbert daran.

«Die Höchststrafe für den Besitz illegaler Betäubungsmittel beträgt fünf Jahre», sagt er mit vollem Mund.

Louise wird blass. In fünf Jahren ist ihr Bruder Jesse sechzehn. Beinahe erwachsen. In fünf Jahren ist es zu spät.

«Aber wenn Sie Informationen über den Verbleib von Barbara Van Laar haben, irgendetwas, das uns weiterhilft, dann können wir Ihnen möglicherweise ebenfalls helfen.»

Louise starrt auf den Tisch. Sie hat Angst, dass sie, wenn sie aufschaut, ihre Tränen nicht länger unterdrücken kann. Lieber wäre sie tot oder im Gefängnis, als vor den Augen dieses Mannes loszuheulen.

«Wie dem auch sei: Ich könnte jetzt telefonieren», sagt Lowry. «Mich wegen der Kaution erkundigen. Andererseits …»

Er blickt theatralisch auf seine Armbanduhr.

«Es ist schon spät. Gut möglich, dass beim Gericht heute keiner mehr zu erreichen ist.»

Er verlässt die Zelle.

Louise ist allein.

Eine Weile sitzt sie bloß da und lässt das Unglück auf ihren Schultern lasten.

Ihre erste Empfindung ist blankes Entsetzen. Darüber, dass John Paul ihr so etwas antut. Die zweite ist Angst. Dass sie ihm eher glauben als ihr.

Eines ist klar: Er hatte schon immer etwas Gemeines an sich und ist manchmal richtig rachsüchtig. Wie fies er sein kann, hat sie selbst miterlebt, aber vor allem bei anderen, bei den Jungs auf irgendwelchen Partys, wenn sie alle betrunken und high waren.

Zu ihr ist er bisher nur ein einziges Mal so gemein gewesen.

Louise

1950er | 1961 | **Winter 1973** | Juni 1975 | Juli 1975 | August 1975

Es geschah in ihrem zweiten Winter in der Garnet Hill Lodge. Es war ein Montag, ohnehin ein ruhiger Tag, und obendrein war es so furchtbar kalt, dass kaum neue Gäste kamen, weshalb Louise früher als sonst Feierabend machen durfte. Weil ihr langweilig war und sie sich einsam fühlte, nutzte Louise die Gelegenheit, sich eines der Dienstautos zu leihen und zum Union College zu fahren.

John Paul wohnte in jenem Jahr in einem Haus auf dem Campus zusammen mit einigen Kommilitonen. Louise klopfte, und einer der Mitbewohner öffnete die Tür.

«John Paul ist nicht da», sagte er, nachdem er ein paar Augenblicke gebraucht hatte, um sie wiederzuerkennen.

«Oh», sagte Louise. Hinter dem Jungen hörte sie den Lärm einer Party. Immer wieder ertönte derselbe tiefe, leiernde Ton – ein Kratzer auf der Schallplatte. Ein Mädchen lachte fröhlich. Jemand brachte die Schallplatte in Ordnung. Ein junger Mann johlte.

Sie kannte dieses Gejohle.

«Steven», sagte sie. «Ich glaube schon, dass er da ist.»

Drinnen standen oder saßen ein Dutzend junge Leute in kleinen Gruppen, während im Hintergrund Led Zeppelin lief.

Die meisten waren Frauen, die sie nicht kannte. Jung, wahrscheinlich Erstsemester. Sie trugen schicke Ausgehklamotten, die Haare waren frisch gewaschen und geföhnt. Wohin wollten die noch in dieser kalten Nacht?, dachte Louise – bis ihr klar wurde, dass sie schon dort waren, wohin sie wollten: Dieses Haus war ihr Ziel, und seine Bewohner waren der Grund, warum sie so herausgeputzt waren. Louise kam sich in ihrem Parka und ihrer Pudelmütze wie ein ulkiger Schneemann vor.

Am anderen Ende des Zimmers sah sie John Paul, der leicht schwankte, offenbar betrunken, und Louises Brust zog sich zusammen. Er hatte ein Bier in der Hand und trug trotz der Kälte kein Hemd. Die Haut an seinen Schultern und an seiner Brust war gerötet. Er war wunderbar schlank, hatte schönes Haar und ganz weiße Zähne, und normalerweise fand Louise ihn attraktiv. Aber es gab eine Methode, um einen attraktiven Mann möglichst schnell hässlich zu machen: Man gab ihm zu viel zu trinken. Betrunkene Männer jagten ihr Angst ein. Sie hatte schon früh gelernt, wie man mit ihnen umgeht; dass man gerade so viel über ihre schlechten Witze lachen muss, dass sie sich nicht beleidigt fühlten, aber nicht so viel, dass sie das Gelächter irritierte. Gleich unter der Oberfläche ihrer Ausgelassenheit verbargen Betrunkene ihre Kraft und ihre Boshaftigkeit, wie zwei Pistolen, die nur darauf warteten, abgefeuert zu werden.

«Louiiiiiiiise», rief John Paul, als er sie entdeckte. Er kam durch den Raum getorkelt, legte ihr die Arme um die Schultern und lehnte sich gegen sie, sodass sie fast umkippten.

«Wer sind diese Leute?», flüsterte sie.

«Neue Bekannte», sagte er. Lallte er. «Die werden dir gefallen. Komm.»

Aber er dachte gar nicht daran, ihr irgendwen vorzustellen, und so saß Louise lange Zeit ohne Drink in der Hand auf einem Sofa, in ihrem Polohemd mit dem Abzeichen der Garnet Hill Lodge, ihrer dämlichen Arbeitsuniform, und sah zu, wie die Leute um sie herum immer betrunkener wurden, wie die Musik immer lauter wurde, wie die Atmosphäre immer schwüler wurde und immer mehr potenzieller Sex in der Luft lag.

Die Mädchen erinnerten sie vage an irgendetwas oder irgendjemanden, und dann wurde ihr schlagartig klar, an wen: ihre Ferienkinder aus dem Camp Emerson. Nicht nur, weil sie reich und eingebildet wirkten, sondern auch, weil sie so jung waren; die Jüngste sah aus wie sechzehn oder siebzehn. Zwei von ihnen fingen an, miteinander zu tanzen, und sie beobachtete John Paul, der ihnen dabei zusah, und das war der Moment, in dem sie hoch in sein Zimmer ging, ohne Gute Nacht zu sagen.

Sie rauchte selten, aber als sie John Pauls Zigaretten auf dem Nachttisch liegen sah und neben dem Päckchen ein silbernes Feuerzeug, in das *JPM* graviert war, zündete sie sich eine an. Sie mochte die Wärme in ihrer Lunge.

Sie steckte das Feuerzeug in ihre Hosentasche. Sie wollte irgendetwas von ihm mitnehmen.

Dann drückte sie die Zigarette aus und blieb noch lange auf dem Bett liegen. Daneben war ein Fenster, und dahinter sah sie, dass beinahe Vollmond war. Von unten hörte sie, wie die Musik leiser und langsamer wurde. Sie hatte keine Ahnung, wie spät es war.

Louise wachte auf, als die Tür aufgerissen wurde. Sie richtete sich auf und fasste sich ans Herz. Da stand John Paul, ein Schatten im Türrahmen.

Von unten hörte man immer noch Stimmen, die sich unterhielten.

«Wo warst du denn auf einmal?», fragte er leise. Sie konnte nicht erkennen, ob er nüchterner oder betrunkener war als vorhin, als sie hochgegangen war.

«Im Bett», sagte sie.

«Behandle mich nicht, als wäre ich dumm», sagte er – einer seiner Lieblingssätze, wenn sie sich stritten. Er war nicht dumm. Das musste er allen auf die Nase binden. «Warum hast du nicht gesagt, dass du hochgehst?»

Louise spürte, wie ihr der Zorn die Kehle hinaufstieg. Normalerweise überlegte sie sich alles, was sie zu John Paul sagte, zweimal, bevor sie es laut aussprach, aber heute Nacht war ihr alles egal.

«Ich wollte dir nicht in die Quere kommen», sagte sie.

«Was hast du gesagt?»

«Ich dachte, du hast ohne mich bestimmt mehr Spaß.»

John Paul schloss die Tür hinter sich, im Zimmer wurde es wieder dunkel. Plötzlich sah sie ihn nicht mehr. Etwas in Louise rührte sich und sorgte dafür, dass sie Angst bekam.

«John Paul», sagte sie, und dann waren seine Hände auf ihr. Er tastete sie unbeholfen ab und zerrte sie an ihren Kleidern aus dem Bett.

«Mit wem hast du gebumst?», rief er viel zu laut. Sie zuckte zusammen. Die Stimmen unten verstummten – alle lauschten jetzt.

«Pssst», machte sie – ihr fiel zu spät ein, dass das einer der Laute war, die John Paul verlässlich ausrasten ließen. Ihm zu sagen, er solle leiser reden, war für ihn schlimmer als ein Schlag ins Gesicht. Genau so hatte er es einmal formuliert.

«Sag mir nicht, ich soll leise sein!», schrie er sie an. «Ich habe dich etwas gefragt. Mit – wem – hast – du – gebumst?»

Gedämpftes Kichern von unten.

«Mit niemandem», flüsterte Louise nachdrücklich.

John Paul packte ihren Kragen immer fester. «Ganz ehrlich?», fragte er. «Denn ich weiß, dass du dazu imstande wärst. Das habe ich selbst gesehen.»

Einmal, dachte Louise. Ein einziges Mal. In der ersten Woche, als sie zusammen waren. In ihrem zweiten Monat am College. So betrunken, dass sie sich hinterher kaum erinnern konnte. So betrunken, dass sie einen Fehler gemacht hatte.

«John Paul», sagte Louise. «Ich bin einfach nur ins Bett gegangen. Ich war müde.»

Er hielt sie noch ein paar Sekunden am Kragen und atmete ihr ins Gesicht. Dann lockerte er ganz langsam seinen Griff. Er ließ die Arme sinken und stolperte einen Schritt zurück.

Louises Augen gewöhnten sich an die Dunkelheit. John Pauls Brille blitzte im Licht der Straßenlaterne, das durchs Fenster fiel. Er stemmte die Hände in die Hüften und senkte kurz den Kopf. Dann schob er sich an ihr vorbei und ließ sich schräg auf sein Bett fallen, wobei er so viel Platz einnahm, dass für sie keiner mehr blieb.

Louise sah ihn an. Sie wollte ihn nicht wecken. Sie wollte nicht noch einmal seinen Zorn auf sich ziehen. Sie konnte ja auf dem Boden schlafen. Oder sich wieder hinaus in die Kälte schleichen, in den Dienstwagen steigen und hoffen, dass er ansprang und dass um diese Zeit noch eine Tankstelle geöffnet hatte. Sie konnte zurück zur Garnet Hill Lodge fahren. Sie konnte ihn für immer verlassen.

Eine kleine wütende Flamme loderte in ihrem Bauch.

«Ich hoffe, du stirbst», sagte sie zu John Paul, bevor sie sich bremsen konnte.

Er lag auf ihr. Mit der linken Hand hatte er ihre Bluse gepackt. Mit der rechten schlug er sie, zweimal. Sie ruderte mit den Armen und versuchte, ihr Gesicht zu schützen. Sie trat nach ihm. Sie fiel zu Boden. Dort rollte sie sich zusammen und versuchte, Kopf und Bauch zu schützen. Er trat ihr schmerzhaft in den Rücken.

Nicht schreien, sagte sie sich. *Bloß nicht schreien.*

Es war ein kranker Instinkt, der ihr befahl, ihren Körper ihrem Stolz zu opfern, aber sie konnte den Gedanken nicht ertragen, dass die Mädchen unten in ihrer schicken Kleidung hörten, wie sie verprügelt wurde.

John Paul stand über ihr und keuchte.

«Sag das noch mal», zischte er.

Sie schwieg.

Sie schätzte ab, wie lange sie warten musste. In Gedanken ging sie ihre nächsten Schritte durch: Ihr Autoschlüssel lag auf dem Tisch an der Haustür. Ihre Handtasche lag irgendwo neben dem Bett auf dem Boden, aber sie würde sie dort liegen lassen. Sie würde sie in der Dunkelheit nicht finden.

«Sag: *Ich hoffe, du stirbst, John Paul*», sagte John Paul. «Sag es.»

Sie ließ noch einige Augenblicke verstreichen, dann trat sie mit aller Kraft nach seinen Knien. Sie war kleiner als er, aber sie war trotzdem in doppelter Hinsicht im Vorteil: Sie war nüchtern, und die Schwerkraft war auf ihrer Seite. Sie traf ihn, er fiel zu Boden, sie sprang auf – ihr Gesicht und ihr Rücken pochten vor Schmerzen – und rannte die Treppe hinunter. Als sie nach dem Schlüsselbund auf dem Tisch griff, hörte sie schon, wie er hinter ihr die Treppe heruntergestolpert kam.

Sie spürte die Blicke aus dem Wohnzimmer. Sie drehte sich nicht um. Sie riss die Haustür auf und rutschte beinahe auf der vereisten Treppe aus, fing sich aber wieder. Sie sprang in den Dienstwagen und drehte den Zündschlüssel, einmal, zweimal, dreimal. Die Karre machte immer Probleme, wenn es kalt war.

John Paul stürzte aus dem Haus. Das Eis rettete sie: Anders als Louise rutschte er auf der Treppe aus, fiel zu Boden und blieb liegen. In diesem Moment sprang der Motor an; sie trat das Gaspedal durch, bog rückwärts auf die dunkle, leere Straße ein, und dann schaltete sie in den ersten, zweiten, dritten, vierten Gang.

Ihr Herz klopfte immer noch. Die Tankanzeige zeigte eine Viertel Tankfüllung an, vielleicht sogar etwas weniger. Sie wusste, das würde nicht reichen bis zur Garnet Hill Lodge. Und ihre Handtasche lag neben John Pauls Bett.

Ihre Augen schwollen immer mehr zu, das linke schlimmer als das rechte. Sie kurbelte das Fenster herunter und brach ein Stückchen vom Eis ab, das sich am Seitenspiegel gebildet hatte. Sie hielt es sich an ein Auge, dann an das andere.

Als sie sich der Ausfahrt nach Shattuck näherte, hatte sie nur noch ein Achtel Tank. Bis zur Garnet Hill Lodge war es noch eine halbe Stunde auf dem Highway und dann noch einmal eine Dreiviertelstunde über Land. Stattdessen konnte sie nach Hause fahren, sich ins Haus schleichen und am frühen Morgen wieder hinausschleichen und hoffen, dass Jesse und ihre Mutter ihr zerschundenes Gesicht nicht zu sehen bekamen. Aber was, wenn sie sie doch sahen, dachte sie, vor allem: wenn Jesse sie sah?

Sie nahm die Ausfahrt. Sie hatte keine andere Wahl.

Und dann, während sie am Ende der Ausfahrt vor der Ampel stand, kam ihr eine Idee.

Sie war noch nie im Winter im Van-Laar-Naturreservat gewesen. Sie hatte keine Ahnung, ob dort überhaupt geräumt war. In den Adirondacks sammelte sich so schnell der Schnee und schmolz so langsam, dass einem in Gegenden, wo niemand einen Schneepflug besaß, der Schnee teilweise noch im März bis zur Hüfte reichte. Aber sie hatte gehört, dass die Familie dort die Weihnachtstage verbrachte, und seitdem hatte es kaum noch geschneit.

Als sie um 2 Uhr morgens ankam, war die Zufahrt frei. Das große, dunkle Haus am Ende der Zufahrt stand still und verlassen da. Sie schaltete die Scheinwerfer aus und wartete, bis sich ihre Augen an das Licht gewöhnt hatten. Der Mond schien hell in dieser Nacht und ließ den Schnee glitzern. Selbst um diese nachtschlafende Zeit konnte man gut sehen. Auf dem Grundstück regte sich nichts. Sie stieg aus dem Auto.

Als sie endlich Haus *Balsam* betrat, spürte sie ihre Füße schon gar nicht mehr.

Sie tastete hinter der Tür nach der Taschenlampe, die dort den ganzen Sommer über auf einem Sims gestanden hatte, und war erleichtert, als ihre Finger sie fanden.

Auf dem Weg dorthin hatte sie vom Holzstapel auf der Veranda der Kantine so viele Scheite und so viel Anzündholz mitgenommen, wie sie tragen konnte. Sie lud alles neben dem Holzofen ab, der schon lange nicht mehr benutzt worden war – eines der wenigen Überbleibsel, die verrieten, dass Haus *Balsam* früher einmal eine Jagdhütte gewesen war.

Sie leuchtete mit der Taschenlampe von unten in den Abzug, der einigermaßen sauber aussah. Also schichtete sie Holz auf, hielt die Flamme des Feuerzeugs, das sie John Paul geklaut hatte, an das Anzündholz und betete, dass es brennen würde. Bald loderte im Ofen ein Feuer.

Sie zog eines der Feldbetten so nah an das Feuer heran, wie es ging, ohne dass sie sich verbrannte. Sie zog ihre Stiefel und ihre durchnässten Socken aus und platzierte sie vor dem Ofen, dann hielt sie ihre Füße davor und ließ sie durchwärmen. Dann nahm sie die dünne, weiche Matratze von einem anderen Bett und deckte sich damit zu.

So schlief sie ein.

Zum zweiten Mal in dieser Nacht wurde sie aus dem Schlaf gerissen.

«Aufstehen!», befahl eine Stimme.

Louise war verwirrt. Durch die Wärme des Feuers waren ihre Augen fast völlig zugeschwollen, sie konnte nur erkennen, dass da jemand stand, der in der rechten und linken Hand jeweils einen

Gegenstand hielt, einen davon mit ausgestrecktem Arm in ihre Richtung; er sah aus wie eine Pistole.

«Aufstehen», sagte die Stimme noch einmal.

Der Schmerz in ihrem Rücken und in ihren Rippen ließ keine schnellen Bewegungen zu, aber schließlich gelang es Louise, sich aufzurappeln.

Die Gestalt senkte ihren Arm.

«Louise Donnadieu?», sagte sie nach einer kurzen Pause.

Dann nahm die Person den Gegenstand, den sie in der anderen Hand hielt – einen Feuerlöscher, wie sich herausstellte –, und sprühte eine gefühlte Ewigkeit lang Schaum auf die Flammen, bis es in der Hütte wieder kalt und finster war. Louise begann sofort wieder zu zittern.

Irgendwann im Laufe dieser einen Minute, in der keiner von beiden etwas sagte, begriff Louise, dass es T. J. Hewitt war.

«Ich hätte dich für schlauer gehalten. In so einem uralten Ofen kannst du doch kein Feuer machen», sagte T. J. «Du hättest die ganze Hütte abfackeln können.»

«Ich wusste gar nicht, dass Sie das ganze Jahr über hier wohnen», sagte Louise.

«Wo sollte ich denn sonst wohnen?», fragte T. J.

«Ich dachte, Sie wohnen in der Stadt», sagte sie.

«In welcher Stadt denn?»

Louise schwieg. Sie schämte sich und bereute, dass sie hergekommen war. Betreuerin im Ferienlager war der beste Job, den sie je gehabt hatte. Damit war jetzt garantiert Schluss.

«Wer hat dich denn so zugerichtet?», fragte T. J.

Louise antwortete nicht. Sie stand auf und drehte sich zu ihrer Chefin um, die ohne den Schein des Feuers kaum noch zu erkennen war.

«Haben Sie Benzin?», fragte sie.

Im Haus der Campleiterin, die dort, wie Louise jetzt wusste, auch im Winter wohnte, machte T. J. ein richtiges Feuer. Licht und Schatten flackerten an den Wänden um den Kamin herum. T. J. hatte ihr ein kaltes Steak auf eine Gesichtshälfte gelegt, um die Schwellung zu lindern. Mit dem anderen Auge sah Louise nun zum ersten Mal die Geschichte der Hütte: die Bücher in den Regalen, Romane und Ratgeber; die Bilder an den holzgetäfelten Wänden, verblasste Drucke von Bären und Vögeln, Morgenstimmungen an ruhigen Seen. An einer Wand hing eine Karte des gesamten Adirondack-Parks. An einer anderen ein Poster mit Tierspuren.

T. J. ging in die kleine Küche, die vom Wohnzimmer abging, stellte sich vor den Herd und rührte in einem Topf. Louise beobachtete sie von hinten. In diesem Jahr trug sie einen langen Zopf, der ihr schnurgerade den Rücken hinunterhing. Der Rest von ihr war kaum breiter als der Zopf, aber sie hatte Bärenkräfte, daran gab es keinen Zweifel. Den ganzen Sommer über sah man oberhalb der Socken und unterhalb der Ärmel ihres T-Shirts deutlich ihre Bein- und Armmuskeln. Louise war Zeuge geworden, wie sie ganz lässig ein langes Holzkanu auf dem Kopf trug; selbst für einen Mann wäre das eine ganz schöne Leistung gewesen.

Sie habe Benzin, hatte T. J. gesagt, aber es befinde sich ein ganzes Stück hinter dem Haupthaus, und ehrlich gesagt sei sie ziemlich müde. Louise könne bei ihr übernachten. Morgen früh würden sie sich um den Wagen kümmern.

Jetzt kam sie zurück, in der einen Hand einen Teller Suppe, in der anderen ein Glas Wasser. Sie stellte beides auf einen niedrigen Tisch vor Louise. Griff nach dem Steak, das sich Louise immer noch aufs Gesicht drückte. Sie hielt es geistesabwesend in beiden Händen, Fleischsaft tropfte herunter, und sah Louise dabei zu, wie sie aß und trank.

«Was?», fragte Louise, die es nicht mochte, wenn man sie so aufmerksam anschaute, schon gar nicht mit diesem Gesicht.

«Ich überlege nur, ob du zum Arzt gehen solltest.»

«Nein», sagte Louise.

«Vielleicht hast du innere Verletzungen. Hat er dich getreten?»

Louise zögerte. Sie wusste, dass das eine Falle war und wie sie sie umgehen konnte: *Ich weiß nicht, wen Sie meinen.* Doch da sie überzeugt war, dass sie ihren Job ohnehin los war und sie T. J. nie wiedersehen würde, nickte sie.

«Ja, hat er», sagte sie. «Aber ich glaube nicht, dass dabei irgendetwas kaputtgegangen ist. Mein Gesicht tut schlimmer weh.»

T. J. nickte. Ging zurück in die Küche und räumte das Steak weg. Louise wusste, dass T. J. es zu schätzen wusste, wenn man ehrlich zu ihr war. Das war eines der Themen, über die sie jeden Sommer zu Beginn der Saison redete: *Ehrlichkeit. Integrität. Wachsamkeit.*

«War das dein Freund?», rief T. J. über ihre Schulter hinweg.

«Ja», sagte Louise.

«Soll ich ihn abmurksen?», fragte T. J., und Louise lächelte, und dann zuckte sie vor Schmerzen zusammen.

Mit einem Mal wandte sich T. J. ab und ging den Flur hinunter, und Louise überlegte, ob sie zu Bett ging. Doch einen Moment später kam sie zurück und hielt ihr etwas vor die Nase. Ein großformatiges, ungerahmtes Foto.

Louise musste ihr Auge mit zwei Fingern offen halten, um es betrachten zu können. Das Foto zeigte eine Gruppe von Menschen, die in drei Reihen an der Seeseite von Haus *Self-Reliance* standen. In der ersten Reihe saßen Kinder unterschiedlichen Alters, dahinter standen Erwachsene. Alle wirkten fröhlich. Der Fotograf hatte sie abgelichtet, wie sie sich unterhielten, lachten, einander anschauten. Nur wenige lächelten in die Kamera.

Louise dreht das Foto um. Auf die Rückseite hatte jemand mit schwarzer Tinte geschrieben: *Blackfly Goodbye 1961.*

Sie sah fragend zu T. J. auf.

T. J. setzte sich neben sie auf die Couch. Sah sich ebenfalls das Foto an und zeigte auf ein großes, schlankes Mädchen, zwölf oder dreizehn, das in der zweiten Reihe ganz außen stand.

«Das bin ich», sagte T. J. «Da war ich ungefähr so alt wie deine Ferienkinder jetzt.»

Sie deutete auf den großen Mann neben ihr, der eine Hand auf ihre Schulter gelegt hatte. «Das ist mein Vater», sagte sie.

«Der sieht nett aus», sagte Louise.

«*Nett* ist das falsche Wort», sagte T. J. «Aber er ist schon ein Guter.»

Dann fuhr sie mit dem Finger auf dem Foto nach unten zu einem etwa zehnjährigen Jungen in der ersten Reihe, der im Schneidersitz auf dem Boden saß. Er war blond und grinste frech, eine Schulter war tiefer als die andere.

«Erkennst du den?», fragte sie.

Louise kam der Junge vage bekannt vor, aber sie wusste nicht, warum.

«Das ist dein Freund», sagte T. J.

Louise neigte den Kopf. Hielt ihr geschwollenes Lid auf. Ihr Auge tränte. Sie versuchte, einen Winkel zu finden, in dem sie besser sehen konnte.

Tatsächlich: Das war John Paul. Sie hatte auf dem Schreibtisch in seinem Zimmer am Union College ein Foto von ihm gesehen, auf dem er ungefähr so alt war. Darauf war noch ein anderer Junge zu sehen. Sie hatte ihn einmal danach gefragt, und er hatte nur gesagt: «Ein alter Kumpel.»

«John Paul McLellan», sagte T. J. jetzt. Es klang, als würde sie über etwas nachdenken. Sich an etwas erinnern – etwas Unangenehmes.

«Woher wussten Sie, dass er mein Freund ist?», fragte Louise.

«Was glaubst du denn, wem du diesen Job zu verdanken hast», sagte T. J.

Louise verstummte. Sie wollte nicht als jemand gelten, der sich aufgrund von Beziehungen Vorteile erschlich. Sie hatte sich in ihrem Leben alles aus eigener Kraft verdient – bis sie John Paul kennengelernt hatte.

«Ich wusste schon immer, dass das ein Mistkerl ist», sagte T. J. «Es war nicht meine Entscheidung, dich einzustellen. Das hat die Familie angeordnet.»

Dann stand sie abrupt auf und ging wieder den Flur hinunter. Aber dieses Mal kam sie nicht wieder zurück.

Louise legte das Bild auf den niedrigen Tisch vor sich und dachte einen Moment nach.

Einen Augenblick später nahm sie es wieder in die Hand.

1961 stand auf der Rückseite, das Jahr, in dem der Sohn der Van Laars spurlos verschwunden war.

Sie betrachtete das Bild genauer. In der hinteren Reihe standen zwölf Personen, in der mittleren vierzehn, ganz an der Seite T. J. und ihr Vater, und in der vorderen Reihe saßen zehn Kinder auf dem Boden. Neben John Paul saß ein Mädchen, wahrscheinlich seine Schwester Marnie. Sie runzelte die Stirn, als würde sie sich über irgendetwas ärgern – es war derselbe Gesichtsausdruck, den sie hatte, wenn Louise zu ihnen zum Abendessen kam.

Das Kind auf der anderen Seite von John Paul war interessanter: ein kleiner Junge, nur ein bisschen jünger als John Paul. Vielleicht acht. Er lächelte breit und streckte beide Arme hoch. Eine Frau in der Reihe hinter ihm – seine Mutter, vermutete Louise – hielt seine Hände, hatte den Kopf gesenkt und lächelte auf ihn hinunter.

Plötzlich erkannte sie den Jungen, in zweifacher Hinsicht.

Er war der Junge auf dem Foto auf John Pauls Schreibtisch. *Ein alter Kumpel*, hatte er gesagt. Mehr hatte er ihr nicht erzählen wollen.

Es war Bear Van Laar, der vermisste Sohn der Familie, über den man sich im Camp Emerson so viele Geschichten zuflüsterte. Sie hatte noch nie ein Foto von ihm gesehen.

Das Feuer hinter ihr knackte laut, und sie schreckte hoch.

Als sie am nächsten Morgen aufwachte, war das Foto verschwunden, und ihre Gastgeberin hielt ihr das Telefon hin.

«Wie spät ist es?», fragte Louise.

«Halb elf. Du hattest wohl Schlaf nötig.»

«Scheiße», sagte Louise. «Scheiße.»

Um zwölf musste sie wieder in der Garnet Hill Lodge sein. Und der Dienstwagen hatte immer noch kein Benzin.

Louise sprang auf und zuckte vor Schmerzen zusammen. Sie tastete nach ihren Stiefeln.

«Louise», sagte T. J. ruhig. «Denk mal bitte einen Moment nach.»

«Ich muss weg», sagte Louise. «Ich muss zur Arbeit.»

«Und was willst du denen sagen, wenn sie dein Gesicht sehen?»

Louise hielt inne. «Ich war nachts Ski laufen. Und bin gegen einen Baum gefahren.»

«So werden sie dich kaum arbeiten lassen», sagte T. J. «Und mit dem zugeschwollenen Auge solltest du nicht Auto fahren. Also kannst du ebenso gut anrufen und dich krankmelden mit deiner Skifahrgeschichte, anstatt sie persönlich zu erzählen.»

Louise hatte sich noch nie in ihrem Leben bei der Arbeit krankgemeldet. Darauf war sie sehr stolz. Bislang hatte sie geglaubt, dass T. J. das mitbekommen hatte; dass das einer der Gründe war, warum T. J. sie mochte.

«Mach schon», sagte T. J. «Meinen Segen hast du.»

Sie wurden von einem plötzlichen Husten im Flur unterbrochen, das so laut war, dass Louise zusammenzuckte.

«Oh», sagte T. J., «das ist Dad. Ich hätte dir sagen sollen, dass er hier ist.»

«Wohnen Sie hier zusammen?», fragte Louise. Erst letzten Sommer hatte sie erfahren, dass der ehemalige Leiter des Ferienlagers noch lebte, dass man ihn nur seines Amtes enthoben hatte; aber sie hatte ihn noch nie auf dem Gelände gesehen.

«Ja», sagte T. J.

Louise überlegte. «Wenn ich hierbleibe und Sie weggehen», sagte sie, «muss ich mich dann um ihn kümmern?»

«Nein», sagte T. J. «Wir haben ein ziemlich gutes System. Ich komme ein-, zweimal am Tag und sehe nach ihm. Ansonsten kommt er sehr gut alleine zurecht. Er braucht nicht viel.»

Louise sagte nichts.

«Du siehst aus, als hättest du Angst», sagte T. J. und lächelte. «Er ist schüchtern, aber er beißt nicht.»

Louise blieb eine Woche bei T. J. wohnen. Vic Hewitt war die ganze Zeit in seinem Zimmer. Wenn T. J. nach ihrem Vater sah, brachte sie ihm ein Tablett mit weicher Nahrung hinein und kam zwanzig Minuten später mit einer leeren Schüssel wieder heraus. Daher begegnete Louise ihm nur zweimal: das erste Mal, als sie nach dem Duschen aus dem Badezimmer kam und T. J. gerade mit ihrem Vater dessen Zimmer verließ. Sie ging hinter dem alten Mann und stützte ihn sanft, die Arme unter seinen Achseln, die Hände fest vor der Brust verschränkt.

Bevor sie sich beherrschen konnte, schnappte Louise erschrocken nach Luft, und dann sagte sie: «Tut mir leid, tut mir leid.»

Der Anblick hatte etwas so Intimes, dass Louise sofort ein schlechtes Gewissen bekam, dass sie ihn überhaupt zu Gesicht bekommen hatte. Sie senkte den Kopf.

«Ist schon in Ordnung», sagte T. J., «aber geh aus dem Weg, damit ich ihn ins Bad bringen kann.»

Louise ging zurück in das andere Zimmer und ließ sie vorbei. Sie hatte kaum sein Gesicht gesehen.

Das erste Mal war Zufall gewesen, das zweite Mal war es Absicht. Eines Morgens ging T. J. hinaus, und Louise sah ihr durch das Fenster hinterher, bis sie hundert Meter weit weg war, eine dunkle Gestalt im Schnee. Dann erstarrte Louise: Sie hatte vom Flur aus leise Stimmen gehört. Anscheinend kamen sie aus Vic Hewitts Zimmer.

Sie ging den Flur hinunter, hielt den Atem an und trat mit jedem Schritt ein wenig vorsichtiger auf. Mr Hewitts Tür war nur angelehnt. Sie drückte ihr Gesicht gegen den Türspalt, bis sie hineinsehen konnte.

Vic Hewitt lag auf der Bettdecke, er trug eine Cordhose und einen Pullover, seine länglichen Füße waren nackt. Er war dünn, richtig mager – ganz anders als der große, stattliche Mann auf dem Schwarz-Weiß-Foto von 1961, den T. J. ihr gezeigt hatte. Er sah hoch zur Decke und blinzelte.

Louise wurde klar, dass die Stimmen, die sie gehört hatte, aus einem großen Radio kamen, das rechts neben seinem Kopf stand. Ein Moderator nannte den Namen des Senders: *WNBZ in Saranac Lake*. Es war der einzige Radiosender, den man in Shattuck empfangen konnte.

Sie drückte die Tür ein Stückchen weiter auf, um den Nachrichten zu lauschen, als Mr Hewitt plötzlich sprach.

«Hallo», sagte er, ohne den Kopf zu drehen.

Louise hatte nicht gedacht, dass er sie bemerkt hatte.

«Hallo», sagte sie.

«Wer sind Sie?»

«Louise», sagte sie.

Schweigen.

«Brauchen Sie etwas?», fragte Louise. Aber er sagte nichts mehr, und schließlich ließ Louise ihn wieder allein.

Tagsüber, wenn T. J. weg war, nahm sich Louise Bücher aus den Regalen und las. Neben diversen Handbüchern und Ratgebern fanden sich dort auch einige Klassiker der amerikanischen und britischen Literatur, die in Louises einzigem Jahr auf dem College auf ihrem Lehrplan gestanden hatten. Aus purer Langeweile las sie *Walden* und stellte fest, dass ihr Thoreau mächtig auf die Nerven ging: seine Selbstgefälligkeit, sein überheblicher Tonfall und die Ratschläge, die er gab, von denen manche so naheliegend waren, dass es an Beleidigung grenzte. Er war bloß ein reicher Mann, der sich die Zeit vertrieb, dachte Louise. Dabei gab es arme Leute, die viel erfinderischer und genügsamer waren als er; sie waren nur anständig genug, nicht damit zu prahlen.

«Haben Sie das gelesen?», fragte sie T. J., als sie zurückkam, und als T. J. nickte, erzählte Louise ihr, was sie davon hielt.

T. J. war gerade dabei, Töpfe und Pfannen aus dem Küchenschrank zu holen. «Oh», sagte sie. «War das wirklich so schlimm?» Aber sie lächelte, und Louise war überzeugt, dass sie genau ihrer Meinung war.

Abends spielten sie Karten, meistens Rommé und fast immer schweigend, bis Louise entspannt und neugierig genug war, um T. J. Fragen über ihr Leben zu stellen. Einige beantwortete T. J. ganz bereitwillig, bei anderen wich sie aus. Zu den Themen, über die T. J. nicht sprechen wollte, zählten: die Van Laars, die Kinder der Van Laars, die Gäste, die die Van Laars besuchen kamen. Zu den Themen, über die T. J. gerne sprach, zählten: der Betrieb von Camp Emerson, ihre Leidenschaft für die Jagd und für das Angeln, Reparatur und Instandhaltung der Gebäude, die Bepflanzung der Anlage und – vor allem – ihr Vater. Über Vic Hewitt sprach T. J. besonders gerne und besonders ausführlich. Sie erzählte Louise Geschichten darüber, wie klug und geschickt er war, schwärmte von seinem feinen Sinn für Humor.

Bei den Geschichten, die T. J. über ihren Vater erzählte, erfuhr Louise auch einiges über die Van Laars, denn oft ging es darum, dass Vic deren Fehler ausbügeln musste. Louise fiel auf, dass T. J. niemals den Namen der Van Laars nannte; mitunter schien sie sogar so zu tun, als gäbe es sie gar nicht.

Jeden Abend trank T. J. genau ein Viertelglas Roggenwhiskey. Jeden Abend bot sie Louise auch ein Glas an. Die ersten drei Abende fühlte sie sich noch zu fremd und lehnte ab. Aber am vierten Abend trank sie mit.

Eine Sache, die Louise an T. J. bewunderte, war ihr maßvoller Alkoholkonsum. Sie trank nie mehr als das eine Viertelglas.

Sie beschloss, sich diese Gewohnheit von T. J. abzuschauen. Wenn sie später, sollte sie einmal ein eigenes Zuhause und Kinder haben, überhaupt Alkohol trank, dann so.

An dem Abend, als Louise schließlich selbst zum Whiskey griff, lockerte er ihre Zunge, und sie redete über Dinge, die sie bisher vermieden hatte anzusprechen.

«Haben Sie einen Freund?», fragte sie T. J., die die Frage verneinte und in ihr Glas lachte.

«Sie sind schlau», sagte Louise. «Lachen Sie sich bloß keinen an.»

«Werde ich nicht», sagte T. J. «Versprochen.» Mit einem Finger machte sie ein kleines X auf ihre Brust. Louise war klar, dass T. J. dachte, das sei lustig, ob absichtlich oder nicht, und das weckte in Louise den Wunsch, ebenfalls albern zu sein. Sie hatte fast verlernt, wie das ging – mit John Paul war alles immer so bierernst.

«Wo sehen Sie sich in zehn Jahren?», fragte Louise.

«Was soll das werden, ein Vorstellungsgespräch?» T. J. lehnte sich in ihrem Stuhl zurück, die Knie auseinander, das Kinn gesenkt, die Karten auf den Boden gerichtet.

«Nein, ein Interview für die Abendnachrichten», sagte Louise. Und wiederholte die Frage, diesmal mit einem unsichtbaren Mikrofon in der Hand, das sie T. J. unter die Nase hielt.

«Na schön», sagte T. J. Sie legte ihre Karten verdeckt auf den Tisch.

«Ich würde gerne im Norden leben. Auf dem Land, mich selbst versorgen. Ich glaube, das würde ich gerne eine Weile ausprobieren.»

«Ganz allein?», fragte Louise in ihr unsichtbares Mikrofon.

T. J. nickte.

«In einem Haus? Einem Zelt? Einer Höhle?»

T. J. lachte. «Tu das Mikrofon weg», sagte sie.

Louise schüttelte den Kopf. «Ich fürchte, das geht nicht, Ma'am», sagte sie. «Das fänden meine Produzenten gar nicht witzig.»

«Wer sind denn deine Produzenten?»

«Mike und ... Chuck.» Louise nahm mit der anderen Hand das fast leere Whiskeyglas und trank es leer. Sie wollte mehr. Etwas rumorte in ihrem Bauch, und sie erschrak, als sie merkte, was es war: Lust. Sie hatte sich noch nie in eine Frau verliebt, aber T. J. war für sie weder Mann noch Frau, sie war etwas, das jenseits dieser Begrifflichkeiten existierte. Sie hatte ein interessantes Gesicht, hohe Wangenknochen, volle Lippen und einen kräftigen Kiefer. Sie hatte breite Schultern und war schlank und hochgewachsen. Wie alt sie wohl war? Louise dachte an das Foto, das sie ihr gezeigt hatte, rechnete ein bisschen und kam auf Ende zwanzig. Also vielleicht fünf oder sechs Jahre älter als sie. Und auch älter als John Paul.

«Na gut», sagte T. J. «Ich erzähle es dir. Aber das muss unter uns bleiben.»

Sie stand abrupt auf und ging zur Küche, während sie weiterredete.

«Ich habe eine Hütte, an einem See im Norden vom Park», sagte T. J.

Sie öffnete einen Schrank und schloss ihn wieder. Kam mit der Flasche Whiskey zurück ins Wohnzimmer und schenkte sich ein. Es war der erste Abend, an dem sie mehr als ihr übliches Viertelglas trank, aber das beunruhigte Louise nicht: Im Gegenteil, es machte sie wach und jagte ihr einen wohligen Schauer über den Rücken. Sie hielt ihr ihr eigenes Glas hin, um sich nachschenken zu lassen.

«Meine Vorfahren haben sie vor vielen Jahren gebaut. Seitdem ist sie in Familienbesitz», sagte T. J. Sie ging zur Wand, an der eine Karte des Adirondack-Parks hing. Sie zeigte auf einen kleinen See fünfzig Meilen nördlich, eine Reißzwecke markierte die Stelle. Dann setzte sie sich wieder Louise gegenüber. Stellte die Whiskeyflasche zwischen ihnen auf den Tisch.

«Wir waren früher zweimal im Jahr dort oben zum Jagen. Ich und mein Vater. Komfortabel ist die Hütte nicht, aber sie hat vier Wände und ein intaktes Dach und einen Ofen für den Winter. Man kommt nur mit dem Kanu dorthin, und das muss man erst eine Meile lang über einen Trampelpfad tragen, der inzwischen ziemlich zugewachsen ist.»

«Ist die auf einer Insel?», fragte Louise.

T. J. nickte.

«Warum wurde die denn auf einer Insel gebaut?»

«Zum Angeln», sagte T. J. «Und weil man von da aus gute Sicht hat.»

«Wegen den Indianern?» Louise hatte schon ihr ganzes Leben lang Geschichten über die Algonkin und Irokesen gehört, die früher zum Jagen in die Gegend gekommen waren. Keiner dieser Stämme hatte sich in den Adirondacks dauerhaft niedergelassen; die Europäer waren die Ersten, die diesen Landstrich besiedelt und bewirtschaftet hatten, enttäuscht vom übervölkerten Neuengland und angelockt von den Lügen der Regierung, hier gäbe es reichlich Ackerland.

«Nein», sagte T. J. und sah sie befremdet an. «Zum Jagen.»

Louise versuchte sich vorzustellen, welche essbaren Tiere es auf einer Insel geben mochte.

«Dort lebt ein Rudel Hirsche, die schwimmen hin und her», sagte T. J., als hätte sie ihre Gedanken gelesen. «Die sind gute Schwimmer. Und es gibt Wasservögel. Notfalls, wenn wir großen Hunger haben, Eichhörnchen. Aber meistens angeln wir nur.»

«Und wer ist wir?», fragte Louise und bereute es sofort, als sie sah, wie sich T. J.s Miene veränderte. Bestimmt hatte sie an ihren Vater gedacht. An ihre gemeinsamen Ausflüge, früher, vor seinem Schlaganfall.

T. J. nippte an ihrem Whiskey. Louise bemerkte, dass sie nie eine Miene verzog, wenn sie die Flüssigkeit eine Weile im Mund behielt, bevor sie sie lautlos hinunterschluckte.

«Na ja», sagte T. J. «Ich gehe wohl besser ins Bett.»

«Nein», sagte Louise.

T. J. hob die Augenbrauen.

«Wollen Sie nicht noch eine Weile aufbleiben?», fragte Louise. «Mein Glas ist immer noch voll.»

T. J. nickte. Sie hielt den Blick einen Moment auf Louise gerichtet, dann stand sie auf, ging in die Küche, drehte den Wasserhahn auf und ließ Wasser in ihren Whiskey laufen. Sie drehte sich um und lehnte sich an die Arbeitsplatte, weit weg von Louise, aber in Sichtweite.

Louise war nur selten beschwipst oder gar betrunken, aber wenn, dann wurde sie sich immer ganz besonders ihres Aussehens bewusst – ob sie das erregend oder beunruhigend fand, kam dann ganz darauf an, wer ihr Gesellschaft leistete. Je nachdem, empfand sie ihren Körper und ihr Gesicht dann entweder als Vorteil oder als Nachteil. In dieser Nacht fand sie sich hübsch, trotz des blauen Auges. Oder gerade deswegen. Sie mochte das Gefühl, das über sie kam, wenn T. J. sie über den Rand des Glases hinweg ansah. Louise wagte sich in verbotenes Terrain vor, das war ihr klar. Aber in dieser Nacht verspürte sie den Drang, etwas zu tun, was sie nicht tun durfte.

Louise stand auf, streckte sich, sodass ihr die Bluse bis zur Taille hochrutschte, und ging in die Küche.

T. J. stand neben der Spüle und rührte sich nicht, als Louise auf sie zukam.

«Ich bitte auch», sagte Louise. Sie füllte ihr Glas mit kaltem Wasser und ließ es überlaufen. Sie stand neben T. J. Dann drehte sie sich um und lehnte sich ebenfalls an die Arbeitsplatte, und jetzt war sie T. J. so nah, dass ein Zufall ausgeschlossen war. Ihre Seiten und ihre Arme berührten sich.

«Louise», sagte T. J. Sie schüttelte den Kopf und sah zu Boden.

«Was?»

Zwischen ihnen floss ein elektrischer Strom, ein Summen, das sich zwischen ihren Körpern hin und her bewegte, immer von einer zur anderen und zurück. Louise spürte es genau. Und ohne zu wissen, warum, war sie sich sicher, dass T. J. es auch spürte. Sie waren Tiere, dachte Louise … und musste fast lachen. Menschen waren Tiere. Sie hatten die gleichen Instinkte, wie Tiere kannten sie Methoden, miteinander zu kommunizieren, bei denen sie ganz ohne Sprache auskamen.

Louise drehte ihren Körper so, dass sie T. J. im Profil sah. Sanft legte sie ihr eine Hand auf den Rücken. Es war die erste Geste, die keinen Raum für Zweifel mehr ließ.

«Du bist bei mir angestellt», sagte T. J. «Ich bin deine Arbeitgeberin.»

Louise sagte nichts.

Abrupt trat T. J. von der Arbeitsplatte weg und ging den Flur hinunter. Sie steckte den Kopf in das Zimmer ihres Vaters, sah nach ihm, dann ging sie weiter in ihr eigenes Zimmer und schloss die Tür hinter sich. Das Licht ging aus.

Louise lag auf dem Sofa und sah zu, wie die letzten Flammen im Kamin erloschen. Sie schloss fest die Augen. Sie versuchte, nicht zu weinen. Mit etwas Glück würde T. J. sie diese dumme Aktion vergessen lassen.

Jetzt war nur noch Glut hinter dem Rost.

Bald würde das Zimmer ganz dunkel sein. Dann kam der Morgen.

Louise

1950er | 1961 | **Winter 1973** | Juni 1975 | Juli 1975 | August 1975

T. J. sprach nie wieder über diese Nacht.

Sie verbrachten den Rest der Woche zusammen, und Louises Gesicht durfte verheilen, dann kehrte Louise in die Garnet Hill Lodge zurück. Mitte des Frühjahrs rief T. J. sie an und bat sie, zu bestätigen, dass sie die kommende Saison wieder ins Ferienlager käme. Von da an bestand der einzige Unterschied zu früher darin, dass T. J. sie von Zeit zu Zeit in ihre Hütte einlud, um sich mit ihr zu unterhalten.

Ihre Schwärmerei für T. J. ließ in mancher Hinsicht nach, wurde in anderer Hinsicht aber immer stärker. Sie spürte, dass in T. J. zwei Kräfte miteinander rangen: Wut und die Kraft, diese Wut zu beherrschen. Wider besseres Wissen fühlte sie sich zu beidem gleichermaßen hingezogen.

Wenn sie nicht aufpasste, schweiften ihre Gedanken ab, und sie malte sich aus, wie es wäre, hier mit T. J. zusammen zu leben. Gemeinsam das Ferienlager zu leiten. Sie würde sich um ihren Vater kümmern, wenn sie sie darum bat. In Shattuck gab es auch zwei solche Frauen, wie Louise wusste: zwei ehemalige Professorinnen aus dem Süden von New York State, die sich am Stadtrand niedergelassen hatten. Die eine trug ihr Haar immer in zwei langen grauen Zöpfen; Louise sah sie manchmal im Lebensmittelladen. Niemand stellte ihnen irgendwelche komischen Fragen. Und es redete auch niemand über sie.

Aber Louises Fantasien über solch ein Leben waren von kurzer Dauer.

Zwei Wochen nach dem Vorfall mit John Paul kam Louise eines Tages vom Abendessen in der Lodge zurück in die Lobby, und der Mann an der Rezeption gab ihr einen Umschlag.

Sie ging erst wieder in ihr kleines Zimmer, bevor sie ihn öffnete. Dort setzte sie sich auf ihr hartes, schmales Bett und las den Brief. Sofort, als sie ihn gesehen hatte, hatte sie gewusst, dass er von John Paul war.

Darin bat er sie um Verzeihung.

Ich habe seit der Nacht nichts mehr getrunken, schrieb er. *Ich kann nicht fassen, was ich getan habe. Meine Mutter würde sich so sehr für mich schämen. Ich will mich bessern.*

Am Ende wollte er wissen, ob sie sich treffen könnten, er wolle sich persönlich bei ihr entschuldigen. Er würde es einsehen, wenn sie nie wieder mit ihm sprechen wolle. Aber er wolle sie wenigstens gefragt haben.

Ganz unten auf das Blatt hatte er einen Pfeil gemalt. Sie drehte es um. *P. S.*, stand auf der Rückseite. *Keine Sorge, ich habe niemandem etwas gesagt.*

Louise legte den Brief aufs Bett.

Sie würde ihn nicht beantworten. Hoffentlich war dieses Kapitel damit abgeschlossen.

Später in der Woche klopfte jemand an ihre Tür. Als sie öffnete, stand dort eine der Skilehrerinnen und grinste sie süffisant an.

«Du hast Besuch», sagte sie. «Er wartet auf dich im Pausenraum.»

John Paul war allein, als sie den Raum betrat. Er saß am runden Tisch neben der Kaffeemaschine. Er war nach vorne gebeugt, die Ellbogen auf die Knie gestützt, ein Bein wippte vor Nervosität. Als er Louise sah, setzte er sich gerade hin.

Er sah fürchterlich aus. Schlimmer als sie. Zwei Wochen nach dem Vorfall war ihr Gesicht fast wieder verheilt. Ihre Rippen und ihr Rücken taten nicht mehr weh, aber auf ihrer Hüfte prangte noch ein großer blauer Fleck, der nur langsam verblasste. John Paul dagegen hatte dunkle Ringe unter den Augen. Sein Haar war zerzaust.

«O Gott», sagte er, als er sie sah. Er schlug sich die Hände vors Gesicht. Die Geste erinnerte sie an ihren Bruder Jesse, wenn er versuchte, nicht zu weinen. Und tatsächlich: Als John Paul die Hände wegnahm, liefen ihm Tränen über die Wangen. Er nahm seine Brille ab. Wischte sich über das Gesicht.

Er stand auf, und Louise zuckte zusammen und stellte sich hinter einen Stuhl. Sie hatte die Tür absichtlich offen gelassen. Sie warf einen Blick über die Schulter und fragte sich, wie laut sie schreien müsste, damit ihr jemand zu Hilfe kam.

Aber John Paul nahm langsam wieder Platz. Vielleicht spürte er ihre Angst. «Können wir irgendwo hingehen, wo wir ungestört sind?», fragte er.

«Nein», sagte Louise.

«Willst du dich nicht wenigstens setzen?»

Zögerlich zog sie den Stuhl ihm gegenüber unter dem Tisch hervor.

Im Grunde sagte er nur, was er schon in seinem Brief geschrieben hatte. Er fügte hinzu, dass er zu einem Treffen gegangen sei – einem Programm namens *Anonyme Alkoholiker*. Sie erinnerte sich vage daran, schon einmal davon gehört zu haben, wusste aber nicht mehr, wo.

Er fuhr fort: Sie sei das Beste an seinem Leben gewesen. Er respektiere sie mehr als jeden anderen Menschen, den er kenne. Mehr als seine eigene Familie. Er mochte, wie unabhängig sie sei und wie unternehmungslustig. Er halte sie für klüger als alle anderen Mädchen, die er kenne.

Er wollte, dass sie ihm noch eine Chance gab. Er flehte sie an. Sie würden es langsam angehen, sagte er, aber er meine es auf jeden Fall ernst mit ihr. Er wolle sie heiraten. Zusammen, sagte er, könnten sie ein sinnvolles, wertvolles Leben führen. Zusammen könnten sie Kinder haben. Ein schönes Haus.

Ihr Bruder Jesse, sagte er, könne gerne bei ihnen wohnen.

An dieser Stelle fragte sie sich zum ersten Mal, ob er ihre Tagebücher gelesen hatte. Wie er ihre geheimen Hoffnungen formulierte, war so präzise, dass es ihr fast ein wenig Angst machte.

«Du musst mir jetzt keine Antwort geben», sagte John Paul. «Ich möchte nur, dass du darüber nachdenkst.»

Louise schwieg.

«Wir könnten so ein schönes Leben zusammen haben», sagte er schließlich.

Dann stand er auf, Schultern und Kopf gesenkt, und hob zwei Papiertüten hoch, die neben ihm auf dem Fußboden gestanden hatten. «Hier», sagte er. «Ich habe dir etwas zu essen eingekauft.»

Auf dem Weg nach draußen schloss er leise die Tür hinter sich.

Verdammte Scheiße, dachte Louise.

Das Problem war: Die Lebensmittel waren zu kompliziert. Die Sachen waren schön und teuer, so etwas hatte John Pauls Mutter wahrscheinlich für die Familie eingekauft, als er klein gewesen war. In den Tüten waren ein T-Bone-Steak, Brokkoli, Shrimps und drei schöne Orangen. Ein Laib Brot, Butter in einer Verpackung, die sie noch nie gesehen hatte, und ein großer Behälter mit Milch. Und da war auch ein kompletter Kuchen – ein Gugelhupf – in einer weißen Schachtel.

Sie hatte Hunger. Sie nahm ein Stück von dem Gugelhupf und kaute darauf herum.

Sie schaute zur Seite, zur Spüle und den zwei Herdplatten, die die

Personalküche ausmachten. Sie konnte ein Festmahl für ihre Kollegen zubereiten. Aber an diesem Abend hatte sie frei, und sie hatte eine bessere Idee.

Das Haus ihrer Mutter war ein rechteckiger weißer Kasten: ein kleines Obergeschoss und ein kleines Untergeschoss, übereinander gestapelt, mit einer steilen Treppe in der Mitte. Es war still und dunkel, als sie um halb sieben dort ankam. Durch ein Fenster im Erdgeschoss sah sie das blaue Flimmern des Fernsehers. Durch ein Fenster im ersten Stock sah sie eine kleine Lampe brennen. Jesses Zimmer.

Drinnen stellte sie die Einkäufe auf den Küchentisch. Zehn Minuten zuvor hatte sie an einer Kreuzung abrupt bremsen müssen, und dabei waren die Shrimps aus dem Wachspapier gefallen und im schmutzigen Fußraum ihres Autos gelandet. Sie hatte den Wagen geparkt und die Shrimps aufgesammelt; natürlich würde sie sie trotzdem kochen.

Jesse hatte noch nie in seinem Leben Shrimps gegessen.

Jetzt ließ sie Wasser in eine große Schüssel laufen und legte die Dinger hinein.

Während sie das Essen zubereitete, roch sie plötzlich etwas.

Sie folgte dem Geruch zur Treppe – kam an ihrer Mutter vorbei, die in ihrem Sessel schlief – und ging hinauf ins Obergeschoss.

Bitte nicht, dachte sie.

Sie öffnete Jesses Tür, ohne anzuklopfen.

Er hatte die Haustür gehört. Er hatte ein Fenster geöffnet und hastig weggeräumt, was er geraucht hatte, aber er sah sie schuldbewusst an, seinen Augen fehlte der übliche neugierige Blick, stattdessen waren sie verengt von den Chemikalien, die jetzt in seinem Blut schwammen.

«Wo ist das Zeug?», fragte Louise.

«Was für Zeug?», fragte Jesse.

«Lüg mich nicht an», sagte Louise. «Bitte lüg mich nicht an. Ich bin nicht Mom. Ich bin auf deiner Seite.»

Er blieb stumm. Er saß auf seinem Bett, die Arme um die Knie geschlungen. Louise schaute in den kleinen Papierkorb neben seinem Schreibtisch und fand sofort, was sie suchte: einen schlecht gedrehten Joint, hastig ausgedrückt und noch warm. Es fehlte nicht viel, und das Ding würde den ganzen Papierkorb in Brand setzen.

«Idiot», sagte Louise – und bereute das Wort sofort, denn als sie ihren Bruder wieder ansah, weinte er.

«O Gott, Jesse», sagte Louise, ging schnell zu ihm, setzte sich neben ihm aufs Bett und drückte ihn an sich. «Jesse, wo hast du das her?»

Er zuckte mit den Schultern. Sie packte ihn an den Armen und hielt ihn von sich weg. Sein Gesicht war rot. Er streckte eine Hand aus und legte zwei Finger auf ihr linkes Auge, das verletzte, das immer noch leicht geschwollen war. Erst jetzt fiel ihr wieder ein, dass sie ebenfalls etwas Erklärungsbedürftiges an sich hatte.

«Komm», sagte Louise. «Sie schläft.»

Unten setzte sie ihn an den Küchentisch und stellte ein großes Glas Wasser vor ihn hin. «Trink das», sagte sie.

Dann bereitete sie das Essen zu. Sie setzte einen Topf mit Wasser auf, um den Brokkoli zu kochen. Sie salzte und pfefferte das Steak und briet es in einer Pfanne in einem großen Stück Butter. In eine andere Pfanne gab sie die gesäuberten Shrimps.

«Hast du schon mal Shrimps gegessen, Jesse?», fragte sie stolz, und er sagte: «Ja.»

«Wo denn das?»

«Bei Howies Mom.»

Howie: ein Schulfreund von Jesse, dessen Eltern ihn nicht mehr mit ihm spielen ließen.

«Die waren bestimmt nicht so gut wie meine», sagte Louise, obwohl sie wusste, dass das nicht stimmte.

Sie drehte sich um, sah, dass Jesses Glas leer war, und füllte es wieder.

Das einzig Gute an einem bekifften Neunjährigen war, dass ihm alles schmeckte. Jesse schloss die Augen und legte den Kopf in den Nacken, während er kaute und hin und wieder ein zufriedenes Grunzen von sich gab. Er war noch dünner geworden, seit sie ihn das letzte Mal gesehen hatte, und nachdem sie in die Küchenschränke geschaut hatte, wusste sie auch, warum.

«Wie lange kiffst du schon?», fragte Louise.

«Nicht lange», antwortete Jesse. «Ein, zwei Monate.»

«Wo hast du das Gras her?»

«Von einem Typ in der Schule.»

«Kenne ich den?»

«Nein.»

«Wie alt ist er?»

«Weiß nicht. In der Achten.»

«Kenne ich seine Eltern?»

«Nein. Er ist aus Minerva.»

Louise kaute. Das Steak war köstlich. Sie war froh, dass sie es nicht aus Versehen totgebraten hatte.

«Jesse», sagte sie. «Wie kannst du dir das überhaupt leisten?»

Er schwieg.

«Du dealst doch nicht, oder?», fragte sie.

«Nein», sagte Jesse. «Nein, Louise. Ich schwöre.»

Sie glaubte ihm, zumindest für den Augenblick. Jesse war so schüchtern, dass er in mancher Hinsicht geradezu lebensuntüchtig war. Sie konnte sich nicht vorstellen, dass er irgendwem irgendwelche Drogen verkaufte. Aber dass ein Achtklässler ihm etwas umsonst gab? Das konnte sie sich genauso wenig vorstellen.

Dann gab es ein Geräusch im Flur, und beide schauten auf. Ihre Mutter. Sie stützte sich links und rechts an der Wand ab. Ihr Haar war ungewaschen, ihre Augen blinzelten gegen das Licht der Lampe an, die an einer Kette über dem Küchentisch hing. Sie war blass und schaute mürrisch drein. Langsam kam sie auf die beiden zu, stützte sich auf der Arbeitsplatte ab und ging dann zu den Schränken, die sie nacheinander öffnete, offenbar auf der Suche nach etwas Essbarem.

Sie holte eine Schachtel mit alten Keksen heraus und steckte sich zwei Stück in den Mund. Sie ging zum Waschbecken, drehte den Hahn auf, ließ sich Wasser in die hohle Hand laufen und trank.

Ohne ein Wort zu einem ihrer Kinder zu sagen, schlurfte sie zum Sessel im Wohnzimmer, in dem sie die meiste Zeit des Tages verbrachte.

Louise sah Jesse an. Er kam langsam wieder zu sich. Das Essen hatte geholfen, das Wasser auch. Sein Gesicht war nicht mehr so rot. Er öffnete immer mehr die Augen. Er begegnete ihrem Blick nicht, sondern sah die Wand an und starrte dann auf den Tisch.

«Jesse», sagte sie. «Hör auf, mit dem Jungen zu reden. Und hör auf, das Gras zu rauchen, das er dir gibt.»

«Warum?», fragte er und zupfte an der Tischdecke.

«Weil ich dich zu mir holen werde, damit du bei mir wohnen kannst», sagte sie. «Und das geht nicht, wenn du im Gefängnis sitzt.»

«Wann?», fragte Jesse.

«Ganz bald.»

«Und wie?», fragte Jesse. Ungläubig.

Es folgte eine lange Pause, in der Louise überlegte, ob sie es sagen sollte. Wenn sie es sagte, konnte sie es nicht mehr zurücknehmen. Sie hatte immer versucht, ihrem Bruder keine falschen Hoffnungen zu machen. Alles zu halten, was sie ihm versprach, im Gegensatz zu den anderen Erwachsenen in seinem Leben.

Sie nahm eine Garnele vom Teller. Sie zog den Schwanz ab, holte das Fleisch aus der durchsichtigen Schale und entfernte die dunkle Linie. John Paul hatte ihr einmal in einem Restaurant erklärt, was diese Linie in Wirklichkeit war.

Sie kaute.

«Ich habe mich verlobt», sagte sie.

Jesse sah sie an.

«Mit John Paul?», fragte er.

«Mit wem denn sonst?»

Jesse sah ihr nicht in die Augen.

«Jesse?», fragte Louise.

Jesse stand auf. Stellte seinen Teller in die Spüle.

«Was, willst du mir nicht gratulieren?»

«Glückwunsch», sagte Jesse. Und dann ging er aus der Küche und ließ Louise allein.

«Versprich es mir, Jesse», rief Louise ihm hinterher. «Kein Gras mehr.» Aber sie merkte, dass ihr Einfluss auf ihn längst nicht mehr so stark war wie früher. Vielleicht war er sogar ganz verschwunden.

VI

Überleben

Judyta

1950er | 1961 | Winter 1973 | Juni 1975 | Juli 1975 | August 1975: **Tag zwei**

Ihr Wecker klingelt.

Judy öffnet die Augen und schließt sie wieder. Nur noch einen kleinen Moment, denkt sie.

«VERDAMMTE SCHEISSE, JUDY!», ertönt es aus dem anderen Zimmer. Ihr Bruder ist wütend. «ES IST GERADE MAL HALB FÜNF!»

Ihr Tag beginnt.

Sie muss ausziehen. Das weiß sie. Das Geld hätte sie; sie müsste sich nur trauen, es ihren Eltern zu sagen. Denn wenn sie auszieht, bricht sie ein ungeschriebenes Gesetz unter den polnischstämmigen Familien von Schenectady, New York. Eine Frau, die von zu Hause auszieht, bevor sie heiratet – das ist bestenfalls merkwürdig und im schlimmsten Fall ein Skandal.

Letztes Jahr hat sie sich von ihrem eigenen Geld einen grünen VW Käfer 1600 mit Schiebedach gekauft. Er war teuer (und unpraktisch, wie ihr Vater meint), aber er gibt ihr das Gefühl, dass sie unabhängig ist. Außerdem hat er ein schönes Autoradio. Sie ist heilfroh, dass sie sich dieses Extra geleistet hat; es hilft ihr, während der zweistündigen Fahrt zum Naturreservat wach zu bleiben.

Als sie um 7 Uhr ankommt, stellt sie fest, dass Denny Hayes schon da ist. Theoretisch beginnt die zweite Schicht um acht, sie hat also noch eine Stunde Zeit, sich auf den Tag vorzubereiten.

Ein State Trooper döst in einem Klappstuhl vor dem Haus der Campleiterin, das jetzt als Einsatzzentrale dient.

Judy legt ihre Hand auf den schmiedeeisernen Griff, drückt ihn nach unten und öffnet die Tür, bevor der State Trooper die Augen aufschlägt.

«Guten Morgen», sagt Judy.

«Oh», sagt der State Trooper und steht auf. «Dienstausweis?»

Über Nacht hat man die Einsatzzentrale ein wenig zweckmäßiger eingerichtet. Die vorhandenen Möbel wurden zur Seite geräumt oder in die Küche gebracht und durch Klapptische und -stühle ersetzt.

An einer Wand steht eine große Schiefertafel auf Rädern.

In der Mitte der Tafel hat jemand mit Kreide einen Strich gezogen. Am oberen Rand steht links vom Strich *Bear Van Laar* und auf der rechten Seite *Barbara*.

Eine Weile steht Judy mitten im Raum und sieht sich um.

Die Wände zieren kleine Drucke von Hunden, die diversen menschlichen Beschäftigungen nachgehen: Poker spielen, auf die Jagd gehen, einander den Hof machen. Vom langen Kampf mit der feuchten Luft, die vom See heraufsteigt, ist das Papier gewellt, die Farben sind ausgeblichen. Das ganze Haus sieht aus, als hätte man es vor dreißig Jahren sorgfältig eingerichtet und seitdem nie wieder angerührt. Eine Zeitkapsel aus dem Zweiten Weltkrieg.

Das einzige gerahmte Bild, das nichts mit Hunden zu tun hat, ist eine Karte des Adirondack-Parks. Darauf hat jemand eine Reißzwecke an die Stelle gesetzt, an der Haus *Self-Reliance* steht, am Ufer des Lake Joan, in der Nähe von Hunt Mountain.

In der Ecke steht ein Aktenschrank, den sicherlich das BCI mitgebracht hat, wie sie vermutet, daneben ein paar Kisten mit Ordnern, Papier, Stiften – und Archivboxen. Fünf Stück. Beschriftet mit Worten, die sie von hier aus nicht lesen kann.

Judy, die noch ganz allein in der Einsatzzentrale ist, geht hinüber. Bückt sich.

Peter «Bear» Van Laar IV. steht auf einer der Pappboxen.

Sie hebt den Deckel an. Die nächste Stunde verbringt sie damit, die Dokumente zu lesen.

Ganz unten sind Dutzende Fotos. Einige zeigen Bear, augenscheinlich aus dem Jahr vor seinem Verschwinden. Auf einem grinst er von einem Ohr zum anderen und hält einen geangelten Fisch in die Kamera; auf einem anderen schaut er nachdenklich in die Ferne, an der Hand einer Frau, die Judy als seine Mutter erkennt.

Unwillkürlich kämpft Judy gegen die Tränen an und schluckt einen Kloß im Hals hinunter. Irgendetwas im Gesichtsausdruck von Mrs Van Laar erinnert sie an ihre eigene Mutter, die ihre Kinder so sehr liebt, dass es manchmal ziemlich anstrengend ist.

Um 7:50 Uhr räumt Judy alles wieder hinein und setzt den Deckel auf die Kiste. Kurz darauf betritt Captain LaRochelle die Einsatzzentrale.

Beim morgendlichen Briefing zeigt er als Erstes auf die Tafel, auf der die Namen der beiden Kinder stehen.

«Wer war das?», fragt er.

Alle schauen einander an. Keiner gibt es zu.

«Bestimmt einer von der ersten Schicht», sagt jemand.

Captain LaRochelle runzelt die Stirn. «Wer auch immer das war», sagt er, «der macht das bitte nicht noch einmal.»

Er nimmt einen Schwamm und wischt die Tafel sauber. «Wir suchen Barbara Van Laar», sagt er. «Der Fall Bear Van Laar ist abgeschlossen.»

Unwillkürlich wandert Judys Blick in die Ecke, in der die Archivboxen mit den gesammelten Indizien stehen.

LaRochelle schreibt etwas auf die Tafel.

Ihr Hauptverdächtiger – zu diesem Zeitpunkt immer noch John Paul McLellan – befinde sich gegen Kaution auf freiem Fuß, berichtet der Captain, und warte auf seine Anhörung wegen Trunkenheit am Steuer und Besitzes illegaler Betäubungsmittel. Da er in einem anderen Fall verdächtigt werde, habe der Richter in die Kautionsbedingungen eine Klausel aufgenommen, laut der McLellan das County nicht verlassen dürfe; bis zu seiner nächsten Anhörung sei er in einem örtlichen Hotel untergebracht.

Louise Donnadieu – von der John Paul behaupte, sie habe ihn gebeten, die Tüte mit der Kleidung für sie zu entsorgen – befinde sich immer noch in einer Arrestzelle in Wells, New York. Heute finde ihre Kautionsanhörung statt. Er werde den Richter bitten, bei der Festsetzung der Kaution zu berücksichtigen, dass gegen sie im Zusammenhang mit dem Verschwinden von Barbara Van Laar ermittelt wird.

Lee Towson, die andere Person, die John Paul erwähnt habe, sei immer noch nicht gefunden worden; in den Bundesstaaten New York und Colorado, wohin er Gerüchten zufolge gefahren sein könnte, werde nach seinem Auto gefahndet.

Die unbekannte Gestalt im Wald, von der das Ferienkind Tracy Jewell berichtet hat, hätten die Ranger ebenfalls noch nicht aufgespürt.

«Vielleicht war es nur ein Wanderer», sagt LaRochelle. «Als der Unbekannte ihr zu Hilfe kam, war das Mädchen nicht weit vom Hunt Mountain entfernt. Aber wir werden weiterhin versuchen, ihn zu finden.»

Judy bemüht sich, aufmerksam zuzuhören. Aber der Schlafmangel macht ihr zu schaffen, und sie stützt das Kinn auf die Faust. Als sie sieht, dass Denny Hayes vom anderen Ende des Raumes aus in ihre Richtung schaut, setzt sie sich unwillkürlich aufrecht hin.

Als Nächstes berichtet LaRochelle über die Ergebnisse, die die Kollegen der dritten und der ersten Schicht über Nacht erzielt haben. Sie hätten einen weiteren Hinweis darauf, wer Barbaras Freund gewesen sein könnte, sagt er: «Eine gewisse Susan Yoder, Rektorin der Emily Grange Boarding School, hat ausgesagt, dass Barbara einen männlichen Besucher auf ihrem Zimmer hatte. Sie hat mächtig Ärger dafür bekommen. Eine Zeugin vermutete, dass es ein Junge aus der Stadt war, aber Barbara hat nicht verraten, wer. Der Kollege der dritten Schicht, der das ermittelt hat, wird der Spur nachgehen. Weiter im Text», fährt LaRochelle fort, «von wem kam der Hinweis mit dem frisch gestrichenen Zimmer?»

Judy hebt – leicht verlegen – die Hand.

«Das war genial», sagt LaRochelle. «Schauen Sie sich das hier an.» Er geht zu einem Tisch, auf dem Handschuhe und ein Karton liegen. Er schlüpft in die Handschuhe und holt einen Gegenstand aus der Schachtel, den er aus dem Haus in Albany mitgebracht hat. Ein Skizzenbuch, erklärt er. Das meiste darin scheine bedeutungslos zu sein: hingekritzelte Herzen und Musiknoten und Monde und Sterne. Aber ganz am Ende habe er etwas sehr Interessantes entdeckt.

Er hält das Skizzenbuch hoch, damit alle es sehen können.

Die Seite zeigt eine überraschend naturgetreue Zeichnung eines Zimmers mit mehreren Möbeln. Ein Bett, eine Kommode, ein Nachttisch. An der Wand hinter dem Bett ist etwas zu sehen, das wie der Entwurf für ein Wandgemälde wirkt.

Judy runzelt die Stirn und überlegt, warum ihr die Zeichnung so bekannt vorkommt. Dann fällt es ihr ein: Das ist Barbaras Zimmer in Haus *Self-Reliance*.

Das Zimmer mit den frisch gestrichenen Wänden.

Captain LaRochelle bestätigt dies den anderen Ermittlern. Dann sagt er: «Auf der Seite, die ich Ihnen hier zeige, ist uns nichts Verdächtiges aufgefallen. Bei manchen Details kann man in diesem kleinen

Maßstab schwer ausmachen, was sie darstellen sollen. Aber wir hoffen, dass wir etwas Interessantes entdecken, wenn wir in Barbaras Zimmer die rosa Farbe entfernen.»

Sie hätten einen Restaurator von der Hyde Collection angeheuert, der herkommen werde, um sich das anzusehen. Mit etwas Glück wäre er in der Lage, die obere Farbschicht zu entfernen, ohne das, was darunter gemalt wurde, zu beschädigen.

«Eines noch», sagt LaRochelle. Gestern Abend habe das BCI von jemandem vom Personal eine vollständige Liste aller Gäste auf dem Gelände erhalten und von T. J. Hewitt, der Leiterin des Ferienlagers, eine vollständige Liste aller Ferienkinder und Angestellten. Er hält einen Stapel Aktendeckel hoch. Er habe diese Dokumente für alle kopiert. Wer bereits befragt worden sei, habe ein Häkchen neben dem Namen. Sie würden methodisch vorgehen, um auch noch die anderen zu befragen, sagt LaRochelle, entweder persönlich oder – im Fall der Kinder, die bereits von ihren Eltern abgeholt wurden – per Telefon. Er werde jetzt jedem von ihnen einen Teil der Personen im Ferienlager zuteilen.

Er verteilt die Mappen.

«Ich will heute ordentliche Notizen sehen», sagt er. «Lesbare Notizen. Ich will unterzeichnete Aussagen, falls Sie das hinbekommen. Und ich will, dass Sie schnell arbeiten. Es ist bereits mehr als vierundzwanzig Stunden her, dass Barbara Van Laar verschwunden ist.»

Er bleibt vor Denny Hayes stehen. «Hayes», sagt er. «Sie sind ab sofort dafür zuständig, alle Hinweise zu sammeln und abzuheften.»

Den letzten Aktendeckel gibt er Judy. Aber als sie die Dokumente durchsieht, findet sie auf keiner der Listen ihren Namen. Sie überlegt noch, ob sie etwas sagen soll, da spricht LaRochelle sie an.

«Investigator Luptack», sagt er. «Ich möchte, dass Sie heute eine Karte vom Haus und vom Gelände anfertigen. Beschriften Sie jedes Gebäude und jeden Raum mit den Namen der Personen, die sich dort aufgehalten haben, als Barbara verschwand.»

Bevor sie die Einsatzzentrale verlässt, sieht sie zu Denny Hayes hinüber. «Warte kurz», sagt er. «Ich komme mit.»

Gemeinsam machen sie sich auf den Weg zum Haus *Self-Reliance*, Judy hat einen Zeichenblock unter den Arm geklemmt. Sie schlurft ein wenig.

Er sieht sie an. «Müde?», fragt Hayes.

«Nee.»

«Hör mal, du musst nicht so früh herkommen», sagt er. «Dafür kriegst du keine Extrapunkte.»

«Okay», sagt sie.

«Hast du nicht gesagt, du wohnst noch zu Hause?»

«Stimmt.»

«Und wo ist das?»

Sie zögert. Sie hat ihren neuen Kollegen noch nie erzählt, wie weit sie immer pendeln muss, weil sie fürchtet, die anderen könnten dann glauben, dass sie ihre Arbeit nicht ordentlich verrichten kann.

Sie entscheidet sich für eine halbwegs unverfängliche Antwort: «Schenectady. Aber ich ziehe demnächst um.»

Denny pfeift. «Schenectady? Kein Wunder, dass du da drinnen beinahe eingenickt wärst.»

«Ich bin doch gar nicht ...» Judy wird klar, wie defensiv ihr Tonfall klingt. Sie setzt neu an. «Mir geht's gut. Ich habe noch nie besonders viel Schlaf gebraucht.»

Denny sieht skeptisch aus. «Okay ...?»

Sie gehen eine Weile schweigend nebeneinander her, dann fragt Judy Hayes etwas, das sie seit der Besprechung vorhin beschäftigt.

«Wie kann es sein, dass McLellan vor der Betreuerin auf Kaution entlassen worden ist? Dieser Louise?», fragt Judy, und Denny antwortet: «Was glaubst du?»

Beziehungen. Geld. Der Vater Anwalt. Hayes hat noch etwas herausgefunden: McLellan sr. ist nicht nur der Chefsyndikus der Bank der Van Laars, er war auch der Anwalt, der die Familie vertrat, als 1961 Bear Van Laar spurlos verschwand.

Judy runzelt die Stirn. «Ist das nicht ungewöhnlich?», fragt sie. «Dass sich ein Wirtschaftsanwalt um einen Kriminalfall kümmert?»

Hayes zuckt mit den Schultern. «Man kann sich juristisch vertreten lassen, von wem man möchte. Ich habe schon erlebt, dass sich Leute vor Gericht selbst verteidigt haben», sagt er. «Das sind dann die besonders arroganten.»

Beide schauen nach oben, zu dem großen Haus vor ihnen. Dann sagt Hayes: «Was glaubst du?»

«Was ich glaube, wer es war?»

«Ja.»

Sie denkt nach. «McLellan.»

«Das vermute ich auch.»

Nur eine Dreiviertelstunde hat sie heute Morgen gehabt, um sich die Van-Laar-Akten von 1961 anzusehen, aber das hat gereicht, dass ein Detail ihr Interesse geweckt hat.

«Mir ist etwas aufgefallen», sagt sie. Sie hält inne und setzt noch einmal an: «Gestern, als der Kollege nach Jacob Sluiter gefragt hat ...»

«Ja?»

«Also, ich habe vorhin die Akten über Bear Van Laar durchgesehen, und da stand, dass er auch schon in dem Fall als Verdächtiger geführt wurde.»

Hayes bleibt stehen. Judy steht ihm gegenüber.

«Scheint einfach Zufall zu sein», sagt sie.

Einen Moment lang glaubt Judy, dass Hayes ihre Entdeckung abtun wird. Was hat LaRochelle noch gesagt? *Erwarte nicht, dass ein Zebra um die Ecke kommt.*

Doch Hayes seufzt.

«Scheint so», sagt er. «Genau das habe ich auch gedacht.»

Dann sagt er: «Unter uns? Ich habe die Akten über Bear herausgesucht. Die, die du offenbar durchgesehen hast. Ich habe auch seinen Namen auf die Tafel geschrieben. Und ich glaube, dass LaRochelle völlig falschliegt, wenn er den Fall Bear als abgeschlossen betrachtet. Alle in dem Raum sind derselben Meinung – alle *außer* LaRochelle.»

Judy sieht ihn an.

«Was glaubst du, warum LaRochelle das anders sieht?», fragt sie.

«LaRochelle hat damals als Lieutenant in dem Fall ermittelt», sagt Hayes. «Er war es, der die Theorie vertrat, die die Familie und die Presse schließlich übernahmen. Er hat seine Karriere dem Fall Bear Van Laar zu verdanken. Wurde danach direkt zum Captain befördert. Wahrscheinlich will er sich das im Nachhinein nicht kaputt machen lassen. Außerdem ist die Familie Van Laar mit dem Ausgang des Falles zufrieden. Sie glauben, dass sie den Richtigen erwischt haben. Sie sind mit sich im Reinen, weißt du? Das infrage zu stellen, wäre für keinen der Beteiligten leicht.»

Judy nickt. Sie kann das nachvollziehen – bis zu einem gewissen Punkt. Aber wenn sie eine von den Van Laars wäre, würde sie die Wahrheit wissen wollen. Und das sagt sie Hayes auch.

«Das ist eine ganz seltsame Familie», sagt er. «Zu viele Generationen mit zu viel Geld. Das macht dumm. Ist dir schon mal aufgefallen, dass die Kinder reicher Leute nie so schlau sind wie ihre Eltern? Nie so ehrgeizig, nie so erfolgreich? Man muss im Leben etwas erreichen wollen. Zumindest denke ich das.»

Sie gehen weiter.

«Weißt du», sagt Hayes, «eines kann ich dir verraten. Mir gefällt es nicht, dass LaRochelle jeden Tag hier vor Ort ist. Eigentlich sollte ich die Ermittlungen leiten. Und ich sage das nicht, weil ich mich persönlich übergangen fühle. Es ist einfach nicht gut, wenn jemand in seiner Position in einem Fall wie diesem das Tagesgeschäft leitet.»

«Wieso?»

«Es gibt zwar ein paar Männer auf LaRochelles Stufe der Karriereleiter, die ziemlich schlau sind», sagt er. «Aber sie sind jetzt im mittleren Management. Sie sind längst raus aus der Praxis. Viele haben seit zehn Jahren keinen konkreten Fall mehr bearbeitet. Mag sein, dass es die Familie beruhigt, wenn das BCI die großen Geschütze auffährt», sagt er, «aber es ist eine riskante Strategie.»

Hayes dreht sich um und macht sich auf den Weg zur Einsatzzentrale, wo er sich daranmachen wird, ihre Indizien zu ordnen und zu nummerieren.

Judy wird ihre Karte allein zeichnen müssen.

Über ihrem Kopf kreist ein Hubschrauber, dessen Insassen das Gelände nach Lebenszeichen absuchen. Rechts von ihr macht sich ein Team von Tauchern bereit, Lake Joan abzusuchen.

Sie nähert sich dem Haupthaus. Draußen lässt sie sich auf ein Knie nieder und balanciert den Zeichenblock auf dem anderen. Aus dem Gedächtnis skizziert sie den Grundriss des Hauses und platziert in den Zimmern die Gäste, die sie gestern befragt hat.

Als sie fertig ist, steht sie auf und geht am Vordereingang des Hauses vorbei.

Gestern hat sie den ganzen Tag mit den Gästen gesprochen, jetzt, denkt Judy, ist es an der Zeit, mit den Menschen zu sprechen, die die Gäste bedienen.

Zum ersten Mal klopft sie an die Küchentür. Eine kleine Frau in einer Schürze öffnet ihr, in einer Hand ein bemehltes Nudelholz.

«Guten Morgen», sagt Judy. Die Frau wischt sich bedächtig die freie Hand an der Schürze ab. Sagt nichts.

«Wie geht es Ihnen?», fragt Judy.

«Sind Sie von der Polizei?», fragt die Frau.

«Ich bin Investigator», sagt Judy. «Investigator Luptack.»

«Aber schon von der Polizei?»

Judy nickt.

Die Frau geht zurück zur Arbeitsfläche und legt das Nudelholz hin.

«Haben Sie kurz Zeit zum Reden?», fragt Judy.

Die Frau sieht sich verstohlen um. «Einen Moment Zeit hätte ich schon», sagt sie leise. «Aber es muss Ihre Idee sein, mit mir zu reden, nicht meine. Und bitte nicht hier.»

Judy geht mit ihr durch die Küchentür hinaus. Bleibt an der Hauswand stehen.

«Weiter», flüstert die Frau. «Die Fenster sind offen.»

Sie gehen noch zwanzig Schritte, bis ans Seeufer. Dann zückt Judy ihren Notizblock.

Vom Hubschrauber, der über ihnen kreist, kommen jetzt Lautsprecherdurchsagen: *Barbara, deine Eltern vermissen dich. Barbara, geh auf eine Lichtung. Barbara, geh zu einer höheren Stelle. Barbara, ruf, wenn du das hörst.* Der blecherne Klang lässt sie erschaudern.

Die Frau schaut sie erwartungsvoll an. «Wollten Sie mich nicht etwas fragen?»

«Ah», sagt Judy. «Name?»

«Jeannie Clute.»

«Geburtsdatum?»

«12. Juni 1947.»

«Beruf?»

Das lässt sie innehalten. «Im Moment bin ich Hilfsköchin», sagt sie. «Davor war ich Haushaltshilfe.»

Judy schaut auf.

«Haben Sie Kinder?»

«Ja. Drei. Ein viertes ist unterwegs.»

Judy wirft einen kurzen Blick auf den noch flachen Bauch der Frau.

«Verheiratet?»

«Ja.»

«Was hat Sie bewogen, diese Stelle anzunehmen?»

Die Frau wendet den Blick ab. Plötzlich schießen ihr Tränen in die Augen und rinnen ihr die Wangen herab. Sie wischt sie wütend weg.

«Dummheit», sagt sie. «Der Job hier war ein Riesenfehler.»

Judy stutzt. In ihrem Unterleib breitet sich eine Empfindung aus, die sie noch nie zuvor gespürt hat: das Gefühl, dass gleich alles Sinn ergeben wird; dass sie zwei Puzzleteile entdeckt hat, die nahtlos aneinanderpassen.

«Inwiefern?», fragt sie.

«Das sind böse Menschen», sagt Mrs Clute.

«Wie meinen Sie das?»

«Sie haben zugelassen, dass ein Unschuldiger dafür bezahlen musste, dass ihr Sohn verschwunden ist», sagte sie. «Sie haben zugelassen, dass sein Name in den Schmutz gezogen wurde.»

Sie hat aufgehört zu weinen. Stattdessen hat sich ihr Blick verhärtet, und sie schaut Judy fest in die Augen.

«Wie heißt er?», fragt Judy.

«Hieß», sagt Mrs Clute. «Er ist tot.»

«Wie hieß er?»

«Stoddard», sagt Mrs Clute. «Wie ich.»

Judys graue Zellen arbeiten. Dieser Name stand auf einer der Archivboxen, die sie heute Morgen durchgeschaut hat. «Carl Stoddard war Ihr …»

«Vater.»

Judy schreibt in ihren Notizblock. Im Grunde weiß sie gar nicht genau, was sie da schreibt – aber sie braucht Zeit, um ihre nächste Frage sorgfältig zu formulieren. Um die Frau nicht zu erschrecken.

«Clute ist der Name Ihres Mannes?», fragt sie.

Die Frau nickt ungeduldig. Sie schaut zurück zum Haus. Sie wird immer nervöser, fürchtet wohl, dass jemandem auffällt, was sie hier treibt.

«Wissen die, dass Sie eine gebürtige Stoddard sind?», fragt Judy.

«O Gott, nein», sagt Mrs Clute.

«Warum haben Sie den Job denn angenommen?»

Sie tritt von einem Bein aufs andere. «Aus Verzweiflung», sagt sie. «Um hungrige Mäuler zu stopfen. Sie haben sicher gehört, dass die Hemdenfabrik geschlossen wurde.»

Judy weiß nichts von irgendeiner Hemdenfabrik. Trotzdem nickt sie.

«Tja, andere Arbeitsplätze gibt es nicht in Shattuck. Entweder das hier oder wegziehen», sagt Mrs Clute. «Und wohin sollen wir dann gehen?»

«Weiß denn der Rest Ihrer Familie davon? Der Stoddards, meine ich.»

Mrs Clute nickt.

«Meine Schwestern wissen Bescheid», sagt sie. «Aber meine Mutter redet nicht mehr mit mir. Sie meinte, die ganze Familie sei verdorben. Und dass ich es bereuen würde.» Mrs Clute blickt auf den See hinaus. «Und was soll ich sagen? Sie hatte recht.»

«Mrs Clute», sagt Judy. «Haben Sie eine Ahnung, wohin Barbara Van Laar gegangen ist?»

Auf diese Frage antwortet die Frau besonders schnell. «Keine Ahnung», sagt sie. «Wirklich nicht. Aber ich wette, ihre Familie weiß es.»

Schon wieder dieses Gefühl … Instinkt, denkt Judy.

«Warum?»

«Als Bear Van Laar verschwand, hat die Familie die Suche von A bis Z vermasselt», sagt Mrs Clute. «Erstens haben sie erst mehrere Stunden, nachdem der Junge verschwunden war, die Suchtrupps alarmiert. Und da gab es schon wieder überall Fußspuren, und es hatte geregnet, deshalb hatten die ohnehin keine große Hoffnung mehr, dass sie ihn finden würden. Da konnten auch die Spürhunde kaum noch was ausrichten.»

Sie streckt den Daumen der rechten Hand aus, als wolle sie alle Fehler aufzählen, die die Familie damals begangen hat.

«Zweitens», sagt sie, «haben sie erst uns Shattucker bei der Suche helfen lassen, doch nach einer Woche haben sie uns weggeschickt. Stattdessen haben sie eine Profi-Suchmannschaft aus der Sierra Madre einfliegen lassen. Ein Privatflugzeug gechartert und so. Haben denen ein hübsches Sümmchen gezahlt, wie man hört.»

«Wurden die örtlichen Suchtrupps auch bezahlt?»

Mrs Clute spottet. «Wohl kaum», sagt sie. «Die haben sie behandelt, als würden sie auch so schon für die Familie arbeiten. Auch diejenigen, die das nicht taten, die extra Urlaub genommen haben, um zu helfen. Und der Witz ist, die Männer aus Kalifornien hatten keine Ahnung, was sie da taten. Die waren so ein Gelände wie das hier gar nicht gewohnt. Die hatten noch nie so dichtes Unterholz gesehen. Am Ende haben sie die Schwänze eingezogen und sind abgehauen, ohne eine Spur von dem Jungen zu finden.»

Sie lächelt, fast triumphierend, bis ihr klar wird, worüber.

«Hören Sie», sagt Mrs Clute. «Eigentlich tut mir die Familie leid. Wenn sie unschuldig sind – was ja gut sein kann –, dann ist es ganz furchtbar, was sie durchgemacht haben. Aber ich werde ihnen nie verzeihen, was sie mit dem guten Namen meines Vaters gemacht haben. Nach seinem Tod haben sie ihm einfach … unterstellt, dass er Bear umgebracht hat. Und dass sie den Jungen wahrscheinlich nie finden würden, weil man einem Toten ja schlecht Fragen stellen kann.»

Sie blickt sich erst über eine, dann über die andere Schulter um und fährt fort. «Ich habe vorhin einen auf dem Gelände gesehen, der war auch hier, als Bear verschwunden war. LaRochelle heißt er. Ich erinnere mich an ihn von damals, als sie meinen Vater anklagen wollten. Er ist ein Lügner. An Ihrer Stelle würde ich ihm nicht über den Weg trauen.»

Judy hält den Kopf still. Jetzt zu nicken, auch nur ganz leicht, scheint ihr unangebracht.

Dabei weiß sie genau, was die Frau meint.

Mrs Clute fragt: «Haben Sie Kinder?»

«Nein.»

«Gut. Wenn Sie irgendwann mal welche haben, denken Sie an unser Gespräch zurück», sagt Mrs Clute. «Erinnern Sie sich daran, was ich gesagt habe. Und fragen Sie sich: Hätten Sie die Suche auch so früh eingestellt wie die Van Laars?»

Judy schaut zu Boden. Die emotionale Tiefe, die aus Mrs Clutes Blick spricht, ist ihr plötzlich peinlich.

«Hätten Sie die Suche überhaupt jemals eingestellt?», fragt sie.

Beide schweigen eine Weile.

«Ich muss jetzt wieder rein», sagt Mrs Clute. «Viel zu tun.»

Judy nickt. «Gibt es sonst noch etwas, das Sie mir sagen möchten? Etwas, das ich wissen sollte?»

Mrs Clute überlegt. «Mir fällt nur ein, dass niemand in dieser Familie das Mädchen mag. Barbara. Vernachlässigung würde ich das nennen. Bevor sie runter ins Ferienlager gegangen ist, ist sie immer in die Küche gekommen, um sich was zu essen zu holen. Hat immer ganz verloren gewirkt, und das in ihrem eigenen Zuhause. Ich habe ihr was gegeben, wann immer es ging. Ihrer Mutter hat das gar nicht gefallen. Hat mir dauernd gesagt, ich soll ihr nichts mehr zu essen geben. Ich habe genickt und so getan, als ob ich mich daran halte, aber ich fand es immer nett, wenn sie mich besucht hat. Barbara ist ein seltsames Mädchen, zieht sich seltsam an, aber sie ist die Einzige hier, die sich die Mühe gemacht hat, sich meinen Namen zu merken. Ich finde, sie ist ein herzensguter Mensch.»

«Danke», sagt Judy.

Mrs Clute nickt.

Judy muss an Hayes' Worte von vorhin denken. Sie hat sich ordentliche Notizen gemacht, aber sie will trotzdem sichergehen, dass sie alles richtig verstanden hat.

«Mrs Clute, darf ich alles aufschreiben, was Sie mir erzählt haben? Sie könnten es dann durchsehen und unterzeichnen, wenn alles korrekt ist.»

Die Frau schaut sie erschrocken an. «Nie im Leben», sagt sie. «Ich bereue nicht, dass ich es Ihnen erzählt habe. Aber mehr kann ich wirklich nicht für Sie tun.»

Das hier, beschließt Judy, ist im Moment wichtiger als die Karte. Sie geht hinunter zur Einsatzzentrale und schaut sich nach Hayes um. Draußen auf der Treppe sitzen zwei Ermittler mit Klemmbrettern und schreiben Aussagen nieder.

«Ist Hayes da drin?», fragt Judy, und einer nickt.

«Ich würde da jetzt nicht reingehen», sagt er. «LaRochelle faltet ihn schon seit zehn Minuten zusammen.»

Judy hält inne. Gedämpftes Gebrüll dringt durch die Tür.

Sie kann sich hier nirgendwo hinsetzen.

«Würden Sie ihm sagen, dass ich ihn suche, wenn die zwei fertig sind?», fragt sie.

«Klar, Süße», sagt der andere. Er schaut nicht einmal auf.

«Ich bin Investigator Luptack», sagt Judy.

«Na prima.»

Während sie auf Hayes wartet, geht Judy mit Zeichenblock und Stift über das Gelände von Camp Emerson und erledigt die Aufgabe, die LaRochelle ihr an diesem Morgen aufgetragen hat. Vor jedem Gebäude bleibt sie stehen, stellt sich vor, sie würde es von oben sehen, und skizziert den Grundriss. Sie beschriftet die Gebäude, bei denen sie weiß, wozu sie benutzt werden.

Als sie fertig ist, geht sie nach Nordwesten, wo die Wirtschaftsgebäude einer alten Farm stehen.

Soweit sie weiß, wohnt dort niemand mehr. Und man hat dort schon gründlich nach Barbara gesucht.

Aber da sie nichts anderes zu tun hat, bis Hayes und LaRochelle fertig sind, schlendert sie dorthin, den Block unter dem Arm.

Es sind vier Gebäude. Judy kennt sich mit Landwirtschaft nicht aus, aber das eine scheint eine Scheune gewesen zu sein. Sie öffnet das große Tor. Obwohl die Scheune offensichtlich schon lange nicht mehr in Betrieb ist, riecht es immer noch nach Tier. Über Judy befindet sich ein Heuboden; sie klettert eine wackelige Leiter hoch, gerade so weit, dass sie über die Kante gucken kann. An den Wänden sieht sie die Reste alter Heuballen.

Sie steigt wieder hinunter.

Neben der Scheune steht ein kleines fensterloses Gebäude auf Stelzen. Was auch immer seine ursprüngliche Funktion gewesen sein mag, jetzt stehen darin einige verrostete landwirtschaftliche Geräte. Sie schaut nur kurz hinein und geht dann weiter zu dem Gebäude links daneben.

Auch das Innere des dritten Gebäudes gibt ihr zunächst Rätsel auf: Der Fußboden ist aus Beton und fällt zur Mitte hin ab, wo sich ein Abfluss befindet. Vielleicht hat man hier nach dem Reiten die Pferde gewaschen, denkt sie. Ein Geruch hängt in der Luft, den sie nicht zuordnen kann, aber er macht sie nervös.

Dann schaut sie hoch.

Fünf Metallstangen verlaufen von einem Ende der Decke zum anderen. Daran hängen ordentlich aufgereiht Dutzende von Haken.

Endlich wird ihr klar, was das für ein Geruch ist: Das hier war ein Schlachthaus.

Sie steht noch einen Moment da, ihr ganzer Körper ist angespannt.

Dann ein Geräusch: Über ihrem Kopf hört sie Schritte.

Tracy

1950er | 1961 | Winter 1973 | Juni 1975 | **Juli 1975** | August 1975

An welchem Tag der Survival-Trip begann, wurde traditionell nicht im Vorfeld angekündigt. Dass es losging, erfuhr man dadurch, dass um 5:30 Uhr morgens, kurz nach Sonnenaufgang, ein Signalhorn ertönte.

Den ganzen Sommer über hatten sie eingebläut bekommen, was sie zu tun hatten, wenn das Horn ertönt: aus ihren Etagenbetten springen, sich, ohne zu duschen, anziehen und so schnell wie möglich zum Fahnenmast rennen.

Wer den Mast zuerst erreichte, bekam einige zusätzliche Ausrüstungsgegenstände und Verpflegung; die Letzten gingen leer aus.

Barbara war vor allen anderen in ihrer Hütte aus dem Bett und angezogen.

«Zieh dir etwas Warmes über deine Uniform», flüsterte sie Tracy zu, und dann war sie weg.

Tracy war nicht die Letzte ihrer Gruppe am Fahnenmast, aber eine der Letzten. Deshalb befanden sich in dem Rucksack, den ihr ein Betreuer überreichte, nur vier Dosen Bohnen und eine Feldflasche voller Wasser. Sie sah sich um: Barbara und Lowell Cargill begutachteten Zeltplanen, Kompasse und Schweizer Messer. Die beiden Jüngsten in ihrer Gruppe, die als Letzte eingetroffen waren, öffneten ihre Rucksäcke und stellten fest, dass sie leer waren. Tracy musterte ihre

Gesichter: Sie versuchten, tapfer zu wirken, aber an ihrem zitternden Kinn sah man, dass sie Tränen zurückhielten.

T. J. Hewitt stand am Fuß des Fahnenmastes und beobachtete teilnahmslos das Chaos. Sobald jeder seinen Rucksack erhalten hatte, schob sie sich ein kleines Stück den Mast empor, stützte sich mit der dicken Sohle eines ihrer Wanderstiefel auf der Klampe ab und hob ein Megafon an die Lippen.

«Die Anführer der einzelnen Gruppen werden gleich zu euch kommen», sagte sie. «Aber denkt daran: Sie sind nur für den Notfall da. Abgesehen davon werden sie euch nicht helfen. Im Prinzip», sagte sie und musterte die Anwesenden so lange und ausführlich, als wollte sie jedem einzelnen Ferienkind in die Augen sehen, «seid ihr auf euch allein gestellt. Viel Glück.»

Die Betreuer traten vor und näherten sich den ihnen zugeteilten Gruppen. Tracy sah ihnen dabei zu und fragte sich, wer wohl für ihre Gruppe zuständig war.

T. J. Hewitt höchstpersönlich kam auf sie zu.

«Ihr seid bei mir», sagte sie.

Fünf Minuten später ging es los.

T. J. marschierte voran. Dann kamen die zwei jüngsten Ferienkinder aus ihrer Gruppe, wie Entenküken hinter ihrer Anführerin herlaufend, die sich hin und wieder umsah und die beiden musterte, als wäre sie überrascht oder verärgert, dass sie da waren.

«Tut so, als wäre ich unsichtbar», sagte sie hin und wieder zu ihnen, und dann ließen sie sich zum Rest der Gruppe zurückfallen, nur um sich Sekunden später wieder an T. J.s Fersen zu heften.

Barbara und Tracy, Lowell und sein Kumpel Walter – der Älteste – gingen zu viert nebeneinander. Tracy warf Lowell ab und zu einen verstohlenen Blick zu und dachte daran, wie sie zusammen zweistimmig gesungen hatten, und bei dem Gedanken wurde sie puterrot.

Auf ihrem Weg nach Norden überquerten sie die Zufahrt zum Haupthaus, Haus *Self-Reliance*. Tracy glaubte, sie hätte hinter den Fenstern Menschen gesehen, und sie sagte es Barbara, doch die zuckte nur mit den Schultern und blickte geradeaus.

«Da laufen die Vorbereitungen», sagte sie.

«Wofür?»

«Für die Party. Das Haus hat hundertsten Geburtstag.»

«Bist du nicht eingeladen?»

Barbara schüttelte den Kopf.

«Ich wäre ohnehin nicht hingegangen.»

Sie überquerten die Hauptstraße und wanderten noch eine Stunde, bis T. J. schließlich anhielt.

«Hier ist gut», sagte sie. Und dann entfernte sie sich.

Wieder war es Barbara, die das Schweigen durchbrach. «Öffnet eure Rucksäcke», sagte sie.

Insgesamt hatten die zwölf folgende Gegenstände dabei: zweiundsechzig Konservendosen mit diversem Inhalt, zwölf Tüten Studentenfutter, zwölf Feldflaschen mit Wasser, vier kleine Flaschen mit Jodtinktur, neun Zeltplanen, vier Dosenöffner, mehrere Messer, eine Rolle Schlingendraht, zehn Seile und – als letzten Gegenstand, den sie im letzten Rucksack fanden und der allgemein für erleichterte Seufzer sorgte – eine Schachtel Streichhölzer.

Barbara stand auf, betrachtete die Ausrüstung und stellte laut Berechnungen an, wie sie was am besten verwendeten. Dann warf sie T. J. einen Blick zu. Die lehnte an einem Baum, hatte ein Bein aufgestellt und drückte die Sohle des Stiefels gegen die Rinde.

«Schaut mich nicht an», sagte T. J. «Ich bin unsichtbar. Ich bin gar nicht da.»

Sie drehte sich um, setzte sich ihren Rucksack auf und ging zehn Meter einen leichten Hang hinauf, wo sie eine relativ ebene Stelle fand und ihr Zelt aufschlug. Im Nu hatte sie Feuer gemacht, zwischen zwei Bäumen eine Hängematte aufgespannt, Wasser für ihren Kaffee aufgesetzt und angefangen, ein Buch zu lesen.

Gegen Mittag hatten auch die Ferienkinder ihre Zelte aufgeschlagen. Barbara sagte allen, wo es langging. Einmal mehr staunte Tracy, wie routiniert sie sich im Wald bewegte und wie gut sie sich auskannte. Sie fand in der Nähe einen Bach und zeigte einigen aus der Gruppe, wie man die Feldflaschen auffüllt und das Wasser mit Jod desinfiziert; sie errichtete primitive Zelte aus Seilen und Planen; sie räumte ein Stück Erdboden frei und baute einen großen Kreis aus Steinen. Dann schickte sie die Kinder los, das trockenste Holz zusammenzusuchen, das sie finden konnten, und Reisig zum Entzünden des Lagerfeuers.

Auch wenn sie nicht viel älter als die anderen war und sogar jünger als Walter und Lowell: Auf Tracy wirkte sie an diesem Tag wie eine erwachsene Frau.

Drüben auf der Anhöhe sah T. J. von Zeit zu Zeit von ihrem Buch auf, schaute teilnahmslos herüber und sagte nichts.

Wenn sie nicht gerade Barbaras Anweisungen folgte, saß Tracy auf dem Boden und spielte ein Spiel, das sich eines der jüngeren Ferienkinder ausgedacht hatte, ein Junge namens Christopher, der gutmütig und immer auch ein wenig ängstlich wirkte. Er war acht Jahre alt, der Jüngste in ihrer Gruppe. «Der Jüngste im ganzen Camp», wie er genervt sagte.

Abends, nach dem Essen, erzählten sie sich Geistergeschichten; auch wenn keiner Jacob Sluiter, den «Schlitzer», erwähnte, waren die Geschichten zu real, als dass Tracy Freude daran gehabt hätte. Lowell erzählte die Geschichte von Scary Mary, der grauhaarigen Frau, einem auf dem Gelände besonders beliebten Gespenst. «Ein Junge aus meiner Hütte meint, er hätte sie neulich gesehen», berichtete Lowell, doch da begann eines der jüngeren Mädchen zu weinen, und Lowell meinte, er hätte nur Spaß gemacht. Stattdessen sangen sie Lagerfeuerlieder, und dann trug Lowell a cappella ein wunderschönes, trauriges Lied über einen Seemann vor, der sich auf See verirrt hatte.

Hier geschah etwas ganz Außergewöhnliches, Tracy konnte es spüren. Ja, T. J. war nur ein Stückchen entfernt, drüben auf dem Hügel, aber sie hielt ihr Versprechen und war unsichtbar. Die Kinder hatten das Sagen – alle, vor allem aber Barbara. Ohne die Gegenwart von Erwachsenen verhielten sie sich so erwachsen, dass es Tracy richtig stolz machte.

Barbara wies ihnen die Zelte zu. Tracy und Barbara bekamen das erste, Lowell und Walter das zweite, die vier jüngsten Jungen das dritte; als sie kurz protestierten, wie ungerecht das sei, sah Barbara sie nur scharf an, und sie verstummten. Die vier jüngsten Mädchen kamen ins vierte Zelt.

Um zweiundzwanzig Uhr war es schon ziemlich kühl, sobald man sich ein paar Schritte vom Lagerfeuer entfernte.

Am Morgen hatte sich Tracy auf Barbaras Rat hin eine Jogginghose, ein langärmeliges Hemd und einen dicken Pullover über ihre Uniform gezogen, bevor sie zum Fahnenmast gelaufen war. Die meisten Ferienkinder hatten von ihren Betreuern und Freunden den Tipp bekommen, sich warm anzuziehen. Nur Christopher, der Jüngste, saß in Shorts und T-Shirt da.

Als Barbara ihn frieren sah, zog sie ihr Sweatshirt aus und warf es ihm zu. «Zieh das an», befahl sie ihm.

An dem kleinen Christopher sah das Sweatshirt aus wie ein Kleid, aber er freute sich und grinste breit.

Keiner von ihnen hatte einen Schlafsack. Ein gewisses Maß an Unbequemlichkeit gehörte nun einmal zum Survival-Trip dazu.

«Hört mal zu», sagte Barbara. «Wer nachts aufwacht und sieht, dass vielleicht das Feuer ausgeht, der hat die Aufgabe, es zu schüren oder Holz nachzulegen.» Sie machte eine Pause, um zu demonstrieren, was sie meinte, und den anderen zu zeigen, wo sich der provisorische Holzstapel befand. Sie hatte das Holz in die letzte verbliebene Zeltplane eingewickelt, falls es regnen sollte. «Aber lauft nicht in der Gegend herum», sagte sie. «Wenn ihr euch im Dunkeln verlauft, ist das schlecht für alle.»

Sie hielt inne und dachte nach.

«Noch etwas», sagte Barbara. «Bleibt zusammen. Sorgt dafür, dass sich eure Körper nachts berühren. Dann ist euch viel wärmer.»

Einige der kleineren Jungen stöhnten auf.

«Na gut», sagte Barbara. «Dann friert, wenn ihr wollt. Ist mir egal.»

Jemand kicherte, und alle blickten in die Richtung ihres ausgestreckten Arms.

Christopher, der Jüngste, hatte sich auf dem Boden zusammengerollt, die Knie in Barbaras Sweatshirt. Er schlief tief und fest.

Barbara klatschte in die Hände. «Alle, die nicht ich, Tracy, Walter oder Lowell sind», sagte sie, «ab in die Zelte. Schlafenszeit.»

Ruhe kehrte ein. Sogar T. J. oben auf ihrer Anhöhe schien sich zurückgezogen zu haben: Sie hatte ihr Feuer erlöschen lassen, anscheinend war ihr in dem Schlafsack, den sie dabei hatte, warm genug.

Als die vier ältesten Ferienkinder damit fertig waren, um die Zelte herum Ordnung zu machen, winkte Walter sie zu sich, zu seinem und Lowells Zelt.

«Ich habe uns etwas mitgebracht», flüsterte er. Im schwachen Licht des Feuers sah Tracy seine Zahnspange funkeln, als er lächelte.

Im Zelt saßen sie in einem kleinen Kreis und zitterten vor Kälte. Wenn Tracy nicht die Zähne zusammenbiss, klapperten sie. Sie fragte sich, wie es Barbara wohl ging, die eine Schicht weniger anhatte, seit sie Christopher ihr Sweatshirt gegeben hatte.

Walter, ein drahtiger Vierzehnjähriger, der ziemlich jung aussah für sein Alter, zog sein Sweatshirt aus und reichte es Barbara.

«Nein», sagte Barbara.

«Nimm schon», sagte Walter. «Ich habe ja noch mein Hemd.» Er zeigte auf das langärmelige Hemd, das er darunter trug.

«Außerdem», sagte er, «kann ich ja sonst in der Nacht mit Lowell kuscheln.»

Er legte einen Arm um Lowell. Der grinste und schob ihn weg.

«Was wolltest du uns denn nun zeigen?», fragte Barbara.

Walter nahm den Arm von Lowells Schultern und hob den Saum seines Hemdes hoch. Darunter kam ein Flachmann zum Vorschein, den er sich an die Seite gebunden hatte.

Tracy wusste sofort, was das war. Ihr Vater hatte auch einen Flachmann, den nahm er immer mit zur Rennbahn. Er hatte ihn in einer der Innentaschen seines Jacketts und nippte gelegentlich daran, ohne sich darum zu scheren, ob ihn jemand dabei sah. Als einmal eines seiner Pferde ein Rennen gewonnen hatte, hatte er ihn Tracy hingehalten, und sie war neugierig genug gewesen, einen Schluck zu nehmen. Sie erinnerte sich noch an das brennende Gefühl, als ihr das Zeug die Kehle hinunterlief.

«Respekt», sagte Barbara.

«Danke», sagte Walter. Er schraubte den Deckel ab und trank.

«Was ist da drin?», fragte Barbara.

«Pfefferminzlikör», sagte Walter. «Das ist der einzige Alkohol, bei dem mein Vater sich nicht merkt, wie viel noch in der Flasche ist.»

Er reichte den Flachmann weiter. Alle tranken. Tracy nahm einen kleinen Schluck, dann einen größeren. Es war süßer als das, was ihr Vater trank, aber auch ekliger.

Sie hustete.

«Psst», sagte Barbara. Sie nahm Tracy den Flachmann aus der Hand und trank einen großen Schluck, dann wischte sie sich mit dem Handrücken den Mund ab.

Innerhalb weniger Minuten wurde es wärmer im Zelt. Tracy lächelte in der Dunkelheit. Alle Sorgen, die sie je gehabt hatte, schienen plötzlich ein ganzes Stück weiter weg.

Barbara saß rechts neben ihr, Lowell ihr gegenüber und neben ihm Walter. Tracy bewegte ihren Fuß in ihrem Turnschuh in die Richtung, in der sie Lowell vermutete, obwohl sie ihn nicht sehen konnte. Sie stellte sich vor, wie es wäre, seinen Mund auf ihrem zu spüren. Als ihr Schuh seinen berührte, ließ sie ihn dort, und es fühlte sich an, als hätte jemand einen Stecker in eine Steckdose gesteckt.

«Mir ist langweilig. Wollen wir nicht was spielen?», fragte Walter.

«Es ist stockdunkel», sagte Tracy. Sie dachte an Karten oder Dame oder an das Mikado, das sie für Christopher gebastelt hatte.

«Wahrheit oder Pflicht, das geht auch im Dunkeln», sagte Walter.

Barbara lachte leise auf.

Tracy kannte dieses Spiel nur aus Büchern und Fernsehserien. Sie wusste, dass junge Leute in ihrem Alter es spielten, wenn sie beieinander übernachteten; aber wenn sie irgendwo übernachtete, dann höchstens bei ihren Cousinen oder bei Debbie Finley, einem Mädchen aus der Nachbarschaft, deren Mutter nachts arbeitete. Und die Nächte dort waren ganz anders als diese hier.

Das lag zum Teil an der drohenden Gefahr: Sie alle, da war sich Tracy sicher, hatten das Bild vor Augen, wie in der Nähe ihrer Zelte Jacob Sluiter hockte, kürzlich aus dem Gefängnis geflohen, hungrig und zornig. Aber niemand wollte seinen Namen sagen; das wäre Barbara gegenüber reichlich respektlos gewesen. Alle kannten die Gerüchte, dass Sluiter etwas mit dem Verschwinden ihres Bruders zu tun hatte.

«Ich fange an», sagte Tracy. Sie hatte plötzlich das Gefühl, dass ihr nichts und niemand etwas anhaben konnte. Sie streckte die Hand nach dem widerlichen Pfefferminzlikör aus.

«Wahrheit oder Pflicht?», fragte Walter. Die Worte klangen wie eine Beschwörung.

«Wahrheit», sagte Tracy und trank.

«Auf wen stehst du?», fragte Walter.

Und ihr war sofort klar, dass sie lügen würde. Sie ging im Kopf alle Jungs aus ihrer Stufe an ihrer Schule in Hempstead durch.

«Philip DiGiacomo», sagte sie. Das war der Junge, den alle am hübschesten fanden.

«Ey, das ist nicht fair», sagte Walter. «Auf wen hier aus dem *Camp* stehst du?»

«Zu spät», sagte Tracy fröhlich. «Du bist dran. Wahrheit oder Pflicht?»

«Pflicht», sagte Walter.

Tracy dachte kurz nach. Sie wollte ihm eine kreative und lustige Aufgabe geben. Sie wollte die anderen zum Lachen bringen.

«Okay», sagte sie. «Walter, deine Aufgabe ist: Du musst dich zu T. J.s Zelt schleichen und daneben Bärenlaute machen.»

Die Jungs brachen in schallendes Gelächter aus. Sie spürte, wie Barbara ihr abrupt den Kopf zuwandte.

«Das ist keine gute Idee», sagte Barbara.

«Wieso?», fragte Lowell. «Das ist superwitzig.»

Es folgte eine lange, nachdenkliche Pause, bis Barbara sagte: «Sie hat eine Pistole.»

Die anderen drei verstummten.

«Sie hat definitiv eine Pistole», sagte Barbara.

«Wozu?», fragte Lowell.

«Genau dafür», sagte Barbara. «Für Bären und so.»

«Oder für den ‹Schlitzer›», sagte Walter.

Es gab eine weitere lange Pause.

«Meinst du, deshalb haben sie uns dieses Jahr mit Aufpassern losgeschickt?», fragte Walter. «Weil dieser Typ ausgebrochen ist?»

«Nein», sagte Barbara. «Ich glaube, das ist nur, weil sich so viele Eltern beschwert haben. T. J. meint, diese Generation ist ganz anders ist als die Generationen davor. Sie meint, die Eltern haben einfach mehr Angst.»

Wieder war es still, während die vier über ihre Worte nachdachten. Tracy glaubte nicht, dass ihre Eltern vor irgendetwas Angst hatten. Aber wenn sie an die Mütter der anderen Mädchen dachte, in ihren gemusterten Wickelkleidern und ihren Lederslippern, konnte sie sich das gut vorstellen.

«Okay», sagte Walter. «Das fällt flach. Hast du noch eine Idee?»

Tracy zerbrach sich den Kopf. Sollte sie ihn den Flachmann austrinken lassen? Aber dann war für sie selbst nichts mehr übrig. Sollte sie ihn einen von den anderen küssen lassen? Oder ihn auffordern, sich nackt auszuziehen und um die Zelte zu flitzen? Das kam auch nicht infrage – sie hatte Angst, dass sie dann als Nächstes dran wäre, sich auszuziehen. Stattdessen sagte sie: «Deine Aufgabe ist: Du musst uns Lowells größtes Geheimnis verraten.»

Sie konnte die Gesichter der anderen nicht gut erkennen, aber sie merkte, dass Walter überlegte, was er antworten sollte.

«Ganz einfach», sagte er schließlich. «Zu Hause schläft er mit Licht an, weil er Angst vor der Dunkelheit hat.» Er drehte sich zu Lowell um. «Aber keine Sorge, Kumpel», sagte er. «Ich beschütze dich.»

Zwei Dinge waren Tracy sofort klar: Erstens war das sicherlich nicht Lowells größtes Geheimnis, und zweitens würde Walter ihm um jeden Preis beistehen. Ihr wurde mulmig. Sie hatte ihn nicht vorführen wollen.

Eine halbe Stunde verging. Eine Stunde. Alle waren beschwipst, und ihnen wurde immer wärmer. Nachdem ihnen die akzeptablen Ideen für die *Pflicht* ausgingen, verlegten sie sich häufiger auf die *Wahrheit*, und dadurch erfuhren sie in dieser kurzen Zeit mehr übereinander als im ganzen bisherigen Sommer. Während sie intime Geheimnisse austauschten, kehrte Tracys gute Laune zurück. Wie schön es ist, dachte Tracy, solche Freunde zu haben; Freunde, die Seiten von dir ans Licht bringen, die du sonst lieber versteckst; die sich aber nicht darüber lustig machen, sondern dich höchstens ein wenig aufziehen, auf eine Weise, die dich nicht niedermacht, sondern aufbaut. Sie hatte erfahren, dass Lowell *wirklich* Angst vor der Dunkelheit hatte; dass er, obwohl von Natur aus sportlich, jeglichen Sport hasste, sehr zum Leidwesen seines Football spielenden Vaters; dass Walter ziemlich schlecht in der Schule war und an etwas litt, das sich «Legasthenie» nannte; dass sein Vater in Harvard studiert hatte und erwartete, dass sein Sohn in seine Fußstapfen trat. Sie, Tracy, hatte erzählt, dass sie zu Hause kaum Freundinnen hatte; dass die Mädchen, mit denen sie zur Schule ging, ganz anders waren als sie; dass ihr Vater ihre Mutter wegen Donna Romano verlassen hatte, einer Kellnerin aus dem Adelphi Hotel; dass ihre Mutter seitdem viel stiller geworden war und nicht mehr so fröhlich wirkte.

Nach jeder Beichte prosteten sie einander zu und tranken. Wenn das Feuer zu erlöschen drohte, legten sie abwechselnd Holz nach.

Nur Barbara schien ein wenig distanziert. Sie lachte leise mit und hörte aufmerksam zu; aber wenn sie an der Reihe war, spürte Tracy, dass sie genau überlegte, was sie erzählte und was nicht.

Tracy fand es enorm befreiend, auf diese Weise mit Freunden intime Gedanken auszutauschen; ein wenig bedauerte sie Barbara, weil sie offenbar nicht das Gleiche empfand. Als Tracy an der Reihe war, den nächsten Spieler zu bestimmen, fiel ihre Wahl auf Barbara. Und Barbara entschied sich für *Wahrheit*.

Tracy fasste sich ein Herz und stellte die Frage, die sie schon den ganzen Sommer über bewegte.

«Wer ist dein Freund?»

Schweigen.

In der Glut des Lagerfeuers im Hintergrund gab es plötzlich einen Knall, und Tracy zuckte zusammen.

«Tut mir leid», sagte Barbara schließlich, «das kann ich nicht verraten.»

Man konnte ihr anhören, dass sie wütend war; doch gegen wen sich diese Wut richtete, ob gegen sie, ihren Freund oder die ganze Welt, wusste Tracy nicht.

Barbara griff nach Walters Flachmann, hielt ihn senkrecht an ihren Mund, trank ihn leer.

Dann sagte sie: «Lowell. Wahrheit oder Pflicht?»

Lowell überlegte. Er entschied sich für *Pflicht*.

«Deine Aufgabe ist, mich zu küssen», sagte Barbara.

Tracy spürte ein kaltes Gefühl in ihrem Nacken, und schnell wurde ihr klar, was es war: Angst.

Im schwachen Schein des Feuers sah sie Lowells breite Schultern und seine Unterarme, die über seinen angezogenen Beinen verschränkt waren. Er nahm erst einen Arm herunter, dann den anderen, ging auf die Knie und lehnte sich in Barbaras Richtung. Er legte seine Hände an ihre Wangen, und dann beugte er sich vor und küsste sie. Tracy sah sofort, dass er schon viele Mädchen geküsst hatte und dass das hier kein nachlässiger Kuss war, mit dem er bloß eine Aufgabe erledigte. Es war ein Kuss voller Gefühl, voller Leidenschaft. Sie wollte wegschauen, tat es aber nicht. Das, dachte Tracy, war ihre Strafe dafür, dass sie ihr Glück herausgefordert hatte. Sie hatte es verdient und nahm die Strafe hin.

Walter stieß ein leises *Uuuh* aus, als der Kuss vorbei war, aber das war auch schon alles.

Dann sagte Barbara, sie sei müde, Lowell ebenso, und die vier trennten sich abrupt: Die Jungs kümmerten sich ein letztes Mal um das Feuer, die Mädchen gingen in ihr Zelt.

Drinnen war Tracy wieder kalt. Sie zitterte. Sie legte sich auf die Seite, steckte die Knie in ihr Sweatshirt und rollte sich zusammen wie ein Embryo.

Nach einem kurzen Moment spürte sie, wie Barbara näher rückte, dann legte Barbara ihre Arme um Tracy und drückte sich von hinten an sie.

«Nicht», sagte Tracy.

«Tut mir leid», sagte Barbara. «Ich weiß nicht, was mit mir los ist. Tut mir leid, Tracy.»

Sie wollte nicht weinen, aber plötzlich weinte sie doch. Es war eher aus Scham als aus Wut: Sie schämte sich dafür, dass sie angenommen hatte, jemand wie Lowell Cargill könnte sich für sie interessieren.

«Nicht weinen, Tracy», sagte Barbara. «Bitte. Es tut mir leid.»

Tracy schloss die Augen. Wenigstens war ihr jetzt wärmer; Barbara hatte recht, körperliche Nähe half, Wärme zu speichern.

«Magst du ihn?», flüsterte Tracy.

«Nein.»

«Warum hast du das getan?»

Barbara hielt inne.

«Ich tue manchmal schlimme Dinge», sagte sie. «Das ist mein Problem. Manchmal überlege ich: Was wäre das Schlimmste, das ich jetzt tun könnte? Und dann tue ich es. Es ist dann fast so, als ob ich nicht anders kann.»

Auch wenn sie sich das nicht eingestehen mochte: Tracy verstand auf Anhieb, was Barbara meinte. Auch sie hatte schon solche Gedanken gehabt, nur dass sie viel zu viel Angst hatte, um das, was sie sich ausmalte, dann auch zu tun. Sie nahm an, dass es den meisten Menschen so ging.

«Das solltest du mal untersuchen lassen», sagte Tracy, und Barbara lachte leise auf. Tracy lächelte. Trotz allem freute sie sich, dass sie Barbara zum Lachen bringen konnte.

«Ach, das wurde schon x-mal untersucht», sagte Barbara. «Mein Vater hat mich schon mit fünf zum Psychiater geschickt.»

«Immer zu demselben?»

«Nein, ständig andere. Jedes Jahr zu einem neuen. Dieses Jahr ist es Dr. Roth. Ich sage immer ‹Dr. Sloth›, weil sie aussieht wie ein Faultier. Sie redet auch wie ein Faultier. So», sagte Barbara – und machte jemanden nach, der extrem lustlos und träge ist. «Wenigstens ist sie eine Frau. Ich mag Frauen lieber.»

«Ich auch», sagte Tracy, obwohl sie sich gar nicht sicher war, ob das stimmte.

«Was glaubt Dr. Roth denn, was bei dir nicht stimmt?»

«Impulskontrolle», sagte Barbara. «Die fehlt mir, sagt sie. Und mein Vater findet das auch.»

«Mit dem verstehst du dich nicht besonders, oder?»

«Ha!», sagte Barbara. «Das ist die Untertreibung des Jahres.»

«Bist du deshalb diesen Sommer ins Ferienlager gekommen?», fragte Tracy. «Weil du keine Lust auf ihn hattest?»

«Teil, teils.»

«Warum sonst?»

Barbara schwieg.

«Weil ich auf keinen von denen Lust hatte», sagte sie dann. «Sie feiern diesen Sommer eine große Party, und ich wollte einfach nicht dabei sein. Ihre ganzen schrecklichen Bekannten, die kann ich nicht ausstehen.»

Tracy hatte eine andere Theorie. «Ist es vom Ferienlager aus für dich nicht auch einfacher, dich mit deinem Freund zu treffen?»

Barbara nickte. Tracy spürte an ihrem Hinterkopf, wie sich Barbaras Kinn auf und ab bewegte.

«Da kann man sich leichter rausschleichen», sagte Barbara. «Oben im Haus ist immer irgendwer wach.»

«Und deine Mutter?» Es war das erste Mal, dass sie über Barbaras Familie sprachen. Normalerweise wechselte Barbara sofort das Thema. «Wie ist die so?», fragte Tracy.

Pause.

«Die ist völlig nutzlos», sagte Barbara. «Die kriegt kaum noch etwas mit.»

«Was ist mit ihr passiert?»

Barbaras Griff um Tracy lockerte sich ein wenig.

«Mein Bruder ist verschwunden», sagte sie leise. «Und nie wieder aufgetaucht. Ich glaube, das ist mit ihr passiert. Ich habe Fotos von ihr gesehen, als sie noch ein Teenager war, und da sah sie völlig okay aus. Wie ein ganz anderer Mensch.»

Tracy legte ihre Hand auf Barbaras. Sie drückte sie. Sie spürte, wie sie in der Kälte wieder nüchtern wurde. Sie ahnte, dass ihr das alles morgen furchtbar peinlich sein würde; dass es ihr schwerfallen würde, Lowell und Walter und Barbara auch nur anzusehen. Aber jetzt nutzte sie den Rest von dem Mut, den ihr der Alkohol eingeflößt hatte, verschränkte ihre Finger mit Barbaras und drückte ihren Arm fester an sich.

«Wusstest du das mit meinem Bruder?», fragte Barbara. «Wissen das alle?»

Tracy nickte. «Tut mir leid», sagte sie.

Schweigen.

«Meine Mutter glaubt immer noch, dass er zurückkommt», sagte Barbara. «Aber mein Vater darf das nicht wissen. Das erzählt sie nur mir. Mein Vater flippt aus, wenn sie Bear erwähnt.»

«Glaubst du, er kommt zurück?», fragte Tracy.

«Nein», sagte Barbara. «Auf keinen Fall.»

In der Finsternis hörte Tracy, wie Barbara den Mund öffnete und wieder schloss.

«Was ist?»

«Ich denke oft an ihn. Ich wünschte, er wäre nicht abgehauen», sagte Barbara.

«Weil du ihn gerne kennengelernt hättest?»

«Nein. Ich meine: ja, aber nicht nur», sagte Barbara. «Ich habe Fotos von ihm gesehen, darauf sah er richtig nett aus. Alle sagen, dass er so ein netter Junge war.»

Sie war einen Moment lang stumm. Tracy hielt den Atem an, um den Moment nicht zu zerstören. «Als ich jünger war», sagte Barbara, «habe ich immer so getan, als ob ich mich mit ihm unterhalte. Ich habe mir vorgestellt, dass er noch bei uns ist, dass ich einen großen Bruder habe, der auf mich aufpasst. Der mich vor meinen Eltern beschützt, wenn sie sich zankten oder wütend auf mich waren.»

Tracy nickte. Obwohl sie ein Einzelkind war, hatte sie sich ganz ähnliche Szenarien ausgemalt.

«Wobei», sagte Barbara, «wenn er nicht verschwunden wäre …»

Sie sprach den Satz nicht zu Ende.

«Was dann?», fragte Tracy.

«Dann wäre ich gar nicht erst geboren worden», antwortete Barbara. «Aber das wäre für alle besser gewesen, glaube ich.»

Sie schwiegen eine Weile.

Tracy wusste: Bei einem Erwachsenen wären jetzt die Alarmglocken angegangen, und er hätte Barbara lang und breit erklärt, wie lebenswert das Leben doch sei. Aber Tracy mit ihren fast dreizehn Jahren wertete diese Aussage nicht als Hilferuf, sondern als bloße Tatsache. Also sagte sie nichts, und die beiden atmeten lange gemeinsam, bis jede von ihnen glaubte, die andere sei eingeschlafen.

Plötzlich fragte Barbara: «Was glaubst du, wie spät es ist?»

Tracy hob ihren Arm mit der Armbanduhr und drehte ihn so, dass die Glut des Feuers auf das Zifferblatt schien.

«Mitternacht», sagte sie.

«Scheiße», flüsterte Barbara.

«Was?»

«Ich muss los.»

Ruckartig setzte sie sich auf.

Tracy setzte sich ebenfalls auf. «Wie … *los?*»

Barbara kramte in ihrem Rucksack.

«Wohin denn?», fragte Tracy.

«Dahin, wo ich jede Nacht hingehe.» Sie holte eine kleine Taschenlampe hervor.

«Wo hast du die her?»

«Die habe ich von Haus *Balsam* mitgenommen.»

«Aber woher weißt du, wohin du musst?», fragte Tracy ungläubig.

Barbara schnaubte nur.

«Keine Sorge», sagte sie. «Ich kenne jeden Zentimeter hier im Wald.» Dann machte sie sich auf den Weg, am Feuer vorbei, den Hang hinunter. Tracy sah ihr nach, bis sie nur noch den Strahl der Taschenlampe sehen konnte, und dann war sogar der verschwunden.

Tracy

1950er | 1961 | Winter 1973 | Juni 1975 | **Juli 1975** | August 1975

Tracy schlief unruhig, wachte immer wieder auf, manchmal von der Kälte und manchmal von den Geräuschen von jemand anderem aus der Gruppe, der nach dem Feuer sah.

Irgendwann öffnete sie die Augen und stellte fest, dass es draußen hell und sie immer noch allein im Zelt war.

Tracy rappelte sich auf, jetzt hatte sie Angst. Alle anderen schliefen noch. Auf Zehenspitzen schlich sie zu Lowells und Walters Zelt, beugte sich zu Lowell hinunter und flüsterte seinen Namen, bis er ein Auge öffnete.

«Barbara ist nicht da», sagte sie. «Sie ist weg.»

Lowell blinzelte in die Sonne, rieb sich die Augen und streckte sich.

«Was redest du?», fragte Lowell. «Ich habe sie gerade noch gesehen. Sie ist Holz sammeln.»

Und tatsächlich: Hinter einer kleinen Baumgruppe tauchte Barbara auf, die Arme voller Äste und Zweige für das morgendliche Lagerfeuer.

Sie grinste Tracy an. *Guten Morgen*, murmelte sie.

Für diesen Tag hatten sie sich vorgenommen, simple Eichhörnchenfallen aufzustellen, so wie sie es bei T. J. im Überlebenstraining gelernt hatten. Die Aufsicht hatte natürlich Barbara.

Am Abend befanden sich in den Eichhörnchenfallen weder Köder noch Eichhörnchen. Jemand hatte ein paar Beerensträucher gefunden, aber der Weg dorthin hatte mehr Energie gekostet, als die Beeren lieferten.

Die Stimmung hatte sich verändert. Sie hatten nichts weiter zu tun, als auf das Abendessen zu warten, auf die kleinen Portionen Bohnen aus der Dose und Studentenfutter, die Barbara ihnen zuteilte. Die jüngeren Ferienkinder jammerten, was sie für einen Hunger hätten, die älteren waren genervt.

Entschlossen ging Barbara noch einmal in den Wald, um die Fallen zu überprüfen. Einen Moment später hörten sie einen Schrei.

Tracy stand auf. Auf der anderen Seite ihres Lagerplatzes sah sie, dass Lowell ebenfalls aufstand. Dann rannte er in die Richtung, aus der Barbaras Stimme kam.

Eine Minute später tauchten die beiden grinsend zwischen den Bäumen auf und trugen zwei der Eichhörnchenfallen über der Schulter. An den Stangen hingen die Kadaver von drei Rothörnchen, die hin und her pendelten. Entsetzt bemerkte Tracy, dass eines noch zuckte und versuchte, sich zu befreien.

«Barbara!», rief sie. «Barbara, eines lebt noch!»

Barbara nickte.

«Schnapp dir einen Stein», sagte sie.

«Ich?», fragte Tracy.

«Ja, du.»

Tracy schaute sich um. Sie fand einen Stein, der massiv genug aussah, und hielt ihn hoch, damit Barbara ihn inspizieren konnte.

«Gut», sagte Barbara. «Jetzt zieh eine deiner Socken aus und steck den Stein hinein.»

Tracy spürte, wie sich ihr Magen zusammenzog.

«Tu es», sagte Barbara. «Komm schon, Tracy. Wenn ich die Stange hinlegen muss, reißt es aus.»

Irgendetwas in Barbaras Blick verriet Tracy, dass dies ein Test war; dass es mit ihrer Freundschaft aus wäre, wenn sie den Test nicht bestand. Also fügte sie sich, setzte sich auf den Boden, zog einen Schuh und dann eine Socke aus und steckte den Stein hinein.

Mit einem nackten Fuß humpelte sie auf das zappelnde Eichhörnchen zu. Die anderen Ferienkinder schwiegen. Sie zielte mit ihrer Waffe und schlug dann mehrmals auf den Schädel des Eichhörnchens ein, bis es sich nicht mehr rührte.

Als sie endlich den Kopf hob, bemerkte sie, dass alle ihr zugeschaut hatten: nicht nur der Rest der Gruppe, sondern auch T. J. Hewitt, die oben auf ihrer Anhöhe stand, die Hände in die Hüften gestemmt, und sie anerkennend anlächelte.

«Gute Arbeit», rief sie.

Es waren die ersten Worte, die sie sprach, seit sie verkündet hatte, sie sei unsichtbar.

Dann drehte sie ihnen den Rücken zu und krabbelte zurück in ihr Zelt.

Barbara schlachtete die Eichhörnchen. Dabei kniete sie auf einer Plane, die sie zu diesem Zweck auf dem Erdboden ausgebreitet hatte.

Als sie dem ersten Eichhörnchenkadaver den Pelz abgezogen hatte, nahm sie es auf ihren Schoß und begann, mit einem Schälmesser die restliche Haut zu entfernen.

Die anderen schauten zu.

Später würde niemand genau erklären können, wie es passiert war, nicht einmal Barbara, aber plötzlich saß sie ganz still da, auf ihrem rechten Knie lag das halb gehäutete Eichhörnchen, und in ihrem linken Oberschenkel steckte das kleine Messer, das sie benutzt hatte.

Ihre Hand umklammerte noch immer den Griff. Reflexartig zog sie es mit einem Ruck heraus und sagte dann: «Das hätte ich nicht tun sollen.»

Und tatsächlich: Drei Sekunden lang geschah nichts, doch dann quoll Blut aus der Wunde, immer mehr, bis es überlief.

«Ich hätte es nicht rausziehen sollen», sagte Barbara noch einmal. «Ich hätte es stecken lassen sollen.»

Barbara trug eine kurze Hose, daher konnte man ihr Bein gut sehen. Das Blut lief ihr die Innenseite ihres Oberschenkels hinunter.

Einige aus der Gruppe schauten weg und zogen mit gesenkten Köpfen ab, andere kamen näher, um zu sehen, was los war.

«Wir müssen es T. J. sagen», meinte Lowell.

«Nein», sagte Barbara sofort.

«Warum nicht?», fragte Walter. «Das hat sie doch selbst gesagt. Sie hat gesagt, der einzige Grund, ihr Bescheid zu sagen, wäre ein Notfall.»

«Das hier ist kein Notfall», sagte Barbara. «Ich komme schon klar.»

Sie sah sich um. Mit einem rhythmischen Klatschen landete das Blut von ihrem Bein auf der Plane.

«Christopher!», rief sie. Er war weggelaufen, als er das Blut gesehen hatte.

Jetzt kam er verschüchtert aus seinem Zelt.

«Ich brauche mein Sweatshirt zurück», sagte Barbara. «Tut mir leid.»

Hastig zog er es aus und lief zu ihr. Mit ihrem Messer schnitt sie einen Ärmel ab und wickelte ihn fest um ihr Bein. Der weiße Stoff wurde schnell rosa.

Ein, zwei Stunden trug Barbara den Ärmel ums Bein und ging scheinbar unbeirrt ihrer Arbeit nach.

Zum Abendessen gab es Eichhörnchen, jeder bekam ungefähr einen Bissen Fleisch, was die Moral aller Anwesenden stärkte, auch wenn niemand satt wurde.

Spät am Abend fiel Tracy auf, dass Barbara stiller wirkte als sonst.

Sie hatte bestimmt eine Menge Blut verloren; zweimal hatte sie den Ärmel ihres Sweatshirts durch ein neues Stück Stoff ersetzen müssen.

«Alles okay mit dir?», fragte Tracy.

«Mir geht's gut», sagte Barbara.

Aber im Gesicht war sie ganz blass. Tracy sah sie einen Moment zu lange an.

«Was?», fragte Barbara.

Hinter sich spürte Tracy, wie sich die Blicke der anderen Ferienkinder auf sie richteten. Alle waren verstummt.

«Wir müssen es T. J. sagen», sagte Lowell. Er sah zu Barbara hinunter und musterte ihr Gesicht. «Ich meine es ernst. Du hast zu viel Blut verloren. Das ist gefährlich.»

«Mir geht's gut», sagte Barbara wieder. Sie klang ganz schwach.

Doch Lowell hatte genug. Er ging auf T. J.s Zelt zu. Barbara rief ihm hinterher, aber ihre Stimme war zu leise, als dass er sie hätte hören können.

Zehn Sekunden später kam T. J. den kleinen Abhang heruntergelaufen. Sie trug einen großen Topf vor sich her. Dann kniete sie sich vor Barbara hin, die jetzt auf dem Rücken lag und offenbar den Kopf nicht mehr oben halten konnte.

Nachdem T. J. ihren Schützling untersucht hatte, stand sie auf, sah sich um und musterte die Anwesenden.

Sie identifizierte Lowell Cargill korrekt als denjenigen, der in einer Krise am ehesten einen kühlen Kopf behielt, reichte ihm den Topf und wies ihn an, das Lagerfeuer zu schüren und Wasser zu kochen. Dann hob sie Barbara hoch und ging mit ihr auf den Armen so schnell sie konnte den Hügel hinauf.

«Ruf mich, wenn das Wasser kocht», rief sie.

Dann verschwand sie mit Barbara in ihrem Zelt.

Bei Anbruch der Dunkelheit saß Barbara wieder bei den anderen. T. J. hatte ihr die Wunde gesäubert und genäht. Sie hatte ihr zu essen und zu trinken gegeben und ihr etwas Wärmeres angezogen. Jetzt hatte Barbaras Gesicht wieder Farbe, und sie spielte den Vorfall herunter.

Später im Zelt lagen Tracy und Barbara wieder genauso eng beisammen wie in der vorigen Nacht.

«Barbara», sagte Tracy.

«Was?»

«Ich bin so froh, dass alles gut gegangen ist.»

Barbara schnaubte. «Es wäre auch so alles gut gegangen.»

«Ich weiß nicht», sagte Tracy. «Du sahst ziemlich übel aus.»

«Ich wäre auch allein zurechtgekommen. Wenn es schlimmer geworden wäre, dann wäre ich zum Camp zurückgegangen. Ich hätte den ganzen Weg hin und zurück gehen können. Es war nicht nötig, T. J. da hineinzuziehen.»

Seltsamerweise glaubte Tracy ihr.

«Wo hast du eigentlich diese ganzen Sachen gelernt?», fragte Tracy.

«Was denn für Sachen?»

«Du weißt schon. Tierfallen und Zelte aufstellen und so. Eichhörnchen zerlegen. Erste Hilfe.»

«Da, wo du das auch gelernt hast», sagte Barbara. «In T. J.s Kurs.»

Tracy schüttelte den Kopf. «Ich weiß längst nicht so viel wie du. Ich glaube, das tut keiner.»

Barbara schwieg einen Moment. «Meine Familie», sagte sie.

Dann schwiegen sie. Tracy ahnte, dass mehr dahintersteckte. Aber sie wollte Barbara nicht unter Druck setzen.

«Gehst du heute Nacht wieder weg?», flüsterte Tracy.

«Ich glaube nicht, dass ich kann», sagte Barbara. Sie bewegte sich ein wenig. «Ich glaube, mit dem Bein geht es nicht.»

Sie seufzte.

«Ist es denn okay, wenn du nicht gehst?», fragte Tracy zaghaft. Sie wollte nicht den gleichen Fehler begehen wie zuvor und Barbara ein Thema aufzwingen, über das sie offensichtlich nicht reden wollte.

Barbara schwieg so lange, dass Tracy schon dachte, sie wäre eingeschlafen. Der Pullover, den T. J. ihr gegeben hatte, wärmte sie beide, und Tracy spürte, wie sie ebenfalls schläfrig wurde.

Dann hörte sie Barbara in der Dunkelheit ausatmen.

«Wahrscheinlich nicht», sagte sie leise. «Wahrscheinlich ist es nicht okay.»

Alice

1950er | 1961 | Winter 1973 | Juni 1975 | Juli 1975 | August 1975: **Tag zwei**

Als Alice am zweiten Tag, nachdem Barbara verschwunden ist, aufwacht, ist ihre Kehle staubtrocken.

Sie hat die ganze Nacht auf dem Bauch geschlafen. Neben ihrem Mund hat sich auf dem Laken ein nasser Fleck gebildet.

Sie erinnert sich, dass etwas Schlimmes geschehen ist, aber sie kommt nicht darauf, was es ist. Sie setzt sich auf. Greift nach dem Glas mit Gin auf ihrem Nachttisch. Trinkt. Es schmerzt.

Sie steht auf.

Barbara.

Das ist es. Ihre Tochter ist seit gestern Morgen spurlos verschwunden.

Fünf Minuten später ist Alice im Wintergarten. Vom Fenster aus beobachtet sie, wie andere Eltern ihre Kinder abholen, eine Woche früher als geplant.

Einige – die aus Albany, Niskayuna oder Vermont – sind schon gestern gekommen, um ihre Kinder in Sicherheit zu bringen.

Diejenigen, die an der Westküste oder in Colorado wohnen, mussten erst einen Flug erwischen und kommen heute im Mietwagen zum Naturreservat gefahren, entsetzt darüber, dass ihre Kinder eine ganze Nacht an einem Ort verbringen mussten, wo keine vierundzwanzig Stunden zuvor ein Kind verschwunden ist.

Sie versteht das. Sie erinnert sich daran, wie es mit Bear war: Sie hätte alles getan, um ihn zu beschützen. Hätte jedem wehgetan, der ihm hätte wehtun wollen. Er brauchte sie – das war das ganze Geheimnis. Er brauchte sie, wie sie noch nie jemand gebraucht hatte. Peter sah es gar nicht gerne, dass er sich immer so an ihr festklammerte. Aber sie hatte noch nie jemanden beschützen dürfen, und sie genoss dieses Gefühl, und immer, wenn sie allein waren, kostete sie es so gründlich aus wie möglich.

Hinter ihr betritt jemand den Wintergarten.

Ohne sich umzudrehen, weiß sie, wer es ist.

Sie weiß, dass sie sie heute zurück nach Albany bringen. Die Peters sorgen dafür, dass sie ihnen nicht in die Quere kommt, wie immer.

Das ist in Ordnung. Sie ist gerne in Albany.

Dort kann sie die Stimme ihres Sohnes besser hören.

Alice

1950er | **1961** | Winter 1973 | Juni 1975 | Juli 1975 | August 1975

Bear hüpfte vor Vorfreude. Alice beobachtete ihn durch die Scheiben der Veranda: An dem Tag, an dem das *Blackfly Goodbye* beginnen sollte, stand er immer auf dem Rasen und wartete auf die Gäste. Er schlug ein Rad, und danach warf er einen Baseball in die Luft, immer und immer wieder. Er sang ein Lied, das Alice nicht kannte; das musste er in der Schule gelernt haben. Manchmal kam es ihr seltsam vor, dass er außerhalb des Hauses noch ein Leben hatte, von dem sie nichts mitbekam. Er ist in letzter Zeit eine richtige *Person* geworden, sagte sie zu Peter, und der rollte mit den Augen, als wüsste er nicht, was sie meinte. Aber er wusste es. Sie wusste, dass er es wusste.

Mit seinen acht Jahren war Bear liebenswert, intelligent, neugierig, lustig, und er wurde immer selbstständiger. Er übertraf all ihre Erwartungen; jetzt, da er nicht mehr ständig an ihrer Seite war, vermisste sie ihn manchmal, seine hohe, klare Stimme, mit der er achtzehn Mal in der Minute *Mama* rief.

Aber Peter war begeistert. Für ihn konnte der Junge gar nicht schnell genug selbstständig werden.

Das Beste daran war, dass es Peter und Alice einander näher brachte. Manchmal saßen sie still beisammen und schauten ihrem Sohn zu, als wäre es ein Theaterstück. Beide genossen die Gesellschaft des anderen auf eine Weise, wie sie es gar nicht kannten. Alice wurde in diesem Jahr sechsundzwanzig. Endlich ein respektables Alter.

Manchmal kam ihr jetzt der aufregende Gedanke, dass ihr Mann sich in sie verliebte – strenggenommen zum ersten Mal überhaupt. Ihr jüngeres Ich tat ihr leid, die achtzehnjährige Alice, die noch nichts von der Welt gewusst hatte; aber jetzt, in diesem Moment, war sie sehr mit sich zufrieden. Es war schon komisch, fand sie, wie viele Beziehungen man im Laufe eines gemeinsamen Lebens mit ein und demselben Mann führen konnte.

Peter und sein Vater hatten in diesem Jahr mehr Gäste eingeladen als je zuvor: siebenunddreißig, wenn Alice richtig gezählt hatte. Alle Zimmer waren belegt, auch die in den Nebengebäuden. Wegen der vielen alleinstehenden Männer und Frauen, die sich kein Zimmer mit jemandem teilen konnten, hatten sie sogar einen Teil des Personalquartiers zweckentfremden müssen; für die Angestellten, die sonst dort wohnten, hatten sie zwei Sommerhäuser fünf Meilen südlich angemietet und ihnen Autos zur Verfügung gestellt.

Als der erste Gast vorfuhr, rannte Bear zur Zufahrt, um Hallo zu sagen. Vom Wintergarten aus erkannte Alice das Auto sofort: Es war das ihrer Schwester Delphine.

Seit Georges Tod waren drei Jahre vergangen, und Delphine kam seitdem allein, in demselben praktischen Buick, den sie sich standhaft weigerte zu verkaufen.

«Bear!», sagte Delphine. Alice konnte durch das Glas sehen, wie ihr Mund den Namen formte. Delphine hatte seit jeher eine ganz besondere, freundschaftliche Beziehung zu ihrem Neffen. Bei den Sommerfesten behandelte sie ihn gar nicht wie ein kleines Kind, sondern eher wie ihresgleichen; sie brachte ihm Papier und Farbe mit, saß stundenlang bei ihm und unterhielt sich mit ihm darüber, was er in der Schule durchnahm.

Alice ging durch den Flur ins Wohnzimmer, wo Peter und seine Eltern vor dem Kamin saßen und lasen.

«Delphine ist da», sagte sie.

Das Publikum war in diesem Jahr bunt gemischt. Die üblichen Verdächtigen waren da: Peters und Alice' Familien, die Southworths mit ihrer winzigen Tochter Annabel, die McLellans mit ihren Kindern, eine Handvoll wichtiger Kunden und die obligatorischen Künstler.

Alle lobten das Essen. Eigentlich lobten alle alles: die Dekoration und die Blumen und die Musiker, die sie angeheuert hatten, und die Kleider, die Alice trug, und sie lobten Bear dafür, wie klug er war und wie witzig und wie hübsch anzuschauen.

Die ganze Woche über kam Peter Alice anders vor als sonst: Er zeigte sich von seiner besten Seite. Er war fröhlicher, enthusiastischer. Er wirkte richtig entspannt. Manchmal sah sie ihn auf dem Rasen sitzen und Zeitung lesen. In früheren Jahren hatte sie den Eindruck gehabt, er würde sich überhaupt nie hinsetzen.

Eines Tages brachen die meisten Gäste zu einer Wanderung auf den Hunt Mountain auf, doch Alice blieb im Haus. Sie war müde von der langen Nacht und wollte ein kurzes Nickerchen machen.

Sie ging in ihr Schlafzimmer und blieb erstaunt stehen.

Peter lag in ihrem Bett – wach.

Er blickte zu ihr auf. Zuerst schien er überrascht. Dann lächelte er.

«Wolltest du nicht wandern gehen?», fragte er.

«Nein», sagte Alice. «Ich dachte, ich ruhe mich ein wenig aus.»

Sie wartete ab, war ein wenig nervös. Das Wort «ausruhen» war Peter ein Gräuel. Er selbst ruhte sich niemals aus, und er mochte es auch nicht, wenn andere in seiner Nähe sich ausruhten.

Umso überraschter war sie, als er sagte: «Komm, wir ruhen uns zusammen aus.»

Im ersten Jahr ihrer Ehe hatten sie regelmäßig Sex gehabt, weil es nun einmal dazugehörte. Der Akt war ihr immer ein wenig peinlich gewesen, denn von Anfang an hatte sie nie den Eindruck gehabt, dass er sie dabei wirklich begehrte; er ließ es mehr wie eine Pflichtübung erscheinen, bestenfalls wie einen Gefallen, den er ihr tat.

Als Bear ein Jahr alt war, hatte Peter für sie getrennte Schlafzimmer eingerichtet, sowohl in ihrem Haus in Albany als auch im Haus *Self-Reliance*. Er bezog sie nicht in die Entscheidung ein, sondern stellte sie einfach vor vollendete Tatsachen, mit der Begründung, es sei wegen ihrer Schlaflosigkeit.

Seitdem schlief sie allein.

Alice war noch immer eine junge Frau, und manchmal verspürte sie ein so starkes Verlangen nach körperlicher Nähe, dass sie nicht wusste, wohin damit. Sie stellte sich vor, wie es mit anderen Männern wäre, mit Bekannten, mit Fremden auf der Straße. Aber nachdem Peter sie einige Male zurückgewiesen hatte, teilweise so barsch, dass sie weinen musste, machte sie keine Anstalten mehr, sich ihm auf diese Weise zu nähern. Stattdessen beschäftigte sie sich mit sich selbst und fragte sich, ob irgendeine andere Frau auf der Welt das Gleiche tat wie sie.

Ganz anders an diesem Tag: Peter berührte sie mit einer Zärtlichkeit, die sie noch nie zuvor gespürt hatte. Er war sanft und kraftvoll zugleich. Hinterher lag sie mit ihm im Bett, völlig überrumpelt.

Sie weinte, was sie sich vor Peter nur selten traute.

«Was ist denn?», fragte er sie voller Mitgefühl.

Sie weine, sagte sie, weil sie ihn so liebe. Und genauso war es in jenem Moment: Sie liebte ihn und das Leben, das sie sich zusammen aufgebaut hatten. Aber sie weinte auch wegen all dem, was er ihr bisher vorenthalten hatte.

«Dummerchen», nannte er sie, aber in seiner Stimme schwang Zuneigung mit. Sie ließ sich in seine Arme sinken.

Das, so dachte sie, hatte sie sich ihr ganzes Leben lang gewünscht. Endlich war es so weit.

Alles war anders. Den Rest der Woche schmachteten sie sich geradezu an. Wann immer sie konnten, suchten und fanden sie einander. Peter schlief in ihrem Zimmer – dem Zimmer, das er für sie eingerichtet hatte. In sein Zimmer auf der anderen Seite des Flurs ging er nur, um sich morgens anzuziehen.

Sogar Bear bekam es mit: Einmal kam er zu ihnen, nahm ihrer beider Hände und lächelte, als er in ihre Gesichter sah, als könne er ihre Liebe spüren.

Normalerweise dauerte das *Blackfly Goodbye* von Samstag bis Samstag. Doch beim diesjährigen Abschiedsessen – wie immer veranstaltete das Personal am letzten Abend ein Picknick am Strand – erhob sich Peter und bat allseits um Aufmerksamkeit.

«Fahrt morgen noch nicht weg», sagte er. «Bleibt noch einen Tag.»

Dann sah er sich um, als würde ihm erst jetzt die Tragweite seiner Idee bewusst. «Warren!», rief er – so hieß seinerzeit der Koch. «Warren, wir haben für morgen doch wohl noch genug zu essen, oder?»

Zögernd nickte Warren. Das würde weitere Fahrten in die Stadt bedeuten, wie Alice wusste, ganz zu schweigen von all den Aushilfen, die nur für eine Woche angestellt worden waren und deren Verträge man nun ändern musste.

Aber Peter hatte sich schon entschieden, und die Gäste hatten schon applaudiert.

Es sah so aus, als würde das Picknick einfach so weitergehen, bis jemand, der am Rand saß, das Wort ergriff.

«Ist das in Ordnung?», fragte Delphine. Alle drehten sich zu ihr um. «Warren, hatten Sie etwas anderes vor?»

Schweigen.

Jedem am Strand war klar, wie unerhört dieser Vorgang war. Als verwitwete Frau, die ohne Begleitung auf der Party war, hatte Delphine kein Recht, einen Angestellten der Van Laars direkt anzusprechen.

Plötzlich erhob sich Peters Vater, der normalerweise seinem Sohn das Zepter überließ, mit einem Schwung, der einen bei jedem anderen Mann seines Alters überrascht hätte, aus seinem tiefen Adirondack-Stuhl.

Er wandte sich an die ganze Gruppe.

«Warren wird sich freuen, Sie alle zu versorgen», sagte er. «Genau wie wir. Danke, dass Sie so fürsorglich sind, Mrs Barlow.»

Als Peter an jenem Abend ins Bett kam, war seine gute Laune verflogen und hatte einer stillen Wut Platz gemacht. «Was hat sie sich nur dabei gedacht?», fragte er immer wieder. Mit «sie», vermutete Alice, war Delphine gemeint.

«Sie meint es ja nur gut», sagte Alice. «Sie ist nur … Sie war schon immer ein wenig anders. Schon als wir klein waren.»

Peter schwieg.

«Sie hat auch ihre guten Seiten. Sie kann sehr gut mit Bear umgehen.» Alice überlegte krampfhaft, was sie sagen konnte, um ihren Mann zu besänftigen. «Sie ist immer so nett zu ihm. Setzt sich mit ihm hin, weißt du? Sie bringt ihm jedes Mal Spielzeug mit.»

«Wie anmaßend diese Frau ist», sagte Peter. «Ich weiß, dass sie deine Schwester ist, Alice, aber ich glaube nicht, dass wir sie noch einmal einladen sollten.»

Er drehte sich um, weg von Alice.

Zaghaft legte sie ihm eine Hand auf die Schulter. Er bewegte die Schulter und schüttelte sie ab. Dann stand er auf. Er zog seinen Bademantel an, verließ ihr Zimmer und ging über den Flur in sein Zimmer.

Sie wollte nicht, dass der Zauber dieser Woche vorüber war. Sie wollte nicht, dass sie wieder so würden, wie sie immer gewesen waren.

In dieser Woche hatte sie nicht so viel getrunken wie sonst; sie war viel zu abgelenkt gewesen durch Peters Zärtlichkeiten. Aber als ihr am letzten Samstag des *Blackfly Goodbye* klar wurde, dass Peter nicht mehr aus seinem Zimmer kommen würde, ließ sie sich zum Mittagessen Wein einschenken und füllte ihr Glas danach in der Küche immer wieder auf, sobald sie einen Moment für sich hatte.

Um 4 Uhr roch die Luft plötzlich anders. Alle meinten, es würde regnen.

Das Personal war den ganzen Tag damit beschäftigt, säckeweise Lebensmittel aus der Stadt zu holen.

Irgendwann schlug jemand vor, einen Bootsausflug auf Lake Joan zu machen: Es sei die letzte Gelegenheit, vor dem Unwetter noch aufs Wasser zu gehen. Gesagt, getan – alle begaben sich auf ihre Zimmer, um sich umzuziehen.

Darüber wird Bear sich bestimmt freuen, dachte Alice. Und machte sich auf die Suche nach ihm.

Den Großteil der Woche war er mit John Paul und Marnie McLellan herumgerannt; immer wieder hatte sie ihn für eine ganze Weile nicht zu Gesicht bekommen. Noch nie hatte sie ihm so wenig Aufmerksamkeit geschenkt wie in der vergangenen Woche, aber sie hatte auch noch nie etwas gehabt, das sie so abgelenkt hatte wie Peter. Es war alles in Ordnung, sagte sie sich. Bear hatte ebenfalls seinen Spaß.

Zu ihrem Grüppchen gehörte auch Tessie Jo Hewitt. Sie war etwas älter als die anderen Kinder und schien so etwas wie die Anführerin zu sein. Alice war sich nicht ganz sicher, aber sie hielt es für möglich, dass Vic Hewitt seiner Tochter gesagt hatte, sie solle auf die anderen Kinder aufpassen.

Alice fand Bear weder in ihrem Schlafzimmer noch in einem der Zimmer der McLellans.

Sie schaute unten am Strand nach und im Bootshaus, wo zwei der Angestellten gerade mehrere Boote für den nachmittäglichen Ausflug vorbereiteten.

«Haben Sie Bear gesehen?», fragte sie, aber die beiden verneinten.

Peters Zimmer hob sie sich als Letztes auf. Sie hielt es für unwahrscheinlich, dass ihr Sohn dort war: Bear und sein Vater waren einander in letzter Zeit zwar etwas näher gekommen, aber eigentlich gehörte er ihr allein. Bei Peter kam es ihr immer so vor, als schaue er Bear wie von ferne an – selbst wenn die beiden im selben Zimmer waren.

Sie ging über den Teppichboden im Flur von Haus *Self-Reliance* und horchte auf Kinderstimmen, auf die Stimme ihres Sohnes.

Sie blieb vor Peters Zimmer stehen und lauschte an der Tür. Als sie nichts hörte, drehte sie den Türknauf.

Judyta

1950er | 1961 | Winter 1973 | Juni 1975 | Juli 1975 | August 1975: **Tag zwei**

Judy steht reglos in dem verlassenen Schlachthaus.

Sie lauscht: wieder Schritte. Fünf, sechs, sieben hintereinander.

Am Ende des düsteren Raumes sieht sie eine Treppe, die nach oben in die Finsternis führt. Wenn das hier ein Film wäre, denkt sie, würde sie jetzt dort hinaufgehen. Aber sie hat in ihrer Ausbildung gelernt, sich niemals allein einer potenziellen Gefahrenquelle zu nähern, daher verlässt sie das Gebäude wieder und tritt hinaus ins Tageslicht.

Dann geht sie in Richtung von Camp Emerson, wird schneller, beginnt zu rennen.

Eine Viertelstunde später steht Judy zusammen mit Denny Hayes und Captain LaRochelle auf der unbefestigten Zufahrt und sieht zu, wie eine Einheit aus sechs State Troopers mit gezückten Pistolen und dem Rücken zur Wand das Schlachthaus betritt. «Ob das wirklich nötig ist?», flüstert Judy, und Denny dreht sich zu ihr um und bedeutet ihr zu schweigen.

«Befehl des Captains», sagt er.

Als der letzte State Trooper im Gebäude verschwunden ist, spürt Judy, wie sehr sie belastet, was sie hier angezettelt hat.

Drei ewig lange Minuten starrt sie abwechselnd in den Himmel und zu Boden.

Wie viele Schritte hat sie tatsächlich gehört? Nur ein paar, denkt sie. Und wie laut waren sie? Nicht besonders laut. Könnte es etwas anderes gewesen sein? Ein Baum, der gegen das Dach klopft? Herunterfallende Eicheln? Dutzende Möglichkeiten gehen ihr durch den Kopf, bis die State Troopers schließlich wieder aus dem Schlachthaus kommen. Jetzt wirken sie ganz entspannt. Die beiden, die die Gruppe anführen, überqueren den Weg und sprechen mit Captain LaRochelle.

«Haben die Übeltäter gefunden», sagt der eine.

«Eine Eichhörnchenfamilie», sagt der andere und grinst.

LaRochelle räuspert sich. «Das ist alles? Sind Sie sicher?»

«Jawohl. Haben das ganze Stockwerk abgesucht.»

LaRochelle sagt nichts. Dann wendet er sich, ohne Judy anzusehen, an Hayes. «Ich war gerade im Gespräch mit Mr Van Laar», sagt LaRochelle. «Es wird wohl das Beste sein, ich setze dieses Gespräch jetzt fort.»

Er geht.

Judyta

1950er | 1961 | Winter 1973 | Juni 1975 | Juli 1975 | August 1975: **Tag zwei**

Zurück in der Einsatzzentrale im Haus der Campleiterin, nimmt Denny Hayes an der Stirnseite des Raumes Platz, um sich mit der kleinen Gruppe von Ermittlern zu besprechen, die er dort vorhin um sich geschart hat.

Er sagt, der Superintendent sei mit der bisher geleisteten Arbeit nicht zufrieden. Nachdem die Ranger der Naturschutzbehörde gestern so gut wie nichts gefunden hätten, werde heute das Adirondack Search & Rescue Team – eine Truppe freiwilliger Zivilisten – in die umliegenden Wälder geschickt, um noch engmaschiger zu suchen.

«Irgendwelche neuen Hinweise heute Morgen?», fragt Hayes in die Runde.

Die anderen Ermittler sehen sich um. Ihre Gesichter sagen: nicht wirklich.

Einer berichtet: «Ein paar Kinder haben gesagt, sie hätten eine Frau im Wald gesehen. In diesem Sommer und auch schon in denen davor. Anscheinend ist das so eine Legende hier in der Gegend. So eine Art Geistergeschichte.»

Hayes blinzelt.

«Eine Geistergeschichte über eine Frau. Zur Kenntnis genommen», sagt Hayes. «Weiß jemand etwas darüber, wie dieser Geist aussieht?»

Derselbe Kriminalbeamte sagt: «Ältere Frau. Dünn. Grauhaarig. Mehr weiß ich nicht. Außer, wie sie sie nennen.»

«Und zwar?»

Der Ermittler schaut genervt drein und sieht in seine Notizen. Liest vor: «Scary Mary.»

«Scary Mary», sagt Hayes.

Der Ermittler nickt.

«Sonst noch jemand?», fragt Hayes.

Schweigen.

«Überall heißt es, dass alle Barbara mochten», sagt ein anderer Ermittler. «Soweit ich weiß, hatte sie keinen Streit mit irgendwem.»

Hayes sieht noch verzweifelter aus als sonst.

Judy ist ihre Schlappe mit dem Schlachthaus immer noch peinlich. Sie stellt sich vor, wie sich die Kollegen über sie lustig machen. Sie inkompetent nennen. Sie überlegt, ob sie berichten soll, was Mrs Clute, die Köchin, ihr erzählt hat. Lieber würde sie es Denny Hayes unter vier Augen sagen. Aber Hayes sieht aus, als würde er gleich die Versammlung auflösen wollen, also hebt sie die Hand.

«Nimm die Hand runter, Judy», sagt Hayes. «Wir sind nicht in der Schule. Sag einfach, was du sagen willst.»

Sie wird rot.

«Eine Köchin aus dem Haus hat mir etwas erzählt», beginnt sie. «Anscheinend ist sie die Tochter des Mannes, der Bear Van Laar entführt haben soll.»

Eine Weile sind alle stumm.

Ein Ermittler, der bisher noch gar nichts gesagt hat, fragt: «Carl Stoddard?»

Judy nickt. Sie erkennt ihn wieder: Es ist der älteste Kollege im Raum. Derjenige, der LaRochelle gestern gefragt hat, ob man in Erwägung ziehen solle, dass Jacob Sluiter etwas mit Barbaras Verschwinden zu tun hat.

«Ich habe damals an dem Fall mitgearbeitet», sagt der Mann und bestätigt damit, was alle vermuten.

Judy beschließt, mit ihm zu reden, wenn sie ihn allein erwischt.

«Warum in aller Welt arbeitet die Tochter von Carl Stoddard für die Van Laars?», sagt Hayes. «Das ergibt doch keinen Sinn, weder so noch so. Die Van Laars würden so jemanden doch niemals einstellen, ganz bestimmt nicht. Und ich kann mir auch nicht vorstellen, dass sie sich gerne hier aufhält.»

«Sie ist verheiratet, sie heißt jetzt anders», sagte Judy. «Clute. Sie sagt, die Van Laars wissen nicht, wer sie ist. Sie sagt, sie hatte keine Wahl, sie hat keine andere Stelle gefunden, nachdem ihr Mann arbeitslos geworden ist. Sie haben mehrere Kinder. Und schwanger ist sie auch noch.»

«Und was hat sie darüber gesagt, dass Barbara verschwunden ist?»

Judy überlegt, wie sie ihre Antwort formulieren soll. «Sie hat gesagt, dass ihre Eltern Barbara nicht gut behandelt haben. Sie irgendwie vernachlässigt haben. Aber sie hatte keine Ahnung, wo sie hingegangen sein könnte.»

«Das ist alles? Nichts … Anstößiges? Das über Vernachlässigung hinausgeht?», fragt Hayes.

«Zumindest hat sie es nicht erwähnt», sagt Judy. «Aber sie wird sicher auch nicht alles wissen. Es ist ihr erster Sommer hier.»

«Und was hat sie über ihren Vater gesagt?»

Der ganze Raum scheint den Atem anzuhalten.

«Sie hat gesagt, dass man Carl Stoddard die Tat angehängt hat», sagt Judy. «Sie hat gesagt, dass er es auf keinen Fall getan hat. Aber er ist an einem Herzinfarkt gestorben, bevor er entlastet werden konnte, und die Van Laars haben es einfach so hingenommen, dass man ihm die Tat in die Schuhe geschoben hat, dabei gab es offenbar kaum Beweise.» Sie macht eine Pause. «Ich nehme an, Captain LaRochelle war einverstanden. Und dass das die Version der Ereignisse war, die man der Öffentlichkeit präsentiert hat.»

Schweigen.

Judy wirft einen Blick auf den Ermittler, der damals an dem Fall mitgearbeitet hat.

«Goldman», sagt Hayes, und der Kollege dreht sich zu ihm um. «Was meinen Sie?»

Goldman denkt nach.

Er schaut über seine Schulter – wahrscheinlich um sicherzugehen, dass LaRochelle nicht in der Nähe ist. «Ich habe nie geglaubt, dass es Stoddard war», sagt er. «Aber fragen Sie mich das nicht vor dem Captain.»

«Hat Mrs Clute ihre Aussage unterzeichnet?» Hayes wendet sich wieder Judy zu. «Würde sie das offiziell zu Protokoll geben?»

«Nein», sagt Judy schnell. «Sie ist praktisch weggerannt, als ich sie darum gebeten habe.»

«Trotzdem danke, Investigator Luptack», sagt Hayes. «Das ist das erste Interessante, was ich heute zu hören bekomme. Sie muss dir vertraut haben, wenn sie dir so etwas erzählt.»

Er sieht ihr in die Augen. Dann: «Sonst noch was? Irgendjemand?»

Plötzlich geht die Tür auf. Captain LaRochelle tritt ein.

Sofort ändert sich die Stimmung im Raum. Goldman wendet sich seinen Akten zu. Zwei der anderen Kollegen verlassen den Raum. Und Judy merkt, dass sie alle eine stillschweigende Übereinkunft getroffen haben: LaRochelle nichts mehr zu erzählen, ohne es vorher mit Hayes geklärt zu haben.

Captain LaRochelle fragt nicht nach, ob sie während seiner Abwesenheit neue Erkenntnisse gewonnen haben.

Judyta

1950er | 1961 | Winter 1973 | Juni 1975 | Juli 1975 | August 1975: **Tag zwei**

Das Adirondack Search & Rescue Team, verkündet LaRochelle, habe oben bei der Hütte der Feuerwache auf dem Gipfel von Hunt Mountain etwas gefunden. In und vor der Hütte hätten eine ganze Menge Bierflaschen gelegen. Und auf den Flaschen gebe es eine Reihe verwertbarer Fingerabdrücke. Und fünf davon stammten von John Paul McLellan.

Aber das war noch nicht alles.

Jemand habe auf dem Revier in Ray Brook angerufen und den Kollegen dort einen anonymen Hinweis gegeben: Offenbar verbringe John Paul McLellan den ganzen Sommer in der Nähe des Van-Laar-Naturreservats und sei nicht erst zu der einwöchigen Party angereist. Wahrscheinlich sei also McLellan der mysteriöse Freund, mit dem sich Barbara Van Laar jede Nacht in der Hütte der Feuerwache getroffen habe.

«Da hätten wir's doch», sagt Goldman. «Das und die Uniform mit dem Blut. Dann ist McLellan also unser Mann?»

Die Sache habe einen Haken, sagt LaRochelle. Denn McLellan und sein Vater, der Anwalt, würden jemand anderen beschuldigen: Louise Donnadieu, Barbaras Betreuerin; sie habe McLellan gebeten, die Papiertüte zu entsorgen.

Der Inhalt der Tüte, so LaRochelle weiter, werde derzeit in der Gerichtsmedizin untersucht, um die Blutgruppe zu bestimmen.

«Wir beschuldigen also McLellan», sagt Goldman, «und McLellan beschuldigt Donnadieu?»

«Und einen Knaben namens Lee Towson», sagt LaRochelle. «Küchenhilfe. McLellan sagt, er und Donnadieu sind ein Paar.»

Im ganzen Raum räuspert man sich.

«Wie auch immer», sagt LaRochelle. «Bis das Blut analysiert ist, verfolgen wir einfach die Fährten, die wir haben.»

Die Ermittler stehen in der Einsatzzentrale herum. LaRochelle verschwindet und kehrt zum Haupthaus zurück.

Langsam leert sich der Raum. Als sie allein sind, wendet sich Denny Hayes an Judy. «Lass mich mal die Karte sehen», sagt er.

Judy nimmt den Zeichenblock, den sie an die Wand gelehnt hat, und gibt ihn Hayes. Er betrachtet die Seiten, auf denen sie das Haus, das Ferienlager und die Nebengebäude eingezeichnet hat. Über die Gebäude hat sie die Namen der Leute geschrieben, von denen sie herausgefunden hat, dass sie sich dort aufgehalten haben.

Hayes bittet um einen Stift. Schreibt *unbewohnt* über die Wirtschaftsgebäude. Judy errötet. Eine Weile sagt er nichts. Dann zeigt er auf einer der Karten auf eine Stelle im Norden. «Hier gehört noch das Häuschen der Feuerwache hin», sagt er. «Da können wir McLellans Namen eintragen.»

«Wie kann es sein, dass Louise Donnadieu nicht wusste, dass McLellan schon den ganzen Sommer über hier war?», fragt Judy. «Haben sie sich gar nicht getroffen?»

«Keine Ahnung», sagt Hayes. «Vielleicht hat er sie angelogen.»

«Was glaubt sie denn, wo er war?», fragt Judy.

«Weiß ich nicht genau», sagt er. «Aber wir können es herausfinden. Bis sie sie nach Albion überführen, ist sie in Wells. Ich werde dort vorbeischauen.»

Judy nickt. «Was ist mit McLellan?», fragt sie. «Den behalten wir im Auge, oder?»

Hayes bejaht. Aus jeder Schicht sei ein Ermittler abgestellt worden, der auf dem Parkplatz des Hotels, in dem McLellan wohnt, im Auto sitzt und ihn und seine Eltern beschattet.

«Die Sache ist die», sagt Hayes, «ganz egal, wie viele Indizien wir sammeln: Ohne dass wir eine Leiche finden oder das Mädchen lebendig wieder auftaucht, können wir ihn nicht verhaften. Alles, was wir gegen ihn in der Hand haben, ist kaum der Rede wert. Trunkenheit am Steuer. Besitz illegaler Betäubungsmittel. Mit einem Anwalt als Vater werden wir nicht besonders lange an ihm dranbleiben können.»

«Aber die Uniform», sagt Judy.

«Er behauptet steif und fest, dass Donnadieu ihn gebeten hat, die Tüte zu entsorgen, in der sich die befand.»

Es ist schon fast sieben, als Judy völlig erschöpft in ihren Käfer steigt.

Sie fährt die unbefestigte Straße hinunter, die von Haus *Self-Reliance* zur State Route 29 führt, und biegt links ab, in Richtung Süden. Jetzt, wo Judy allein ist, lenkt sie nichts mehr davon ab, darüber nachzudenken, wie peinlich der Vorfall vorhin war, und sie presst kurz die Augen zusammen, um den Gedanken zu verscheuchen. Sagt mehrmals *verdammt*. Die ganzen State Troopers. Captain LaRochelle. Hayes. Alle gucken sie die ganze Zeit so komisch an, so skeptisch. Machen sich über sie lustig.

Wäre sie doch bloß die Treppe hochgegangen, denkt sie. Hätte sie doch nur länger den Geräuschen gelauscht.

Ihre Augenlider sind schwer. Es war ein langer, heißer Tag. Als sie zur Ermittlerin befördert wurde, hat sie nicht geahnt, dass damit so viel zwischenmenschlicher Kontakt verbunden ist. Sie vermisst die langen, einsamen Stunden, in denen sie als State Trooper am Rand des Highways in ihrem Einsatzwagen saß und wartete.

Sie dreht das Radio so laut auf, wie sie es gerade noch ertragen kann. *Do the Hustle*, befiehlt ihr Van McCoy. Schläfrig versucht sie, ihm Folge zu leisten.

Ein Ruck fährt durch Judy, als sie aufwacht. Es ist stockdunkel. Sie ist immer noch auf der Route 29. Ihre Hände liegen im Schoß. Der Motor ist abgestellt. Sie ist noch am Leben.

Aber offenbar ist sie rechts rangefahren und eingeschlafen, ohne dass sie sich daran erinnert. Ohne die Türen zu verriegeln.

Ein plötzlicher Rausch: Adrenalin und Angst.

Nicht auszudenken, was hätte passieren können, wenn sie nicht angehalten hätte, denkt Judy.

Sie ist jetzt hellwach, setzt den Blinker, überprüft den toten Winkel und fährt zurück auf die Straße.

Vor ihr taucht ein Schild auf: *Shattuck Township 6 Meilen.*

Darunter zwei kleine Symbole: Essen und Unterkunft.

Am Ende der Ausfahrt biegt Judy rechts ab. Nach einer Minute sieht sie ein kleines Motel am Straßenrand; davor steht ein Neonschild: *Swimmingpool in der Nähe.*

Die Frau an der Rezeption liest in einem Roman. Sie blickt auf, als Judy eintritt.

«Hätten Sie vielleicht noch ein Zimmer frei?», fragt Judy.

Die Frau nickt.

Plötzlich ist Judy das Ganze enorm peinlich. Sie weiß nicht, wie oft alleinstehende Frauen hier in Motels einchecken, aber in ihrer Fantasie tun das vor allem Frauen einer ganz bestimmten Sorte.

«Ich bin Polizistin», erklärt sie unaufgefordert. «Kriminalpolizei. Ich arbeite gerade an einem Fall in der Nähe.»

«Okay», sagt die Frau. Sie sieht jetzt ein wenig interessierter aus als vorher.

«Gibt es Telefone auf den Zimmern?», fragt Judy.

«Ja», sagt die Frau, «aber von da aus erreicht man nur die Rezeption. Wenn Sie wen anrufen wollen, müssen Sie das da benutzen.» Sie zeigt auf ein Münztelefon an der Wand.

Ihre Mutter geht ran.

«Judyta?», fragt sie, ohne abzuwarten, wer sich meldet.

«Hallo, Ma.»

«Judyta, ich habe mir solche Sorgen gemacht. Bitte sag, dass es dir gut geht.»

Als Judy ihre Mutter ihren Namen sagen hört – ihre Mutter, die mit fünfzehn eingewandert ist und so hart daran gearbeitet hat, ihren Akzent loszuwerden, die sich geweigert hat, mit ihren Kindern Polnisch zu sprechen, und trotz allem von fremden Leuten immer noch als *Ausländerin* wahrgenommen wird –, muss Judy beinahe weinen.

«Mir geht's gut, Ma. Ich bin nur müde. Es war ein langer Tag heute.»

Sie hört, wie ihr Vater im Hintergrund fragt: *Wann kommt sie nach Hause?*

«Ma», sagt Judy, «ich weiß, dass Daddy davon nichts hören will. Aber ich muss endlich ausziehen. Ich kann nicht mehr zu Hause wohnen. Nicht mit diesem Job.»

Schweigen. «Wo bist du jetzt?»

«Ich bin in einem Motel. Es heißt» – Judy schaut auf das Schild über dem Tresen – «Alcott Family Inn. Es ist ganz in der Nähe von dem Fall, an dem ich arbeite.»

«In einem … was?», fragt ihre Mutter. «Judyta Luptack, hast du etwa gerade gesagt, dass du in einem …»

«Sag es bitte nicht Dad», sagt Judy.

Im Hintergrund: *Wo ist sie? In einem was?*

Ihre Mutter seufzt ausgiebig. Dann sagt sie: «Sie ist bei einer Freundin zu Hause, Marty. Einer Freundin, die in der Nähe von dem Fall wohnt, an dem sie arbeitet.»

Eine Pause. *Was soll das denn für eine Freundin sein, die ganz da oben wohnt?*

«Liebes», sagt ihre Mutter. «Sei einfach vorsichtig, okay?»

«Ganz bestimmt, Ma», sagt Judy.

Geblümte Tagesdecke, geblümte Vorhänge, gerahmte Blumenbilder an der Wand. Das Zimmer ist für den Zweck, den es erfüllen soll, vollkommen ausreichend.

Sie lässt sich aufs Bett fallen, ohne sich auszuziehen.

Judyta

1950er | 1961 | Winter 1973 | Juni 1975 | Juli 1975 | August 1975: **Tag drei**

Sie wacht auf, weil es an der Tür klopft. Langsam kommt sie zu sich und versucht sich zu erinnern, wo sie ist. Voller Angst, dass sie vielleicht verschlafen hat, greift sie nach dem Wecker auf ihrem Nachttisch.

Es ist erst 6 Uhr morgens. Judy ist zugleich erleichtert und genervt.

Sie steht auf, immer noch im – inzwischen zerknitterten – Hosenanzug, und geht zur Tür. Durch den Spion sieht sie einen Mann mittleren Alters, der sein Haar zu einem ordentlichen Seitenscheitel gekämmt hat. Er trägt ein hellbraunes, kurzärmeliges Hemd und eine braune Krawatte. Über den Kopf hält er sich einen Regenschirm.

Sie blickt an ihm vorbei auf den Parkplatz. Jenseits des Vordachs des Motels regnet es in Strömen. Schlecht, um nach vermissten Personen zu suchen, denkt sie automatisch.

Sie legt die Türkette vor und öffnet.

«Hallo», sagt der Mann. «Sind Sie Miss Luptack?»

«Ja.»

«Mein Name ist Bob Alcott», sagt der Mann. «Darf ich Sie kurz stören?»

Sie nickt hinter der rissigen, mit der Kette gesicherten Tür.

Er wirft einen Blick über seine Schulter in den Regen, der auf den Parkplatz niederprasselt. «Darf ich hereinkommen?»

«Ungern.»

Er ist einen Moment stumm. Dann erklärt er, er sei der Ehemann der Frau an der Rezeption und Mitbesitzer des Alcott Family Inn. Außerdem Geschichtslehrer an der nahe gelegenen Central School.

«Beatrice hat mir erzählt, dass Sie von der Kriminalpolizei sind», sagt er, «und dass Sie hier in der Nähe an einem Fall arbeiten?»

Sie nickt.

«Geht es um die kleine Van Laar?», fragt er.

Sie verzieht keine Miene.

«Ist schon in Ordnung», sagt er. «Sie müssen nicht antworten. Aber wenn dem so ist, muss ich Ihnen etwas mitteilen.»

«Ich höre», sagt Judy.

«Es geht um ihren Bruder», sagt Bob Alcott. «Bear.»

Louise

1950er | 1961 | Winter 1973 | Juni 1975 | Juli 1975 | August 1975: **Tag drei**

In Wells wartet Louise darauf, dass man sie abholt. Sie soll nach Albion verlegt werden, ein paar Stunden westlich von Rochester. So weit war Louise noch nie von zu Hause weg.

Sie kann nicht sehen, dass es draußen regnet, aber hören. Sie schließt die Augen. Stellt sich Barbara im Wald vor, erst lebendig, dann tot. Wünscht sich zurück in die Hütte, nach Haus *Balsam*, in die Nacht, bevor Barbara Van Laar verschwand. Stellt sich vor, wie sie in ihrem schmalen Bett einschläft, in der Ferne das leise Plätschern des Lake Joan, die kühle, scharfe Abendluft. Camp Emerson, begreift sie voller Wehmut, ist der Ort, an dem sie sich in ihrem Leben bisher am meisten zu Hause gefühlt hat.

Sie wünscht sich, dass Jesse dort auch einmal den Sommer verbringen kann. Nur einen Sommer, das wäre schön.

«Donnadieu», sagt eine Stimme, und Louise richtet sich auf. Sie ist bereit für ihre Verlegung.

Der Beamte schließt die Zellentür auf.

«Jemand hat Ihre Kaution bezahlt», sagt er.

Tracy

1950er | 1961 | Winter 1973 | Juni 1975 | Juli 1975 | August 1975: **Tag drei**

Tracy Jewell steht mit einem Buch in der Hand im Wohnzimmer des Hauses ihres Vaters in Saratoga Springs. Sie ist zum ersten Mal seit drei Tagen allein, denn ihr Vater und Donna Romano sind endlich wieder zur Rennbahn gefahren.

Jetzt lässt sie die Jalousien halb herunter, öffnet die Fenster ein Stück und dreht alle Ventilatoren im Haus in ihre Richtung. Der angenehme Duft von Sommerregen strömt herein. Sie macht sich einen aufwendigen Snack zurecht und stellt den Teller neben sich auf den Fußboden. Vor zwei Monaten, als sie weder von der Existenz des Van-Laar-Naturreservats noch von Camp Emerson etwas wusste, hat sie sich vorgestellt, dass sie genau so ihren Sommer verbringen wird. Heute findet sie es einfach nur traurig.

Eine Stunde lang liegt ihr Buch neben ihr, ohne dass sie darin liest.

Sie denkt an Barbara Van Laar, ruft sich jedes einzelne Gespräch mit ihr ins Gedächtnis, sucht nach Hinweisen, die helfen könnten, sie zu finden.

Eine Erinnerung taucht immer wieder auf. Es war Anfang August, kurz nach ihrer Rückkehr vom Survival-Trip und eine Woche, bevor Barbara spurlos verschwand. Tracy und Barbara waren auf dem Rückweg von ihrem Kurs im Holzwerken, gleich hatten sie Freistunde. Da hatte Barbara eine Idee.

«Komm mit», sagte sie.

«Wohin?»

Aber Barbara grinste nur und ging voraus nach Osten, in Richtung Strand.

Das Wetter war herrlich, es war einer der schönsten Tage der ganzen Saison. Aber der Strand war nicht Barbaras Ziel, sie gingen weiter nach Norden, am Bootshaus vorbei, und betraten ein Stück Wald, das an den Strand grenzte. Die Sonne schien durch die Kiefern, und hier und da fiel ein goldener Strahl auf den Waldboden. Irgendwann wurde Tracy klar, wohin sie gingen. Unter normalen Umständen wäre ihr jetzt mulmig geworden – sie hielt sich nun einmal gerne an Regeln –, aber seit sie im Camp Emerson war, ließ sie sich immer mehr von Barbaras Leichtsinn anstecken.

Am Ende ihres kurzen, schweigsamen Marschs standen sie vor einem Parkplatz voller Autos; dahinter lag der Südflügel von Haus *Self-Reliance.* Eine Seitentür stand ein Stück weit offen; ein uniformiertes Dienstmädchen schob einen Wäschewagen um eine Ecke, schon war sie außer Sichtweite.

Es dauerte einen Moment, bis Tracy eine Bewegung auf dem Rasen bemerkte, der zum See hin abfiel, zuerst hörte sie die Stimmen, die aus dieser Richtung kamen. Dort waren zahlreiche Menschen; sie saßen auf Stühlen, lagen auf Liegestühlen, hatten Gläser in der Hand. Ihre Stimmen waren laut und fröhlich. Das musste die Hundertjahrfeier sein, von der Barbara erzählt hatte.

Sofort suchte Tracy Schutz hinter einem Baum.

«Barbara», flüsterte sie.

«Entspann dich», sagte Barbara. «Es ist Happy Hour. Die sind bestimmt schon angeschickert.»

Sie ging weiter und drehte sich erst um, als sie merkte, dass Tracy ihr nicht gefolgt war.

«Komm schon», sagte sie. «Die Einzigen, vor denen wir uns theoretisch in Acht nehmen müssen, sind die Angestellten meiner Eltern. Und die verraten uns nicht, selbst wenn sie uns entdecken.»

Durch die offene Seitentür betraten sie das Haus. Vom Flur gingen links und rechts mehrere Türen ab. Hinter denen, die offen standen, sah sie gemachte Betten, gerahmte Bilder, Tierfelle und ausgestopfte Tierköpfe.

Immer wieder musste sie sich beeilen, um zu Barbara aufzuholen, die mit entschlossenem Schritt voranging – zu ihrem Zimmer, wie Tracy zuerst vermutete, aber stattdessen landeten sie in einer riesigen Küche.

Sie öffnete den Kühlschrank und holte ein paar Leckereien heraus.

Dann stellte sie alles vor ihnen auf einen Tresen und begann zu essen. «Lang zu», sagte Barbara. «Hast du keinen Hunger? Ich habe ständig Hunger.»

Tracy tat es ihr gleich, wenn auch etwas vorsichtiger. Sie hatte noch nie ein Mädchen so hemmungslos essen sehen wie Barbara Van Laar, die sich das Essen mit vollen Händen in den Mund schob. Sie kaute geräuschvoll und schluckte energisch. Tracy sah ihr fasziniert dabei zu.

Als Barbara satt war, ließ sie alles einfach so auf dem Tresen stehen – «die wissen ja nicht, dass wir das waren», sagte sie – und ging den Flur zurück, durch den sie gekommen waren.

Plötzlich ertönten zwei Stimmen, eine männliche und eine weibliche. Sofort öffnete Barbara eine Tür auf der rechten Seite und schob Tracy in eine Besenkammer, die so klein war, dass nur eine Person hineinpasste.

«Ganz ruhig», sagte Barbara und schloss von außen die Tür. Tracy sah durch den Spalt unter der Tür, wie sich ihr Schatten entfernte, und dann hörte sie irgendwo im Flur das leise Knarren einer Türangel: Offenbar hatte Barbara woanders Schutz gesucht.

Tracy atmete so leise, wie sie nur konnte. Sie hatte schreckliche Angst, erwischt und bestraft zu werden. Als das Ferienlager angefangen hatte, war ihr größter Wunsch, möglichst schnell wieder nach Hause geschickt zu werden – jetzt war alles anders: Sie wollte unbedingt bis zum Schluss der Saison im Camp Emerson bleiben. Schon, um sich so viel wie möglich von Barbara Van Laar abzugucken.

Die Schritte, die die Stimmen begleiteten, wurden lauter. Sie hielt den Atem an und lauschte. Sie wartete eine halbe Minute. Noch länger. Waren sie weg? Doch gerade als Tracy in der Dunkelheit nach der Türklinke suchte, hörte sie, wie die Frau einen Namen sagte: *Peter*. In ihrer Stimme schwang etwas mit, das Tracy für Verlangen, für Lust hielt.

Weitere Geräusche, die Tracy nicht zuordnen konnte, dann das Getrappel von Schritten, vielleicht jagte einer den anderen, dann war es wieder still.

Sie fuhr zusammen, als die Tür geöffnet wurde. Das Tageslicht war so grell, dass sie die Augen zusammenkniff. Barbara stand vor ihr und gestikulierte in Richtung der Tür, durch die sie ins Haus gekommen waren.

Sie hatte eine Papiertüte in der Hand und sah aufgebracht aus.

Was ist passiert?, formte Tracy mit den Lippen, aber Barbara schüttelte nur wütend den Kopf und ging weg.

Tracy folgte ihr schweigend, sah sich immer wieder um, bestaunte das Innere des Hauses.

Sie wollte so gerne Barbaras Zimmer sehen. Sie wollte den Rest des Hauses sehen. Sie wollte wissen, was sie da vorhin gehört hatte, wer da geflüstert hatte.

Aber so neugierig Tracy auch war, ihr Sinn für Diskretion war stärker. Sie wusste instinktiv, dass Barbara ihr diese Frage nicht hätte beantworten wollen, daher sagte sie nichts, nicht einmal, als sie schon den Wald erreichten. Tracy keuchte beim Gehen.

Kurz bevor sie zum Strand kamen, blieb Barbara stehen und drehte sich um.

«Sie haben mein Zimmer gestrichen», sagte sie. «Diese scheiß Ficker haben mein Zimmer gestrichen.»

Tracy staunte. In ihrem Umfeld wagte sonst niemand, solche Wörter zu benutzen.

«Das tut mir leid», sagte sie, obwohl sie nicht ganz verstand, was das Problem war.

«Die ganze Arbeit», sagte Barbara. «Alles umsonst.»

Sie sank in die Hocke. Stützte ihr Gesicht in die Hände.

Langsam ging Tracy ebenfalls in die Knie.

«Was denn für Arbeit?», fragte sie, nachdem so viel Zeit vergangen war, dass es in ihren Knien zu pochen begann.

Doch Barbara antwortete nicht und fuhr fort mit ihrer Tirade.

«Wahrscheinlich hatten sie deshalb nichts dagegen, dass ich ins Camp gehe», sagte Barbara. «Damit sie ohne meine Erlaubnis reingehen und alles übermalen können.»

Sie stand abrupt auf und ging weiter.

«*Rosa*», sagte sie. «Sie haben mein scheiß Zimmer *rosa* gestrichen.»

«Aber warum denn?», fragte Tracy. Sie lief wieder ein Stück, um mit ihr Schritt zu halten.

«Ach, für die Gäste natürlich», sagte Barbara. «Für die Party. Gott bewahre, dass jemand in diesem Haus auch nur eine Spur *Kreativität* entdeckt.»

Sie fuhr herum. Die Papiertüte, die sie in der Hand hielt, hatte sich in eine Waffe verwandelt und baumelte wie ein Knüppel am Ende ihres Arms.

«Der Witz ist ja», sagte Barbara, «dass sie diese ganzen Künstler, Schriftsteller und Schauspieler einladen. Aber die sind nur zur Unterhaltung da. Die sind nur Deko. Keiner nimmt die ernst.»

Kurz vor Ende der Freistunde kamen sie im Haus *Balsam* an. Louise und Annabel warteten schon, um mit ihrer Gruppe zum Abendessen in die Kantine zu gehen.

Tracy war so dankbar, dass sie nicht erwischt worden war, dass sie sich erst Stunden später wieder an etwas erinnerte, das sie Barbara hatte fragen wollen. Als das Licht ausgeknipst wurde, lag sie in ihrem Bett und wurde immer unruhiger, bis sie schließlich nicht mehr anders konnte. Sie steckte den Kopf über den Rand des Bettes.

«Barbara», flüsterte Tracy. «Was hattest du in der Tüte?»

Es folgte eine kurze Pause.

Und dann flüsterte Barbara in die Dunkelheit: «Was für eine Tüte?»

Louise

1950er | 1961 | Winter 1973 | Juni 1975 | Juli 1975 | August 1975: **Tag drei**

Louise, die gerade gegen Kaution aus der Haft entlassen worden ist, sitzt wieder mit Denny Hayes im Auto, diesmal auf dem Beifahrersitz. Obwohl sie alles versucht hat, um ihn davon abzubringen, fährt Hayes sie zum Haus ihrer Mutter.

Eine der Auflagen für ihre Freilassung ist, dass sie an einer bekannten Adresse wohnt und nach 18 Uhr nicht mehr das Haus verlässt. Und die einzige Adresse, die Louise bei ihrer Verhaftung nennen konnte, war die ihrer Mutter.

Jetzt fahren sie schweigend dorthin.

Plötzlich fragt Louise: «Wissen Sie vielleicht, wer meine Kaution bezahlt hat?»

Denny sieht sie überrascht an. «Weißt du das nicht?»

«Nein. Ich habe nur mitbekommen, dass es eine Frau war. Das hat mir der State Trooper gesagt.»

«Deine Mutter?», fragt Denny.

«Wahrscheinlich.» Dabei ist das alles andere als wahrscheinlich. Seit Jahren hat sie kaum jemals erlebt, dass ihre Mutter das Haus verlassen hat, und sie hat nie mehr als fünf Dollar im Portemonnaie.

«Du hast dich seit deiner Kindheit sehr verändert», sagt Denny.

Sie spürt, wie sie sich verspannt. Der Satz kommt ihr vor wie der

Beginn einer Anmache. Die Tatsache, dass sie allein mit einem Mann im Auto sitzt, nimmt ihr Körper als Bedrohung wahr.

Aber als er weiterredet, geht es zum Glück in eine andere Richtung. «Du warst so ein fröhlicher kleiner Fratz. Wenn ich bei euch vorbeikam, hast du immer so strahlend gelächelt.»

Sie nähern sich dem Kamm eines Hügels, den Louise gut kennt: Dahinter taucht kurz das kleine Stadtzentrum von Shattuck auf und verschwindet dann wieder.

«Weißt du noch, als ich mit euch nach Storytown gefahren bin?»

Louise ist völlig überrumpelt.

«Da warst du vielleicht sechs», sagt er. «So ungefähr jedenfalls. Ich habe dich und deine Mutter abgeholt, und wir sind zusammen zum Lake George gefahren. Deine Mutter war ganz still. Aber du warst so fröhlich. Du bist immer auf und ab gehüpft. Ich habe dir ein Eis gekauft, und das ist dir von der Waffel gefallen. Ich konnte es nicht ertragen, wie du geschaut hast, da habe ich dir gleich noch eins gekauft.»

Louise schießen Tränen in die Augen. Sie versucht, sie zurückzuhalten. Sie fragt sich, warum sie ausgerechnet jetzt weinen muss. Und dann wird ihr klar, was der Grund ist: Es ist die Erkenntnis, dass es einmal einen Menschen gegeben hat, der sich um sie, Louise, gekümmert hat – statt immer nur umgekehrt.

Sie erinnert sich an diesen Tag, auch wenn sie nicht mehr wusste, dass der Mann Denny Hayes war. In ihrer Erinnerung war er nur einer der vielen Freunde ihrer Mutter, die sie gar nicht erst beim Namen nannte, damit sie nicht Gefahr lief, durcheinanderzukommen. Von allen Männern, die zu ihnen kamen, um ihre Mutter zu besuchen, war er der Einzige, der ihr jemals etwas Gutes getan hat, ohne eine Gegenleistung zu verlangen.

Louise und Denny Hayes sitzen im Auto und betrachten das Haus ihrer Mutter. Zwei Fensterläden fehlen, einer hängt nur an einem

Scharnier. Der Briefkasten ist voller Post, darunter auf dem Boden liegt ein Haufen durchnässter Umschläge. Offenbar hat der Postbote aufgegeben.

Sie wird mit Jesse darüber reden, dass er sich mehr kümmern muss. Wenigstens den Briefkasten kann er ja wohl leeren.

«Sieht genau aus wie damals», sagt Denny voller Mitgefühl.

«Danke fürs Mitnehmen», sagt Louise und steigt aus. Sie hofft, dass er einfach davonfährt. Aber er steigt ebenfalls aus, streckt sich und richtet Hemd und Hose.

Louise rasselt laut mit ihrem Schlüsselbund, als sie aufschließt, damit drinnen alle merken, dass sie gleich eintreten wird.

Sie hofft, dass Jesse nicht oben in seinem Zimmer am Kiffen ist; sie geht in die Küche und schnüffelt, aber zum Glück riecht sie kein Gras.

«Mom?», ruft sie. «Mom, ich habe Besuch mitgebracht.»

Eine Pause.

«Wen denn?» Die Stimme ihrer Mutter klingt brüchig, als ob sie länger nicht geredet hat.

«Denny Hayes!», ruft Louise.

Sie wartet ab. Sie würde sich nicht wundern, wenn ihre Mutter fragt: *Wen?* Es ist Jahre her, und es waren schwierige Jahre.

«Sekunde!», ruft ihre Mutter stattdessen. Und Louise hört, wie sie langsam die Treppe hinaufgeht.

«Ist Jesse zu Hause?», ruft Louise noch, aber es kommt keine Antwort.

Als ihre Mutter wieder herunterkommt, ist sie vollständig angezogen. Zum ersten Mal seit Jahren trägt sie Make-up.

Schamlos, denkt Louise, aber insgeheim ist sie beruhigt, dass ihre Mutter noch in der Lage ist, sich mit ihrem Aussehen ein wenig Mühe zu geben.

Dennys Miene verändert sich, als er sie sieht. Seine Gesichtszüge entspannen sich. «Hi, Carol», sagt er zu ihr, «lange her, nicht wahr?»

Als er den Vornamen ihrer Mutter sagt, wird Louise auf schmerzhafte Weise bewusst, dass sie ihn seit Jahren niemanden mehr hat sagen hören.

Louises Mutter schaut zwischen Louise und Denny hin und her. «Bist du jetzt Polizist, Denny?»

«Ich war damals auch schon Polizist», sagt Denny. «Weißt du nicht mehr? State Trooper.»

Sie überlegt.

«Stimmt, ich erinnere mich.»

«Ich bin jetzt Chefermittler bei der Kriminalpolizei», sagt Denny. «Ich wurde befördert und dann noch einmal befördert.»

«Herzlichen Glückwunsch», sagt Louises Mutter.

Jetzt erst wird ihr klar, was das bedeutet: «Was hat meine Tochter angestellt?»

Louise verspannt sich.

«Ich dachte …», sagt Louise. Aber sie bricht ab. Sie blinzelt schnell und zwingt die unerwarteten Tränen zurück in ihren Schädel. Wie konnte sie nach all den Jahren nur so dumm sein, anzunehmen, dass ihre Mutter für sie Kaution bezahlen würde?

«Denny?», fragt ihre Mutter.

Denny sieht sie an. «Tja», sagt er, «ich glaube, das sollte Louise dir selbst erzählen. Schließlich ist sie schon über achtzehn.»

Ihre Mutter sagt nichts, schaut sie nur mit wachem Blick an. Sie wirkt nüchterner als in letzter Zeit, aber Louise kann sich nicht entscheiden, ob das Absicht oder Zufall ist.

«Carol», sagt Denny, «kann ich kurz mit Louise sprechen? Unter vier Augen?»

«Meinetwegen.»

Die Mutter zieht sich in das angrenzende Zimmer zurück.

Louise und Denny stehen einander gegenüber.

«Louise», sagt Denny. «Ich muss dir noch zwei Fragen stellen, bevor ich gehe.»

Sie wartet.

«Du weißt ja, ich bin ein alter Freund», sagt er. «Und ich hoffe, du vertraust darauf, dass ich das Richtige tue. Ich glaube nicht, dass du Barbara Van Laar etwas angetan hast. Und ich will dir helfen, aus diesem Schlamassel wieder herauszukommen. Glaubst du mir das?»

Sie hält den Kopf still. Sie vertraut diesem Mann, aber zugleich vertraut sie ihm nicht.

Unbeirrt fährt Denny fort. «Erste Frage: Was hat dir John Paul McLellan erzählt, wo er sich diesen Sommer über aufgehalten hat?»

«Überall und nirgends», sagt Louise. «Er hat Freunde besucht. Er wollte das Jahr über herumreisen, bevor das Jurastudium anfängt.»

Denny nickt. «Was, wenn ich dir stattdessen verrate, dass er den Großteil des Sommers auf dem Gipfel von Hunt Mountain verbracht hat?»

Louise braucht einen Moment, um diese Information zu verarbeiten. «Inzwischen würde mich bei ihm gar nichts mehr wundern», sagt sie.

Denny nickt. Voller Mitgefühl.

«Und die zweite Frage?», will Louise wissen.

«Wie gut kanntest du Lee Towson?»

Louise errötet. Allein der Name macht sie kribbelig.

«Nicht besonders gut», sagt sie.

«Wart ihr … na, du weißt schon … zusammen?»

«Nein.»

«Hast du eine Ahnung, wo er stecken könnte?»

«Nein», sagt sie. Das hat sie sich auch schon gefragt.

«Bist du dir sicher?»

«Warum?»

«Na ja», sagt Denny. «Normalerweise würde ich das für mich behalten. Ich verrate dir das nur, weil wir uns schon so lange kennen.»

Louise wartet ab.

«Wie es aussieht», sagt er, «hat sich Barbara jede Nacht aus der Hütte geschlichen, um sich mit jemandem zu treffen, den sie ihren Freund genannt hat. Hast du das mitbekommen?»

Sie schüttelt den Kopf. Das hat sie wirklich nicht.

«Das ist noch nicht alles», sagt Denny. «Wusstest du, dass Lee Towson im Gefängnis war?»

Dieses Gerücht ist ihr auch zu Ohren gekommen. Aber im Camp Emerson erzählt man sich so einiges über Lee. Tatsächlich fand sie ihn dadurch nur noch attraktiver. Zögernd nickt sie.

«Weißt du, wofür?»

«Hat er Gras verkauft?», fragt sie.

«Unzucht mit Minderjährigen», sagt Denny Hayes.

Sie erstarrt. Sie weiß nicht genau, was das bedeutet, kann es sich aber vorstellen.

Denny scheint ihre Gedanken oder zumindest ihren Gesichtsausdruck lesen zu können und erklärt: «Geschlechtsverkehr mit einem Mädchen, das sechzehn Jahre oder jünger ist.»

Louise sagt nichts.

«Bist du sicher, dass du nicht weißt, wo er steckt?»

«Bin ich», sagt Louise.

«Nun, wenn dir noch etwas einfällt: Hier ist meine Karte.»

Sie nimmt seine Visitenkarte.

«Ich glaube, ich gehe jetzt besser mal», sagt er. Sie stellt sich vor, wie er nach Hause geht, zu seiner Familie, seiner Frau, seinen Kindern. Plötzlich ist sie neidisch. Hätte sie einen Vater wie Denny Hayes gehabt – oder eine ganz normale Mutter, verdammt noch mal –, dann wäre aus ihr vielleicht auch etwas geworden.

«Wollest du mich sonst noch etwas fragen oder mir etwas sagen?», fragt Denny.

«Ja», sagt Louise. «Falls Sie herausfinden, wer meine Kaution bezahlt hat, würden Sie mir das dann bitte sagen?»

«Versprochen», sagt Denny Hayes.

Tracy

1950er | 1961 | Winter 1973 | Juni 1975 | Juli 1975 | **August 1975**

An dem Abend der letzten Tanzparty veranstalteten die Mädchen von Haus *Balsam* ein aufwendiges Ritual, das den Höhepunkt all dessen darstellte, was sie einander in den vergangenen Monaten, die sie zusammen in einer Hütte gewohnt hatten, beigebracht hatten. Eimer mit Wasser wurden auf die Veranda getragen und Beine rasiert. Aus den diversen Kleidungsstücken, die die Mädchen für solche Gelegenheiten mitgebracht hatten, wählten sie die passendsten aus. Und am Ende ließen sie sich alle von der unangefochtenen Make-up-Meisterin, Barbara Van Laar persönlich, mit höchster Präzision schminken.

Louise und Annabel, die sich in ihrem kleinen separaten Raum hübsch gemacht hatten, kamen heraus und staunten nicht schlecht, als sie ihre Schützlinge sahen. Wie erwachsen sie alle aussahen, ganz anders als zu Beginn des Sommers.

Tracy verstand, was geschehen war. Sie hatten sich tatsächlich verändert: In den letzten zwei Monaten waren sie ein ganzes Jahr älter geworden. Sie waren jetzt eine verschworene Gemeinschaft.

Im Großen Saal tanzte Tracy mit allen aus Haus *Balsam* und mit allen aus ihrer Gruppe beim Survival-Trip, vor allem aber mit Barbara. Für die Musik sorgten Schwimmlehrer Mitchell und drei Freunde von ihm aus Schenectady, die eine mäßig begabte Band gegründet hatten.

Sie wusste, irgendwo hier musste auch Lowell Cargill stecken. Als Mitchell und seine Kumpels *I Honestly Love You* spielten und das hektische Treiben im Saal nachließ, merkte Tracy, dass die Leute um sie herum wie aufs Kommando Pärchen bildeten. Sogar Barbara, die die ganze Zeit an ihrer Seite gewesen war, wurde von jemandem zum Engtanz aufgefordert: Crandall, der neben Lowell als der begehrteste Junge im Camp Emerson galt.

Als Tracy mit einem Mal allein auf der Tanzfläche stand, geriet sie in Panik, lief an den Rand und stellte sich neben das Büfett.

Lowell war nirgends zu sehen. Vielleicht war er nach draußen gegangen, um frische Luft zu schnappen.

«Ich hasse so langsame Songs», sagte jemand neben ihr.

Sie wandte den Kopf.

Neben ihr stand eine der Küchenhilfen, ein gut aussehender junger Mann, vielleicht Mitte zwanzig, den sie hin und wieder mit ihrer Betreuerin Louise hatte herumschlendern sehen. Lee hieß er.

«Ich auch», sagte Tracy.

«Die sind einfach nur peinlich», sagt Lee. «Da hast du gerade Spaß mit deinen Freunden, und dann meint die Band, dass sie alle damit nerven muss, was Langsames zu spielen. Das ist doch einfach nur sadistisch.»

Tracy war nicht ganz sicher, was «sadistisch» bedeutete, aber sie nickte trotzdem.

«Ich muss wieder in die Küche», sagte Lee. «Du siehst übrigens super aus. Tolles Kleid.»

«Danke», sagte Tracy. Und dann war er weg.

Erst jetzt erblickte sie am anderen Ende des Raumes Lowell, und obwohl er einen absurden Polyesteranzug mit breiten Revers trug, wie ihn alle Jungs zu solchen Tanzpartys anzogen, schlug ihr Herz sofort schneller.

Reglos wie eine Statue stand er an der gegenüberliegenden Wand.

Er hatte den Blick auf ein Pärchen in der Mitte des Raumes gerichtet: Barbara Van Laar und ihren Tanzpartner. Er sah aus, als hätte er Schmerzen.

Raus. Sie wollte raus. Zum frischen Duft der Kiefern und des Waldbodens und des Sees. Dorthin, wo der Mond aufs Wasser schien.

Als sie sah, dass niemand auf sie achtete, nutzte sie die Chance und ging.

Sie ging hinaus in die dunkle Nacht. Auf dem Gelände von Camp Emerson gab es erstaunlich wenige Lampen.

Plötzlich nahm sie in der Finsternis eine Bewegung wahr. Jemand ging vor ihr über den Weg, und sie erkannte, wer es war: Annabel, die Betreuer-Auszubildende, die in ihrer Partykleidung in Richtung Norden ging.

Da oben war doch nichts, dachte Tracy, nur das Haupthaus. Barbaras Haus. Tracy wusste, dass Annabels Eltern diese Woche dort verbrachten, vielleicht ging sie deshalb in diese Richtung.

Tracy überlegte kurz, ob sie ihr etwas zurufen sollte – eigentlich sollte Annabel die Mädchen nach der Party zurück zum Haus *Balsam* begleiten. Aber sie ging so flott und zielstrebig, dass Tracy es sich verkniff.

Dann hörte sie ihren Namen und wurde aus ihren Gedanken gerissen.

Sie drehte sich um. Ging in die Richtung der Stimme, die jetzt wieder ihren Namen sagte.

Am Strand sah sie im Mondschein Lowells besten Freund. Walter.

Er saß im Sand und sah niedergeschlagen aus.

Sie trat neben ihn und ließ sich auf den Boden sinken. Bis zu diesem Sommer hatte sie sich in ihrem Körper nie so richtig wohlgefühlt. Nie so hübsch und anmutig wie Barbara, wie die Melissas, wie Lowell Cargill.

«Du auch?», fragte der kleine Walter. Er hatte die Arme um seine Knie geschlungen; sein Kinn ruhte auf seinen Armen.

«Ich auch – was?», fragte Tracy.

«Traurig?», fragte Walter.

«Ach so», sagte Tracy. «Nein, nicht wirklich. Mir geht's gut.»

Walter war still.

«Bist du denn traurig?», fragte Tracy.

Sie konnte gerade eben so erkennen, dass er nickte. Aber sie wusste sofort, warum er traurig war, auch ohne nachzufragen.

«Er hat Barbara gefragt, ob sie ihn zur Party begleitet», sagte Walter, «aber sie hat Nein gesagt.»

Tracy saß stumm da und ließ seine Worte auf sich wirken. Ganz egal, was sie sich vorher ausgemalt hatte: Seit dem Survival-Trip wusste sie, dass Lowell kein Interesse an ihr hatte. Er war in Barbara verliebt. Trotzdem konnte sie kaum glauben, was Walter da erzählte.

«Das hat ihn ganz schön mitgenommen», fuhr Walter fort. «Als sie Nein gesagt hat, meine ich. Leute wie Lowell sind doch gewohnt, dass sie immer alles kriegen, was sie haben wollen.»

Walter meinte es nicht böse, da war sich Tracy sicher. Bestimmt ging er davon aus, dass Barbara es Tracy längst erzählt hatte. Schließlich waren sie im Camp Emerson ständig zusammen. Genauso wie Walter und Lowell.

Sie schwiegen eine Weile, bis Tracy Walter einmal laut schniefen hörte. Da wurde ihr klar, dass er weinte.

«Er ist schon ein Supertyp», sagte Walter. «Oder?»

Louise

1950er | 1961 | Winter 1973 | Juni 1975 | Juli 1975 | **August 1975**

Sie bekam alles mit. Sie saß am Rand der Bühne, die sich über den Gemeinschaftsraum erhob, und beobachtete ihre Ferienkinder. Bei einigen lief es gut, bei anderen nicht; einige hatten Spaß, andere taten nur so. Falls sie an einen Gott glaubte, dann verhielt er sich genau so wie Louise in diesem Moment: Sie wachte aus der Ferne über ihre Schützlinge, wollte, dass es ihnen gut ging, hatte Mitleid mit ihnen, wenn sie Ablehnung erfuhren, und freute sich mit ihnen über jeden kleinen Erfolg. Sie sah die Einsamen, die verloren am Rand der Tanzfläche standen, und fühlte eine große Zuneigung zu ihnen; am liebsten wäre sie hingegangen, hätte sich neben sie gestellt und sie fest in den Arm genommen, doch sie wusste, dass sie nicht eingreifen durfte; dass diese Zwölf-, Dreizehn- und Vierzehnjährigen gerade ganz viel über sich und die Welt lernten und dass sie sie dabei nicht stören durfte. Genau wie Gott, dachte sie.

Irgendwann fing sie an, in Gedanken ein Spiel zu spielen: Sie dachte nacheinander an alle ihre Schützlinge, dachte an ihren jeweiligen Namen und durchsuchte die Menge, bis sie das Mädchen gefunden hatte. Es klappte jedes Mal, bis sie zu Annabel kam.

Sie konnte ihre Auszubildende nirgends entdecken.

Im Nachhinein war ihr klar, was das bedeutete, aber zu diesem

Zeitpunkt ging sie einfach davon aus, dass Annabel sich mit irgendeinem Jungen traf.

Ihr war nicht entgangen, dass Annabel sich besonders hübsch gemacht hatte. Theoretisch war die Tanzparty für die Ferienkinder gedacht, aber in den vergangenen Jahren hatte Louise immer wieder erlebt, wie sich dort Pärchen aus Betreuern und Azubis bildeten und für ein paar Minuten oder eine Stunde im dunklen Wald verschwanden. Mit roten Gesichtern zurückkehrten. Genau das, vermutete sie, tat auch Annabel Southworth in diesem Moment. Und von ihrem Platz auf der Bühne aus lächelte sie und freute sich, dass auch Annabel in Camp Emerson die Liebe gefunden hatte. Oder zumindest etwas, das sich wie Liebe anfühlte.

Judyta

1950er | 1961 | Winter 1973 | Juni 1975 | Juli 1975 | August 1975: **Tag drei**

Was meinst du mit *alle*?», fragt Denny Hayes.

Sie sieht ihn heute zum ersten Mal, obwohl schon Mittag ist. Er ist noch nicht einmal ganz aus seinem Auto ausgestiegen, als sie ihn schon mit ihren Theorien konfrontiert, die sie seit heute Morgen aufgestellt hat.

«Die ganze Stadt», sagt Judy jetzt. «Alle in Shattuck glauben, dass der Mann, dem man Bears Verschwinden angelastet hat, unschuldig ist. Und dass die Van Laars zu voreilig akzeptiert haben, dass er es war.»

Hayes neigt den Kopf in Richtung der Einsatzzentrale.

«Komm», sagt er. «Ich brauche einen Kaffee.»

Sie gehen gemeinsam zum Haus der Campleiterin. Er sieht sie an.

«Judy, hattest du nicht gestern dasselbe an?»

Sie wird rot. «Weiß ich nicht genau», sagt sie.

Immer wieder regnet es, schon mehrmals sind ihr Haar und ihre Kleider nass geworden und teilweise wieder getrocknet. Sie muss aussehen wie eine ertrunkene Ratte, denkt sie.

«Sag mal, Judy», sagt Hayes. «Wo genau hast du das mit Bear Van Laar gehört?»

Sie erzählt ihm, was gestern Abend und heute Morgen passiert ist.

Er hebt eine Augenbraue. Sie haben die Einsatzzentrale erreicht, und er hält ihr die Tür auf. Judy geht zuerst hinein. Sinniert einen Moment darüber, dass die Hütte eingerichtet ist, als wäre die Zeit stehen geblieben; dass die Küchengeräte noch aus dem Zweiten Weltkrieg stammen. Alles hier ist eindeutig älter als die Campleiterin selbst. Judy hat sie nur ein paarmal gesehen, wie sie über das Gelände ging. Jedes Mal sah sie aus, als würde ihr das alles hier enorm zu schaffen machen. Viel mehr, denkt Judy, als Barbaras Eltern.

Hayes gießt sich einen Becher Kaffee ein. Reicht ihr auch einen.

Sie nimmt ihn. Sie hatte bisher nie viel für Kaffee übrig – den tranken vor allem ältere Menschen, fand sie, wie ihr Vater. Aber seit sie hier im Van-Laar-Naturreservat arbeiten, hat sie die Bitterkeit und Wärme, die sie die Feuchtigkeit in ihrem Haar und ihrer Kleidung vergessen lassen, schätzen gelernt.

Sie nippt. Verzieht das Gesicht. Nippt noch einmal.

«Was glauben denn die Leute in Shattuck, wer es war?», fragt Hayes. «Wenn Carl Stoddard es nicht war?»

«Nun, laut Mr Alcott gibt es hauptsächlich zwei Theorien.»

«Ich bin ganz Ohr.»

«Die erste ist», sagt Judy, «dass es Jacob Sluiter war.»

Er sieht sie an. «Hast du mich nicht gestern nach Sluiter gefragt?»

«Na ja, schon», sagt Judy. «Aber … das würde doch Sinn ergeben, oder?»

«Der gute alte Sluiter», sagt Hayes. «Der Kinderschreck vom Dienst. Dem hat man noch jeden Toten von hier bis Rochester in die Schuhe schieben wollen, ganz egal, ob Unfall oder Mord.»

Er lehnt sich an den Küchentresen.

«Ganz abwegig ist das nicht», sagt Judy. «Denk doch mal nach. Die meisten von Sluiters Morden fanden hier ganz in der Nähe statt. Alle Anfang der Sechziger, als Bear verschwand. Kurz bevor Sluiter gefasst wurde.»

«Stimmt.»

«Und jetzt», sagt sie, «ist er entflohen, genau zur selben Zeit, wo Barbara Van Laar verschwunden ist, das …» Sie bricht ab. «Habe ich etwas Falsches gesagt?»

Hayes lacht. «Du hast das Virus», sagt er.

«Was denn für ein Virus?»

«Jagdfieber», sagt er. «Keine Sorge, das haben wir alle. Red weiter.»

«Die zweite Theorie ist in der Stadt noch verbreiteter», sagt Judy. «Aber die hörst du bestimmt nicht gerne.»

«Warum?»

«Na ja, die ist ein bisschen … kontrovers, schätze ich», sagt sie. «Die wird mehr Wellen schlagen.»

«Und zwar?»

Sie nimmt einen Schluck von ihrem Kaffee, um ihre Nerven zu beruhigen.

«Laut Mr Alcott glauben die meisten Leute in Shattuck – zumindest die, die nicht der Meinung sind, dass es Sluiter war –, also die glauben, dass Bears Großvater der Schuldige ist.»

Sie hat erwartet, dass er sie auslacht. Stattdessen wendet er sich ab, stützt die Hände auf der Arbeitsfläche neben der Spüle ab und schaut aus dem Fenster. Er schweigt so lange, dass sie unruhig wird.

«Alles in Ordnung?», fragt sie.

«Ich kenne diese Theorie», sagt Hayes. «Ich erinnere mich, dass darüber gesprochen wurde, als der Junge verschwand.»

Judy starrt ihn an. Warum hat er das nicht schon früher erwähnt? Gleich an ihrem ersten Tag hier hat sie den Mann *befragt*. Laut Hayes nur eine Randfigur. Über jeden Verdacht erhaben. Hektisch denkt sie nach, ob er irgendetwas gesagt hat, das verdächtig klang, aber alles, woran sie sich erinnert, ist sein Verhalten: mürrisch; ungeduldig; unfreundlich.

«Was war denn damals?», fragt Judy. «Wurde er verhört? War auch irgendjemand vom BCI der Ansicht, dass er es war?»

«Nach den Unterlagen, die ich durchgesehen habe», sagt Hayes, «glaubten das einige. Aber niemand hat es weiterverfolgt.»

«Warum nicht?»

Hayes hält inne. «Nun», sagt er, «dafür gibt es eine ganze Reihe Gründe. Laut einigen Kollegen, die lange genug dabei sind, um sich an damals erinnern zu können, kam Carl Stoddard allen ziemlich verdächtig vor. Er war der Letzte, der Bear lebend gesehen hat. Man fand einen aus Holz geschnitzten Bären, den Bear offenbar bei sich hatte, kurz bevor er verschwand. Das war die einzige Spur von dem Jungen, die man überhaupt gefunden hat. Wie sich herausstellte, hatte Stoddard ihm das Schnitzen beigebracht. Alle fanden, dass er wie besessen war von Bear.»

Judy wartet ab.

«Zweitens beharrte der Anwalt der Van Laars darauf, dass er es war», sagt er. «Und der war von Anfang an sehr aggressiv.»

Jetzt wartet Hayes darauf, dass bei Judy der Groschen fällt.

«McLellan», sagt Judy.

Er nickt.

«Senior», sagt Judy.

Hayes nickt wieder.

Judy denkt nach. «Darf ich mich um die Spur kümmern?», fragt sie.

«Bears Großvater?», fragt Hayes und Judy nickt. Mit Leuten wie ihm kann sie reden, denkt sie. Sie weiß, wie man das macht.

«Gut, solange du ihn nicht verschreckst», sagt Denny Hayes. «Er ist oben im Haupthaus, soweit ich weiß.»

Bevor sie sich auf den Weg machen kann, klopft es an der Tür der Hütte, und Investigator Goldman kommt herein, keuchend und mit aufgeknöpftem Hemd.

Er schaut von Judy zu Hayes und wieder zu Judy.

«Kann einer von euch mit Kindern umgehen?», fragt er. Er bemüht sich, die Frage neutral zu formulieren, aber was er meint, ist klar: Judy soll sich darum kümmern, schließlich ist sie eine Frau.

Judyta

1950er | 1961 | Winter 1973 | Juni 1975 | Juli 1975 | August 1975: **Tag drei**

Vor dem Haus der Campleiterin wartet ein kleiner Junge mit seinen Eltern. «Mr und Mrs Muldauer», sagt Hayes. «Das ist Investigator Luptack. Sie wird mit Christopher sprechen, wenn das in Ordnung ist.»

Mrs Muldauer – braunes Haar, Brille, fast so klein wie ihr Sohn – wirkt nervös. «Dürfen wir dabei sein?»

«Natürlich», sagt Judy. «Kommen Sie herein.»

Hayes bleibt draußen vor der Hütte stehen und hält Wache, während Judy ihre Arbeit macht.

Drinnen zieht Judy ein abgewetztes Sofa vor, das sie an die Wand geschoben hat. Sie bedeutet der Familie, darauf Platz zu nehmen, und stellt sich selbst einen unbequemen Klappstuhl davor. Christopher setzt sich zwischen seine Eltern; seine Beine ragen waagerecht in den Raum.

Judy zückt Notizblock und Stift.

«Warum bist du denn heute hier, Christopher?», fragt sie.

Er schweigt. Er schaut hinunter auf seine Knie.

«Na los», sagt sein Vater.

Nichts.

«Wie alt bist du, Christopher?», versucht Judy es jetzt.

Nichts.

«Zwölf? Dreizehn?», fragt sie. Sie lächelt ein wenig. Ein Scherz.

«Ich bin acht», sagt er, und seine Stimme ist so leise, dass sie ihn kaum hören kann. «Ich bin das jüngste Ferienkind im Camp Emerson.»

«Hat dir das Ferienlager gefallen?», fragt Judy.

«Nein, ich fand es richtig doof», antwortet er. Seine Eltern werfen einander vielsagende Blicke zu.

«Chris, sag der Dame bitte, was du uns erzählt hast», sagt sein Vater. «Sie hat nicht den ganzen Tag Zeit.»

«Schon gut, Mr Muldauer», sagt Judy. «Christopher kann sich Zeit lassen.»

Und das tut er. Dreißig Sekunden vergehen. Eine Minute.

«Gibt es einen Grund, warum du mir nicht sagen willst, was du deinen Eltern gesagt hast?», fragt Judy.

«Ich will nicht, dass sie Ärger kriegen», sagt er.

«Deine Eltern?»

«Meine Freunde.»

Er klingt richtig stolz, als er das sagt. Judy ist sofort klar: Dieser Junge hat nicht viele Freunde.

«Wen meinst du denn damit, Christopher?»

«Barbara und Tracy», sagt er so leise, dass sie nicht ganz sicher ist, ob sie ihn richtig verstanden hat.

«Barbara und Tracy?»

Er nickt.

«Christopher», sagt Judy. «Das Wichtigste ist jetzt, dass wir Barbara finden und nach Hause bringen. Wenn sie irgendetwas Schlimmes getan hat, dann können wir das ein andermal klären. Aber alles, was du uns sagst, kann helfen, dass Barbara nichts passiert.»

Eine Pause.

«Wir waren alle zusammen im Wald», sagt Christopher.

«Wann?»

«Beim Survival-Trip.»

Er erklärt ihr, was das ist. Zählt alle auf, die in seiner Gruppe waren. Beschreibt, wie sie ihr Lager aufgeschlagen haben.

«Wir waren drei Nächte da», sagt Christopher. «Und ich habe so eine Sache, wegen der ich sehr lange wach bin. In zwei von den Nächten habe ich gesehen, wie Barbara aus dem Zelt gegangen ist, das sie sich mit Tracy geteilt hat, und es hat so ausgesehen, als ob sie in den Wald geht. Aber dann ist etwas Seltsames geschehen.»

«Was denn?»

«Na ja, sie hat sich umgedreht», sagt Christopher. «Ich habe sie beobachtet. Ihre Taschenlampe ist ausgegangen, und es war, als ob sie im Dunkeln auf irgendetwas wartet. Nach einer Weile ist ihre Taschenlampe wieder angegangen, und sie ist in unsere Richtung zurückgekommen. In der ersten Nacht dachte ich erst, sie musste nur pinkeln oder so. Aber dann ist sie an allen unseren Zelten vorbeigegangen.»

«Und wohin?»

«Ins Zelt von T. J. Hewitt», sagt Christopher.

«T. J.? Der Leiterin des Camps?»

Er nickt.

In ihrem Unterleib spürt sie wieder dieses dumpfe Kribbeln. Das Gefühl, das sie hatte, als sie mit Mrs Clute sprach. *Jagdfieber* hat Denny Hayes es genannt.

«Und wie lange war sie da drinnen?»

«Weiß ich nicht», sagt Christopher. «Ich bin immer eingeschlafen, bevor sie wieder herauskam. Am Morgen war sie wieder da.»

«Danke, Christopher», sagt Judy. «Das ist wirklich hilfreich. Willst du mir sonst noch etwas erzählen?»

«Sie hat sich auf dem Survival-Trip verletzt», sagt Christopher.

«Barbara?»

Er nickt. «Sie hat ein Eichhörnchen gehäutet. Sie hat sich aus Versehen mit dem Messer gestochen. Sie hat ganz schlimm geblutet. T. J. hat sie verarztet.»

«Sonst noch etwas?»

«Es ist immer wieder passiert», sagt Christopher. «Auch nachdem wir zurück waren. Ich habe jede Nacht gesehen, wie Barbara zu T. J.s Hütte gegangen ist.»

Er sagt das sehr leise und klingt fast ein wenig resigniert. Trotz seiner acht Jahre versteht er schon, was es bedeutet, oder doch zumindest, dass es nicht in Ordnung ist, wenn ein Kind mitten in der Nacht heimlich einen Erwachsenen besucht.

Er sieht aus, als ob er gleich weinen muss.

«Du warst sehr mutig, Christopher», sagt Judy. «Du bist ein richtig tapferer junger Mann. Ich danke dir. Ich habe nur noch eine Frage an dich.»

«Okay.»

«Was ist das für eine Sache?»

Er schaut sie an. Versteht nicht, was sie meint.

«Die Sache, weshalb du so lange wach bist?»

«Oh», sagt er. Sein Gesicht wird dunkelrot. «Ach so. Ich mache ins Bett», flüstert er. Der Vater legt die Hand auf die Schulter seines Sohnes.

«Das kommt vor», sagt Judy. «Weißt du, ich habe als Kind auch ins Bett gemacht.»

«Ehrlich?»

Es stimmt nicht. «Jawohl.»

«Wenn ich lange genug wach bleibe», sagt Christopher, «gehe ich noch einmal auf die Toilette, wenn alle anderen schon schlafen. Das hilft meistens.»

«Ich wette, da bist du oft ganz schön müde», sagt Judy, und Christopher nickt würdevoll.

Kurz bevor die Muldauers sich verabschieden, um heimzufahren, nimmt Mrs Muldauer Judy beiseite. Sie spricht sehr leise.

«Ein Bekannter hat uns erzählt, dies sei das beste Ferienlager weit und breit. Und die Leute, die ihre Kinder herschicken, haben weiß Gott Geschmack. Aber», sagt sie und neigt den Kopf zu Judy, um ihren Blick zu suchen, «wenn ich die Campleiterin vorher zu Gesicht bekommen hätte, dann hätte ich es mir vielleicht doch noch anders überlegt.»

Judy verzieht keine Miene.

«Vor allem, wenn ich eine Tochter hätte. Sie verstehen, was ich meine?»

Judyta

1950er | 1961 | Winter 1973 | Juni 1975 | Juli 1975 | August 1975: **Tag drei**

Ich kümmere mich erst mal um den Großvater», sagt Hayes. «Du redest mit T. J.» Er hat gemerkt, dass sie einen Lauf hat, und das rechnet sie ihm hoch an.

«Wir brauchen ordentliche Notizen», erinnert Hayes sie, dann geht er.

Judy nickt und macht sich auf den Weg zum Personalquartier, in dem T. J. Hewitt wohnt, seit das BCI ihr Zuhause zur Einsatzzentrale erklärt hat.

T. J. Hewitts kurzes Haar ist zerzaust. Sie fährt sich über das Gesicht, als hätte sie geschlafen und wäre gerade aufgewacht. Sie trägt ein weißes Unterhemd und abgeschnittene blaue Jeansshorts. Sie ist barfuß.

«Tut mir leid», sagt T. J. «Ich bin nicht ganz auf der Höhe. Ich habe in letzter Zeit nicht viel geschlafen.» Sie streckt sich.

Dann verstummt sie, vielleicht weil sie Judys Gesichtsausdruck bemerkt hat. Sie setzt sich aufrecht hin. «Was kann ich für Sie tun, Investigator Luptack?», fragt T. J.

Auf dem Weg hierher hat Judy darüber nachgedacht, mit welcher Frage sie beginnen soll. Etwas ohne irgendwelche Implikationen, hat sie beschlossen, etwas Neutrales.

Also beginnt sie: «Miss Hewitt …»

«T. J.»

«Entschuldigung. T. J. Können Sie mir etwas über Ihre Beziehung zu Barbara Van Laar erzählen?»

T. J. wird unruhig. «Ich bin mir ziemlich sicher, dass ich Investigator Hayes bereits alles darüber erzählt habe», sagt sie.

«Würden Sie es mir dann bitte noch einmal erzählen?», fragt Judy. «Ich möchte auf dem neuesten Stand bleiben.»

T. J. räuspert sich. «Ich kenne Barbara seit ihrer Geburt.»

«Wie alt waren Sie damals?»

«Vierzehn.»

Ihre Stimme ist leise. Sie schaut links an Judys Kopf vorbei, während sie spricht; ihr Blick ist so konzentriert, dass Judy kurz über ihre Schulter schaut, um zu sehen, ob sich hinter ihr irgendetwas oder irgendjemand befindet. Aber da ist nur die Wand aus naturbelassenem Holz.

«Und haben Sie viel Zeit mit ihr verbracht, bevor sie ins Camp Emerson kam?»

«Ja.»

«Können Sie mir die Zeit beschreiben, die Sie mit ihr verbracht haben?»

T. J. schaut nach unten. «Am Anfang war ich ihr Babysitter, wenn man so will.»

«Hier?»

«Hier auf dem Grundstück, ganz genau», sagt T. J. «Den ganzen Sommer lang. Jeden Sommer. Dafür habe ich Geld bekommen.»

«Dann sind Sie also schon Ihr ganzes Leben hier?»

T. J. nickt. «Das hier ist mein Zuhause.»

«Wie sind Sie denn überhaupt ins Naturreservat gekommen?»

«Mein Vater war Ranger und hat das Camp geleitet», sagt T. J. «Als er langsam sein Gedächtnis verlor, habe ich beide Posten von ihm übernommen.»

Judy macht sich Notizen.

«Und wenn die Van Laars in Albany waren?», fragt sie.

«Na ja, als Barbara ganz klein war, ging ich ja noch zur Schule», sagt T. J. «Also war ich immer hier. Aber ich bin danach nicht aufs College gegangen oder so. Mit siebzehn hatte ich ziemlich viel Zeit. Da war Barbara drei. Ich bin mit der Familie in den Urlaub gefahren. Kam nach Albany, wenn die Eltern verreisen mussten.»

«Sie und Barbara haben also schon immer ein enges Verhältnis?»

T. J. nickt.

«Haben wir. Ja.»

«War Barbara, als sie jünger war, ein schwieriges Kind?»

T. J. lacht kurz auf. In ihrer Miene und in ihrer Stimme liegt eine Art Bedauern, die Judy plötzlich verstörend findet.

«Gott, nein», sagt T. J. «Sie war ein wunderbares Kind. Genau wie ihr Bruder. Einfach richtig nette Kinder.»

Judy stutzt.

«Dann waren Sie also auch mit ihrem Bruder befreundet?»

«Ja. Wir waren ja vom Alter her näher beieinander. Ich war zwölf, als er …» T. J. hält inne. «… als er verschwand. Da war er acht.»

Obwohl es draußen so warm ist, wird Judy plötzlich kalt.

«Wie würden Sie das Verhältnis der Kinder der Van Laars zu ihren Eltern beschreiben?», fragt Judy.

«Das kommt darauf an, welches Kind. Und wer von den Eltern», fügt sie hinzu.

«Fangen wir mit Bear an.»

«Also, seine Mutter hat ihn über alles geliebt», sagt T. J. «Seit er nicht mehr da ist, ist sie nicht mehr dieselbe.»

«Und sein Vater?»

«Sein Vater …», sagt T. J. «Bei seinem Vater ist das nicht ganz so einfach.»

Sie scheint zu überlegen, wie sie ihren nächsten Satz formulieren soll.

«Wissen Sie, sein Vater hat ihn auch lieb gehabt, auf seine Weise», sagt T. J. «Aber es war, als ob Mr Van Laar ihn als eine seiner Aktien betrachtet. Etwas, das es nur wert ist, sich damit abzugeben, weil es später einmal wertvoll werden wird. Wenn Sie verstehen, was ich meine.»

Judy macht sich wieder eine Notiz.

«Was schreiben Sie da eigentlich auf?», fragt T. J. «Schreiben Sie etwas über mich?»

«Na ja, ich schreibe auf, was Sie sagen.»

«Und wer bekommt das zu sehen?»

Judy zögert. «Fürs Erste nur ich», sagt sie. «Und vielleicht noch meine Kollegen vom BCI. Aber später könnte das als Beweismittel verwendet werden. Und dann wäre es von öffentlichem Interesse.»

T. J. nickt. Judy fragt sich, ob sie jetzt dichtmachen, nicht mehr weiterreden wird.

Sie legt den Stift hin. Sofort wirkt T. J. ein wenig entspannter.

«Wie sieht es denn mit Barbaras Beziehung zu ihren Eltern aus?»

T. J. denkt eine ganze Weile nach.

«Ich weiß nicht genau, ob *nichtexistent* das passende Wort ist», sagt sie schließlich. «Aber es geht in die Richtung.»

Judy macht eine Pause, um Zeit zu gewinnen. «Sind Sie beide sich deshalb so nahe?», fragt Judy leise.

Sie weiß genau, dass es nicht ratsam wäre, jetzt schon alle Karten auf den Tisch zu legen. Sie will erst sehen, was T. J. von sich aus preisgibt.

«Kann sein», sagt T. J.

«Wie nahe stehen Sie sich denn, was würden Sie sagen?»

«Na ja, das kann man schlecht beschreiben.»

«Fangen wir mal so an», sagt Judy. «Ich weiß ja, dass sie diesen Sommer im Ferienlager verbracht hat. Hat sie selbst die Idee gehabt, oder waren Sie das?»

«Das war sie», sagt T. J. «Ich hatte damit nichts zu tun. Sie wollte raus aus dem Haus. Hatte keine Lust auf die große Party, die da geplant war.»

«Warum? Was glauben Sie?»

T. J. atmet tief ein. «Sie wissen, wie viel Geld die Van Laars haben, oder?»

«Ich kann es mir vorstellen, ja.»

«Wussten Sie, dass sie ihre Tochter letztes Jahr ins Internat geschickt haben, mit nur zwei Garnituren Kleidung und keiner einzigen Winterjacke im Gepäck? Wussten Sie, dass sie ihr kein Taschengeld geben?»

«Und warum? Was glauben Sie?»

«Entweder denken sie nicht daran», sagt T. J., «oder es ist ihnen egal. Auf jeden Fall bleibt das alles an mir hängen. Ich bringe ihr Snacks für das Wochenende, ich bringe ihr Bücher und Filme, die sie mag. Ich fahre dauernd da hin. Ich kümmere mich um sie. Sonst tut das ja keiner.»

«Und jetzt im Ferienlager», sagt Judy, «wie oft haben Sie sie da gesehen?»

«Na ja, jeden Tag», sagt T. J. «Wie alle anderen Ferienkinder auch. Ich bin ja ständig auf dem Gelände. Muss dauernd etwas reparieren, etwas planen, solche Sachen.»

«Und nachts?»

T. J. starrt wieder auf den Punkt an der Wand links von Judys Kopf.

Einen Moment lang ist es ganz still in der Hütte.

«Investigator Luptack», sagt T. J. «Ich weiß schon, was Sie damit andeuten.»

T. J. rutscht an die Bettkante, stützt die Hände auf die Knie. Lehnt sich vor, sieht Judy jetzt direkt an. «Ich weiß genau, was die Leute drüben im Ort über mich sagen. Vielleicht hat man das Ihnen gegenüber im Laufe der Ermittlung ja auch schon erwähnt.»

Judy verzieht keine Miene. «Ich weiß leider nicht genau, was Sie meinen.»

«Ich kleide mich auf eine ganz bestimmte Weise. Ich rede und gehe auf eine ganz bestimmte Weise.»

«Okay.»

«Barbara ist wie eine Schwester für mich», sagt T. J. «Vielleicht ist sie so eine Art Ersatz, weil ich nie selber Kinder haben werde, wenn Sie's genau wissen wollen. Ich habe sie sehr lieb, aber nicht auf die Weise, die Sie mir hier unterstellen.»

Judy lässt T. J.s letzte Worte so lange wie möglich in der Luft hängen.

Dann sagt sie leise, aber ganz direkt: «Wir haben einen Augenzeugen, der bereit ist, vor Gericht auszusagen, dass er gesehen hat, wie Barbara mitten in der Nacht in Ihr Zelt gegangen ist. Jede Nacht.»

Zum ersten Mal in ihrer Laufbahn als Ermittlerin hat sie jemandem bei einer Befragung auf den Kopf zugesagt, dass derjenige nicht die Wahrheit sagt.

Und zum ersten Mal blufft sie: Sie hat keine Ahnung, ob Christopher vor Gericht aussagen würde. Ob seine Eltern das überhaupt zulassen würden.

Einen Moment lang wird T. J. rot; ihr ganzes Gesicht leuchtet, dann ihr Hals, dann ihr Dekolleté.

Und dann steht sie auf. Sie geht quer durch den Raum und zieht sich ihre braunen Stiefel an.

«T. J.», sagt Judy.

«Ich bin nicht dumm», sagt T. J., während sie sich die Stiefel zuschnürt. «Ich weiß, was es bedeutet, wenn jemand sich eine Theorie zurechtgelegt hat und Beweise dafür sucht, dass sie stimmt, ganz egal, wie falsch die Theorie ist. Und ich weiß auch, dass ich rechtlich nicht verpflichtet bin, hier mit Ihnen zu reden. Sie können gerne wiederkommen, wenn Sie einen Haftbefehl haben.»

Sie steht auf und geht aus dem Zimmer.

Judy fühlt sich mit einem Mal ganz elend. Sie steht ebenfalls auf, geht zur Zimmertür und ruft T. J. hinterher: «Wie ist denn Ihre Theorie? Haben Sie eine Idee, wo Barbara steckt?»

Am Ende des Flurs hält T. J. inne. Stützt ihre Hände in die Hüften. Dreht sich zögerlich um.

«Kann ich Ihnen etwas verraten?», sagt sie. «Von Frau zu Frau? Versprechen Sie mir, es nicht in Ihr Notizbuch zu schreiben?»

Judy lässt das Büchlein sinken.

«John Paul McLellan ist Ihr Mann», sagt T. J. «Ich kann Ihnen nicht verraten, woher ich das weiß. Aber ich weiß es.»

Jacob

1950er | 1961 | Winter 1973 | Juni 1975 | Juli 1975 | August 1975: **Tag drei**

In der Nacht war er auf demselben Weg, auf dem er gekommen war, am Fluss entlanggegangen, nur diesmal stromabwärts. Im Morgengrauen hatte Regen eingesetzt.

Normalerweise schlief er tagsüber im Freien, aber heute wollte er ein Dach über dem Kopf haben. Ein Bett und eine Mahlzeit im Trockenen. Irgendwann fand er ein vielversprechendes Haus, das offenbar leer stand, und brach ein.

Zuerst ging er in die Speisekammer. Sie war leider fast leer, bis auf eine große Packung Quaker Oats, aus denen er sich auf dem Elektroherd Haferbrei kochte.

Als Nächstes durchsuchte er alle Schlafzimmerschränke. Wenn die Leute Waffen und Munition hatten, bewahrten sie sie seiner Erfahrung nach immer auf dem obersten Bord im Schlafzimmerschrank auf, damit die Kinder nicht herankamen. Und tatsächlich: Da lagen zwei doppelläufige Schrotflinten und drei Schachteln mit Patronen.

Schade, dachte Jacob. Er hätte lieber eine Pistole gehabt, eine Schrotflinte war ziemlich hinderlich beim Laufen. Aber immerhin war ein Munitionsgurt dabei, den er mit Patronen bestückte. Eines der Gewehre lud er ebenfalls.

Es ist jetzt 16 Uhr, und er hat den ganzen Tag geschlafen. Er steht vom Bett auf, das geladene Gewehr in der Hand. Plötzlich hört er eine Diele knarren.

Er bleibt ganz still.

So leise er kann, geht er auf die andere Seite des Bettes und stellt sich hinter dem Bett in Position. Von dort aus zielt er mit der Schrotflinte auf die Zimmertür.

Die Haltung ist ihm sehr vertraut. Sie erinnert ihn daran, wie er als Kind jagen gegangen ist.

Die Tür schwingt auf, und sofort schießt er – aber er trifft nicht. Da ist niemand, den er hätte treffen können.

Jacob überlegt noch, ob das eine Falle ist.

Da sagt eine Stimme hinter ihm: «Keine Bewegung!»

Er erstarrt.

Durch das offene Fenster neben seinem Kopf ist eine Dienstwaffe der Polizei auf ihn gerichtet.

Judyta

1950er | 1961 | Winter 1973 | Juni 1975 | Juli 1975 | August 1975: **Tag drei**

Sie geht den Hügel hinauf und sortiert im Kopf die neuen Informationen von T. J., die sie an Denny Hayes weitergeben will.

Ordentliche Notizen, denkt sie, das war alles, worum er sie gebeten hat – und sie hat keine.

Sie geht um das Haus herum zur Seeseite, um es sich in einem der Adirondack-Stühle bequem zu machen und aufzuschreiben, was T. J. zuletzt zu ihr gesagt hat, bevor sie es wieder vergisst.

Enttäuscht sieht sie, dass in einem der Stühle bereits jemand sitzt.

Von hinten erkennt sie die Frau nicht, erst, als sie sich umdreht: Es ist Mrs Van Laar senior, Barbaras Großmutter. Die Frau jenes Mannes, der sie gleich zu Beginn ihrer Arbeit hier so furchtbar von oben herab behandelt hat – jenes Mannes, der seit heute Morgen einer ihrer Hauptverdächtigen ist.

«Setzen Sie sich doch», sagt Mrs Van Laar. «Lassen Sie sich von mir nicht stören.»

Judy gehorcht. Sie beugt sich über ihr Notizbuch, tut so, als würde sie arbeiten. In Wirklichkeit überlegt sie, wie sie die Frau mit scheinbar harmlosen Fragen über ihren Ehemann ausquetschen kann.

Aber bevor sie ihr eine Frage stellen kann, sagt Mrs Van Laar: «Wunderschöne Aussicht.»

«Ja, wirklich», sagt Judy.

«Vom ganzen Reservat ist das hier der Ort, wo ich am liebsten sitze. Und am liebsten zu dieser Tageszeit», sagt Mrs Van Laar.

Judy nickt.

«Ich kann mir vorstellen, dass die Aussicht bei Ihnen Erinnerungen weckt», sagt Judy.

Mrs Van Laar macht eine Pause, als würde sie nachdenken. Dann sagt sie: «Eigentlich nicht.»

Judy überlegt fieberhaft, wie sie ein Gespräch in Gang kriegen kann, als sich Mrs Van Laar plötzlich aus ihrem Stuhl erhebt und zum Haupthaus geht.

«Mrs Van Laar», sagt Judy in unwillkürlich flehendem Ton.

Langsam dreht sich die Frau um. Ihr Gesichtsausdruck ist nach wie vor freundlich.

«Ich hatte seit unserem ersten Tag hier keine Gelegenheit mehr, mit Ihnen zu sprechen», sagt Judy. «Ist Ihnen noch etwas eingefallen, das Sie mir sagen möchten?»

Mrs Van Laar öffnet den Mund. Schließt ihn wieder. Wirft einen Blick über ihre Schulter, als müsste sie eine Entscheidung treffen.

Dann sagt sie: «Hatten Sie Gelegenheit, Vic Hewitt zu befragen?»

Bei dem Namen stutzt Judy. *Hewitt* kennt sie natürlich, aber der Vorname sagt ihr nichts.

«Ist das …»

«Tessie Jos Vater», sagt Mrs Van Laar. «Er hat vor ihr das Ferienlager geleitet.»

Judy runzelt die Stirn. *Tessie Jo*. Sie geht die Notizen durch, die sie sich gemacht hat, um nachzusehen, was T. J. vorhin über ihren Vater gesagt hat. *Gedächtnis verloren*, hat sie sich notiert.

«Das wusste ich gar nicht», sagt Judy.

«Und er lebt noch», sagt Mrs Van Laar, als hätte sie ihre Gedanken gelesen. «Vielleicht sollten Sie den mal befragen. Er ist ein äußerst interessanter Mann. Und er würde sich zweifellos über Gesellschaft freuen.»

«Wo finde ich ihn?», fragt Judy.

«Im Haus der Campleiterin, da wohnt er jetzt mit seiner Tochter», sagt Mrs Van Laar. «Sie pflegt ihn.»

Judy schüttelt den Kopf. «Da sind wir jetzt, Ma'am», sagt sie. «Das ist unsere Einsatzzentrale.»

Mrs Van Laar schaut Judy unumwunden an. «Tja, Liebes», sagt sie, «dann nehme ich an, dass Sie ein wenig *ermitteln* müssen. Ist das nicht Ihr Job?»

Sie dreht sich um und verschwindet in dem dunklen, kühlen Haus.

VII

Self-Reliance

Alice

1950er | **1961** | Winter 1973 | Juni 1975 | Juli 1975 | August 1975

Alice, die immer noch nach Bear suchte, atmete tief durch, dann drehte sie den Knauf an der Tür zum Schlafzimmer ihres Mannes.

Es wäre längst nicht so schlimm gewesen, wenn es irgendjemand anders gewesen wäre.

Zum Beispiel eine der jungen Frauen, die die Woche hier verbrachten – eine Schauspielerin oder eine Sängerin oder ein Model. Jemand Junges und Frivoles, jemand, den man nicht ernst nehmen konnte.

Oder, dachte Alice, eine der Angestellten: Wenn es eine der Aushilfen gewesen wäre, dann hätte sie gewusst, dass Peter nur Dampf ablassen wollte. Mit einer Angestellten konnte er es unmöglich ernst meinen.

Aber Peter lag weder mit einer Schauspielerin noch mit einer Sängerin noch mit einer Angestellten im Bett.

Sondern mit ihrer Schwester. Delphine.

Dabei hatte sie immer gedacht, dass Peter ihre Schwester verachtete. Allein schon, weil er sie für *intelligent* hielt – was laut Peters Weltsicht bei einer Frau reine Verschwendung war.

Sie hatte sich in allem geirrt.

An der Position ihrer beider Körper erkannte sie sofort, dass sie einander nicht zum ersten Mal so nah waren. Sofort stellte sie im Geist Verbindungen her, zog Schlussfolgerungen. Dass Delphine so vertraut mit dem Personal umging – ihre freche Frage, die sie gestern Warren gestellt hatte, ob es ihm passe, die Gäste einen Tag länger zu versorgen. Als wäre *sie* die Herrin des Hauses.

Zwei-, dreimal im Monat fuhr Peter nach Manhattan – geschäftlich, wie er sagte. Um sich mit McLellan zu treffen, wie er sagte, dem Syndikus der Bank.

In ihrem Kopf ratterte es. Wie lange trieben Peter und Delphine das schon? Seit Jahren? Seit damals, als Delphine das erste Mal hier im Haus *Self-Reliance* gewesen war, als Alice' Anstandsdame?

Oder sogar noch länger?

Schon immer waren die Leute Delphine mit mehr Respekt begegnet als Alice. Sogar Peter – selbst wenn er über sie herzog, schwang in seiner Stimme eine gewisse Bewunderung mit.

Vielleicht war das alles nur Fassade gewesen.

Vielleicht hatten sie alle es die ganze Zeit gewusst: Peters Eltern. Seine Freunde.

Vielleicht gingen Peter und Delphine und McLellan und seine Frau in Manhattan immer zusammen essen. Vielleicht wussten sowieso alle Bescheid. Vielleicht trafen sich die zwei sogar hier im Haus *Self-Reliance*, wenn Alice in Albany war – vielleicht kannte sie deshalb das Personal so gut.

Hatten Peter und sein Vater sie, Alice, gar nicht *trotz* ihrer Jugend und ihrer Unerfahrenheit – die sie ihr ständig als Defizit ankreideten, an dem sie arbeiten solle – als seine Ehefrau ausgewählt, sondern gerade *deswegen*? Weil klar war, dass sie immer alles tun würde, was er von ihr verlangte? Weil sie sich niemals wehren würde?

Weil ihr nicht in den Sinn kommen würde, dass Peter in Wirklichkeit eine Frau wie Delphine wollte?

Die beiden schliefen. Sie waren völlig nackt. Delphines Kopf lag auf Peters Brust. Er hatte einen Arm um ihre Schultern gelegt. Ihr Haar war wie ein Fächer hinter ihr auf dem Bett ausgebreitet.

So hatten Peter und Alice noch nie geschlafen.

Nicht einmal, als sie achtzehn gewesen war und frisch verheiratet mit einem Mann, der mehr als zehn Jahre älter war als sie, als sie erstmals ihr Elternhaus verlassen hatte, als sie schwanger gewesen war und sich immerzu unwohl gefühlt hatte: Nicht einmal da hatte Peter sie so zärtlich umarmt. Stattdessen hatte er sich wegen ihrer angeblichen Schlaflosigkeit auf seine Seite des Bettes zurückgezogen und dort kerzengerade gelegen, und sie, Alice, hatte sich auf die Seite gerollt, ein Kissen umarmt, um sich zu trösten, und an ihre Freundinnen in New York gedacht, die sie vermisste, und an ihre Schwester und an ihren Vater und sogar an ihre Mutter.

Alice stand noch eine Weile da und beobachtete sie. Einen Moment lang überlegte sie, ob sie die beiden aufwecken sollte – die Tür zuknallen, damit sie ja wussten, dass sie im Bilde war. Aber dann würde sich alles ändern. Alles. Ihr ganzes Leben würde sich ändern.

Alice kannte nur ein einziges Ehepaar, das sich hatte scheiden lassen: ehemalige Bekannte ihrer Eltern.

Mit dem Mann waren sie immer noch befreundet, aber jetzt hatte er eine viel jüngere Gattin. Die Frau war praktisch verschwunden. Offenbar wohnte sie nicht mehr in New York, sondern war nach Connecticut gezogen. Aber alle redeten über sie, als wäre sie gestorben.

Alice überlegte: Konnte sie damit leben und sich nichts anmerken lassen? Konnte sie das Zimmer verlassen und leise die Tür hinter sich schließen? Peter und Delphine beim Abendessen gegenübersitzen und so tun, als hätte sie nichts gesehen? Für den Rest ihres Lebens?

Ja und ja und ja, dachte sie.

Solange sie Bear hatte, würde sie das schaffen.

Sie schloss die Tür so leise, wie sie nur konnte, und ging in den Wintergarten, wo noch ihr Glas stand. Sie schenkte sich Gin ein und trank das Glas in mehreren Schlucken aus. Das hatte sie sich verdient, fand sie. Sie goss das Glas noch einmal voll. Und trank.

Während sie trank, begann sie zu weinen.

Als sie damit fertig war, konnte sie nicht mehr gerade stehen.

Sie hatte den ganzen Tag noch nichts gegessen.

Als sie den Wintergarten verließ, wankte der ganze Flur, der Fußboden kam ihr entgegen. Sie torkelte ins Wohnzimmer, wo die anderen Gäste versammelt waren – die Eltern Van Laar und die McLellans und die Schauspielerinnen und die Bankkunden. Dort, am Kamin, saßen Tessie Jo und Bear. Alle hatten sich aus Langeweile hier versammelt, unschlüssig, was sie als Nächstes tun sollten.

Die Gespräche verstummten, als sie das Zimmer betrat. Sie schwankte leicht, ging einen Schritt rückwärts, um sich zu stabilisieren.

Alle starrten sie an, ihre Gesichter ließen keinen Zweifel daran, was sie von ihr hielten.

Aber diese Leute waren ihr alle egal. Sie sprach nur mit Bear.

«Komm her», sagte sie, versuchte zu lächeln und streckte ihm beide Hände entgegen.

Eine peinliche Stille.

«Wo willst du denn mit ihm hin, Alice?», fragte Peters Vater und hob die Augenbrauen.

«Bear wollte mit mir mit dem Ruderboot rausfahren», sagte sie zu ihm. Ihr Schwiegervater runzelte die Stirn, als hätte er sie nicht verstanden. So schlimm hatte sie bestimmt nicht gelallt, dachte sie.

Sie versuchte es noch einmal.

Diesmal stand Bear zögernd auf; ihr Großvater bedeutete ihm, sich wieder hinzusetzen.

«Ich fürchte, Bear und ich haben schon etwas vor», sagte er. «Wir wollen wandern gehen.» Er wandte sich zu seinem Enkel um. «Bear», sagte er, «hast du schon deine Stiefel an?»

Verwirrt schaute Bear zwischen seinem Großvater und seiner Mutter hin und her. Genau das liebte Alice so an ihm: die Fürsorge, mit der er anderen begegnete. Er wollte immer, dass es allen gut ging. Dachte sich immer wieder etwas aus, um seinen Mitmenschen eine Freude zu machen. Pflückte im Garten Blumen für sie. Schrieb ihr in der Schule ganz herzige kleine Briefe.

Aus einem Impuls heraus beschloss Alice, nachzugeben und ihren Sohn aus der Zwickmühle zu befreien. «Schon gut, Bear», sagte sie, «wir gehen ein andermal Boot fahren.» Zu spät bemerkte sie, dass ihre Stimme vor Rührung ganz brüchig klang. Sie machte auf dem Absatz kehrt und stolperte aus dem Wohnzimmer, dann den Flur hinunter und durch die Seitentür ins Freie.

Draußen verdunkelte sich der Himmel. Ein paar Regentropfen fielen ihr aufs Gesicht und weckten sie für einen kurzen Moment aus ihrer Benommenheit. Sie brach in Tränen aus.

Dann würde sie eben allein hinausrudern, dachte sie. So konnte sie der Party entkommen, ihrer Schwester und ihrem Mann entfliehen. Sie stellte sich vor, wie sie sich mitten auf dem See einfach im Boot hinlegte und sich eine Weile treiben ließ. Vom Wasser gewiegt wurde, bis sie sich wieder gefangen hatte.

Dann würde sie zur Party zurückkehren.

Zwanzig Meter vor dem Bootshaus stolperte sie und fiel hin. Sie rappelte sich wieder auf, sah, dass sie sich die Handflächen aufgeschürft hatte. Sie wischte sie am Kleid ab. Ging weiter.

Sie öffnete die Tür.

Im Bootshaus war es dunkel, noch dunkler als sonst. Richtig geisterhaft sahen die Boote aus, die in drei ordentlichen Reihen aufgebockt waren. Sie ging zu dem Ruderboot aus Aluminium. Es aus eigener Kraft von seinem Gestell zu heben, hatte sie noch nie versucht, dachte aber, dass das nicht allzu schwer sein konnte.

Sie zerrte mehrmals daran. Ein lautes Klappern, als ein Ruder zu Boden fiel.

Mühsam schleppte sie das Boot zu der Rampe, die in den See führte. Sie schwitzte, obwohl vom Wasser her ein kalter Wind wehte. Ihre Bewegungen waren unbeholfen, unkoordiniert.

Plötzlich hinter ihr ein Geräusch: die Tür des Bootshauses.

Alice

1950er | **1961** | Winter 1973 | Juni 1975 | Juli 1975 | August 1975

Sie hatte keine Ahnung, wo sie sich befand. Sie öffnete die Augen. Ihr Mund war so trocken, dass sie nicht schlucken konnte. Der Raum über ihr drehte sich langsam, die Deckenlampe zeichnete Bögen aus Licht in die Luft.

Sie hatte das Gefühl, dass sie nicht mehr in der Lage war, Wörter zu formen. Auch ihre Gedanken hatten keine Wörter. *Wasser*, dachte sie – aber es war ein Bild, kein Substantiv. Sie sah sich nach einem Waschbecken um und drehte ihren Oberkörper hin und her. Ihr Nacken war so steif, als hätte sie ihren Kopf tagelang nicht bewegt.

Im Zimmer gab es zwar Fenster, aber die Jalousien waren heruntergelassen, die Lamellen geschlossen und die Fensterläden ebenso. Sie konnte nicht einmal erkennen, ob es draußen hell oder dunkel war.

Das Bett, auf dem sie lag, war so hart, dass es sich anfühlte wie ein Holzbrett.

Sie stand auf und merkte, dass sie wacklig auf den Beinen war. Sie blickte an sich herunter. Ihr Kleid fühlte sich steif an, als wäre es nass geworden und wieder getrocknet.

Toilette, dachte sie. Das Bild einer Toilette. Der Drang zu urinieren war plötzlich so stark, dass sie sich hastig umsah.

Wo war sie nur? Sie hatte das Gefühl, dass sie es schon bald wissen würde und dass sie zugleich etwas Furchtbares erfahren würde, etwas, das sie gar nicht wissen wollte. Langsam streckte sie den Rücken durch.

Es gab keine Toilette. Die wenigen Einrichtungsgegenstände deuteten darauf hin, dass sie sich in einem Schlafzimmer befand, das schon lange nicht mehr benutzt wurde. Eine klobige Kommode. Eine Schüssel für Wasser. Ein Spiegel, bei dem sie tunlichst vermied hineinzusehen.

Sie entdeckte eine Tür und ging darauf zu, versuchte, sie zu öffnen, aber sie war abgeschlossen. Eigentlich hatte sie nichts anderes erwartet.

Sie legte sich flach auf den Boden, wollte keine Gedanken mehr zulassen. Es war etwas Schreckliches geschehen, das wusste sie. Wenn sie wieder einschlief, musste sie nicht erfahren, was.

Sie schloss die Augen.

Die Tür ging auf.

Herein kam Peters Vater.

Judyta

1950er | 1961 | Winter 1973 | Juni 1975 | Juli 1975 | August 1975: **Tag drei**

Bald ist ihre Schicht zu Ende. Sie muss Hayes finden; sie kann es nicht riskieren, mit jemand anderem darüber zu sprechen, was Mrs Van Laar ihr erzählt hat. Nach gestern kann sie es sich nicht noch einmal leisten, vor LaRochelle falschzuliegen.

Vielleicht sollten Sie den mal befragen. Er ist ein äußerst interessanter Mann.

Als sie das Haus der Campleiterin erreicht, stehen zwei Kriminalpolizisten vor der Tür und rauchen. Sie teilen ihr mit, dass Hayes schon Feierabend gemacht hat.

«So eine Scheiße», sagt sie, und die Kollegen sehen sie erstaunt an.

«Du hast aber eine ganz schöne Klappe», sagt einer.

Sie antwortet nicht.

«Jedenfalls», sagt der andere, «hat er das hier für dich dagelassen.» Widerstrebend hält er ihr einen Zettel mit einer Telefonnummer hin. Darüber steht: *Denny, privat.*

«Habt ihr was laufen?», fragt der erste Ermittler. Sein Kumpel unterdrückt ein Grinsen.

Judy ignoriert sie. Betritt das Haus.

Endlich ist sie wieder allein.

Ein langer Flur führt vom Wohnzimmer in den hinteren Teil des Hauses. Am Ende des Flurs befindet sich die Toilette, die seit einigen Tagen so ausgiebig benutzt wird, dass sie bestimmt renoviert werden muss, wenn sie hier fertig sind.

Aber es gibt noch mehr Zimmer. Und laut Mrs Van Laar wohnt in einem davon Vic Hewitt, oder er hat dort gewohnt.

Judy geht auf Zehenspitzen den Flur entlang und versucht, so leise zu sein wie möglich.

Sie öffnet die erste Tür. Im Zimmer steht ein ordentlich gemachtes Bett, auf dem Nachttisch liegen ein paar Bücher und eine Zeitschrift namens *Camp Life*. Sie öffnet den Wandschrank und findet darin einige androgyne Kleidungsstücke und, ordentlich in Reih und Glied, mehrere Anglerhüte.

Judy kann sich nicht entscheiden, ob das hier eher Vics oder T. J.s Zimmer ist. Sie geht zu einer dunklen Holzkommode und zieht eine der zwei schmalen oberen Schubladen auf.

Da hat sie ihre Antwort. Die Unterwäsche ist eindeutig weiblich: ein hochgeschnittener Slip, ein Büstenhalter, an dem noch ein Preisschild hängt. Ein Paar Wollstrümpfe, das ebenfalls wirkt wie ungetragen.

Auf der anderen Seite des Flurs öffnet sie eine weitere Tür. Diesmal gibt es keinen Zweifel, in wessen Zimmer sie sich befindet: Ein metallener Gehstock lehnt an der Wand. An einer anderen Wand sind Herrenschuhe aufgereiht. Und auf dem Nachttisch steht ein hohes Glas mit einer durchsichtigen Flüssigkeit, und darin schwimmt ein Gebiss.

Das wirft die Frage auf: Wenn hier Vic Hewitts dritte Zähne sind, wo ist dann Vic Hewitt?

Judy geht zur Kommode. Statt Kleidung findet sie darin einen ganzen Haufen Schwarz-Weiß-Fotos. Die meisten sind von Kindern: T. J., als sie klein war. Barbara. Und Bear: Sehr viele Bilder zeigen

Bear Van Laar in verschiedenen Situationen, beim Angeln, beim Schwimmen, auf Langlaufskiern.

Doch am faszinierendsten findet sie ein Gruppenfoto. Sie kneift die Augen zusammen und versucht, alle Personen auf dem Foto zu erkennen. Zwei davon sind ganz bestimmt Barbaras Großeltern, Mr und Mrs Van Laar senior. Sie stehen in der hinteren Reihe. Sie lächelt, er nicht.

Der kleinste Junge auf dem Foto ist vermutlich Bear.

Die Frau, die so liebevoll auf ihn hinunterschaut, ist seine Mutter Alice, der Mann rechts neben ihr sein Vater.

Ganz an der Seite stehen T. J. und ihr Vater Vic. Irgendwie sind die beiden gleichzeitig ein Teil der Gruppe und ein Fremdkörper.

Judy dreht das Bild um. Auf der Rückseite steht mit hellem Bleistift geschrieben: *Blackfly Goodbye 1961.*

Das Jahr, in dem Bear verschwand.

Judy läuft es kalt den Rücken hinunter. Sie legt die Fotos zurück in die Schublade. Geht wieder ins Wohnzimmer.

Ihr ist klar, dass sie endlich jemandem von dem Tipp erzählen muss, den Mrs Van Laar ihr gegeben hat. Sie holt einen Zettel aus ihrer Tasche, geht zum Telefon und wählt Denny Hayes' Privatnummer. Offenbar möchte er ja, dass sie ihn anruft.

Eine Frauenstimme meldet sich. Zweifellos seine Ehefrau. Im Hintergrund hört Judy Kinderstimmen.

«Hallo», sagt Judy. «Dürfte ich bitte Investigator Hayes sprechen?»

Die Frau klingt skeptisch. «Darf ich fragen, wer da dran ist?»

«Ich bin Investigator Luptack», sagt sie. «Ich arbeite mit ihm zusammen.»

«Ich wusste gar nicht, dass er eine weibliche … Mitarbeiterin hat», sagt Mrs Hayes. «Ich wusste nicht, dass die Kriminalpolizei überhaupt Frauen nimmt.»

«Tut sie aber», sagt Judy.

«Jedenfalls ist er noch nicht zu Hause», sagt Mrs Hayes. «Sie können gerne Ihre Nummer hinterlassen, wenn Sie möchten.»

«Sagen Sie ihm bitte, dass ich im Alcott Family Inn in Shattuck, New York, wohne», sagt Judy. «Ich bin in etwa zwanzig Minuten dort. Er soll an der Rezeption anrufen, dann sagt man mir Bescheid.»

Eine lange, skeptische Pause.

«Gut», sagt Mrs Hayes. «Ich richte es aus.»

Aber Judy weiß jetzt schon, dass sie das nicht tun wird.

Es ist stockdunkel, als sie auf den Parkplatz des Motels einbiegt. Es ist Mitte August, langsam geht der Hochsommer in den Spätsommer über. Sie bleibt noch einen Moment in ihrem VW Käfer sitzen und lauscht dem Knacken des abkühlenden Motors, dann steigt sie aus und schließt ihn ab. Sie geht zu ihrem Zimmer. Holt den Schlüssel heraus.

Da hört sie von hinten, wie jemand ihren Namen sagt. Sie weiß, wer es ist, noch bevor sie sich umdreht.

«Daddy», sagt sie. «Was machst du denn hier?»

Er kommt auf sie zu. So wütend hat sie ihn noch nie gesehen. «Was machst *du* hier, Judy?», fragt er. «Glaubst du, so was wie das hier ist ein sicherer Ort für ein alleinstehendes Mädchen? Und dann kommst du so spät nach Hause, dass es draußen schon dunkel ist? Das kann ja wohl nicht wahr sein.»

«Wie hast du mich gefunden?», fragt Judy.

«Deine Mutter war ganz krank vor Sorge», sagt ihr Vater. «Sie konnte letzte Nacht nicht schlafen. Heute hat sie nichts gegessen. Sie hat mir verraten, wo du steckst.»

Judy seufzt tief.

«Gib *ihr* nicht die Schuld», sagt ihr Vater. «Sie macht sich Sorgen um dich. Es war schon ganz richtig, dass sie es mir gesagt hat. So eine schäbige Absteige? Du hast Glück, dass dir noch nichts passiert ist.»

Er geht zurück zum Auto. Öffnet die Beifahrertür.

«Los, komm», sagt er. «Ich fahre dich nach Hause. Morgen hole ich dein Auto.»

Er sieht sie gar nicht an. Er erwartet, dass sie einsteigt, ohne Fragen zu stellen. Als Kind haben Judy und ihre Geschwister ihm immer brav gehorcht. Er hat sie zwar nie geschlagen, aber er war ein großer Mann, der sie angeschrien hat.

Einen Moment lang stellt Judy sich vor, wie es wäre, wenn sie mitgeht. Sich zu ihm ins Auto setzt. Um den Familienfrieden nicht zu gefährden. Zu tun, was von ihr erwartet wird.

Stattdessen sagt sie: «Es ist nicht schäbig.»

«Was?»

«Das Hotel hier.»

«Motel.»

«Das Motel hier. Es wird von einer sehr netten Familie geführt. Die Alcotts. Der Mann ist Geschichtslehrer. Die Frau liest Bücher.»

Ihr Vater sieht sie an.

«Ich übernachte hier», sagt Judy, «denn ich muss morgen sehr früh zur Arbeit. Und ich bin müde.»

«Judy», sagt ihr Vater. «Steig gefälligst ein.»

«Ich bleibe so lange hier, wie ich an dem Fall arbeite», sagt Judy. «Und danach suche ich mir eine Wohnung, die näher am BCI-Hauptquartier in Ray Brook liegt. Ich kann es mir leisten, ich habe eine Gehaltserhöhung bekommen.»

«Judy.»

«Als ich befördert wurde», fügt sie mit Nachdruck hinzu.

Langsam schließt ihr Vater die Beifahrertür. Einen Augenblick lang tut er ihr fast leid. Sie stellt sich vor, wie er allein nach Hause fährt, sein Gesicht eine Maske der Trauer und Wut. Es ist das erste Mal in ihrem Leben, dass sie sich seinen Anordnungen direkt widersetzt.

«Deine Mutter weint sich die Augen aus», sagt er. «Und zwar deinetwegen.»

«Ich bin sechsundzwanzig Jahre alt», sagt Judy. «Ich bin eine erwachsene Frau, Dad. Ich kann auf mich selbst aufpassen.»

Er sagt nichts mehr. Er steigt in sein Auto – eine uralte Karre, ein Fairlane Skyliner von Ende der Fünfziger. Judy weiß noch, wie stolz er damit nach dem Kauf bei ihnen zu Hause vorgefahren ist –, setzt zurück und fährt hinaus in die Nacht, einen dicken Arm über der Lehne des Beifahrersitzes, wo normalerweise ihre Mutter sitzt.

Dann ist Judy allein.

Judyta

1950er | 1961 | Winter 1973 | Juni 1975 | Juli 1975 | August 1975: **Tag vier**

In ihrem Zimmer im Alcott Family Inn schaltet Judy den kleinen Fernseher ein, dann geht sie ins Bad. Der Nachrichtensprecher berichtet, dass es heute sonnig wird, aber zu kühl für August. Ihre neue Morgenroutine gefällt ihr: Sie kann allein aufstehen, zu einer normalen Zeit, ohne dass ihr Bruder sie vom Nebenzimmer her anbrüllt.

Sie dreht die Brause so heiß auf, dass sie es gerade noch erträgt, und duscht viel länger, als ihre Mutter es ihr erlaubt hätte.

Schließlich steigt sie widerwillig aus der Dusche. Als sie das Wasser abstellt, hört sie gerade noch, wie im Zimmer nebenan der Nachrichtensprecher sagt: *... und ist jetzt in Gewahrsam.*

Sie hält sich ein Handtuch vor die Brust und läuft hinüber. Auf dem Fernseher ist ein Foto von Jacob Sluiter zu sehen.

Dann schalten die Nachrichten zu einem Interview mit dem Polizeichef des Bundesstaates New York, der vom Polizeipräsidium in Albany aus bestätigt, dass Sluiter in einem Privathaus in der Nähe von North Creek festgenommen worden ist.

Auf der Arbeit leitet Denny Hayes das morgendliche Briefing; LaRochelle, sagt er, sei oben im Haus und unterhalte sich wieder mit Barbaras Vater.

«Falls Sie noch nicht gehört haben, was passiert ist», sagt Hayes, «werden Sie es gleich erfahren.»

Er informiert alle über die Ereignisse von gestern Nacht: Ein Nachbar hat Sluiter gesehen, als er an seinem Haus vorbeiging, dann hat die Polizei ihn beschattet, und während Sluiter schlief, ist er festgenommen worden. Dann setzt er sie über den Stand der Dinge in Kenntnis: Erstens sei Sluiter in Gewahrsam, unverletzt und bei guter Gesundheit.

Zweitens sei er offenbar bereit auszupacken.

Drittens bestehe zwar rein zeitlich die Möglichkeit, dass er vor vier Tagen am Van-Laar-Naturreservat war, genau rechtzeitig, um Barbara Van Laar etwas anzutun und wieder nach Süden zu gehen, bis nach North Creek. Aber das sei doch ziemlich unwahrscheinlich, und es gebe keine Beweise dafür.

Zuletzt teilt Hayes ihnen mit, dass er entscheiden soll, wer Sluiter als Erster befragen darf.

Für einen Moment glaubt Judy, dass Hayes ihr diese Aufgabe übertragen wird. Er sieht sie sogar direkt an – aber dann wendet er den Blick ab.

«Goldman», sagt er. «Hatten Sie Kontakt zu ihm, als Sie am Fall Bear Van Laar gearbeitet haben?»

Goldman schüttelt den Kopf. *Nein.*

«Würden Sie das denn jetzt übernehmen wollen?», fragt Hayes.

Judy versucht, sich ihre Enttäuschung nicht anmerken zu lassen, auch wenn sie nachvollziehen kann, dass die Wahl auf Goldman fällt: Er ist ein bodenständiger, väterlicher Typ, der alles andere als bedrohlich wirkt. Jeder sagt, er sei ein guter Ermittler. Man munkelt, er hätte schon öfter befördert werden sollen, hätte aber immer abgelehnt, weil er die Arbeit des Ermittlers mag und keine Lust hat, nur noch am Schreibtisch zu sitzen.

Judy hält den Atem an. Sie ist gespannt, ob Goldman *Nein* sagt.

«Ja», sagt Goldman.

Hayes nickt. Dann teilt er den anderen nacheinander ihre Aufgaben für den Tag zu. Judy bekommt eine Liste mit Namen von Eltern, die sie ausfindig machen soll.

Dann beendet er die Besprechung und schickt alle weg.

Judy bleibt noch. Sie wartet, bis alle anderen gegangen sind, bevor sie auf Hayes zugeht.

«Ich habe gestern Abend bei dir zu Hause angerufen», sagt sie. «Ich habe deiner Frau eine Nachricht für dich hinterlassen.»

Hayes runzelt die Stirn. Dann seufzt er.

«Sie hat es dir nicht gesagt, oder?», sagt Judy.

Er schüttelt den Kopf.

«Hast du gestern mit dem Großvater gesprochen?», fragt Judy.

«Ich konnte ihn nirgends finden», sagt Hayes. «Jeder hat mir etwas anderes gesagt, wo er angeblich steckt.» Er stutzt. «Hast du ihn erwischt?»

«Nein, leider nicht», sagt Judy. «Aber ich habe eine neue Spur für dich.» Und ohne eine Antwort abzuwarten, berichtet sie von ihrem Nachmittag: dem Tipp, den Mrs Van Laar sr. ihr gegeben hat. Ihrer Suche nach Vic Hewitt. Dem Gehstock, dem Gebiss. Dem leeren Zimmer.

«Sieh selbst nach», sagt Judy und nickt in Richtung Flur. «Es ist gleich da drüben.»

«Was hat T. J. gesagt, als du sie befragt hast? Hat sie nicht erwähnt, wo ihr Vater ist?»

«Das ist ja das Merkwürdige», sagt Judy. «Sie hat ausschließlich in der Vergangenheitsform über ihn gesprochen. Sie erzählte nur, dass er der Leiter des Camps war, bis sein Gedächtnis nachließ. Ich hatte keine Ahnung, dass er immer noch hier im Haus wohnt.»

«Was er aber offenbar im Moment ja gar nicht tut», sagt Hayes.

«Stimmt.»

Hayes denkt nach. «Also gut», sagt er. «Vergiss, was ich vorhin gesagt habe. Deine Aufgabe für heute ist, Vic Hewitt zu finden.»

Judyta

1950er | 1961 | Winter 1973 | Juni 1975 | Juli 1975 | August 1975: **Tag vier**

Bis auf die State Troopers, die Ranger und die Ermittler des BCI ist Camp Emerson inzwischen menschenleer. Alle Betreuer, Ferienkinder und Angestellten sind abgereist. Die einzige Zivilistin, die sich theoretisch noch auf dem Gelände des Ferienlagers aufhält, ist T. J. Hewitt.

Doch als Judy in der Personalunterkunft nachschaut, wo sie T. J. zuletzt gesehen hat, ist die Tür zu ihrem Zimmer nicht nur verschlossen, sondern mit einem Vorhängeschloss verriegelt. Den Holzspänen auf dem Boden nach zu urteilen, wurde es erst kürzlich angebracht.

Trotz des Vorhängeschlosses klopft Judy an die Tür, erst vorsichtig, dann mit Nachdruck.

Keine Reaktion.

Im Laufe der nächsten Stunden fragt sie jeden, der ihr über den Weg läuft, ob er T. J. gesehen hat, aber seit gestern scheint ihr niemand mehr begegnet zu sein. Auch ihr Pick-up-Truck ist nirgendwo auf dem Gelände zu finden.

Zwar ist sie in diesem Fall keine Verdächtige – zumindest nicht offiziell. Sie kann kommen und gehen, wie sie will. Trotzdem findet Judy es zumindest seltsam, dass T. J. und ihr Vater plötzlich fort sind, vor allem nach ihrem gestrigen Gespräch. Judy hat ein ungutes Gefühl im Magen.

Zur Mittagspause kehrt sie in die Einsatzzentrale zurück. Als sie eintritt, legt Denny Hayes gerade den Hörer auf die Gabel.

«Judy», sagt er. «Du kommst wie gerufen.»

«Ach ja?», fragt Judy, und Hayes nickt.

«Ich muss dich um einen Gefallen bitten», sagt er, unterbricht sich dann aber selbst. «Fortschritte bei Vic Hewitt?»

«Nein», sagt Judy. «Und jetzt sieht alles danach aus, als wäre T. J. ebenfalls weg.»

Eine Pause.

«Darum soll sich jemand anderes kümmern», sagt Hayes.

«Wer denn?», fragt Judy. Und dann, als ihr einfällt, was er eben gesagt hat: «Was denn für einen Gefallen?»

Hayes seufzt.

«Er möchte mit einer Frau sprechen», sagt Hayes.

«Wer?», fragt Judy.

«Sluiter. Goldman hat sein Bestes gegeben, aber er hat nichts erreicht. Sluiter will unbedingt mit einer Frau sprechen.»

«Okay …?», sagt Judy.

«Gut, dass das BCI eine weibliche Ermittlerin hat», sagt Hayes ausweichend.

«Tja.»

«Ich war dagegen», sagt Hayes. «Ich finde nicht, dass man ihm alles geben soll, was er will. Und ich habe keine Ahnung, was er zu dir sagen wird. Irgendein perverses Zeug vielleicht, wer weiß? Aber das liegt nicht mehr in meiner Hand. LaRochelle hat bereits sein Okay gegeben.»

«Ist schon in Ordnung», sagte Judy. «Ich habe keine Angst.»

Sie hat Angst. Zwei Stunden später steht Judy im Nebenraum eines Verhörzimmers in Ray Brook und betrachtet Jacob Sluiter höchstpersönlich durch einen Einwegspiegel.

Er ist groß und hager. Dünnes Haar, eine hohe Stirn. Er ist sehr rüstig für seine fünfzig Jahre, seine Arme sind sehnig; sie kann sich vorstellen, dass Sluiter in seinen Dreißigern, bei seiner ersten Mordserie, noch schwerer zu überwältigen war. Er trägt einen spärlichen Bart, anscheinend hat er sich während seiner Zeit auf der Flucht nicht rasiert.

Ein forensischer Psychologe, der mit dem Fall vertraut ist, seit Sluiter Anfang der Sechzigerjahre sein Unwesen trieb, hat mit ihr vorher telefoniert, um sie auf das Gespräch vorzubereiten.

«Er hasst seinen Vater», hat der Psychologe ihr erzählt. «Der Vater hat ihn schwer misshandelt. Sprechen Sie ihn besser nicht auf seinen Vater an. Oder auf Eltern im Allgemeinen.»

«In Ordnung», sagte Judy.

«Er neigt zu sexueller Gewalt», sagte der Psychologe. «Vielleicht sagt er Dinge, über die Sie sich aufregen sollen. Gönnen Sie ihm die Genugtuung nicht.»

«Okay.»

Jetzt presst Judy die Zähne zusammen, damit sie nicht klappern. Sie hofft, dass sie so besonders hart im Nehmen erscheint. Vom Solarplexus aus vibriert ihr Körper vor Nervosität und Kälte. Die Klimaanlage in Ray Brook ist so hoch aufgedreht, dass sie im August immer eine Jacke mit zur Arbeit nimmt. Aber sich darüber zu beschweren, kommt ihr nicht in den Sinn; dann könnte sie ebenso gut überall verkünden: *Ich bin schwach.*

Hinter ihr hat sich ein Grüppchen versammelt: Hayes natürlich, Goldman, Captain LaRochelle und zwei seiner Lieutenants.

Sie tut ihr Bestes, sich nicht zu ihnen umzusehen. Wie so oft in solchen Situationen spürt sie deutlich, wie jung sie ist und dass sie eine Frau ist. Hayes steht neben ihr und sieht sie an.

«Sicher, dass du das tun willst?», fragt er.

«Ganz sicher.»

Judy geht allein in das Verhörzimmer. Sie weiß, dass dort Mikrofone installiert sind. Der Ton wird auf einen Lautsprecher und ein Aufnahmegerät im Nebenraum übertragen. Dass ihr alle bei der Befragung zuhören, ist ihr peinlich. Sie hätte gerne mehr Privatsphäre.

Jacob Sluiter sitzt zurückgelehnt in seinem Stuhl. Als sie hereinkommt, richtet er sich auf.

«Mr Sluiter», sagt Judy. «Ich bin Investigator Luptack.» Sie versucht, möglichst aufgeräumt zu klingen.

Einen Moment lang ist Sluiter stumm. Dann fragt er: «Ist Ihnen kalt?»

Sie zögert eine Sekunde. Der Psychologe hat ihr empfohlen, keine Schwäche zu zeigen; das würde Sluiter erregen. Wenn er mit Frauen zu tun habe, wolle er sie einschüchtern. Bisher sei es nur einer Frau gelungen, Sluiter zu entkommen, Anfang der Sechzigerjahre. Und diese Frau habe berichtet, er habe sie aufgefordert, um Gnade zu winseln, doch sie habe sich geweigert.

«Nein», sagt Judy. «Mir geht es gut.»

Sluiter wirkt fast enttäuscht. «Wie alt sind Sie?», fragt er.

«Wie alt sind Sie denn?»

«Fast einundfünfzig. Ich habe nächste Woche Geburtstag.»

«Na dann», sagt sie, «herzlichen Glückwunsch im Voraus.» Sie lächelt ihn an.

Sluiter schaut sie an, mustert sie ganz genau.

«Sie sehen sehr jung aus», sagt er. «Wohnen Sie noch bei Ihren Eltern?»

Judy blinzelt. Sie zwingt jede Faser ihres Körpers und ihres Gesichts, still zu sein. «Nein.»

«Sind Sie verheiratet?»

Judy schweigt.

«Sie tragen keinen Ehering», sagt Sluiter. «Deshalb habe ich gefragt.» Er lächelt und schlägt die Beine übereinander. «Ich wollte Ihnen nicht zu nahe treten.»

«Mr Sluiter», sagt Judy. «Können Sie mir etwas darüber sagen, wo Sie gewesen sind, seit Sie aus Fishkill fort sind?»

«Oh», sagt Sluiter. «Genau weiß ich das nicht. Ich bin einfach nur nach Norden gelaufen.»

«Verstehe», sagt Judy. «Hatten Sie dabei ein bestimmtes Ziel?»

«Nein.»

«Ist Ihnen irgendjemand begegnet? Auf Ihrem Weg nach Norden?»

«Nein.»

Zum ersten Mal, seit sie den Raum betreten hat, wirkt er gelangweilt. Er wendet den Blick von ihr ab und starrt in den Einwegspiegel, als wüsste er, dass er Publikum hat.

«Würden Sie mir ein wenig darüber erzählen, wie das unterwegs … abgelaufen ist? Wo haben Sie geschlafen, wovon haben Sie sich ernährt?»

«Das weiß ich nicht mehr», sagt er.

So geht das eine ganze Weile: Judy stellt Fragen, Sluiter weicht aus, bis sie sich langsam Sorgen macht – sie muss dauernd an die Männer denken, die im Nebenraum stehen und jedes Wort hören. Sie stellt sich vor, wie sie sich skeptische Blicke zuwerfen, weil sie genauso wenig daran glauben, dass sie diesem Mann irgendetwas entlocken kann, wie sie selbst. Warum hat er um eine weibliche Kriminalpolizistin gebeten, wenn er ihr nicht mehr erzählen will als Goldman? Im Kopf hört sie die Stimme des Psychologen: *Keine Schwäche zeigen.*

Sie beschließt, sie zu ignorieren.

«Wissen Sie was?», sagt sie, «Sie haben recht, mir ist tatsächlich kalt. Das hier ist das kälteste Gebäude, in dem ich je gewesen bin.»

Sie schlingt die Arme um sich. Zittert ein wenig.

Er dreht sein Gesicht wieder in ihre Richtung. Seine Augen hinter den Brillengläsern verengen sich ein wenig, als wolle er sie stärker fixieren.

«Investigator Luptack», sagt er. «Darf ich Sie etwas fragen?»

«Ja.»

«Sind Sie noch Jungfrau?»

Judy ist diese Frage unendlich peinlich. Das Blut schießt ihr ins Gesicht, als hätte ihr jemand eine Ohrfeige verpasst. Sie ist mit ihren sechsundzwanzig Jahren tatsächlich noch Jungfrau. Sie ist drauf und dran, es zu leugnen, aber sie denkt an das Mikrofon im Raum und den Lautsprecher nebenan. An die vier Männer, ihre Kollegen, die da stehen und jedes Wort mitbekommen.

Also bleibt sie stumm.

«Tut mir leid», sagt Sluiter. «Habe ich Sie in Verlegenheit gebracht?»

«Ja», sagt Judy. «Das ist mir unangenehm.»

Er lächelt. Er rutscht auf seinem Stuhl hin und her. «Wollen Sie es mir nicht verraten?»

«Na schön, aber dafür hätte ich gerne eine Gegenleistung», sagt Judy. «Ich verrate es Ihnen, wenn Sie mir vorher ebenfalls ein paar Dinge erzählen.»

«Ein Spiel? Wie heißt es denn?», fragt Sluiter.

«Wahrheit oder Pflicht», sagt Judy.

Er grinst. Er rückt seine Brille zurecht, als erwarte ihn ein Riesenspaß.

Judy erkennt sich selbst nicht wieder. Sie spielt eine Rolle. Sie hat weder sexuelle Erfahrung mit Männern noch mit Frauen. Als sie zwölf Jahre alt war und bereits wusste, wie sie auf andere wirkte – dass sie zwar hübsch, aber nicht *zu* hübsch war –, da hat ihr Vater ihr einen Rat für den Umgang mit dem anderen Geschlecht gegeben: *Stell Jungs keine Schecks aus, die du nicht einlösen willst.*

Sie fand diesen Spruch damals idiotisch. Aber er ist bei ihr hängen geblieben. Vielleicht ist das einer der Gründe, warum sie heute vor allem Kleidung trägt, die dazu da ist, ihre Figur zu kaschieren. Warum sie die Schultern hängen lässt und den Kopf senkt, wenn sie Männer um sich hat, die sie nicht kennt oder denen sie nicht traut. Und das sind die meisten.

Heute hat sie zum ersten Mal in ihrem Leben das Gefühl, dass ihre Sexualität zu etwas nütze sein könnte. Sie will ein Geständnis. Will es so sehr, wie sie noch niemals in ihrem Leben etwas gewollt hat.

«Wahrheit oder Pflicht», sagt Sluiter.

«Wahrheit.»

«Sind Sie noch Jungfrau?»

«Ja», sagt Judy. «Bin ich.»

Sie versucht, nicht daran zu denken, dass sie von ihren Vorgesetzten nebenan beobachtet wird. Sie hofft, dass sie sie zumindest eine Weile machen lassen; dass sie nicht zu früh hereinplatzen, weil sie ihre Schauspielerei für echte Verzweiflung halten.

Er räuspert sich. «Das habe ich mir schon gedacht», sagt er.

«Ich bin dran», sagt Judy. «Wahrheit oder Pflicht?»

«Pflicht.»

«Ich möchte, dass Sie mir von allen Menschen erzählen, die Sie umgebracht oder entführt haben.»

Eine bedrückende Stille erfüllt den Raum, und sie fragt sich sofort, ob sie zu sehr vorgeprescht ist. Schnell setzt sie ein kleines Lächeln auf, um möglichst unbekümmert zu wirken.

Nach einer Weile lächelt auch Sluiter. Er wedelt mit einem Finger in der Luft. «Nein, Ma'am», sagt er. «Das ist gegen die Spielregeln.»

«Wieso?»

«Wenn man Pflicht wählt, dann muss die Aufgabe eine Tätigkeit sein», sagt er. «Kein Geständnis.»

«Was die Aufgabe ist, kann ich selbst bestimmen», sagt Judy. «Da gibt es keine Regel.»

Wieder räuspert er sich. «Sie haben sich nicht besonders gründlich über mich informiert, oder?», fragt er. «Ich habe noch nie irgendwen umgebracht oder entführt.» Er grinst. Flirtet.

Ihr Magen krampft sich zusammen: Übelkeit oder Nerven. Oder beides. «Zumindest haben Sie es nie *zugegeben*», sagt Judy.

«Stimmt. Habe ich nicht.»

«Aber jetzt?», sagt Judy. «Mit all den Beweisen? Wo Sie zum zweiten Mal geschnappt wurden? Haben Sie da nichts, das Sie sich von der Seele reden möchten?»

Zum zweiten Mal im Laufe der Vernehmung spürt sie, dass sie ihn langweilt.

Sie setzt noch einmal neu an. «Mr Sluiter, sind Sie religiös?»

Er lacht. «Nicht wirklich. Mein Vater aber schon.»

«Dann sind Sie also ein rationaler Mensch», sagt Judy. «Sie glauben an die Macht von Schlussfolgerungen und Beweisen.»

«Kommt drauf an», sagt Sluiter.

«Worauf?»

«Darauf, wer die Beweise sammelt. Ob man ihnen Glauben schenken kann.»

Judy ist überrascht, dass sie so gut nachvollziehen kann, was er sagt. Beim letzten Punkt ist sie sogar seiner Meinung.

«Und was ist mit mir?», fragt sie ihn. «Bin ich jemand, dem Sie Glauben schenken würden?»

«Ja», sagt er. «Also, wenn das Ihre Frage war, dann bin ja jetzt wohl ich an der Reihe.»

«Nein, noch nicht», sagt Judy. «Wir sind immer noch dabei, uns einig zu werden, was als *Pflicht* gelten darf und was nicht.»

Sluiter runzelt die Stirn.

«Schön», sagt er. «Eine Frage noch. Dann habe ich eine wunderbare Aufgabe für Sie, falls Sie sich trauen.» Er grinst.

Judy sagt nichts. Sie will Zeit gewinnen, Zeit zum Nachdenken.

Eine Frage noch, dann wird sie aus dem Raum hier flüchten. Sie ist sich nicht ganz sicher, ob ihr gestattet ist, Barbara Van Laar beim Namen zu nennen, aber sie spürt, dass sie trotzdem kurz davor ist. Sie will den Männern im Nebenraum etwas beweisen, aber vor allem sich selbst.

«Wir benötigen Informationen über ein Mädchen», beginnt Judy. «Ein Mädchen, das spurlos verschwunden ist.»

«Barbara Van Laar», sagt Sluiter.

Ein eiskalter Schauer läuft ihr über den Rücken.

«Sie kennen also ihren Namen», sagt sie und achtet darauf, dass sie auch diesen Satz nicht als Frage formuliert.

Er nickt. Schaut auf den Tisch. Sie spürt eine Emotion in seiner Körperhaltung – vielleicht Reue? Sie versucht, langsamer zu atmen.

«Mr Sluiter, waren Sie in den letzten Tagen in der Nähe ihres Zuhauses? Haben Sie etwas mit ihrem Verschwinden zu tun?»

Er sieht sie an und scheint seine Antwort abzuwägen.

«Das sind zwei Fragen», sagt er. «Sie müssen sich schon entscheiden.»

«Gut», sagt Judy. «Die erste.»

Langsam nickt er.

«Ja, das war ich», sagt er.

«In der Nähe ihres Hauses», sagt Judy.

«Ja.»

Judy öffnet den Mund, will etwas sagen, aber Sluiter hebt einen Finger. «Jetzt möchte ich Sie etwas fragen», sagt er.

Sie sagt nichts. Sieht ihn nur an.

«Sind Sie aus freien Stücken Jungfrau? Oder weil Sie bisher keiner vögeln wollte?»

Bevor er den Satz beendet hat, wird hinter ihr die Tür geöffnet. Sie dreht sich um: Hayes, Goldman und Captain LaRochelle.

«Moment noch», sagt Judy, aber die Männer reden miteinander und hören nicht auf sie.

«Danke, Investigator Luptack», sagt Captain LaRochelle.

Sluiter starrt sie mit finsterer Miene an.

«Wir waren noch nicht fertig», sagt er.

Wir waren noch nicht fertig. Genau das würde Judy auch am liebsten sagen, es herausschreien. Aber sie weiß, dass sie den wortlosen Befehl befolgen muss, den LaRochelle ihr mit seinem durchdringenden Blick erteilt.

Zögernd erhebt sie sich von ihrem Stuhl.

Goldman macht eine Geste in Richtung Tür; er begleitet sie hinaus.

Hinter ihr hört sie Sluiters Stimme. Sie kann seinen Tonfall nicht genau einordnen, er schwankt zwischen spöttisch und aufrichtig.

«Investigator Luptack», sagt er. «Das haben Sie gut gemacht.»

Als sie im Nebenzimmer steht, spürt Judy, wie ihr ganzer Körper schlaff wird. Es kostet sie all ihre Kraft, sich auf den Beinen zu halten.

«Alles in Ordnung?», fragt Goldman besorgt.

«Ich hätte ihn beinahe dazu gebracht, es zu sagen», sagt Judy. «Beinahe hatte ich ihn so weit.»

«Ich weiß», sagt Goldman, um sie zu trösten. «Ich weiß. Die anderen ... waren sich nur nicht sicher, ob das, was er zu sagen hatte, noch nützlich gewesen wäre.»

«Ich hätte es aus ihm herausgekitzelt», sagt Judy.

Er hebt eine Hand, als wolle er ihr auf die Schulter klopfen, überlegt es sich dann aber anders.

Er räuspert sich.

Von der anderen Seite des Einwegspiegels aus beobachtet Judy, wie Jacob Sluiter sich von Hayes und LaRochelle abwendet. Während die Ermittler auf ihn einreden, verschränkt er die Arme wie ein bockiges Kind.

Louise

1950er | 1961 | Winter 1973 | Juni 1975 | Juli 1975 | August 1975: **Tag vier**

Seit Louise gestern nach Hause gekommen ist, ist ihr Bruder Jesse fort.

Louises Mutter hat keine Ahnung, wo er sein könnte.

«Wie lange ist er schon weg?», fragt Louise voller Panik.

«Ach, höchstens seit gestern», antwortet ihre Mutter. «Ich glaube, da habe ich ihn noch in der Küche gesehen.»

Er ist elf, will Louise sagen. Aber falls sie jetzt wirklich eine Weile bei ihrer Mutter wohnen muss, wird sie sich um des lieben Friedens willen zusammenreißen müssen und versuchen, sich einfach nicht einzumischen.

Gegen Mittag, als Louise sich gerade auf den Weg in die Stadt machen will, um dort etwas zu erledigen, kommt Jesse durch die Haustür. Er bleibt wie angewurzelt stehen, als er sie in der Küche sieht.

«Wo warst du?», fragt Louise und versucht, ruhig zu bleiben.

«Bei einem Kumpel.»

«Bei wem denn?»

«Neil. Den kennst du nicht.»

«Warum hast du niemandem Bescheid gesagt?»

«Hab ich doch», sagt Jesse empört. «Ich habe es Mom erzählt. Ich habe ihr auch gesagt, dass Neils Mutter mich abholt und auch wieder nach Hause bringt.»

Louise starrt ihn an. Ohne den Blick abzuwenden, ruft sie ins angrenzende Zimmer hinüber: «Mom, wusstest du, dass Jesse bei seinem Freund Neil übernachtet hat?»

Eine Pause.

«Kann schon sein», sagt ihre Mutter.

Louise senkt den Kopf. Jesse grinst zufrieden.

«Tut mir leid», sagt Louise. «Ich mache mir halt Sorgen um dich.»

«Das weiß ich doch», sagt Jesse.

Sie breitet die Arme aus, und er geht zögernd auf sie zu.

Als sie vierzehn war und er drei, hat sie ihn auch immer so an sich gedrückt – den Kopf zur Seite gedreht, das Gesicht auf ihrer Schulter – und sich vom Gewicht seines kleinen Körpers einhüllen lassen. Jetzt ist er zum ersten Mal größer als sie, und trotzdem funktioniert es noch: Seine Knochen und Muskeln legen sich auf ihre Knochen und Muskeln, und beide entspannen sie sich. Einen Moment lang stehen sie so da und atmen, ohne dass es ihnen bewusst ist. Dann löst er sich von ihr.

«Jesse», sagt sie, «pass bloß auf, dass du keine schwängerst.»

«Lass das», sagt er.

Dann streckt er sich.

«Wohnst du wieder zu Hause?», fragt Jesse.

«Fürs Erste.»

Sie sehen mit ihrer Mutter fern. *Einsatz in Manhattan*, Jesse liebt diese Serie.

Irgendwann schlafen Jesse und ihre Mutter ein, und Louise geht wieder in die Küche, öffnet einen Schrank. Sie hat schon gestern erfreut festgestellt, dass Jesse getan hat, worum sie ihn am Telefon gebeten hat: Er hat ein paar Lebensmittel eingekauft. Er wird erwachsen.

Sie taucht gerade einen Löffel in ein Glas Cheese Whiz, als es an der Haustür klopft.

Draußen steht eine Frau, die sie zunächst gar nicht erkennt.
Sie registriert nur, dass sie graue Haare hat.

Judyta

1950er | 1961 | Winter 1973 | Juni 1975 | Juli 1975 | August 1975: **Tag vier**

Als Denny Hayes Judy aufspürt, marschiert sie immer wieder im Kreis um ihren Schreibtisch herum wie eine besiegte Boxerin.

Hayes sieht ihr teilnahmsvoll dabei zu.

«Goldman meinte, du bist ganz schön sauer», sagt er.

Sie lässt sich mühsam auf ihren Stuhl sinken. «Habt ihr noch etwas aus ihm herausbekommen?»

Hayes überlegt einen Moment. «Nein», gibt er zu. «Nachdem du weg warst, hat er nichts mehr gesagt. Kein einziges Wort.»

Er sieht sich verstohlen um und senkt die Stimme: «LaRochelle hat beschlossen, dass wir reingehen. Im Raum nebenan hat er zu uns gesagt, er würde sich Sorgen machen, dass Sluiter mit dir spielt. Dass er dich anlügt. Aber ich glaube, der eigentliche Grund war ein anderer», sagt er. «LaRochelle wollte sich später auf die Fahnen schreiben, dass er ihm das Geständnis entlockt hat.»

Judy lässt die Schultern sinken.

«Ich hätte dich weitermachen lassen», sagt Hayes.

Judy nickt. «Ich weiß.»

«Vielleicht hebt das hier deine Stimmung», sagt Hayes. «Eine Restauratorin der Hyde Collection ist gerade auf dem Weg zum Naturreservat, um festzustellen, ob sie in Barbaras Zimmer die Farbe entfernen können.»

Judy hat sich so sehr auf Sluiter konzentriert, dass sie einen Moment braucht, um sich zu erinnern, wovon er spricht.

Dann schießt ihr eine Frage durch den Kopf: «Wie haben die Eltern reagiert?», fragt Judy. «Sind sie einverstanden?»

«Guter Punkt», sagt Hayes. «Das habe ich mich auch gefragt. Aber der Captain meinte, sie hätten nichts dagegen. Zumindest der Vater. Hat sofort sein Okay gegeben.»

Das kann für Judy zweierlei bedeuten: Es könnte ein Zeichen für die Unschuld der Van Laars sein oder bedeuten, dass es an den Wänden in Barbaras Zimmer sowieso nichts Interessantes zu sehen gab.

Bevor Judy zum Naturreservat aufbricht, hat sie noch eine Bitte an Hayes: «Hältst du mich auf dem Laufenden, wie es mit Sluiter weitergeht? Rufst du mich an, auch wenn du nicht im Reservat bist?»

Hayes nickt.

Die Restauratorin ist eine hochgewachsene junge Frau, ungefähr so alt wie Judy. Sie trägt eine große Brille und einen weißen Overall. In der rechten Hand hat sie einen Eimer, in der linken ein Tuch.

Ihr Name sei Anna, sagt sie. Sie sei hier, um sich die Farbe anzusehen.

Weil Judy die Idee hatte, ist sie auch dafür zuständig, die Restauratorin zu beaufsichtigen.

Sie geht mit Anna ins Haupthaus und dann den Flur hinunter in das rosa Zimmer.

Die Restauratorin betritt als Erste das Zimmer und stellt ihren Eimer ab. Sie betrachtet die rosa Wände des überraschend großen Zimmers und das ordentlich gemachte Bett.

«Wissen Sie, mit welcher Wand ich anfangen soll?», fragt sie.

«Ich glaube, mit der hinter dem Bett», sagt Judy und denkt an die Skizze, die Barbara gezeichnet hat. Den Entwurf für das Wandbild.

Man merkt Anna an, dass sie weiß, was sie tut. Sie breitet das

Tuch auf dem Boden aus. Dann kniet sie sich hin und holt aus ihrem Eimer einen Metallbehälter mit Aceton und etwas, das aussieht wie ein großes Wattestäbchen.

Sie taucht das Wattestäbchen in das Aceton und reibt damit auf einer kleinen Stelle in einer Ecke herum. Als sie es absetzt, ist statt rosa ein kleiner grüner Fleck zu sehen. «Das ist ein gutes Zeichen», sagt Anna. «Sieht so aus, als wäre unter der Latexfarbe eine ölbasierte Farbe. Dann müsste ich die obere Schicht entfernen können, ohne die darunter zu beschädigen.»

Sie macht sich wieder an die Arbeit und bearbeitet eine etwas größere Fläche. Ja, da ist Grün und daneben ein bisschen Schwarz.

Anna schaut über die Schulter zu Judy.

«Ihnen ist klar, dass das hier eine Weile dauern wird, oder?», fragt sie. «Mindestens ein paar Tage.»

Am späten Nachmittag kommt ein junger Ermittler den Hügel hinauf zu ihr ins Haupthaus. Er sieht ganz aufgewühlt aus.

«Sind Sie Luptack?», fragt er Judy.

Sie nickt.

«Captain LaRochelle ist am Telefon. Er sagt, es ist dringend.»

Als Judy das Haus der Campleiterin betritt, stellt sie fest, dass auch Denny Hayes vor Ort ist. Er hält ihr den Telefonhörer entgegen. Um ihn herum hat sich ein Grüppchen Neugieriger geschart. Sie nimmt den Hörer und dreht ihnen den Rücken zu.

«Ich bin hier beim Verhör mit Mr Sluiter», sagt der Captain, sein Ton ist irgendwo zwischen ernst und verärgert angesiedelt. «Er sagt, er möchte mit Ihnen reden. Aber er hat nichts dagegen, dass ich mit im Raum bin.»

Sie sieht Hayes an, der keine Ahnung hat, was los ist. Aus Höflichkeit hält sie die Hand über die Sprechmuschel. Formt lautlos mit dem Mund: *Sluiter will mit mir reden.*

Er zieht die Augenbrauen hoch. *Der Anruf wird aufgezeichnet*, antwortet er ebenso lautlos.

«Ich weiß», sagt Judy laut.

«Was wissen Sie?», fragt Sluiter am anderen Ende der Leitung.

Diesmal lässt Jacob Sluiter den Small Talk bleiben und kommt sofort zur Sache.

«Ich weiß nichts über Barbara Van Laar», sagt er. «Das ist die reine Wahrheit.»

«Aber woher kennen Sie dann ihren Namen?», fragt Judy. «Als ich Sie nach ihr gefragt habe, haben Sie als Erster ihren Namen gesagt.»

«Den habe ich in der Zeitung gelesen», sagt Sluiter. «Wie jeder normale Mensch.» Er lächelt triumphierend, das kann sie durch die Telefonleitung hören.

Judy wartet. Da kommt noch mehr, denkt sie, das ist bestimmt noch nicht alles.

Sie kann Sluiter atmen hören, feucht klingt es, so unangenehm, dass sich ihr der Magen umdreht. Endlich redet er weiter.

«Aber ich weiß, wo ihr Bruder ist.»

Judy kneift kurz die Augen zusammen. «Wo denn?», fragt sie. «Verraten Sie mir das?» Sie will die Antwort so sehr, dass sie sie fast schmecken kann.

«Nein, das verrate ich Ihnen nicht.»

Sei still, sagt sich Judy. *Warte ab.* Sie schickt ein Stoßgebet durch die Telefonleitung, LaRochelle möge ebenfalls die Klappe halten.

Es funktioniert.

«Aber ich kann es Ihnen gerne zeigen», sagt Sluiter schließlich.

Louise

1950er | 1961 | Winter 1973 | Juni 1975 | Juli 1975 | August 1975: **Tag vier**

Louise öffnet die Tür.

Sie kennt diese Frau. Ihr fällt bloß nicht ein, woher.

Die Frau hat ihr graues Haar zu einem langen, tief sitzenden Pferdeschwanz gebunden, der ihr fast bis zur Taille reicht. Sie trägt ein langes Baumwollkleid. Socken und Wanderschuhe.

Eine Weile schauen sie einander reglos an.

Dann sagt die Frau: «Louise?», und als sie ihre Stimme hört, diese unverwechselbare tiefe Stimme, da weiß Louise plötzlich, wen sie vor sich hat.

«Mrs Stoddard», sagt Louise. «Ist alles in Ordnung mit Ihnen?»

Früher war Mrs Stoddard Lehrerin an der Sonntagsschule und so etwas wie eine feste Größe in der Stadt. Mit ihrer Tochter Antonia ist Louise von der Vorschule bis zum Highschool-Abschluss in eine Klasse gegangen, doch nach dem Tod ihres Mannes hat sich die Mutter nur noch selten in der Öffentlichkeit gezeigt.

Seit über zehn Jahren erzählt man sich hauptsächlich Gerüchte über sie.

Wie Louises Mutter hat angeblich auch Mrs Stoddard beschlossen, das Leben einer Einsiedlerin zu führen. Sie hatte einen «Nervenzusammenbruch», wie es heißt.

Aber im Gegensatz zu Louises Mutter hatte Mrs Stoddard einen guten Grund, sich von der Realität zu verabschieden: Sie verlor innerhalb kurzer Zeit erst ihren Sohn und dann ihren Mann. Und der Name ihres Mannes wurde im Zuge seines Todes dermaßen in den Schmutz gezogen, dass sie nicht einmal richtig um ihn trauern konnte – zumindest nicht in aller Öffentlichkeit.

«Darf ich hereinkommen, Louise?», fragt Mrs Stoddard.

Louise tritt einen Schritt zurück und macht ihr Platz. Sie deutet auf einen Stuhl. Mrs Stoddard setzt sich, behält aber ihre Handtasche auf dem Schoß, den Griff fest umklammert, als hätte sie Angst, jemand könne sie ihr wegnehmen.

«Möchten Sie etwas trinken?», fragt sie. «Einen Tee?» Sie weiß gar nicht, ob Tee im Haus ist.

«Danke, nicht nötig», sagt Mrs Stoddard.

«Wie geht es Antonia?», fragt Louise.

«Oh, gut», sagt Mrs Stoddard. «Allen meinen Mädchen geht es gut. Ich habe bereits fünf Enkel.»

Sie sitzt ganz aufrecht auf ihrem Stuhl und sieht zufrieden aus, aber irgendetwas sagt Louise, dass sie sich nicht eingehender nach Mrs Stoddards Töchtern erkundigen sollte; dass sie vielleicht nicht viel Kontakt miteinander haben.

«Sie müssen sehr stolz sein», sagt Louise.

«Das bin ich auch.»

«Ich weiß noch, dass Antonia richtig gut Klavier spielen konnte. Und singen.»

«Ja, nicht wahr?», sagt Mrs Stoddard.

Ein langes, betretenes Schweigen folgt.

Plötzlich beugt sich die Frau in ihrem Stuhl vor. «Ich weiß, was die Ihnen antun wollen», sagt sie.

Louise blinzelt. «Ach so?»

Mrs Stoddard nickt. Ihre Augen glänzen plötzlich vor Tränen. Sie streckt einen Arm aus und legt ihre schmale Hand mit der Handfläche nach oben auf den Küchentisch. Louise hat keine Wahl, sie legt ihre Hand auf die von Mrs Stoddard.

«Aber keine Sorge», sagt sie. «Ich lasse nicht zu, dass sie das noch einmal tun.»

Sie öffnet die Handtasche auf ihrem Schoß und wühlt darin herum.

Sie holt ein zerknittertes Dokument heraus, legt es zwischen ihnen auf den Tisch und streicht es mit der Faust glatt.

«Hier», sagt sie. «Nehmen Sie. Das ist für Sie.»

Erst zögert Louise, aber dann nimmt sie die zusammengehefteten Seiten in die Hand und sieht sie sich an.

Zuerst hat sie keine Ahnung, was das sein soll. Es ist ein Durchschlag von irgendeinem Dokument, der Text ist so undeutlich, dass sie an manchen Stellen blinzeln muss. Ganz oben stehen Wörter, die sie nicht einordnen kann: *Bescheinigung über Entgegennahme einer Sicherheitsleistung.*

Ganz unten eine Unterschrift: *Maryanne Stoddard.*

«Haben die Ihnen gesagt, dass ich es war?», fragt Mrs Stoddard.

«Hat mir *wer* gesagt, dass Sie *was* waren?»

«Beim Untersuchungsrichter. Haben die Ihnen gesagt, dass ich die Kaution für Sie gestellt habe? Ich habe mein Haus als Sicherheit eintragen lassen», sagt Mrs Stoddard. Sie klingt jetzt ganz aufgeregt, und ihre Hände zittern leicht. «Schauen Sie», sagt sie, «auf der nächsten Seite.»

Die nächste Seite ist ein Schuldschein, auf dem oben die Adresse des Hauses der Stoddards steht. Die dritte Seite ist eine Fotokopie der Eigentumsurkunde.

«Mrs Stoddard», sagt Louise. «Das hätten Sie nicht tun sollen.»

«Wieso nicht?»

«Das war unglaublich nett von Ihnen», sagt sie. «Aber das ist viel zu viel.»

«Papperlapapp», sagt Mrs Stoddard, jetzt mit Nachdruck. «Ich habe die letzten vierzehn Jahre meines Lebens damit verbracht, den Namen meines Mannes vom Vorwurf eines Verbrechens reinzuwaschen, das er nicht begangen hat. Ich will in der Hölle schmoren, wenn ich zulasse, dass diese Mistkerle das noch einmal jemandem antun.»

Louise schaut immer noch auf die Dokumente. Mustert die Unterschrift unten auf dem ersten Blatt.

«Wissen Sie», fährt Mrs Stoddard fort, «wie viele Stunden meines Lebens ich in den Wäldern rund um Hunt Mountain verbracht habe? Ich tue praktisch nichts anderes mehr. Meine Kinder halten mich für verrückt. Aber ich denke immer, wenn ich nur etwas finde – ein Kleidungsstück von dem Jungen oder …» Sie schweigt einen Moment, überlegt, wie ehrlich sie sein sollte. «Oder den Jungen selbst», sagt sie schließlich. «Den armen Kleinen.»

Louise hört aufmerksam zu. Alles, was Mrs Stoddard sagt, bestätigt eine Theorie, die sie in den letzten Minuten entwickelt hat. Sie starrt immer noch auf die Unterschrift, versucht sie zu entziffern.

«Mrs Stoddard, ich möchte Ihnen nicht zu nahe treten. Aber Ihr Vorname ist Maryanne?», fragt sie.

«Ja.»

«Und in den Jahren seit Bear Van Laars Verschwinden sind Sie ständig drüben im Wald unterwegs, um nach ihm zu suchen?»

Sie nickt. «Seit mein Mann in Polizeigewahrsam gestorben ist, um präzise zu sein», sagt sie. «Aber: ja.»

Louise wartet. Sie traut sich nicht zu fragen.

«Scary Mary», sagt Maryanne Stoddard. «Sprechen Sie es ruhig aus. Ich habe schon mitbekommen, dass man mich so nennt.»

Judyta

1950er | 1961 | Winter 1973 | Juni 1975 | Juli 1975 | August 1975: **Tag vier**

Judy sitzt in einem Kanu und lässt sich von zwei Rangern der Naturschutzbehörde quer über den Lake Joan paddeln. Ihre langen, gleichmäßigen Züge sind ganz leise und wirbeln kaum das Wasser auf.

Das Kanu, in dem Judy sitzt, begleiten zwei weitere Kanus. In dem einen sitzen Hayes und ein Gerichtsmediziner aus Schenectady.

Im anderen Sluiter und eine bewaffnete Wache.

Es bedurfte mehrerer Verhandlungsrunden mit Sluiters Pflichtverteidiger, bis sich ein Bezirksrichter auf den Plan einließ. Anlass zur Besorgnis gaben – so Denny Hayes – Sluiters Hang zu fliehen und seine Fähigkeit, andere zu manipulieren.

Laut Vorschrift muss ein Verdächtiger bei Fluchtgefahr Fußfesseln um die Knöchel tragen und Handschellen, die an einem Hüftgurt befestigt sind. So ausstaffiert, sitzt Sluiter mit seinem Aufpasser im Kanu, an Bug und Heck hocken Ranger und paddeln.

Judy zwingt sich, geradeaus zu schauen. Sie hat Angst, dass sie Jacob Sluiters Blick begegnet, wenn sie sich umdreht.

Sie sind auf dem Weg zum gegenüberliegenden Ufer des Lake Joan, zu einem kleinen felsigen Uferabschnitt inmitten einer Bucht, den man zu Fuß offenbar nicht erreicht. Steile Felsen ragen zu beiden Seiten der Bucht aus dem Wasser.

Als sie näher kommen, wird klar, dass sie an Land waten müssen. Es gibt keinen Strand, nur Steine und Felsen, über die sie werden klettern müssen, um in den dahinterliegenden Wald zu gelangen. Einer nach dem anderen steigen sie aus den Kanus. Sluiter, der die gefesselten Hände vor dem Bauch gefaltet hat, als würde er beten, muss sich von seinem stämmigen Wachmann helfen lassen. Als er sich mit gesenktem Kopf dem Bug nähert, schwankt das Kanu und droht umzukippen. Der Wachmann breitet die Arme aus und fängt Sluiter auf.

Der Wald hinter den Felsen ist extrem dicht. Abseits des Ufers dringt kaum Sonnenlicht durch die Vegetation.

Judy geht hinter Jacob Sluiter, dem Schrecken der nördlichen Wälder, und sucht den Boden ab.

Sluiter hat am Telefon beschrieben, wonach sie suchen sollten: einer kleinen Pyramide aus Steinen, die eine ganz bestimmte Stelle markiert. Judy wäre gerne die Erste, die den Steinhaufen sieht – falls Sluiter überhaupt die Wahrheit sagt, was sich noch zeigen wird. Sie kann die Möglichkeit nicht ausschließen, dass er einfach ein letztes Mal hinaus in die Natur wollte, bevor er den Rest seines Lebens in einem Bundesgefängnis verbringt.

Ein paar Minuten lang kämpfen sie sich durch das Unterholz, und keiner sagt ein Wort, bis auf einmal Sluiters Stimme die Stille durchbricht.

«Schauen Sie, da oben», sagt er. Sie schauen nach oben.

Sie haben die steile Felswand erreicht, die man schon vom Ufer aus sehen konnte. Drei Meter über ihren Köpfen scheint sich eine Höhle aufzutun. Man kann nicht erkennen, wie tief sie in den Fels hineinreicht.

«Schauen Sie, da unten», sagt Sluiter und neigt den Kopf. «Da ist es.»

Zu seinen Füßen, auf dem nackten Waldboden: eine kleine Pyramide aus Steinen.

Darunter, sagt Jacob Sluiter, liegt der Junge.

Louise

1950er | 1961 | Winter 1973 | Juni 1975 | Juli 1975 | August 1975: **Tag vier**

Louise steht in ihrem alten Kinderzimmer.

Letzte Nacht hat sie auf der Couch geschlafen. Sie mag nicht in diesem Zimmer sein, das vollgestopft ist mit Artefakten aus der Zeit, als ihr die Welt offenstand; als Louise Donnadieu siebzehn Jahre alt war, die Zweitbeste ihrer Abschlussklasse an der Central High, ein Vollstipendium für das Union College in der Tasche.

Jetzt muss sie sich wohl oder übel mit dem Gedanken anfreunden, dass sie wieder hier einziehen muss: Bis zu ihrer Anhörung können Wochen oder sogar Monate vergehen.

Sie dreht sich einmal um die eigene Achse, dann fängt sie an, alles von den Wänden zu nehmen, was da hängt: die Urkunde der National Honor Society; das Foto von Louise beim Highschool-Abschluss, wie sie in Robe und Hut dem Schulleiter die Hand schüttelt; das letzte Zeugnis, das sie je bekommen hat, voller Einser.

Sie hat das alles selbst aufgehängt. Mit vierzehn, mit sechzehn. Sie hat noch nie einen Erwachsenen in ihrem Leben gehabt, dem sie wichtig genug für so etwas gewesen wäre. Peinlich, denkt sie. Erbärmlich.

Das Gruppenfoto ihrer Abschlussklasse ist der letzte Wandschmuck, den sie entfernt. Das Mädchen darauf lächelt, blickt aber zugleich skeptisch drein, als wüsste sie, was die Zukunft ihr bringt.

Louise wirft alles auf einen Haufen, dann klaubt sie es mit beiden Armen auf und geht in Richtung Küche, um die Sachen in den Müll zu werfen. Da hört sie, wie Jesse an der Haustür mit jemandem spricht.

Sie geht schneller.

«Wer sind Sie denn?», fragt Jesse, aber Louise kann die Antwort nicht hören.

Jesse dreht sich zu ihr um. Seine finstere Miene deutet darauf hin, dass es sich um einen Mann handelt.

Erst schließt er die Tür, dann fragt er sie: «Kennst du einen Typen namens Lee Towson?»

Drei Minuten später steht Louise vor dem Haus ihrer Mutter, und vor ihr steht der leibhaftige Lee Towson. Sie hat Jesse schwören lassen, dass er drinnen bleibt; um keinen Preis will sie dieses Gespräch vor Publikum führen.

Es ist erst vier Tage her, dass sie Lee im Flur der Personalunterkunft des Ferienlagers gegenüberstand, aber es kommt ihr vor wie ein Monat. Sie hat immer noch im Ohr, was Denny gesagt hat: *Unzucht mit Minderjährigen*. Sie schaut zu Boden, als sie spricht.

«Wie hast du mich gefunden?»

«Telefonbuch», sagt er. «Es gibt nicht so viele Donnadieus in Shattuck.»

«Aber woher wusstest du, dass ich hier bin?»

«Ich hab ein paar Kumpels hier in der Gegend.»

Ihr ist klar, was das bedeutet. Sie hat es schon immer gehasst, wenn über sie getratscht wird. Aber in einem so kleinen Städtchen wie Shattuck lässt sich das offenbar kaum vermeiden.

«Du weißt, dass sie dich suchen?», fragt Louise.

«Habe ich gehört.»

«Wo bist du gewesen?»

«Hier und da.»

«Versteckst du dich?»

«Irgendwie schon, glaube ich. Jedenfalls werde ich demnächst hier abhauen.»

Endlich schaut Louise zu ihm auf. Dann an ihm vorbei. In ihrer Sackgasse gibt es nur noch zwei weitere Häuser, bei beiden sind bereits die Jalousien heruntergelassen. In den Seitenstraßen von Shattuck gibt es keine Straßenlaternen, Lee wird nur von dem Licht angeleuchtet, das aus dem Haus ihrer Mutter dringt.

«Louise?»

«Was?»

«Ich muss dir etwas sagen», sagt er. «Das wollte ich unbedingt noch, bevor ich weg bin.»

Louises Herz setzt aus. Sie malt sich diverse Szenarien aus, die alle sehr weit hergeholt sind.

«Und zwar?», fragt sie und versucht, möglichst unaufgeregt zu klingen.

«Dein Freund», sagt Lee Towson. «Sorry, dein Verlobter.»

«Was ist mit ihm?»

«Er hat mit einer anderen geschlafen.»

Louise schließt kurz die Augen.

«Woher weißt du das?», fragt sie.

«Ich hab ihm Zeug besorgt. Und hab ihn ein paarmal mit dem Mädchen gesehen. Immer mit derselben.»

«Aber nicht mit …»

«Nein, nicht mit Barbara. Es war oben beim Haupthaus. Am Strand hinter Haus *Self-Reliance*. Das Mädchen hieß Annabel», sagt Lee.

Louise schließt die Augen. Die Welt um sie herum verschwimmt und mit ihr alles, woran sie sich geklammert hat. Dann kommen ihr neue

Gedanken und Erinnerungen, und plötzlich ergibt alles Sinn: dass Annabel verkündet hat, ihre Eltern hätten jemanden für sie ausgesucht, den sie heiraten soll. Dass die Southworths und die McLellans seit Jahren miteinander befreundet sind und beide im Haus *Self-Reliance* wohnten. Dass John Paul partout nicht wollte, dass Louise auch nur in die Nähe des Hauses kommt. Dass er sich die ganze Woche über nicht hat blicken lassen. Und vor allem, dass Annabel während der Tanzparty auf einmal weg war. In derselben Nacht, in der Barbara verschwunden ist.

«Annabel ist siebzehn», sagt Louise.

«Normalerweise kümmere ich mich nicht um die Angelegenheiten von anderen Leuten», sagt Lee. «Aber ich dachte, du solltest das wissen, nur damit du …»

«Damit ich *was*?», fragt Louise.

«Damit du was gegen ihn in der Hand hast. Vielleicht hilft dir das. Ich weiß, was sie dir vorwerfen. Aber ich wette, sie sind eigentlich gar nicht an dir interessiert, sondern hinter etwas anderem her. Das ist ganz normal bei denen», fügt er hinzu.

«Was kümmert dich, was aus mir wird?», fragt Louise unvermittelt. Sie klingt verbitterter, als sie es beabsichtigt hatte. Warum haben alle Leute ständig irgendwelche Hintergedanken?

«Na ja», sagt Lee, «ich mag dich halt.»

Sie sagt nichts. Sie schließt die Augen.

Eine lange Pause. Dann: «Louise, warum kommst du nicht mit?»

«Was?», fragt Louise, die mit ihren Gedanken woanders war. «Wohin?»

«Ich fahre morgen nach Colorado. Der Ort heißt Crested Butte. Da wohnt ein Kumpel von mir, und der meint, es ist richtig schön da.»

«Ich darf das Haus nicht verlassen», sagt Louise steif. «Das Haus meiner Mutter. Ich bin auf Kaution draußen. Die klagen mich wegen Drogenbesitz an. Dabei waren das gar nicht meine Drogen.»

«Ach so», sagt Lee. «Tja, das war's dann wohl mit meiner Idee. Es sei denn, du willst Bonnie und Clyde spielen. Eine Weile untertauchen, bis sich die Wogen geglättet haben.»

Louise schüttelt den Kopf. «Aber die glauben ja eh, dass du dorthin fährst. Du solltest dich wohl eher woanders verstecken.»

«Wer jetzt?»

«Die Polizei.»

Lee hält inne und überlegt.

In die Stille hinein sagt Louise: «Mir hat jemand etwas über dich erzählt. Warum du im Gefängnis warst.»

Lee atmet ein und aus. Dann setzt er sich auf den Boden, als wäre er plötzlich müde. «Wer hat dir das erzählt?»

«Ein Freund meiner Mutter.» Sie will ihm nicht die ganze Wahrheit sagen.

Lee seufzt lang.

«Ich war neunzehn», sagt Lee. «Sie war sechzehn. Sie war die Tochter der Familie, für die ich gekocht habe. Reiche Leute. Hatten ein Haus in den Catskills. Nicht ganz so groß wie das der Van Laars, aber so ähnlich.»

Louise hört aufmerksam zu.

«Ihr Vater hat uns erwischt. Ist völlig ausgeflippt. Er hat die Polizei gerufen. Hat gesagt, ich hätte sie dazu gezwungen. Sie hat von hinten gerufen, dass das nicht stimmt. Stimmte ja auch nicht.»

Louise, die immer noch steht, lässt sich neben Lee nieder.

«Und, Louise? Glaubst du mir?»

«Ich weiß nicht», sagt sie. Sie weiß es wirklich nicht: Sie spürt, dass ihr Instinkt sie in die Irre geleitet hat. Wie schon so oft. Sie fragt sich, ob sie an ihrem Instinkt gegenüber Menschen etwas ändern kann. Gegenüber Männern.

«Ich hab's satt, für reiche Leute zu arbeiten», sagt Lee. Er redet jetzt mehr mit sich selbst als mit ihr. «Ich kann echt nicht glauben, dass ich das schon wieder getan habe. Deshalb habe ich mich versteckt. Als ich hörte, was mit dem Mädchen der Van Laars passiert ist, bin ich abgehauen. Mit meiner Vorstrafe …» Seine Gedanken schweifen ab. Er fängt sich wieder. «Auf jeden Fall wartet irgendwo da draußen was Neues auf mich», sagt Lee. «Es ist 1975. Man soll nach Westen gehen, hab ich mir sagen lassen.»

In ihrer linken Hand hat Louise immer noch die Dokumente und Fotos, die sie von den Wänden ihres Zimmers abgenommen hat. Sie schaut hinunter und betrachtet sie und hört dabei Lees Stimme. Ein weiterer Mann, der ihr etwas verspricht, das er nicht halten wird. Wie oft in ihrem Leben hat sie sich auf jemanden eingelassen, nur weil es so am einfachsten war? Wie oft hat sie einem Mann erlaubt, sich zu nehmen, was er wollte, anstatt sich um ihre eigenen Bedürfnisse zu kümmern?

Behutsam legt sie die Fotos und Papiere zu Boden. Schaut wieder zu Lee hinüber, dessen Unterarme und Hände sie den ganzen Sommer über hat berühren wollen.

Jetzt tut sie es. Legt ihre linke Hand auf seine Armbeuge. Erstaunt schaut er zu ihr auf.

«Wollen wir ein bisschen rummachen?», fragt Louise.

Er sagt nichts. Sitzt ganz still da, als Louise, die immer noch neben ihm auf dem Boden kniet, ihm ihren Körper zuwendet. Sie schaut hinauf zu den beleuchteten Fenstern; weiß, dass sie draußen im Dunkeln keiner sehen kann. Sie zieht sich ihr T-Shirt über den Kopf.

«Wow», sagt er. Er streckt die Arme aus, legt seine Hände um ihre Taille.

«Nein», sagt sie. «Erst du.» Sie zieht ihm ebenfalls das T-Shirt aus und lehnt sich an ihn, ihre Haut an seiner Haut. Dann ist sie auf ihm, er liegt flach auf dem Boden.

Sie wird sich von ihm nehmen, was sie haben will, einen Moment des Glücks inmitten all dieser Finsternis, einmal John Paul vergessen und die McLellans und die Van Laars und das große Haus, in das sie sie niemals eingeladen hätten, um keinen Preis der Welt.

Morgen wird Lee Towson in Richtung Colorado aufbrechen. Aber ohne sie.

Alice

1950er | 1961 | Winter 1973 | Juni 1975 | Juli 1975 | August 1975: **Tag vier**

Sie haben sie zurück nach Albany verfrachtet. Ihre Eltern – die während der ganzen unschönen Vorkommnisse kaum ihr Gästezimmer verlassen haben – haben ihren Transport überwacht und sind dann von Albany aus nach Manhattan weitergefahren. Zum Abschied haben sie noch gemurmelt, Barbara werde schon wieder auftauchen.

Jetzt ist sie allein.

Wenigstens muss sie sich so mit niemandem herumärgern, denkt sie, und ihre Schultern zittern ein wenig, als sie lacht. An schlechten Tagen darf sie, falls nötig, drei Tabletten nehmen, das hat Dr. Lewis ausdrücklich erlaubt, und heute ist ein schlechter Tag. Jeder Tag ist ein schlechter Tag.

Sie nimmt das Glasfläschchen in die Hand. Ihr Gehirn ist ihrem Körper voraus, sie seufzt erleichtert, als die Tabletten aus dem Fläschchen kullern, freut sich auf den chemischen Kick. Sie zerbeißt sie, damit sie schneller wirken.

Sie schließt die Augen. Ihr Geist entspannt sich und transportiert sie zurück ins Dunwitty Institute. Damit hat sie nicht gerechnet.

Sie muss an ihre Schwester Delphine denken, sie ist die Einzige, die sie jemals dort besucht hat.

Es tut mir so leid, sagte sie. Und dass Georges Tod ihr den Boden unter den Füßen weggezogen habe. Und dass es für sie und Peter nicht das erste Mal gewesen sei; dass sie schon damals intim gewesen seien, als sie noch jung waren. Zu der Zeit, als sie Alice Peter vorgestellt habe, für ihren Debütantinnenball.

Hatte Delphine ihr Peter nur vorgestellt, damit sie weiterhin in seiner Nähe sein konnte? War das der Grund gewesen, warum sie ihn mit ihrer arglosen, dummen kleinen Schwester verkuppelt hatte? Damit Alice die Zuchtstute gab, während sich Delphine und Peter, die intellektuell Ebenbürtigen, jedes Mal heimlich trafen, wenn Peter nach New York fuhr?

«Es ist nicht, wie du denkst», sagte Delphine, als hätte sie Alice' Gedanken gelesen. «George und ich haben uns von ganzem Herzen geliebt. Aber wir wollten nie eine traditionelle Ehe führen. Er durfte machen, was er wollte. Und ich genauso. Ich weiß nicht, ob du dich erinnerst, aber einmal habe ich versucht, dir klarzumachen, was da läuft», sagte Delphine. Sie lehnte sich zurück. «Ich glaube, ich habe gesagt, du sollst … *auch mal deinen Spaß haben*. Hast du das jemals ausprobiert?»

Alice sagte nichts.

«Das war nicht in Ordnung von uns, Alice. Von keinem von uns», sagte Delphine. «Wir haben dich furchtbar schlecht behandelt.»

Schweigen.

«Verlässt du ihn, Alice?», fragte Delphine. «Das wäre gar kein Problem, weißt du.»

Schweigen.

«Alice», sagte Delphine. «Sag mal, schläfst du?»

Da lächelte Alice. In gewisser Weise stimmte das, dachte sie, in gewisser Weise schlief sie gerade. Sie hatte einen Tagtraum – den gleichen, den sie immer hatte.

Sie war in einem Raum eingesperrt, den sie noch nie gesehen hatte, während man draußen ohne sie nach ihrem verschwundenen Sohn suchte. Und irgendjemand – wer, wusste sie nicht – stand vor der Tür.

In Albany schlägt Alice die Augen auf. Sie ist hier nicht gern allein. Im Sommer ist das Haus zu kalt, und ganz Albany wirkt trostlos und verlassen. Die vielen Regierungsmitarbeiter, die hier wohnen, machen Urlaub weiter nördlich oder weiter südlich, und Alice kommt sich vor wie die einzige Überlebende einer tödlichen Seuche.

Sie hat jetzt drei Tabletten im Blut. Ihr Körper erschlafft.

So kann sie ihn am besten hören, von der anderen Seite des Schleiers, in der anderen Welt. Der Welt, in der Bear jetzt lebt.

Einmal ist Alice beim Lexikon-Spiel auf das Wort *metaphysisch* gestoßen, und dieses Wort kommt ihr immer dann in den Sinn, wenn sie an den Grenzbereich zwischen Leben und Tod denkt, wo sie ihrem Sohn begegnet. Der Bereich, in dem sie sich eingestehen kann, was sie getan hat, ist *metaphysisch*. Der Bereich, in dem sie sich nicht so sehr anstrengen muss, die Splitter von Licht und Erinnerungen zu unterdrücken, die von Zeit zu Zeit und stets im unpassendsten Moment so heftig auf sie einprasseln, dass es sich anfühlt, als würden sie sie bei lebendigem Leibe aufspießen: Dieser Bereich ist *metaphysisch*. Dort akzeptiert sie diese Erinnerungen, wenn sie sie überkommen, nimmt sie mit Gleichmut zur Kenntnis, öffnet sich ihnen, statt sie sich vom Hals zu wünschen.

Alice blinzelt. Sie kehrt ins Leben zurück.

Draußen vor dem Fenster geht gerade die Sonne unter. Wie lange sitzt sie wohl schon auf diesem Stuhl hier? Sie weiß es nicht genau.

Sie steht auf, geht zur Toilette und erleichtert sich. Danach schwebt sie – im Traum – dem Zimmer entgegen, das einmal ein Kinderzimmer war. Noch so ein metaphysischer Bereich.

Ich bin jetzt da, sagt sie. *Ich bin da.*

Sie horcht, wartet darauf, dass er ihr antwortet.

Judyta

1950er | 1961 | Winter 1973 | Juni 1975 | Juli 1975 | August 1975: **Tag vier**

Sie hat schon viele Tote gesehen. Drei von ihren Großeltern wurden bei der Bestattung im offenen Sarg aufgebahrt, und als State Trooper bei der Highway Patrol war sie mehrmals vor Ort, als bei einem Verkehrsunfall jemand gestorben war.

Aber eine skelettierte Leiche hat sie noch nie gesehen.

Der Gerichtsmediziner gibt Anweisungen, während die Ranger mit behandschuhten Händen ganz vorsichtig von der Stelle, an der es mehr als zehn Jahre lang gelegen hat, ein intaktes kleines Skelett auf ein Holzbrett heben, damit es untersucht werden kann.

Aus Respekt vor dem Toten ist die bewaffnete Wache mit Jacob Sluiter ein Stück weggegangen.

Die Stimme des Gerichtsmediziners klingt seltsam teilnahmslos, als er mit seinen Ausführungen beginnt. «Ich hätte angenommen, dass das Skelett verwest ist», sagt er. «Aber der Boden hier scheint nicht sehr säurehaltig zu sein, wahrscheinlich aufgrund der Nähe zum Wasser.»

Er kniet sich neben das Brett, holt ein Maßband hervor und legt es an mehreren Knochen an.

«Ich würde sagen, es war ein Kind», sagt er. «Wahrscheinlich zwischen sieben und elf Jahre alt.»

«Weiß man, ob Junge oder Mädchen?», fragt Hayes.

«Bei den Skeletten Heranwachsender kann man sich zwar durchaus irren», sagt der Gerichtsmediziner. «Aber momentan würde ich behaupten: ein Junge.»

In der Einsatzzentrale schwebt Denny Hayes' Finger über dem Abspielknopf eines Tonbandgeräts. Gleich werden sie sich den Mitschnitt des Telefongesprächs zwischen Jacob Sluiter und Judy anhören, das sie auf die Spur von Bear Van Laars Leiche gebracht hat. Im Hauptquartier in Ray Brook, wo Sluiter in einer Arrestzelle sitzt, hat man eine Kopie des Tonbands mit dem Anruf angefertigt und sie ins Van-Laar-Naturreservat bringen lassen.

«Du hast ihm geglaubt, oder?», fragt Hayes, bevor er die Aufnahme abspielt. «Du hast ihm seine Geschichte abgenommen?»

Judy nickt. Das hat sie. Und das tut sie immer noch.

«Warum?», fragt Hayes. «Er ist doch ein notorischer Lügner. Er hat noch nie etwas gestanden.»

«Instinkt», sagt Judy. «Er hatte keinen Grund, uns in dieser Sache zu helfen. Aber er hat es trotzdem getan.»

Hayes drückt die Taste. Jacob Sluiter beginnt zu reden, seine Stimme knistert.

Ich weiß, wo Bear Van Laar ist, sagt Sluiter auf dem Band.

Aber ich habe ihn nicht umgebracht.

Judyta

1950er | 1961 | Winter 1973 | Juni 1975 | Juli 1975 | August 1975: **Tag fünf**

Bei der Besprechung am nächsten Morgen bestätigt LaRochelle: Die zahnärztlichen Unterlagen stimmen überein. Das Skelett ist definitiv das von Bear Van Laar.

Dann bittet er Hayes, Jacob Sluiters Aussage zusammenzufassen. «Sollte das nicht lieber Investigator Luptack tun?», fragt Hayes. «Immerhin hat er das ja ihr erzählt.»

LaRochelle runzelt die Stirn.

«Meinetwegen», sagt er. «Irgendjemand. Na los.»

Widerstrebend steht Judy auf und tauscht mit Captain LaRochelle die Plätze, sie geht nach vorne, er nach hinten. Dort setzt er sich und sieht Judy unverwandt an, während sie spricht.

Für Jacob Sluiter ist das Naturreservat Van Laar das Land seiner Vorfahren.

Die Sluiters waren eine Einwandererfamilie, die um 1700 aus den Niederlanden nach Albany kamen. Während des Holzfällerbooms in den 1820er-Jahren kaufte ein Vorfahre von Sluiter das Land, auf dem später das Van-Laar-Naturreservat entstand, und ließ sich dort nieder. Er und seine Söhne holzten den Urwald ab, und davon konnten sie ganz gut leben. Doch in den 1870er-Jahren, als die Politiker sich langsam Sorgen machten, die massenhafte Abholzung der Wälder könne sich negativ auf die Wasserversorgung weiter südlich im Staat New York auswirken, kündigten sie die Einrichtung des Adirondack-Parks an. Die Sluiters wussten, sobald das Gebiet zum Schutzgebiet erklärt würde, wäre das Fällen von Bäumen verboten, also verkauften sie ihr Land wieder.

Und der Mann, der es kaufte, war (an dieser Stelle erlaubt sich Judy um des dramatischen Effekts willen eine kurze Pause) Peter Van Laar.

Bears und Barbaras Urgroßvater.

Es ist also kein Zufall, dass es Sluiter auf der Flucht immer wieder in diese Gegend verschlägt. Er sagt, als er klein war, sei sein Großvater manchmal mit ihm dorthin gegangen, auf ein Stück Land, das ihnen nicht mehr gehörte, und habe ihm mit resignierter Miene das große Haus und das Ferienlager gezeigt; das sei für den Großvater der Beweis gewesen, dass manche Menschen mehr Glück hätten als andere. Und sie, die Sluiters, seien schon immer vom Pech verfolgt gewesen.

Aber dieses Land barg ein Geheimnis, von dem nicht einmal die Van Laars etwas zu ahnen schienen.

Am gegenüberliegenden Ufer von Lake Joan, das wegen seiner Steilheit, seiner schroffen Felsen und seines dichten Baumbestandes als unpassierbar galt, gab es eine Reihe beeindruckender natürlicher Höhlen. Die Sluiters hatten sie entdeckt, als sie das Gelände erstmals abholzten, und hatten ihr Wissen von Generation zu Generation weitergegeben; Sluiters Großvater nahm ihn noch immer mit an diesen Ort, ein Wunder der Natur, das man mit eigenen Augen gesehen haben müsse, um es zu glauben.

Sluiter erzählt, dass er auf seiner Flucht vor den Behörden 1961 den ganzen Sommer über in diesen Höhlen gehaust habe, weil die Häuser, in denen er im Winter immer Zuflucht suchte, in den Sommermonaten bewohnt waren. Es war ein perfekter Ort, um sich zu verstecken: nur über das Wasser erreichbar, hinter dichten Bäumen versteckt und vor Regen geschützt. Er schwamm über den See zu seinem Unterschlupf, angelte, stellte Fallen und suchte nach Nahrung.

Eines Nachmittags, erzählte Sluiter, wachte er in seiner Höhle auf und hörte ein Geräusch – die Schritte eines Menschen.

Zuerst hatte er Angst, dass es die Polizei war; er wusste, dass sie ihm auf den Fersen war. Andererseits klang es in seinen Ohren eher nach einer einzelnen Person. Und so schlich er neugierig zum Eingang seiner Höhle. Er achtete darauf, dass er im Schatten blieb, um nicht gesehen zu werden.

Ein Mann erschien, der etwas trug; mehr konnte Sluiter zuerst nicht erkennen.

Dann sah er, was es war: ein Kind. Ein kleiner Junge. Leblos in den Armen des Mannes.

Der Mann kniete nieder. Er weinte, als er das Kind vor sich hin legte und zu graben begann.

Sluiter, der schweigend drei Meter über ihnen in seiner Höhle kauerte, beobachtete ihn dabei.

Judy verstummt. Einen Moment lang ist es ganz still im Raum, bis jemand die Frage stellt, von der sie gewusst hat, dass sie kommen würde.

«Wie hat der Mann ausgesehen?», ruft jemand von ganz hinten, und alle Köpfe im Raum drehen sich zu Goldman um, ihrem ältesten Kollegen.

«Die Beschreibung, die Sluiter uns gegeben hat, war ziemlich grob», sagt Judy. «Groß, braunes Haar, mittleren Alters.» Sie hält inne. Überlegt genau, wie sie die nächsten Worte formulieren soll. «Aber er sagte, der Mann hätte wie ein Einheimischer ausgesehen, nicht wie jemand von der Familie.»

Jemand aus einer der hinteren Reihen meldet sich zu Wort. «Was hat er damit gemeint? Die Kleidung?»

«Das hat er nicht weiter ausgeführt», sagt Judy.

Noch eine Hand hebt sich. «Warum hat Sluiter das niemandem erzählt? Nachdem er damals das erste Mal verhaftet wurde?»

«Er dachte, ihm würde ohnehin niemand glauben, dass er den Jungen nicht selbst umgebracht hatte», sagt Judy. «Später, als er in den Nachrichten hörte, dass Bear verschwunden war, zählte er eins und eins zusammen. Aber da hatte er keinen Anreiz mehr zu reden.»

Eine Pause.

«Und jetzt?», fragt Hayes. «Glauben wir ihm?»

Judy glaubt ihm. Aber sie will es nicht laut sagen – noch nicht.

«Warum hat er uns das denn ausgerechnet jetzt erzählt?», fragt jemand.

Hayes dreht sich zu Judy um. «Investigator Luptack», sagt er. «Irgendeine Idee?»

Judy räuspert sich. Erwartet er wirklich, dass sie darauf antwortet?

«Nur zu», sagt Hayes.

«Na ja», sagt Judy. «Er hat gesagt, dass er mir vertraut.»

Jemand im Raum schnaubt. Jemand anderes hüstelt.

«Schon gut, schon gut», sagt Hayes. «Die ganze Geschichte klingt unglaubwürdig. Und das ist sie auch. Trotzdem muss man eines zugeben: Der Junge wäre für Jacob Sluiter eine absolute Ausnahme. Er unterscheidet sich von all seinen anderen bekannten Opfern. Er ist ein Sexualverbrecher, der es auf Frauen abgesehen hat. Erwachsene Frauen. Soweit wir wissen, hat er sich nie für kleine Jungs interessiert. Lassen wir uns also für einen Moment auf diese Theorie ein. Nehmen wir an, dass Sluiter Bear Van Laar nicht getötet hat. Nehmen wir an, dass er die Wahrheit sagt. Wer war es dann? Wer hat die Leiche des Jungen dort vergraben?»

Von hinten sagt LaRochelle: «Warum nicht Carl Stoddard? Der war doch ein Einheimischer. Wenn es stimmt, was Sluiter sagt, würde er ins Profil passen.»

Hayes machte eine diplomatische Pause. «Kann schon sein. Ja», sagt er. «Aber ich denke, es lohnt sich, auch andere Möglichkeiten in Betracht zu ziehen, Sir.»

«Zum Beispiel?», fragt LaRochelle. Er klingt gereizt.

Einen Moment lang sind alle stumm.

Dann fragt Hayes: «Wurden die Angehörigen benachrichtigt, dass Bear gefunden wurde?»

LaRochelle schaut weg. «Jawohl.»

«Darf ich fragen, wie sie reagiert haben?»

LaRochelle runzelt die Stirn. «Ich habe nur mit Bears Vater gesprochen. Er hat es ... sehr stoisch aufgenommen, würde ich sagen. Er ist nach Albany gefahren, um es seiner Frau persönlich mitzuteilen.»

Der Captain wirkt zerstreut. Dann richtet er sich abrupt auf.

«Entschuldigen Sie mich», sagt er, erhebt sich und marschiert zur Tür hinaus. Im Gehen holt er eine Zigarettenschachtel aus der Tasche und schüttelt eine Zigarette heraus.

Hayes fängt Judys Blick auf.

Jetzt dürfte allen klar sein, dass der Fall neu aufgerollt werden muss. Sogar LaRochelle.

Als LaRochelle fort ist, wendet sich Hayes an die verbliebenen Ermittler.

«Eines verstehe ich nicht», sagt er. «Warum hat keine der Suchmannschaften das Grab entdeckt? Frisch aufgewühlte Erde, direkt auf der anderen Seite des Sees? Und dann auch noch mit einer Steinpyramide markiert. Da war doch wochenlang ein riesiges Team vor Ort. Man sollte meinen, die hätten als Allererstes das Seeufer abgesucht».

«Vielleicht wurden sie in die falsche Richtung gelotst», sagt Judy.

Hayes sieht sie an. «Von wem denn?»

«Von der Familie, schätze ich mal», sagt Judy. Dann wendet sie sich an Investigator Goldman. «Hatten Sie damals den Eindruck? Als Sie an dem Fall gearbeitet haben?»

Goldman zögert. Senkt den Blick.

«Ich hatte immer dieses komische Gefühl, dass sie ihn eigentlich gar nicht finden wollen. Also: ja.»

«Glauben Sie, jemand von der Familie hat ihn umgebracht?», fragt Hayes.

Aber so weit will sich Goldman offenbar nicht vorwagen. Er schweigt.

«Vielleicht war es ein Unfall», sagt Judy.

«Aber warum haben sie dann hingenommen, dass man Carl Stoddard den Tod anlastet? Mehr noch: Warum haben sie ihn vorsätzlich beschuldigt?», fragt Hayes.

Judy schaut sich um, um zu sehen, ob sich noch jemand zu Wort meldet. Für einen Moment sind wieder alle still.

Dann fragt jemand: «Woran ist Carl Stoddard eigentlich gestorben?»

«Herzinfarkt», sagt Goldman. «Er starb in Polizeigewahrsam. Hatte einen Herzinfarkt, während er auf seine Vernehmung wartete.»

In Judys Kopf nimmt eine Theorie Gestalt an.

«Vielleicht aus Bequemlichkeit?», meint Judy. «Vielleicht war es für die Familie einfacher, alle glauben zu lassen, dass Stoddard es getan hat? Schließlich war er tot», sagt sie. «Wahrscheinlich dachten sie, das würde niemandem wehtun.»

«Okay», sagt Hayes. «Möglich. Aber das würde trotzdem bedeuten, dass sie etwas zu verbergen hatten.»

Schweigen.

«Nur was?», fragt Goldman.

Judy starrt auf einen Punkt an der Wand.

«Judy?», fragt Hayes.

«Investigator Goldman», sagt Judy. «Wer hat damals die Suche nach Bear geleitet?»

«Na ja, die Familie», sagt Goldman.

«Nein», sagt Judy. «Ich meine, es wird doch jemanden gegeben haben, der Anweisungen erteilt hat. Der gesagt hat, wer wo suchen soll.»

Goldman blickt nachdenklich zu Boden. Dann sieht er auf. «Ich glaube, es war der damalige Leiter des Ferienlagers», sagt er. «Der Vater der jetzigen Leiterin. Vic Hewitt hieß er.»

Einen Moment lang schweigt Judy.

Dann geht sie den Flur hinunter zu dem Zimmer, von dem sie weiß, dass dort Vic wohnt.

Als sie zurückkommt, hält sie Denny Hayes das Gruppenfoto hin, das sie gefunden hat.

«Schau mal», sagt sie und zeigt auf die Beschriftung auf der Rückseite. *Blackfly Goodbye 1961.* Sie dreht es wieder um. «Und jetzt schau mal hier.»

Eine kleine Gruppe von Ermittlern versammelt sich und betrachtet das Foto.

Alle auf dem Bild sind schick angezogen, in Kleidern und Anzügen, Kinder wie Erwachsene. Die Frauen tragen kleine Hüte. Selbst in Schwarz-Weiß kann man Lippenstift und Wimperntusche erkennen.

Aber zwei Personen stechen hervor, die ganz an der Seite stehen und anders gekleidet sind: T. J., als Teenager, und ihr Vater Vic. Mittleres Alter. Bart. Er trägt einen Anglerhut, ein kariertes Hemd, die Ärmel bis zu den Ellbogen hochgekrempelt, und eine Cordhose mit einem Flicken am Knie.

Judy zeigt auf das Mädchen. «Das ist T. J. Hewitt», sagt sie. «Oder nicht? Die sieht doch aus wie T. J. Hewitt.»

Hayes nickt.

«Dann ist das da …», sagt Judy, und Hayes beendet den Satz: «Vic Hewitt.»

Sie bewegt ihren Finger wieder in Richtung der größeren Gruppe. «Die alle hier würde ich als Sommergäste beschreiben», sagt sie. «Wegen ihrer Kleidung. Aber als was würde man Vic bezeichnen?»

Hayes sieht sie an. «Als Einheimischen», sagt er.

Er wendet sich an einen der Ermittler. Gibt ihm das Foto. «Bringen Sie das zu Jacob Sluiter», sagt er. «Fragen Sie ihn, ob er auf dem Foto den Mann erkennt, der Bear Van Laar vergraben hat.»

Sie werden von einem Klopfen an der Tür unterbrochen.

Anna, die Restauratorin, steht vor der Tür und blinzelt ins grelle Sonnenlicht. Sie sieht erschöpft aus.

LaRochelle, der die letzten Züge seiner Zigarette nimmt, steht hinter ihr.

«Sagen Sie mal, Anna, haben Sie die ganze Zeit durchgearbeitet?», fragt Judy. «Sind Sie gar nicht nach Hause gefahren?»

«Nein. Ich war so eifrig dabei.»

Sie macht kehrt und stapft los in Richtung Haupthaus. Judy wirft einen Blick über die Schulter zu Hayes, der LaRochelle anguckt. Dann folgen sie ihr zu dritt und fallen in Trab, um mit Anna Schritt zu halten.

Das Haus ist nahezu leer. Die Eltern sind in Albany und die meisten Gäste abgereist.

Gemeinsam gehen Judy und Anna in das rosa Zimmer. Das Wandgemälde ist komplett freigelegt, alles ist gut zu erkennen.

Judys erster Gedanke ist, dass sie Barbara Van Laar nicht zugetraut hatte, dass sie so gut zeichnen kann. Die Wand ist mit zahlreichen Symbolen bedeckt, die Judy nicht versteht: Sicherheitsnadeln und Flaggen und seltsam wirkende Gesichter mit noch seltsameren Frisuren. Und viele, viele Musiknoten.

Von der linken oberen Ecke der Wand zur rechten unteren bahnt sich ein Fluss seinen Weg.

Judy betrachtet das Kunstwerk und überlegt, ob ihr irgendetwas auffällt.

«Haben Sie es schon entdeckt?», fragt Anna.

Judys Herz schlägt schneller.

«Was denn?», fragt Captain LaRochelle, dessen Kopf schnelle kreisförmige Bewegungen macht, während er die Wand mustert.

«Ich kann es Ihnen nicht verübeln», sagt Anna. «Das Ganze ist überwältigend. Aber treten Sie mal näher heran.»

Judy nähert sich dem Fluss. Erst jetzt fällt ihr auf, dass die Wellen nicht bloß Wellen sind. Es sind Buchstaben.

BVL + JPM, immer und immer wieder.

So, wie junge Leute seit Jahrzehnten oder Jahrhunderten ihre Liebe verewigen.

«Barbara Van Laar und John Paul McLellan», sagt Hayes.

Er hat angeordnet, das Haus der Campleiterin zu räumen. Als leitender Ermittler darf er das. Jetzt sitzt Judy ihm gegenüber auf einem Klappstuhl, die Ellbogen auf die Knie gestützt, den Blick zu Boden gerichtet.

«Ich schätze, das wird jeder Richter als stichhaltigen Beweis werten», sagt Hayes. «Wir werden ganz sicher einen Haftbefehl gegen ihn erwirken. Die Frage ist nur: Wo hat er das Mädchen versteckt?»

«Das ist nicht die einzige Frage», sagte Judy.

«Ach nein?»

«Die andere ist: Hat Vic Hewitt ihren Bruder Bear getötet?»

Hayes sieht sie an. Dann klopft er sich auf die Knie und steht auf.

«Das erledigst du, Judy», sagt er. «Vergiss den Großvater, zumindest fürs Erste. Vergiss Jacob Sluiter. Ich bin dafür zuständig, alle Hinweise und Spuren zu sammeln, und diese Spur wirst jetzt du übernehmen. In der Zwischenzeit fahre ich zu dem Hotel, in dem McLellan untergebracht ist. Ich traue den State Troopers nicht zu, dass sie ihn ordnungsgemäß im Auge behalten.»

Judyta

1950er | 1961 | Winter 1973 | Juni 1975 | Juli 1975 | August 1975: **Tag fünf**

Stundenlang sucht sie nach einem Lebenszeichen von Vater oder Tochter Hewitt, wird aber weder im Personalquartier fündig noch in der Kantine, in der T. J. doch sicherlich im Moment ihre Mahlzeiten einnimmt. Sie fragt die Angestellten im Haupthaus, aber niemand hat sie gesehen oder hat eine Ahnung, wo sie stecken könnte. Sie scheinen T. J. nicht besonders gut zu kennen.

Entweder das, denkt Judy, oder sie wollen nicht mit mir reden.

Um 16 Uhr, kurz vor Dienstschluss, sitzt Judy vor dem Haus der Campleiterin und blickt auf den See, als das Geräusch eines Autos ihre Aufmerksamkeit erregt.

Es ist T. J. Hewitt in ihrem Pick-up-Truck. Sie fährt an Judy vorbei, ohne den Kopf in ihre Richtung zu drehen. Hält vor dem Personalquartier, etwa hundert Meter entfernt.

Judy beobachtet T. J., wie sie eine Tasche aus dem Fahrzeug nimmt und in das Gebäude geht.

Judy folgt ihr.

Das Vorhängeschloss ist fort, und die Tür steht offen. Judy klopft trotzdem an.

T. J. zuckt zusammen.

«Tut mir leid, dass ich Sie erschreckt habe», sagt Judy.

«Haben Sie nicht», sagt T. J.

«Hätten Sie kurz Zeit?»

«Für Sie?», fragt T. J. «Aber immer.» Sie lächelt, und einen Moment lang fühlt sich Judy entwaffnet. Dann reißt sie sich zusammen und tritt über die Türschwelle.

«Was gibt es denn?», fragt T. J.

«Warum haben Sie mir nicht gesagt, dass Ihr Vater noch lebt?», fragt Judy.

«Habe ich nicht?»

«Nein. Sie haben über ihn geredet, als wäre er tot.»

T. J. setzt sich auf die Kante ihres schmalen Bettes. «Tja», sagt sie, «so fühlt es sich auch an. Er ist nicht mehr er selbst.»

Judy nickt. Bleibt stehen. «Wo ist er jetzt?», fragt sie.

«Bei Verwandten.»

«Verwandten?»

T. J. nickt.

«Warum?»

«Ich wusste nicht, wohin mit ihm, nachdem Sie in unserem Haus Ihr Hauptquartier aufgeschlagen hatten», sagt T. J. «Er muss rund um die Uhr versorgt werden.»

Judy blickt in Richtung Flur. «Hier sind doch so viele leere Zimmer», sagt sie, aber T. J. schüttelt den Kopf.

«Das verstehen Sie nicht», sagt sie. «Er kennt sich in diesem Gebäude nicht aus. Er würde weglaufen. Jemand muss ... ein Auge auf ihn haben.»

T. J. schaut aus dem Fenster. «Bei welchen Verwandten wohnt er?»

«Was? Ach so», sagt T. J. «Bei seinem Bruder.»

«Seinem Bruder?»

«Ja», sagt T. J.

Eine Weile ist es still. Dann holt Judy eine Visitenkarte hervor und gibt sie ihr. «Miss Hewitt … T. J.», sagt sie. «Ich weiß nicht, warum, aber ich habe das Gefühl, dass Sie mir nicht ganz die Wahrheit sagen. Wenn Sie möchten, können Sie mich jederzeit anrufen.»

Judyta

1950er | 1961 | Winter 1973 | Juni 1975 | Juli 1975 | August 1975: **Nacht fünf**

Judy kann nicht schlafen. Sie liegt in ihrem Zimmer im Motel und wälzt sich hin und her. Sie schaltet den Fernseher ein, schaltet ihn wieder aus.

Sie denkt über die Ereignisse des Tages nach: Vic Hewitt. T. J. Hewitt. Das Ergebnis der Analyse des Blutes an der Uniform in McLellans Auto: Blutgruppe A positiv. Genau wie Barbara Van Laar, auch wenn das noch kein endgültiger Beweis ist.

Eine Stunde vergeht. Noch eine.

Um Mitternacht fällt ihr auf, dass sie gar nichts gegessen hat.

Genervt steht sie auf, zieht ihren zerknitterten Hosenanzug wieder an und kramt ein paar Vierteldollarstücke aus ihrem Portemonnaie. Geht unter dem Vordach hindurch zur Lobby des Motels, um sich etwas aus dem Automaten zu holen.

Die Eingangstür ist offen, aber hinter dem Empfangstresen sitzt niemand. Im Neonlicht der Lobby sieht sich Judy die Auswahl an. Sie entscheidet sich für ein Milky Way, das nascht ihre Mutter so gerne. Doch nachdem sie die Nummer eingetippt hat, verklemmt sich der Schokoriegel und bleibt hinter der Scheibe hängen.

Judy flucht. Tritt gegen die Maschine, einmal, noch einmal.

Ein drittes Mal.

Sie klopft mit der Hand gegen die Scheibe.

«Miss?», sagt jemand, und Judy fährt erschrocken herum.

Es ist Bob Alcott, der Besitzer des Motels.

«Tut mir leid», sagt Judy. «Tut mir leid. Habe ich Sie geweckt?»

«Nein, nein», sagt Mr Alcott. «Ich war sowieso wach.» Er kramt in seiner Tasche und zieht ein Schlüsselbund hervor. Er nimmt den kleinsten Schlüssel, steckt ihn in den Automaten und öffnet die Tür.

Das Milky Way fällt zu Boden. Judy bückt sich und hebt es auf. Sie kommt sich ziemlich albern vor.

«Nehmen Sie noch eins», sagt Mr Alcott. «Nehmen Sie sich, was Sie wollen.»

«Ist schon in Ordnung», sagt Judy, aber Mr Alcott nimmt wortlos eine kleine Auswahl an Süßigkeiten und Snacks aus dem Automaten und drückt sie ihr in die Hand.

«Hier», sagt er. «Das ist das Mindeste, was ich tun kann.»

Dann schließt er die Tür wieder ab.

Judy sieht ihn an. «Mr Alcott», sagt sie. «Sie sind doch Geschichtslehrer, oder?»

Er nickt.

«Was wissen Sie über die Geschichte des Van-Laar-Naturreservats?»

«Oh», sagt Mr Alcott. «So ziemlich alles, was es zu wissen gibt.»

Er richtet sich auf, als er das sagt, und Judy begreift, dass das sein Lebenswerk ist.

«Miss Luptack, möchten Sie nicht auf eine Tasse Tee hereinkommen?», fragt Bob Alcott. «Der passt doch gut zu Ihrem Milky Way.»

«Aber nicht, dass wir Ihre Frau aufwecken», sagt Judy.

Der Mann schüttelt den Kopf. «Ach was. Die ist auch noch wach. Wir sind beide ziemliche Nachteulen, jetzt wo die Kinder groß sind.»

«Das ist sehr nett von Ihnen», sagt Judy.

Dann entschuldigt sie sich und geht noch einmal kurz in ihr Zimmer, um ihr Notizbuch zu holen.

Die Wohnung der Alcotts befindet sich gleich neben der Lobby. Das Ehepaar und Judy sitzen einander gegenüber an einem Tisch.

Judy lässt ihren Stift einen Moment über dem Papier schweben. Dann legt sie los.

«Mr und Mrs Alcott», sagt sie, «meine erste Frage: Wissen Sie, wann die Hewitts hier im Naturreservat aufgetaucht sind?»

«Ach», sagt Mr Alcott, «das ist ganz einfach. Zur selben Zeit wie die Van Laars. Eigentlich waren es sogar die Hewitts, die ihnen dieses Stück Land überhaupt erst gezeigt haben. Dan Hewitt, Vics Vater, stammte aus einer Familie alteingesessener Bergführer, die eine Stunde nördlich von Saranac Lake angesiedelt waren. Der allererste Peter Van Laar machte seine Bekanntschaft, als er gerade auf der Suche nach einem Grundstück für seine Farm war. Dan wusste von einem Stück Land etwas weiter südlich, das einer Holzfällerfamilie gehörte. Die wollten es verkaufen, und Dan Hewitt hat Van Laar an sie verwiesen.»

«Wie hieß die Familie?», fragte Judy.

«Sie meinen die, die den Van Laars ihr Land verkauft haben?»

Sie nickt.

«Komisch, dass Sie danach fragen», sagt Mr Alcott. «Das war die Familie Sluiter. Sie haben bestimmt von dem Sohn gehört.»

«Ja», sagt Judy. «Das habe ich.»

«Wie dem auch sei: Peter Van Laar – also Peter I. – war von dem Stück Land so begeistert, dass er sich Dan Hewitt gegenüber in der Schuld sah. Deshalb nahm er ihn kurzerhand mit ins Van-Laar-Naturreservat und gab ihm einen Job als privater Führer der Familie.»

Alcott nippt an seinem Tee. Dann erzählt er weiter.

«Zehn Jahre vergingen. Peter I. lernte eine Frau kennen und heiratete sie, und sie bekamen einen Sohn – Peter II., den, der heute noch lebt. Auch Dan Hewitt lernte eine Frau kennen, Clara, die ihm Zwillinge schenkte. Aber nach meinen Recherchen hat Clara danach nicht mehr lange gelebt. Die zwei Jungs wurden also von ihrem Vater großgezogen, bis sie etwa fünfzehn Jahre alt waren. Dann starb auch Dan Hewitt. Aber die verwaisten Zwillinge durften im Naturreservat bleiben: Der alte Mr Van Laar nahm sie unter seine Fittiche, holte sie aus der Hütte, in der sie wohnten, direkt ins Haus der Van Laars. Sie nahmen die beiden in jenem Jahr sogar mit nach Albany.»

Judy denkt nach.

«Wie war denn der Altersunterschied zwischen Peter II. und den Jungs von Dan Hewitt?», fragt sie. «Waren sie älter oder jünger?»

«Sie waren ein wenig jünger als er», sagt Mr Alcott.

«Sechs Jahre, glaube ich», sagt seine Frau.

«Sechs Jahre», fährt Mr Alcott fort. «In der Stadt erzählte man sich, Peter II. hätte für die Jungs von Hewitt nicht viel übrig. Aber sein Vater mochte sie. Er nahm sie jeden Tag mit auf seine Wanderungen. Im Haus durften sie tun und lassen, was sie wollten. Zu Charlie Hewitt war er nett, er hatte nur gute Worte für ihn übrig. Aber Vic hat er richtig lieb gewonnen. Den hat er wie einen zweiten Sohn behandelt. Er hat ihn praktisch adoptiert, auch wenn es nie offiziell war. Theoretisch hätten die Zwillinge für Peter II. so etwas wie Brüder sein müssen. Aber ich glaube, er war eifersüchtig. Vielleicht ist er es immer noch.»

Judy schreibt so schnell mit, wie sie kann. Aber es ist nicht schnell genug. Als Mr Alcott das bemerkt, hält er kurz inne.

«Camp Emerson war Vics Idee», sagt Mr Alcott, als Judy wieder zu ihm aufblickt. «Er hatte die ganze Arbeit damit. Aber Peter I. hat ihn von Anfang an dabei unterstützt. Am Ende seines Lebens bezeichnete er es als seine größte Leistung. Er sah das Ferienlager als Chance, Generationen von Kindern die Liebe zur Natur zu vermitteln. Ihnen zu zeigen, wie wunderschön dieses Fleckchen Erde ist. Das Geld, das er mit seiner Bank verdiente, war ihm ganz egal – ich glaube, er war immer wieder überrascht, wie reich er eigentlich war. Wenn er nach Shattuck kam, begrüßte er jeden mit Namen. Er war ganz anders als alle seine Nachkommen. Eher ein Hewitt als ein Van Laar, wenn Sie mich fragen. Der Rest seiner Familie hielt Camp Emerson für eine schwachsinnige Idee. Eigentlich wollten sie nichts damit zu tun haben. Und daran hat sich bis heute nichts geändert.»

Mrs Alcott steht auf. Setzt noch einmal den Teekessel auf den Herd.

«Als Peter I. starb, begannen die Probleme zwischen den Hewitts und den Van Laars. Ich gebe nur ungern Hörensagen weiter, und ich muss ganz ehrlich sagen, dass ich keine Beweise dafür habe. Aber Gerüchten zufolge gab Peter I. den Betrieb von Camp Emerson komplett in die Hände von Vic Hewitt. Er teilte das Naturreservat in zwei Hälften. Das Haupthaus und die Farm sollten den Van Laars gehören, das Ferienlager den Hewitts. Theoretisch hätte das vielleicht auch funktioniert. Aber …»

«Aber?»

«Er beging einen großen Fehler. Er ernannte Peter II. zum Treuhänder seines Nachlasses und verlieh ihm damit die Vollmacht, bis zu seinem Tod nach eigenem Gutdünken über die Finanzierung von Camp Emerson zu entscheiden.»

«Und wenn er stirbt?», fragt Judy.

«Dann geht das Ferienlager an Vic», sagt Mr Alcott. «Beziehungsweise an dessen Tochter Tessie Jo.»

Der Teekessel pfeift. Judy blickt auf.

«Aber wie ich schon sagte», fährt Mr Alcott fort, «das sind alles nur Gerüchte. Als Geschichtslehrer sollte ich mich eigentlich hüten, solche Spekulationen zu verbreiten.»

«Ich verstehe schon», sagt Judy. «Ich werde selbst noch einmal in der Richtung nachforschen.»

Sie steht auf. Sie bedankt sich bei Mrs Alcott für den Tee. An der Tür dreht sie sich noch einmal um.

«Eine Frage hätte ich noch», sagt sie.

«Nur zu.»

«Vic Hewitts Bruder», sagt sie. «Charlie. Was macht der heute?»

«Ach, der ist schon lange tot», sagt Mr Alcott. «Seit mindestens zehn Jahren.»

«Zwanzig», korrigiert ihn Mrs Alcott.

«Stimmt, der war schon tot, als Bear verschwand.»

«Wie ist er gestorben?»

«Eines natürlichen Todes», sagte Mr Alcott. «Nichts Verdächtiges.»

«Welche Aufgabe hatte er im Naturreservat?»

Mr Alcott runzelt die Stirn. «Ich weiß nicht mehr genau. Moment», sagt er. Er legt den Kopf in den Nacken, als versuche er angestrengt, sich zu erinnern. «Wenn mich nicht alles täuscht, war er für die Farm zuständig. Die Farm, die seinerzeit das Haupthaus mit Lebensmitteln versorgt hat.»

«Und wo hat er gewohnt?», fragt Judy, obwohl sie schon ahnt, was er antworten wird. *Bei welchen Verwandten wohnt er?*, hat sie T. J. vorhin gefragt, und T. J. hat geantwortet: *Bei seinem Bruder.*

«Er wohnte über dem Schlachthaus», sagt Mr Alcott. «Da hatte er eine kleine Wohnung, im ersten Stock. Wenn mich nicht alles täuscht.»

Judy dankt ihm. Sie geht zurück in ihr Zimmer, um ihre Autoschlüssel zu holen.

Und ihre Pistole.

Fünf Minuten später sitzt sie im Auto, ihre Scheinwerfer leuchten nach Norden. In Richtung Naturreservat.

Judyta

1950er | 1961 | Winter 1973 | Juni 1975 | Juli 1975 | August 1975: **Nacht fünf**

Bisher war sie nur bei Tageslicht hier. Jetzt, im Mondschein, wirkt die unbefestigte Zufahrt völlig anders. Die Kiefern zu beiden Seiten ragen wie Riesen in den Himmel. Im Scheinwerferlicht wirken die Wirtschaftsgebäude noch heruntergekommener und baufälliger.

Judy hält am Straßenrand. Stellt den Motor ab. Schaltet die Scheinwerfer aus.

Einen Moment lang bleibt sie im Dunkeln sitzen und wartet darauf, dass sich ihre Augen an die Finsternis gewöhnen. In diesem Monat kann man in den Adirondacks den Perseiden-Meteoritenschauer beobachten, der Himmel über dem Naturreservat ist voller Sterne.

Sie öffnet und schließt die Tür ihres Käfers so behutsam wie möglich, geht zum Kofferraum und holt die Taschenlampe aus ihrem Notfallkoffer.

Sie schaltet die Taschenlampe ein und geht auf das Schlachthaus zu.

Sie betritt das Gebäude auf dieselbe Weise, wie sie als Kind ins kalte Wasser gesprungen ist.

Schnell, souverän, und ohne allzu viel nachzudenken.

Sie weiß: Würde sie innehalten und überlegen, was sie da tut, dann würde sie es sich bestimmt anders überlegen.

Sie geht schnurstracks auf die Treppe zu, die in den ersten Stock führt. Sie steigt hinauf. Der Lichtkegel der Taschenlampe zittert leicht.

Auf halbem Weg bleibt sie stehen.

Sie hat etwas gehört.

Stimmen vielleicht; ja, die Stimme eines Mannes. Und dann plötzlich Musik. Was da gesungen wird, kann sie nicht verstehen, aber die Musik ist altmodisch, so etwas haben vielleicht ihre Großeltern gehört.

Sie steigt weiter die Treppe hinauf. Oben angekommen, sieht sie im Schein ihrer Taschenlampe eine verschlossene Tür. Sie ist mit einem Riegel und einem Vorhängeschloss gesichert, dem gleichen Fabrikat wie an T. J. Hewitts Zimmer im Personalquartier.

Sie zögert einen Moment. Dann zieht sie vorsichtig die Pistole. Mit der anderen Hand klopft sie an die Tür.

«Mr Hewitt?», fragt sie. «Sind Sie da drin?»

Das Radio geht aus.

«Mr Hewitt!», ruft sie. «Ich bin Investigator Judyta Luptack. Ich möchte Ihnen ein paar Fragen stellen.»

Schweigen.

«Mr Hewitt?», fragt Judy.

Sie spürt, dass sie der Wahrheit ganz nahe ist. Ihr Herz schlägt schneller.

«Mr ...», setzt sie noch einmal an, aber da hört sie ihn.

«Barbara?», sagt er.

Judy zittert ein wenig. «Nein, Mr Hewitt», sagt sie. «Mein Name ist Judyta ...» Vic Hewitt unterbricht sie.

«Barbara», sagt er. «Du sollst doch nicht herkommen.»

«Mr Hewitt», ruft Judy, «ich bin nicht Barbara. Ist Barbara da drinnen bei Ihnen?»

Schweigen.

«Mr Hewitt?»

Sie spürt das Gewicht der Pistole in ihrer Hand. Sie wägt ihre Möglichkeiten ab. Sie könnte sich zurückziehen; sie könnte zur Einsatzzentrale laufen oder fahren; sie könnte wieder mit einem Haufen Kollegen anrücken. Und damit riskieren, einmal mehr wie ein Trottel dazustehen.

Stattdessen sagt sie: «Mr Hewitt, treten Sie von der Tür zurück.»

Sie zielt mit ihrer Pistole seitlich auf das Vorhängeschloss, um sicherzugehen, dass die Kugel nicht die Tür durchschlägt. Sie stützt ihren Arm. Schießt.

Klirrend fällt das Vorhängeschloss zu Boden, und Judy öffnet die Tür.

In einem spärlich möblierten Zimmer liegt ein alter Mann in einem Doppelbett. Vom Kinn bis zu den Füßen bedeckt ihn eine Bettdecke. Sein Körper ist klein. Er sieht sie verwirrt an.

«Wer», sagt er. «Wer. Wer.» Immer wieder.

Judy hat sofort ein schlechtes Gewissen.

«Ich tue Ihnen nichts», sagt sie. «Ich möchte Ihnen nur ein paar Fragen stellen.»

Aber Vic Hewitt gibt bloß eine Reihe unverständlicher Laute von sich, und schließlich wird Judy klar, dass sie sich in einer ausweglosen Situation befindet: Da das Vorhängeschloss kaputt ist, kann sie die Tür nicht mehr abschließen; in dem Zustand, in dem sich der Mann befindet, wird sie ihn kaum mitnehmen können; und sie hat auch keine Möglichkeit, jemandem Bescheid zu sagen, ohne ihn allein zu lassen.

Judy blickt auf den Boden zwischen ihren Füßen. Vielleicht, denkt sie, ist das hier doch nicht der richtige Beruf für sie. Vielleicht wäre sie besser State Trooper geblieben.

Plötzlich bewegt sich der Mann im Bett.

«Oh», sagt Vic Hewitt. «Oh. Oh. Ich nehme an, Sie sind wegen Bear hier.»

Seine Stimme klingt reumütig – aber zugleich auch jünger, energischer, als ob er gerade in Gedanken in einen anderen Abschnitt seines Lebens zurückkehrt.

Judy zögert. Sie ist sich nicht sicher, ob Aussagen von Menschen mit *mentaler Beeinträchtigung* – diesen Ausdruck hat sie an der Akademie gelernt – vor Gericht zulässig sind. Aber in dieser Situation siegt ihre persönliche Neugier.

«Ja», sagt sie. «Ich fürchte, ich bin wegen Bear hier.»

Vic Hewitt versucht verzweifelt, sich im Bett aufzusetzen. Judy beugt sich vor, legt ihm eine Hand auf den Rücken. Hilft ihm hoch. Dann lässt sie sich auf der Bettkante nieder. Hewitt, der jetzt sitzt, schaut sie an, und sie sieht, wie sich seine Augen mit Tränen füllen.

«Ich habe doch nur geholfen», sagt er. «Ich habe doch nur geholfen.»

«Sie haben ihn also nicht getötet?», fragt Judy.

«Ihn getötet? O Gott, nein», sagt Vic Hewitt.

«Wer war es dann?», fragt Judy.

Von draußen sind Schritte auf der Treppe zu hören. Judy ist ganz still. Sie zieht ihre Waffe. Ist mit einem Satz neben der Tür, stellt sich mit dem Rücken an die Wand.

«Oh nein», sagt Hewitt. «Oh nein.»

Die Schritte bleiben vor der Tür stehen. Judy hört jemanden atmen. Sie wird nur schießen, wenn es gar nicht anders geht, sagt sie sich.

T. J. Hewitt betritt den Raum und schaut sofort in Judys Richtung, als hätte sie gewusst, wer dort auf sie wartet.

Sie mustert Judy von oben bis unten. Schaut auf ihre Waffe.

«So eine habe ich auch», sagt sie leise. «Aber ich ziele damit nicht auf Menschen.»

«Auf den Boden», sagt Judy. Und dann fügt sie hinzu: «Bitte.»

T. J. seufzt. Sie lässt sich Zeit. Sie geht in die Knie und schaut zu Judy auf, als wolle sie ihr vor Augen führen, wie lächerlich das ist, was sie hier gerade veranstaltet. Dann legt sie sich langsam der Länge nach hin.

Judy, die Pistole immer noch in der Hand, tastet sie ab.

«Also gut, hören Sie zu», sagt sie. «Wir beide gehen jetzt zusammen zur Einsatzzentrale.»

«Zu meinem Haus, meinen Sie», sagt T. J.

«Ganz genau.»

«Das wird kaum gehen.»

«Und wieso nicht?»

«Ich kann meinen Vater hier nicht allein lassen. Der läuft weg. Die Tür muss immer abgeschlossen sein.»

Judy seufzt entnervt. «Können wir ihn nicht mitnehmen?»

T. J. lacht freudlos auf. «Wohl kaum. Sehen Sie ihn sich doch mal an. Ich musste ihn die Treppe hochtragen.»

Einen Moment lang sehen Judy und T. J. einander an. Dann sagt T. J.: «Fesseln Sie uns.»

Judy blinzelt. «Womit?»

«Unten ist ein Seil. Da ist alles Mögliche. Fesseln Sie uns. Ich helfe Ihnen.» Sie zögert. Es kommt ihr vor, als würde sie in eine Falle tappen, aber Judy sieht keinen anderen Ausweg. Sie wird mindestens einen der Hewitts allein lassen müssen.

Gesagt, getan: Sie geht mit T. J. hinunter und dann um das Schlachthaus herum in ein weiteres Gebäude, den Kornspeicher, wie T. J. sagt. Von dort holen sie ein Seil, und dann gehen sie wieder nach oben, in die kleine Wohnung über dem Schlachthaus, und Judy fesselt die Hewitts auf Vic Hewitts Bett Rücken an Rücken aneinander. Am Ende knotet sie das Seil am Bettgestell fest.

Eine Viertelstunde später kommt sie mit vier Kriminalpolizisten und fünf State Troopers zurück.

Eine halbe Stunde später sitzt sie auf dem Beifahrersitz eines Streifenwagens. Die Hewitts sitzen auf der Rückbank.

Victor

1950er | **1961** | Winter 1973 | Juni 1975 | Juli 1975 | August 1975

Im Haus der Campleitung unterhielt sich Vic mit einem bockigen Zwölfjährigen, der von den anderen Ferienkindern ausgegrenzt wurde und sich darüber dermaßen ärgerte, dass er seit Kurzem zu körperlicher Aggression neigte.

Mitten im Gespräch wurde der Junge plötzlich stumm und zeigte auf eines der Fenster.

«Was ist denn da?», fragte Vic und drehte sich um.

«Da ist was im See», sagte der Junge und klang nun nicht mehr sauer, sondern besorgt.

Und tatsächlich: Mitten auf dem Lake Joan trieb etwas Rundes, Weißes, das aussah wie ein auftauchender Wal.

Vic stand auf und ging zum Fenster.

Es war ein gekentertes Ruderboot.

«Bleib hier», sagte Victor. «Bleib auf deinem Stuhl sitzen.»

Draußen rannte Vic los. Ein heftiges Unwetter war gerade vorübergezogen und hatte dafür gesorgt, dass alle Betreuer und Ferienkinder nach drinnen geflüchtet waren. Das Gras war glitschig vom Regen. Er stolperte. Fiel auf die Knie. Rappelte sich wieder auf.

Er hatte das Gefühl, dass er vollkommen allein war. Er sah sich um, kein Mensch war zu sehen.

Auch oben auf dem Hügel, beim Haus *Self-Reliance*, war alles still – zum ersten Mal seit einer Woche, wie es schien. Dort feierten die Van Laars gerade ihr alljährliches Fest. Als Peter I. noch gelebt hatte, war Victor ein fester Bestandteil der großen Party gewesen, doch jetzt hatte man ihn schon seit Jahren nicht mehr eingeladen.

Vic stand am Strand, die Hände in die Hüften gestemmt, und betrachtete das Ruderboot, das mit dem Rumpf nach oben dahintrieb. Bestimmt hatte einer der Gäste aus dem Haupthaus es zum Kentern gebracht, war an Land gegangen und hatte sich nicht weiter darum gekümmert. Die Gäste waren ständig betrunken und bauten dann irgendwelchen Mist, der für alle anderen auf dem Gelände Mehrarbeit bedeutete. Er suchte das Ufer ab, ob sich irgendwo etwas bewegte, sah aber nichts.

Seufzend machte er kehrt und begab sich im Laufschritt den Hügel hinauf, zum Haus *Self-Reliance*.

Ihm fiel ein, dass er Tessie Jo seit dem Morgen nicht mehr gesehen hatte. Normalerweise hätte ihn das nicht allzu sehr beunruhigt. Sie durfte im Sommer überall auf dem Gelände herumlaufen – meistens hatte sie Bear dabei im Schlepptau. Die Van Laars gingen ganz anders mit ihr um als mit ihrem Vater; sie akzeptierten sie als Bears Spielkameradin, die gleichzeitig ein Auge auf ihren abenteuerlustigen Sohn hatte, daher ging sie im Haus *Self-Reliance* ein und aus. Ganz anders Victor – er mied das Haus inzwischen völlig.

Aber jetzt riss er sich zusammen, straffte die Schultern und klopfte an die Haustür der Van Laars.

Sofort wurde geöffnet.

Vor ihm stand Peter II., Bears Großvater, der aussah, als hätte er Wache gestanden.

Sein Gesicht war maskenhaft und bleich, sein Haar nass.

«Alles in Ordnung?», fragte Victor. «Ich habe ein Ruderboot gesehen, das …»

Peter II. packte ihn an den Schultern. Zog ihn von der Tür weg. Der Kriebelmücken-Türklopfer klapperte, als die Tür ins Schloss fiel.

«Komm mit», befahl Peter II. Seine tiefe Stimme klang alarmiert.

«Ich muss meine Tochter finden», sagte Victor. «Ich muss wissen, ob es ihr gut geht.»

«Der geht es gut», sagte Peter II. «Bear nicht.»

Victor sah den Mann an, der einmal fast so etwas wie sein Bruder gewesen war. Jetzt waren sie Feinde. Das Gesicht des Mannes zitterte leicht, seine Mundwinkel waren nach unten gezogen und seine Augen aufgerissen, als gebe er sich Mühe, nicht zu schreien, in Ohnmacht zu fallen oder zu weinen.

Er ging in Richtung Bootshaus. Wortlos folgte Vic ihm.

Auf halbem Weg hörte er ein Geräusch und blieb unwillkürlich stehen. Er lauschte, sein ganzer Körper war reglos, in Habachtstellung.

Ein Fuchs, dachte er, so klingen Füchse, ein unheimliches, gedämpftes Heulen, bei dem sich ihm jedes Mal die Nackenhaare aufstellten.

Aber Füchse waren nachtaktiv; das hier war kein Tier.

Und da wusste er plötzlich, was es war: eine Frau, die weinte.

Victor

1950er | **1961** | Winter 1973 | Juni 1975 | Juli 1975 | August 1975

Gemeinsam standen die beiden Männer an der Tür des Bootshauses und blickten auf den See und das umgedrehte Ruderboot, das langsam sank.

Peter II. hatte Alice gefunden. Nach ihrem peinlichen Auftritt im Wohnzimmer, bei dem er versucht hatte, den Jungen davon abzubringen, mit seiner Mutter Boot zu fahren, die dazu offensichtlich nicht mehr in der Lage war, war Peter II. zu der Stelle gegangen, an der er sich mit seinem Enkel verabredet hatte, um zusammen wandern zu gehen. Aber der Junge war nicht aufgetaucht.

Zuerst hatte Peter II. gedacht, er wäre schon vorausgegangen zum Hunt Mountain, und so wanderte er eine Weile in diese Richtung, bis der Regen stärker wurde und ihm ein schrecklicher Gedanke kam.

Der Junge würde nicht am Fuße des Berges auf ihn warten. Er war am See, bei seiner Mutter. Bear hing so sehr an ihr; er hatte gespürt, wie verzweifelt sie war, als sie in das überfüllte Wohnzimmer stolperte und ihn bat, mit ihr Boot zu fahren.

«Da bin ich losgerannt», sagte Peter II. zu Vic Hewitt. Sein Gesicht war regungslos, als er auf den See hinausblickte. Nicht einmal in so einem Moment konnte er von seinem förmlichen Gehabe ablassen.

Als er das Bootshaus erreicht hatte, legte sich das Unwetter wieder.

Und dann kletterte, direkt vor seinen Augen, eine Schreckensgestalt die Rampe hoch: Alice, die vollkommen durchnässt war und sich gebärdete wie eine Wahnsinnige. Weit hinten auf dem See: das gekenterte Ruderboot.

«Wo ist Bear?», hatte er sie mit Nachdruck gefragt, aber sie gab nichts als unverständliche Laute von sich. Zeigte auf das Wasser und krümmte sich, als ob sie Schmerzen hätte.

Sofort hatte er Ausschau gehalten, ob er auf dem See oder am Ufer irgendetwas sah – genau wie er es jetzt wieder tat. Von Bear war keine Spur.

«Ich habe Alice hingesetzt», sagte Peter II. «Ich habe ihr befohlen, still zu sein. Dann bin ich losgeschwommen.»

Er sagte, er hatte gehofft, den Jungen lebend unter dem umgedrehten Boot zu finden. Er habe darum gebetet.

Doch als er das Ruderboot erreichte und daruntertauchte, bot sich ihm ein schrecklicher Anblick: sein lebloser Enkel.

Seine Kleidung hatte sich an der Dolle verfangen.

«Ich schleppte ihn ans Ufer», sagte Peter II. «Er hatte keinen Puls mehr.»

Hast du Mund-zu-Mund-Beatmung gemacht?, wollte Vic fragen. *Herzdruckmassage?* Sein Vater hatte ihm beigebracht, wie man jemanden wiederbelebt, und der hatte es von dessen Vater gelernt.

Aber ihn das jetzt zu fragen, fühlte sich allzu grausam an, also blieb Vic stumm.

Peter ebenso. Eine Weile sagte keiner von beiden ein Wort; Peter räusperte sich mehrmals hintereinander, und Victor wandte sich ihm zu, diesem Mann, den er seit seiner Geburt kannte. Auf dem Sterbebett hatte Peter I. zu Vic gesagt, er hoffe, sie würden füreinander wie Brüder sein. Aber in all den Jahren, die er ihn nun schon kannte, hatte er nie auch nur einen Funken Sympathie für diesen Mann verspürt – bis jetzt.

Zögerlich legte Vic ihm eine Hand auf die Schulter.

Der Blick, den Peter II. ihm zuwarf, war so gebieterisch und gleichzeitig entsetzt, dass er die Hand sofort wieder wegnahm.

«Alice darf das nicht wissen», sagte Peter II. nach einer kurzen Pause. «Peter ist jetzt bei ihr und versucht, sie zu beruhigen. Aber wir haben beide beschlossen, dass sie niemals erfahren darf, was passiert ist.»

Vic runzelte die Stirn.

«Wo ist sie?»

«In einem der Wirtschaftsgebäude, glaube ich», sagte Peter II. «In der alten Wohnung deines Bruders. Weit genug weg, dass man sie nicht hören kann.»

Das erschien ihm weder besonders barmherzig noch besonders klug.

Aber er wusste, dass Vater und Sohn keinesfalls um Alice' Wohlergehen besorgt waren. Sondern um ihr eigenes. Und das der Bank.

Der Name Van Laar durfte höchstens in der Zeitung auftauchen, wenn es Erfolge zu vermelden gab. Ein Skandal wie dieser – Bears Mutter, die betrunken mit ihrem Sohn ins Unwetter hinausgerudert war – würde sich negativ auf das Geschäft auswirken und das Vertrauen der Kunden in das Unternehmen erschüttern, und das konnten sie nicht zulassen. So viel war klar.

Eine Weile schwiegen beide, bis Peter II. sagte: «Schau mal.»

Er deutete in Richtung des Ruderboots. Nur noch die Naht des weißen Bauchs war zu sehen, die sich in Richtung des aufklarenden Himmels reckte.

Gemeinsam sahen sie zu, wie es sank. Dann war es verschwunden.

Victor wusste, dass er nur zwei Möglichkeiten hatte. Die eine war: sich zu weigern. Peter und dessen Sohn klarzumachen, dass er sie nicht decken würde; dass eine so große Lüge Folgen haben würde, die sie nicht absehen konnten. Das hatte ihm sein eigener Vater eingebläut, als er ihm beigebracht hatte, sich im Wald zurechtzufinden: *In der Natur ist jede Entscheidung unumkehrbar, und manche führt geradewegs in die Katastrophe. Den Kompass vergessen. Einmal die falsche Abzweigung nehmen. Bei Trockenheit Feuer machen.* Er konnte sich weigern.

Aber dann würde er das Vertrauen des Treuhänders seines Erbes verlieren. Und damit das Camp. Seinen Lebensunterhalt.

Wenn Victor nur für sich allein hätte entscheiden müssen, dann hätte er diesen Weg gewählt. Davon war er überzeugt. Er nickte kurz, wie um den Gedanken festzuhalten und in seinem Innersten einzuschließen.

Aber er entschied nun einmal nicht nur für sich allein: Er musste auch an Tessie Jo denken. Seine Tochter, die dieses Fleckchen Erde genauso liebte wie er. Deren außergewöhnliches Auftreten und Aussehen und Verhalten dafür sorgten, dass man in der Stadt über sie den Kopf schüttelte. Hier im Ferienlager hatte sie eine Zukunft: Sie würde niemals heiraten müssen, wenn sie nicht wollte. Sie würde ihr – wie er fand – *unkonventionelles* Leben leben können, ohne dass ihr jemand reinredete.

All das stand ihr offen. Das sagte er sich, während er sich bereit machte, die zweite Möglichkeit zu wählen, die sich ihm bot: die Wahrheit zu verheimlichen, wie die Van Laars es von ihm verlangten.

«Wie kann ich dir dabei helfen?», fragte Victor.

Er dachte an seinen eigenen Vater, stellte sich vor, wie er einen Kompass in der Hand hielt und zusah, wie sich die zitternde Nadel langsam beruhigte.

Victor

1950er | **1961** | Winter 1973 | Juni 1975 | Juli 1975 | August 1975

Im Bootshaus hoben sie gemeinsam Bears leblosen Körper in ein rotes Kanu. Vic hielt Wache, während Peter II. zum Schlachthaus ging, um seinen Sohn abzulösen.

Dann kam Peter III. und bat um einen Moment allein. Sein Gesicht war kalkweiß.

Draußen vor dem Bootshaus lief es Vic kalt den Rücken herunter, als er von drinnen ein gedämpftes Schluchzen hörte. Ein erwachsener Mann, der nicht beim Weinen erwischt werden wollte.

Fünf Minuten vergingen. Zehn. Dann öffnete Peter III. die Tür, seine Wangen und Augen waren gerötet. Er starrte geradeaus, an Victor vorbei.

«Tun Sie, was Sie tun müssen», sagte er. Und dann ging er weg.

Victor schob das Kanu in den See. Im Bug lag unter einer Decke der Leichnam von Bear Van Laar. Daneben eine Schaufel.

Er saß im Heck und blickte nach vorn, versuchte angestrengt, nicht auf die kleine Gestalt hinunterzusehen, die er über das Wasser zu ihrer letzten Ruhestätte transportierte.

Beim Gedanken daran empfand er weder Ekel noch Angst, sondern eine große Zärtlichkeit. Auch er hatte das Kind lieb gehabt.

Als er das gegenüberliegende Ufer von Lake Joan erreichte, zog er das Kanu so behutsam wie möglich an Land. Er hob Bears kleinen, kräftigen Körper aus dem Boot. Es war ungewohnt, den Jungen so reglos zu sehen: Seit er laufen konnte, war er immer in Bewegung gewesen. Tessie Jos Schatten, der ihr auf Schritt und Tritt folgte.

Vic holte die Schaufel aus dem Boot. Wiegte den Jungen in den Armen. Zehn Meter landeinwärts kam er an eine steile Felswand. Dort legte er den Jungen ab und begann zu graben.

Er wusste, in diesem Moment würden Peter II. und Peter III. drüben im Haus *Self-Reliance* den Gästen mitteilen, was geschehen war, während jene gerade träge vom Mittagsschlaf aufstanden oder von den Büchern aufblickten, die sie mitgebracht hatten, als klar geworden war, dass das Unwetter alle Aktivitäten im Freien verhindern würde.

«Wir brauchen eure Hilfe», würden sie sagen. «Vorhin ist Bear mit seinem Großvater wandern gegangen, aber es sieht so aus, als hätte er sich verlaufen.»

Das war der Plan, den sie ausgeheckt hatten, während Alice Van Laar in der Wohnung über dem Schlachthaus schlief, betäubt von einer nahezu gefährlich hohen Dosis Valium.

«Vic Hewitt ist schon dabei, die Gegend abzusuchen», würden sie sagen. Für den Fall, dass jemand gesehen hatte, wie er mit dem Kanu hinausgepaddelt war.

«Wir rufen jetzt die Feuerwehr», würden sie sagen.

Victors Miene verriet seine Skepsis.

Das werde schon klappen, meinten Peter II. und III.

Sobald Bear in der Erde lag, verabschiedete sich Vic von ihm und begann, das Loch wieder zuzuschaufeln. Als er fertig war, wollte er gehen – aber dann überlegte er es sich anders.

Er sammelte Steine und schichtete sie zu einer Pyramide auf.

Er sagte sich, dass er den Jungen von Zeit zu Zeit besuchen würde. Er würde auch Tessie Jo mitnehmen, wenn sie alt genug war.

Fürs Erste brauchte sie die Wahrheit aber nicht zu erfahren.

Victor

1950er | **1961** | Winter 1973 | Juni 1975 | Juli 1975 | August 1975

Er hatte nicht damit gerechnet, dass Tessie Jo alles mitbekommen hatte.

Er hatte sie den ganzen Tag nicht gesehen und hatte vermutet, dass sie zu tun hatte und an einem ihrer vielen Projekte auf dem Gelände herumwerkelte. Und darüber war er heilfroh, denn das bedeutete, dass er ihr jetzt noch nicht erklären musste, was wirklich mit Bear passiert war. Dafür war sie noch zu jung. Irgendwann würde die Zeit kommen, dachte er.

Doch nachdem die Feuerwehrmänner eingetroffen waren und er sie überredet hatte, mit der eigentlichen Suche bis zum Morgen zu warten, war Tessie Jo plötzlich aus dem Wald gerannt gekommen, den Mund weit aufgerissen, das Gesicht leichenblass, der lange Zopf klitschnass.

Er hatte sie zu fassen bekommen, bevor sie mit jemandem reden konnte. Er hatte es geschafft, sie in einen Flur zu zerren.

«Tessie Jo», sagte er, als sie allein waren. «Was ist los?»

Sie hatte das umgekippte Ruderboot gesehen. Neugierig hatte sie sich der Südseite des Bootshauses genähert. Dort hatte sie mitangehört, wie ihr Vater mit den Peters sprach; hatte mitangehört, was die Peters vorhatten.

Von ihrem Versteck aus hatte sie gesehen, wie ihr eigener Vater mit dem roten Kanu auf die andere Seite des Sees gepaddelt war, und sie hatte gesehen, wie er von dort zurückgekommen war.

Sie wusste genau, was sie getan hatten.

Als Vic sie darum bat, das, was sie gesehen hatte, niemals irgendjemandem zu erzählen und sich dem großen Schwindel anzuschließen, da sah sie ihn mit zusammengekniffenen Augen an und runzelte die Stirn.

Ihre Skepsis machte auch ihn wieder nachdenklich.

Aber er wusste besser als sie, was gut für sie war, und er würde nicht zulassen, dass sie sich ihre Zukunft verbaute. Sie ahnte nicht, wie begrenzt ihre Möglichkeiten wären, wenn sie sich den Peters widersetzten und die Wahrheit sagten.

Ihrer beider Zukunft hing von dieser Lüge ab.

«Vertrau mir», sagte Victor.

Zögernd nickte seine Tochter.

Victor

1950er | **1961** | Winter 1973 | Juni 1975 | Juli 1975 | August 1975

Seine Aufgabe über Nacht war, auf Mrs Van Laar in ihrer provisorischen Wohnung über dem Schlachthaus aufzupassen. Vor allem müsse man sie von den anderen Gästen fernhalten, bis sie sich beruhigt habe, meinten die Peters.

Um 2 Uhr morgens schlief Mrs Van Laar endlich wieder ein. Vier Tabletten hatte es gebraucht – so viele, wie er ihr auf einmal geben durfte. Er saß ihr gegenüber auf einem kleinen Stuhl und beobachtete sie. Im Grunde hatte er nichts gegen Mrs Van Laar, auch wenn sie nie besonders nett zu ihm gewesen war. Er hatte Mitleid mit ihr. Irgendwann einmal hatten die Peters sie *nützlich* gefunden.

Genau wie ihn. Falls er ihnen nicht gerade zur Last fiel.

Wenn Mrs Van Laar endlich wieder bei Bewusstsein wäre – sobald die Peters glaubten, es vertreten zu können –, würde sie außer sich sein, wenn sie erfuhr, was gestern Nachmittag geschehen war.

Was sie getan hatte.

Jedes Mal, als sie zwischen zwei Dosen des Schlafmittels aufwachte, stellte Mrs Van Laar dieselbe Frage: *«Wo ist Bear?»* Und jedes Mal klang sie verzweifelter. Immer und immer wieder fragte sie nach ihrem Sohn. Ihre Worte fransten aus und liefen ineinander.

Für jemand anderen wäre es nicht ganz leicht gewesen, sie zu verstehen. Aber Victor wusste, dass es dieselben Worte waren, die er jeden Tag von ihr zu hören bekam, wenn er ihr auf dem Gelände begegnete.

«Wo ist Bear?», fragte sie ihn jetzt wieder, und er sagte den Satz, den sie ihm zu sagen befohlen hatten.

«Er ist mit seinem Großvater wandern gegangen. Wir werden ihn bald finden.»

«Aber das Boot», sagte sie.

«Da war kein Boot. Das war nur ein Traum.»

Immer wieder dasselbe. Dann war sie still, bis sie wieder fragte: «Wo ist Bear?»

Diese Frage würde sie sich für den Rest ihres Lebens stellen, sie würde niemals aufhören, nach ihrem Sohn zu suchen. Victor war der Meinung, indem die beiden Peters ihr die Wahrheit vorenthielten – die Wahrheit, von der sie ihm gegenüber behaupteten, sie würde sie nicht verkraften können und irgendwann vor Kummer sterben –, nahmen sie ihr die Möglichkeit, über den Verlust ihres Sohnes zu trauern, und ersetzten diese Trauer durch eine schreckliche Ungewissheit, die niemals ein Ende finden würde.

Ihm war klar, dass er seine Tochter genau davor schützen wollte. Aber zugleich war er in mehr als einer Hinsicht davon überzeugt, dass er ihr ohne die Van Laars kaum etwas zu bieten hatte. Also beugte er sich deren kollektivem Willen und redete sich ein, dass er dadurch wenigstens dafür sorgen konnte, dass seine merkwürdige und wunderbare Tochter eine sinnvolle Aufgabe hatte. Ein stetiges Einkommen. Und dass sie nicht so ein Leben führen musste, wie es den Frauen der Van Laars vorherbestimmt war.

Neben ihm stöhnte Mrs Van Laar leise im Schlaf. Ein dünner Schweißfilm hatte sich auf ihrer Stirn gebildet. Er öffnete eine Schublade der

Kommode. Nahm ein Handtuch heraus. Legte es ihr behutsam auf die Stirn.

Morgen früh würde eine große Schar Freiwilliger erscheinen, um bei der Suche nach Bear zu helfen.

Er würde ihnen dasselbe erzählen, was er den Feuerwehrleuten gesagt hatte, was er seiner Tochter eingeimpft hatte und was er sich selbst einzureden versuchte.

Bear ist mit seinem Großvater wandern gegangen.

Er ist noch einmal zurückgegangen, um ein Taschenmesser zu holen.

Von da an hat ihn niemand mehr gesehen.

Alice

1950er | **1961** | Winter 1973 | Juni 1975 | Juli 1975 | August 1975

Jedes Mal, wenn sie aus dem Schlaf erwachte, lief in ihrem Kopf der gleiche Film ab:

Bear, wie er die Tür zum Bootshaus öffnete.

Und dann:

Das Boot auf dem Wasser.

Der aufziehende Sturm.

Der Himmel, der immer dunkler wurde.

Das Gesicht ihres Sohnes, wie er im Bug des Bootes saß und sich zu einem Lächeln zwang. Wie er die kleine Stirn runzelte, während sie ruderte. Wie er zum Ufer schaute, dann zum Himmel, dann Hilfe suchend zu seiner Mutter, als der erste Donner grollte.

Der Regen kam so schnell näher, dass sie zusehen konnte, wie er wie ein dichter Vorhang von Osten nach Westen über den See fegte. Als er bei ihnen war, lief ihr Boot voll.

Sie versuchte verzweifelt, das Wasser mit den Händen über die Reling zu schöpfen. Das Boot kippte um, und sie gingen über Bord.

Die Reling knallte auf etwas Hartes. Einen Menschen.

Sie schrie den Namen ihres Sohnes.

Judyta

1950er | 1961 | Winter 1973 | Juni 1975 | Juli 1975 | August 1975: **Tag sechs**

«Wird sie ihre Aussage auch unterzeichnen?», fragt Hayes.

«Das wird sie», sagt Judy.

Sie stehen im Nebenraum des Verhörzimmers in Ray Brook, in dem Judy zum ersten Mal Jacob Sluiter begegnet ist. Auf der anderen Seite des Einwegspiegels sehen sie T. J. Hewitt, die reglos wie ein Stein dasitzt, beide Hände auf der Tischplatte.

«Weißt du, was sie mir erzählt hat?», fragt Judy. «Sie meint, als ich neulich die Geräusche oben aus dem Schlachthaus gehört habe, da waren sie das auch schon. Die Hewitts. Als ich verschwand, hat T. J. schnell ihren Vater weggebracht, weil sie wusste, dass ich mit Verstärkung zurückkommen würde. Und als die State Troopers die Treppe hochgingen ...»

«War da niemand.»

«Genau.»

«Nur eines verstehe ich nicht», sagt Hayes. «Warum packt sie ausgerechnet jetzt aus? Warum hat sie vierzehn Jahre lang dieses Geheimnis gehütet, nur um es jetzt auszuplaudern?»

«Dazu habe ich eine Theorie.»

«Das habe ich mir fast gedacht.»

Beide sind still und beobachten T. J., die ihre Augen so lange schließt, dass Judy sich schon fragt, ob sie eingeschlafen ist. Dann öffnet sie sie.

«Ich glaube, sie wollte vermeiden, dass die Van Laars schon wieder einen Unschuldigen ans Messer liefern. Wie damals Carl Stoddard.»

Hayes dreht sich zu ihr um und legt die Stirn in Falten. «McLellan?», fragt er. «Du meinst, sie glaubt, McLellan ist unschuldig?»

«Nein», sagt Judy. «Sie glaubt, dass er es war. Aber McLellan junior ist das Patenkind der Van Laars. Er wird eines Tages die Bank übernehmen, sagt seine Schwester, weil die Van Laars keinen Sohn haben. Und McLellan senior hat einen gewaltigen Einfluss auf die Familie und die Bank. T. J. hatte Angst, dass die McLellans der Familie einreden würden, Louise Donnadieu sei die Täterin.»

Hayes hält inne.

«Dann haben sich die Hewitts also gestellt, um den Ruf von Louise Donnadieu zu retten?»

«Und den von Carl Stoddard. Nach so vielen Jahren.»

Hayes nickte.

«Für so etwas ist es wohl nie zu spät», sagt er.

Sie beobachten T. J. Hewitt dabei, wie sie ihr Gesicht dem einzigen Fenster des Verhörzimmers zuwendet. Es liegt zu hoch, um draußen Gebäude oder Bäume zu sehen, aber sie schaut trotzdem hinaus, ihre Augen bewegen sich schnell. Sie atmet tief ein und aus, den Blick in den bleichen Himmel gerichtet.

Was sie wohl tun wird, fragt sich Judy, falls die Hewitts das Ferienlager verlieren? Falls die Van Laars sie hinauswerfen, was sie zweifellos tun werden? Und damit das dünne Band zerreißen, das die Hewitts seit Peter I. mit den Van Laars verbindet?

Sie beantwortet sich ihre Frage selbst: Sie werden schon zurechtkommen. Sie können sich auf ihre eigenen Stärken verlassen. Das gilt für die Hewitts genau wie für sie selbst, für Louise Donnadieu und sogar für Denny Hayes.

Nein, am Ende sind es Familien wie die Van Laars, die sich immer darauf verlassen, dass andere für sie in die Bresche springen.

Judyta

1950er | 1961 | Winter 1973 | Juni 1975 | Juli 1975 | August 1975: **Tag sechs**

Eigentlich ist ihre Schicht vorbei. Aber jetzt, da sie nicht mehr jeden Abend vor ihren Eltern rechtfertigen muss, wo sie gewesen ist, kann Judy so lange bleiben, wie sie will. Bis ihre Arbeit getan ist.

Nicht so Hayes, der muss nach Hause zu seiner Familie.

Bevor er Feierabend macht, klopft er ihr auf die Schulter. «Gute Arbeit», sagt er. «Das meine ich ernst.»

Nach den Enthüllungen der Hewitts über die Van Laars ist Investigator Goldman auf dem Weg zum Gericht, um gegen Peter Van Laar II., Peter Van Laar III. und John Paul McLellan senior Haftbefehle wegen verbrecherischer Verschwörung zu erwirken; immerhin haben sie im Zusammenhang mit dem Ertrinken von Bear Van Laar im Jahr 1961 die Behörden in die Irre geführt. Vic Hewitt wird sich vermutlich ebenfalls vor Gericht verantworten müssen, aber angesichts seines Gesundheitszustandes ist es unwahrscheinlich, dass er in Haft muss.

Am Abend wird Captain LaRochelle auf einer Pressekonferenz bekanntgeben, dass die Leiche Bear Van Laars gefunden worden ist, dass der Fall neu aufgerollt wird und dass er in Kürze nähere Informationen wird preisgeben dürfen.

Binnen einer Woche, vermutet sie, wird Carl Stoddards Name

öffentlich reingewaschen sein. Dann kann seine Frau Maryanne endlich damit aufhören, auf dem Gelände des Naturreservats nach Beweisen für die Unschuld ihres Mannes zu suchen.

Die Van Laars hingegen wird man endlich für ihre Untaten zur Rechenschaft ziehen.

All diese Entwicklungen sollten theoretisch dafür sorgen, dass sie zur Ruhe kommt.

Dem ist aber nicht so. Stattdessen hat sie das Gefühl, dass sie bei ihrem anderen Fall keinen Schritt weitergekommen sind.

Denn Barbara Van Laar – beziehungsweise die Leiche von Barbara Van Laar – ist immer noch nicht aufgetaucht.

Auf dem Parkplatz von Ray Brook steigt sie in ihren Käfer. Sie fährt auf dem Highway nach Süden, in Richtung Shattuck. In letzter Zeit hat sie ihre besten Ideen im Auto.

John Paul McLellan hat Barbara getötet – das wäre zumindest die logischste Schlussfolgerung. Alle Indizien sprechen dafür: die blutige Uniform, aber auch das Wandgemälde, Barbaras Hinweise auf einen «älteren Freund», ihre nächtlichen Ausflüge auf den Hunt Mountain und die Fingerabdrücke auf den Bierflaschen, die darauf hindeuten, dass John Paul schon länger dort gehaust hat.

Judy weiß, dass sie angesichts der erdrückenden Beweislage eigentlich von John Pauls Schuld überzeugt sein müsste.

Aber irgendetwas stimmt da nicht.

Wie dem auch sei: Bis sie Barbara finden, tot oder lebendig, können sie ohnehin niemanden verhaften. So lange bleibt John Paul McLellan auf freiem Fuß.

Immer wieder geht sie in ihrem Kopf die Fakten durch in der Hoffnung, dass sie ein Puzzleteil übersehen hat, das sich irgendwo einbauen lässt.

Aber da ist nichts.

Eine Weile fährt Judy vor sich hin, bis ihr Magen plötzlich so laut knurrt, dass sie lachen muss.

Gestern Abend hat sie in Shattucks einzigem Restaurant gegessen, eigentlich ist es eher eine Bar.

Am Ende der Ausfahrt vom Highway blinzelt sie in die Dunkelheit und sucht nach dem Schild.

Da ist es: *Driscoll's.*

Judy, die nach dem langen Arbeitstag immer noch ihren zerknitterten Hosenanzug trägt, biegt rechts ab und dann noch einmal rechts, in die Auffahrt von *Driscoll's Pub*.

Louise

1950er | 1961 | Winter 1973 | Juni 1975 | Juli 1975 | August 1975: **Tag sechs**

Zieh dir ein Hemd an», sagt Louise. «Ein richtiges Hemd.»

Sie meint ein Hemd mit Kragen. Seit einem Jahr hat ihr kleiner Bruder ständig dasselbe Led-Zeppelin-T-Shirt an. Vom vielen Tragen ist es schon ganz fadenscheinig.

«Habe ich nicht», sagt Jesse. Also gibt sie ihm ihr weißes Polohemd vom Camp Emerson, das unisex genug ist, dass er sich nicht schämen muss.

«Ich führe dich zum Essen aus», sagt Louise.

Die Luft bei *Driscoll's* ist verraucht, obwohl nicht viel los ist.

In einem Nebenraum spielen einige Männer Billard, die Louise vage bekannt vorkommen. Louise und Jesse nehmen im Essbereich Platz. Bis auf eine Frau, die an der Bar sitzt, sind sie die einzigen Gäste.

Louise reicht Jesse die Speisekarte.

«Bestell dir, was du willst», sagt sie.

Jesse starrt sie an. «Louise, du weißt schon, dass mit mir alles okay ist?»

«Wie meinst du das?»

Er schaut nach unten. Berührt nacheinander alle Ecken der Speisekarte. Fummelt daran herum.

Die Kellnerin – Connie Driscoll, die mindestens achtzig Jahre alt ist – kommt an den Tisch, um ihre Bestellung aufzunehmen.

«Nimm ruhig ein Steak, wenn du willst», sagt Louise, aber Jesse bestellt sich einen Burger mit Pommes frites.

«Ein Steak, bitte, Mrs Driscoll», sagt Louise. «Medium rare. Danke.»

Connie Driscoll verschwindet in Richtung Küche, ihre Turnschuhe machen kein Geräusch auf dem flauschigen Teppichboden.

Jesse und Louise schweigen.

«Was hast du damit gemeint», fragt Louise, «dass mit dir alles okay ist?»

«Keine Ahnung», sagt Jesse. «Ich merke ja, dass du dir Sorgen um mich machst. Aber eigentlich ist alles prima. Mit Mom ist es nicht so einfach, aber ich habe Freunde, die für mich da sind. Und ganz viele Lehrer an meiner Schule. Die mochten dich, und deshalb passen sie auf mich auf.»

Unwillkürlich lächelt Louise. «Gern geschehen», sagt sie.

«Nee, ich meine das ernst», sagt Jesse. «Mit mir ist alles okay. Ich bin fast zwölf. Ich kann auf mich selbst aufpassen.»

«Ach komm, Jesse», sagt Louise.

«Na gut, dann ist Mom jetzt eben ausnahmsweise mal dran», sagt er. «Du musst dich ja nicht immer um alles kümmern.»

Louise schaut zu Boden. Sie bringt es nicht übers Herz, ihm klarzumachen, dass ihre Mutter sich niemals um ihn kümmern wird. Zumindest nicht auf dieselbe Weise wie Louise. Niemand wird das tun.

«Aber ich mache mir auch Sorgen um dich», sagt Jesse. «Wenn du ein bisschen mehr auf dich achtgeben würdest, wäre das schon eine Hilfe. Falls du mir wirklich helfen willst.»

«Was meinst du damit?»

Connie Driscoll kommt zurück. Sie stellt Jesse ein Ginger Ale mit Grenadine hin und Louise eine Cola.

«Geht aufs Haus», sagt sie.

Er nippt. «Dass du Jungs datest, die nicht solche Vollidioten sind», sagt er. «Zum Beispiel.» Und nach kurzem Überlegen fügt er hinzu: «Oder gar keine Jungs.»

Louise nickt. Es tut weh, das zu hören, aber er hat recht. Louise fragt sich, wann Jesse so erwachsen geworden ist. Vor ihrem geistigen Auge taucht eine frühere Version ihres Bruders auf. Sie erinnert sich daran, wie er, wenn er müde war, seinen kleinen Körper an ihren geschmiegt und sich zwei Finger in den Mund gesteckt hat. Hier in Shattuck, denkt sie, vergeht die Zeit ganz anders als im Naturreservat.

«Außerdem», sagte Jesse, «solltest du dir einen anderen Job suchen.»

«Was denn für einen?»

«Weiß ich nicht, Lou. Aber du bist doch klug. Du kannst alles tun, was du möchtest. Du könntest zurück aufs Union College gehen.»

«Und wer soll das bezahlen?», fragt Louise.

«Keine Ahnung. Gibt es dafür nicht Kredite bei der Bank?»

Das klingt extrem anstrengend. Sie hat das Gefühl, als ob sie am Fuß eines Berges steht und hinaufschaut.

Andererseits hat sie durchaus schon Berge bestiegen. Manche sogar im Laufschritt.

Sie genießen in behaglicher Stille ihr Essen, lauschen dem Klacken der Billardkugeln und dem gedämpften Klang der Musik aus den Lautsprechern im Nebenraum.

Connie Driscoll kommt und fragt, ob sie noch etwas möchten, und Louise bestellt sich einen Nachtisch. Warum auch nicht?, denkt sie. Sie hat genug auf ihrem Konto, um sich und Jesse eine Weile durchzubringen.

Sie findet, heute Abend können ihre Sorgen mal eine Pause einlegen – die Anhörung wird schon früh genug kommen.

Jemand wirft eine Münze in die Jukebox, und die Musik ändert sich. Die Everly Brothers singen vom Träumen. Inmitten des hypnotischen Harmoniegesangs hört Louise das Quietschen eines Barhockers, der zurückgeschoben wird. Die Frau, die allein an der Bar gesessen hat, steht jetzt und kramt nach ihrem Portemonnaie.

Louise stellt fest, dass ihr die Frau bekannt vorkommt, aber sie kann sie nicht einordnen. Sie trägt einen Hosenanzug mit ein paar Schmutzflecken. Ihr Haar ist kurz. Sie sieht jung aus: so alt wie Louise, vielleicht ein paar Jahre älter.

Und sie wirkt angetrunken. Nicht sturzbesoffen, eher so, als hätte sie zwei Bier in einen Körper gekippt, der keinen Alkohol gewohnt ist.

Louise weiß, was die Frau sagen wird, bevor sie den Mund öffnet.

«Entschuldigung?»

Aber als Louise sich zu ihr umdreht, guckt die Frau gar nicht sie an, sondern Jesse. «Bist du im Camp Emerson?», fragt die Frau. Sie zeigt mit dem Finger auf das Poloshirt mit dem grünen Logo des Ferienlagers.

Jesse starrt sie erschrocken an.

«Nein», sagt Louise, steht auf und stellt sich vor ihn. «Ist er nicht. Aber ich arbeite da als Betreuerin.»

Die Frau mustert Louise.

«Wir kennen uns doch», sagt sie.

Tracy

1950er | 1961 | Winter 1973 | Juni 1975 | Juli 1975 | August 1975: **Tag sechs**

Tracy lehnt ihren Kopf gegen die Scheibe des Stutz Blackhawk ihres Vaters. Sie hat noch nie zuvor in einem Auto mit Klimaanlage gesessen.

Vorher ist er jahrelang einen Chevy gefahren, einen praktischen viertürigen Pick-up-Truck, der genug PS hatte, um einen Pferdeanhänger zu ziehen.

Sie vermisst den Chevy. Aber vor allem vermisst sie ihren Vater, wie er war, als er den Chevy fuhr.

Das Haus in Hempstead sieht noch genauso aus, wie Tracy es zu Beginn der Sommerferien hinterlassen hat. Silbernes Eingangstor, Kunstrasen, Plastikblumen in Kunststoffkästen vor den beiden Fenstern zur Straße hin.

Und ihre Mutter – ihre Mutter sitzt erhobenen Hauptes auf der Treppe vor der Haustür und wartet auf sie.

Der Blackhawk hält in der Auffahrt, und Molly Jewell steht auf.

Tracy springt aus dem Auto und rennt zu ihrer Mutter – ihrer liebenswürdigen, witzigen Mutter, die schon immer sie selbst war. Die noch nie versucht hat, jemand zu sein, der sie nicht ist.

Tracy durchfährt es wie ein Stromschlag, als ihr klar wird, an wen sie sie erinnert.

«Ach, Tracy», sagt ihre Mutter. «Es tut mir so leid wegen deiner Freundin. Klingt so, als hätte sie dir viel bedeutet.»

«Tut sie auch», sagt Tracy.

Tracy fragt sich, ob sie ihrer Mutter jemals wird erklären können, wie ein Mensch, den sie nur zwei Monate kannte, ihr Leben derart verändert hat.

Als ihr Vater das Auto ausgeladen hat, räuspert er sich unbeholfen. «Schön, dich zu sehen, Molly», sagt er. Sie nickt.

Er umarmt Tracy, dann ist er weg. Tracy und ihre Mutter stehen in der Auffahrt mit all ihren Sachen, die sie in Camp Emerson dabeihatte, und ihr wird klar, dass es für den Rest ihrer Kindheit so sein wird wie in diesem Moment: sie beide, zusammen. Sie beide, allein.

Sie wird ihren Vater bei seiner Hochzeit mit Donna Romano wiedersehen und an Weihnachten, wo die zwei ihr die nächsten drei Jahre jedes Mal ein neues Halbgeschwisterchen präsentieren werden. Sie wird Small Talk machen. Sie wird höflich sein. Aber das wird nicht ihre Familie sein, nicht mehr. Die einzige Familie, die sie noch hat, steht neben ihr.

«Mom», sagt Tracy. «Hast du schon mal was von Punk-Musik gehört?»

«Nein», sagt ihre Mutter. «Erzähl doch mal.»

Der Himmel über Hempstead verdunkelt sich. Tracy denkt an Barbara Van Laar. Sie fragt sich, ob sie noch lebt und ob sie dreihundert Meilen weiter nördlich denselben Himmel sieht.

Sie denkt an Barbaras kräftige Arme und Beine, ihren aufrechten, ruhigen Kopf, denkt daran, wie gut sie schwimmen kann und wie gut sie sich im Wald auskennt. Sie denkt an Barbara, wie sie auf ihrem gemeinsamen Survival-Trip war: wie sie das Zelt aufschlug, Feuer machte, für alle etwas zu essen besorgte. Dafür sorgte, dass sie alle am Leben blieben.

Und sie weiß – oder glaubt zumindest ganz fest daran –, dass Barbara noch lebt.

Judyta

1950er | 1961 | Winter 1973 | Juni 1975 | Juli 1975 | August 1975 | **September 1975**

Judy biegt mit ihrem Käfer in die Auffahrt ihres Elternhauses in Schenectady ein. Sie bleibt kurz sitzen und bereitet sich mental darauf vor, was gleich kommen wird.

Es ist Samstag, und sie weiß genau, was drinnen gerade vor sich geht: Ihre Mutter saugt, ihr Vater wischt. Ihre Brüder wechseln Glühbirnen oder erledigen irgendwelche anderen Aufgaben, die ihre Eltern ihnen aufgetragen haben. Solange sie denken kann, tun sie alle jeden Samstag das Gleiche. Jahrelang hat sie mitgemacht, sie war dafür zuständig, Wäsche zu falten und Betten zu machen. An diesem Samstag ist Judy zum ersten Mal bloß eine Besucherin.

Vor einem Monat hat sie all ihre Sachen aus ihrem Kinderzimmer in Kartons gepackt und ist in eine winzige Mietwohnung gezogen, die nur ein paar Meilen vom Hauptquartier in Ray Brook entfernt ist. Niemand hat ihr geholfen; bei ihrer Ankunft hat ihr Vater ihr einmal zugewinkt, dann ist er aus dem Haus gegangen.

Sie steigt aus dem Auto. Schließt die Tür. Das Geräusch lockt ihren Bruder Leonard an die Tür.

Als er sie sieht, ruft er hinter sich ins Haus: «Ma!»

Judy betritt das Haus und Leonard umarmt sie.

Der Staubsauger verstummt. «Was ist?», ruft ihre Mutter.

Leonard grinst.

«Die Pionierin ist zurück.»

Zehn Minuten später sitzen alle Luptacks um den Küchentisch. Die Mutter hat Tee gekocht. Ihr Vater, der als Letzter Platz genommen hat, rührt Zucker in seinen Tee und räuspert sich. Alle schweigen, bis Leonard sagt: «Du warst wieder in der Zeitung.»

Judy schaut auf.

«Ach ja?»

Leonard nickt. Er steht vom Tisch auf. Er kommt mit einem Stück Papier in der Hand zurück: wieder einmal ein ausgeschnittener Artikel aus der *Times Union.*

Sie nimmt ihn und liest.

Van Laars angeklagt, lautet die Überschrift. Die Unterzeile: *Ursprünglicher Verdächtiger posthum entlastet.*

Im Artikel heißt es, Alice Van Laar, die normalerweise wegen fahrlässiger Tötung ihres Sohnes hätte angeklagt werden müssen, komme nicht vor Gericht, der Fall sei bereits verjährt.

Stattdessen würden Peter II. und Peter III. wegen verbrecherischer Verschwörung zur Behinderung der Justiz angeklagt, da sie die Polizei kontinuierlich darüber belogen hätten, was Bear zugestoßen sei. Dass sie es jetzt, nach Barbaras Verschwinden, immer noch getan hätten, unterstreiche nur, dass die Anklage nach wie vor relevant sei.

Im Moment seien sie gegen Kaution auf freiem Fuß und warteten auf ihren Prozess. John Paul McLellan sr., so der Journalist, sei nicht mehr ihr Anwalt.

Ein Foto illustriert den Artikel.

Darauf ist Familie Stoddard zu sehen – Maryanne, ihre drei Töchter, ihr Schwiegersohn und ihre Enkelkinder –, die in förmlicher Pose vor einem gepflegten Haus in Shattuck stehen, feierliche Gesichter, aufrechte Haltung.

Gerechtigkeit ist wiederhergestellt, lautet die Bildunterschrift.

Judy gibt ihrem Bruder den Artikel zurück, der gibt ihn ihrem Vater, und der faltet ihn, wie er vorher gefaltet gewesen war, und steckt ihn sich in die Hemdtasche.

«Hast du gesehen, dass dein Name da steht?», fragt ihr Vater. «Im zweiten Absatz.»

Judy lächelt. «Habe ich.»

«Ich habe immer gewusst, dass die Familie schuld war», sagt Judys Vater. «Damals, als es passierte. Jeder wusste, dass sie etwas damit zu tun hatten. Wir wussten nur nicht genau, was.»

Judys Mutter, die die ganze Zeit geschwiegen hat, nimmt Judy plötzlich die Tasse weg. Schenkt ihr Tee nach. Ab sofort ist sie in ihrem Elternhaus eine Besucherin, ein Gast. Diese Erkenntnis macht Judy stolz und zugleich ein wenig traurig.

«Was ist mit dem Mädchen? Barbara?», fragt Leonard. «Irgendeine Spur von ihr?»

Ja, es gibt eine Spur, sogar mehrere. Aber davon darf sie ihrer Familie nichts erzählen – noch nicht. Und so zieht sich zwischen ihnen ein weiterer Vorhang zu.

«Nichts von Belang», sagt sie.

Auf dem Weg zurück nach Ray Brook beobachtet Judy, wie die Kiefern höher und dichter werden. Sie erreicht ihre Ausfahrt und biegt auf die 73 ab. Fährt immer höher in ihrem Käfer.

Im Kopf lässt sie noch einmal die neuesten Entwicklungen rund um Barbara Van Laars Verschwinden Revue passieren.

Die interessanteste: Annabel Southworth – Louises Auszubildende – hat ein Geständnis abgelegt. Sie war in der Nacht, in der Barbara Van Laar verschwand, mit John Paul McLellan zusammen, einmal um 22 Uhr während der Tanzveranstaltung und ein zweites Mal in den frühen Morgenstunden. Damit hat er ein Alibi. Ihre Eltern, Katherine und Howard, haben ihre Angabe bestätigt. Beide Familien, die Southworths und die McLellans – gute Freunde der

Van Laars –, unterstützen die Beziehung der beiden, obwohl Annabel noch so jung ist.

Sie sind sehr kompatibel, wie Katherine Southworth es in ihrer eidesstattlichen Erklärung formuliert hat.

Die einzigen anderen Anklagepunkte gegen John Paul – Trunkenheit am Steuer und Besitz illegaler Betäubungsmittel – wurden fallen gelassen. Die blutigen Kleidungsstücke, von denen John Paul immer noch steif und fest behauptet, man habe sie ihm untergeschoben, sind ohne Anklage nicht als Beweismittel zugelassen. Er muss nicht ins Gefängnis, sondern gemäß Anordnung eines Richters, der offenbar ein guter Freund von John Pauls Vater ist, bloß einhundert Stunden gemeinnützige Arbeit leisten.

All das hat Judy nicht wirklich überrascht, sie ist nur ein wenig enttäuscht über das Ergebnis.

Es gibt aber noch eine neue Entwicklung. Man wird John Paul McLellan wohl nicht Barbara Van Laars Verschwinden anlasten können, aber er wird sich trotzdem vor Gericht verantworten müssen: Ihn erwartet eine Anklage wegen gefährlicher Körperverletzung.

Das Opfer: Louise Donnadieu.

Nachdem Judy sich ein paarmal mit ihr unterhalten hat, hat Louise sich bereit erklärt, Anzeige zu erstatten. Und es kommt noch besser: Mehrere Personen sind bereit, in Louises Sinne auszusagen. Judy hat mehrere Zeugen des Übergriffs aufgetrieben: John Pauls Mitbewohner Steven und drei Mädchen, von denen Steven ausgesagt hat, dass sie an jener Nacht in ihrer Wohngemeinschaft in der Nähe des Union College zu Gast waren.

Sie denkt an die Jungs, mit denen sie aufs College gegangen ist. Und an die Mädchen. Ob die auch so mutig gewesen wären? Sie kann sich das nicht so recht vorstellen. Aber es ist 1975, sagt sie sich. Die Welt verändert sich.

«Wie ist denn deine Theorie?», hat ihr Bruder am Küchentisch gefragt. «Wenn du uns schon keine neuen Details verraten darfst, dann erzähl uns doch wenigstens, was du vermutest.»

«Worüber?»

«Was mit Barbara Van Laar ist», sagte ihr Bruder, und zu ihrer Rechten bekreuzigte sich ihre Mutter und murmelte leise: *Das arme Kind.*

Judy sah aus dem Fenster.

«Ich glaube, ihr geht es so weit gut», sagte Judy.

Leonard runzelte die Stirn.

«Woher willst du das wissen?»

«Ich weiß es nicht. Es ist nur so ein Gefühl», sagte Judy.

An dem Abend, an dem sie Louise Donnadieu zufällig in *Driscoll's Pub* traf, hatte Louise etwas gesagt, an das sich Judy noch Wochen später erinnerte.

Aus einer Laune heraus hatte Judy Louise nach T. J. Hewitt gefragt. Denn obwohl sie an T. J.s Unschuld glaubte, bekam sie einfach nicht aus dem Kopf, was dieser Junge – Christopher – ihr erzählt hatte.

Warum in aller Welt, überlegte Judy, war Barbara nachts zu T. J. Hewitt ins Zelt gegangen? Was in aller Welt hatten sie dort getrieben, wenn nicht etwas, das nicht ganz … korrekt war?

Die zwei Bier im Bauch senkten ihre Hemmschwelle, und so erzählte sie Louise Donnadieu von ihrer Theorie. Nachdem sie sich vergewissert hatte, dass ihr Bruder nicht in Hörweite war.

Louise lachte nur.

«Was?», fragte Judy.

«Das kann nicht sein», sagte Louise.

«Warum nicht?»

«Viele Leute finden T. J. seltsam», sagte Louise, «aber sie ist total harmlos. Sie ist harmloser als harmlos. Sie ist ein wirklich guter Mensch. Sie will nur jagen und angeln und allein sein. Ihre Familie hat ein Haus auf einer Insel ein wenig weiter im Norden. Ich glaube, wenn sie könnte, würde sie jetzt dahin ziehen.»

Louise winkte den Barmann heran. Bestellte sich ein Bier. «Sie braucht nur erst Geld», sagte Louise.

Judy beobachtete sie.

«Wo genau ist das?», fragte sie.

Louise runzelte die Stirn. «Wo ist was?»

«Die Insel. Das Haus.»

«Oh, keine Ahnung, wie die heißt», sagte Louise. «Aber in ihrem Haus im Camp hängt eine Karte an der Wand. Als ich das letzte Mal da war, steckte an der Stelle, wo die Hütte ist, eine Stecknadel.»

Sie nahm einen Schluck Bier.

Sie sah langsam zu Judy auf. Dann fiel bei ihr der Groschen.

Beruflich wäre es für Judy ein Quantensprung. Würde sie Barbara Van Laar finden, noch dazu lebend, würde sie sofort die nächste Stufe auf der Karriereleiter erklimmen. Vielleicht sogar zwei auf einmal. Investigator Judy Luptack auf Erfolgskurs. Und es würde die Frage klären, die ihr im Nacken sitzt, seit sie bei der Kriminalpolizei angefangen hat, die Frage, die sich jeder männliche Kollege, dem sie seither begegnet ist, gestellt hat: Sind Frauen für diesen Job überhaupt geeignet?

Sie weiß: Captain LaRochelle würde Barbara finden, wenn er die Chance hätte. Jeder ihrer Kollegen würde das tun – und keiner von denen würde sich darum scheren, ob Barbara überhaupt gefunden werden *wollte*. Und wie es ihr danach ergehen würde.

Sie würden Barbaras Wohlergehen ihrer eigenen Karriere opfern.

In gewisser Weise hat Captain LaRochelle genau das getan, als damals Bear Van Laar verschwand und Carl Stoddard, der sich nicht mehr wehren konnte, zum Schuldigen erkoren wurde: LaRochelle ließ den toten Stoddard den Kopf hinhalten, während er selbst die Beförderung erhielt, die mit dem abgeschlossenen Fall einherging.

Mit vielem, was ihre Eltern ihr beigebracht haben, ist Judy heute nicht mehr einverstanden, aber einer ihrer Grundsätze, für den sie sie respektiert, ist: dass man die eigenen Bedürfnisse stets hintanstellen sollte.

Falls Barbara Van Laar sich freiwillig im Wald versteckt, falls es ihr gut geht, falls sie gut versorgt ist und allein zurechtkommt – steht es Judy dann zu, sie gewaltsam in ebenjene Welt zurückzuholen, von der sie sich verabschiedet hat?

Trotzdem will sie sichergehen, dass ihre Theorie korrekt ist.

Und so schmiedet sie in ihrer kleinen Wohnung in Ray Brook einen Plan: Sie wird noch einmal zum Van-Laar-Naturreservat fahren und das Haus der Campleiterin aufsuchen, wo sie so viele Stunden verbracht hat. Sie geht davon aus, dass das Haus verlassen ist; schließlich haben die Hewitts den Kontakt zu den Van Laars abgebrochen. Sie wird die Tür öffnen, die nie abgeschlossen ist, ja, nicht einmal ein Schloss hat.

Sie betet, dass die Karte noch an der Wand hängt.

Wenn ja, wird sie sich die Stelle notieren, die die Stecknadel (oder das Loch einer Stecknadel) markiert: die Hütte der Familie Hewitt, im Norden, inmitten der High Peaks der Adirondacks.

Barbara

1950er | 1961 | Winter 1973 | Juni 1975 | Juli 1975 | August 1975: **Tag eins**

Das Bett ist leer.

Im Mondschein wirft Barbara Van Laar auf der Türschwelle von Haus *Balsam* einen letzten Blick über die Schulter und verabschiedet sich stumm von Tracy, von ihren Hüttengenossinnen, von Camp Emerson.

Es ist später als vereinbart; T. J. läuft in ihrer Hütte bestimmt schon ganz nervös auf und ab. Aber Barbaras Betreuerinnen sind viel länger weggeblieben, als sie erwartet hat. Sie musste warten, bis sie zurück waren, erst die eine, dann die andere, und dann noch eine Weile, bis ihre Bewegungen leiser wurden und ihr Atem endlich gleichmäßig ging.

Dann ist sie aufgestanden, so leise wie möglich, und auf Zehenspitzen zur Tür geschlichen, wo sie jetzt steht.

Ihre Tüte. Sie hat die Papiertüte vergessen, die sie aus dem Haupthaus mitgebracht hat – die Tüte, die sie beinahe verraten hätte.

Was ist in der Tüte?, hat Tracy sie letzte Woche gefragt, und sie hat so getan, als wüsste sie nicht, was sie meint.

Draußen ist die Luft frisch und der Mond so hell, dass sie die Taschenlampe, die sie mitgenommen hat, gar nicht braucht.

In T. J.s Hütte wartet der Rest ihrer Sachen auf sie: ihr Rucksack, vollgepackt mit Lebensmitteln, die mindestens eine Woche reichen sollten. Ihre warme Kleidung und ihre Wanderschuhe, die sie sich so schnell wie möglich anziehen will.

Und tatsächlich: Als sie am Haus der Campleiterin ankommt und auf die Veranda tritt, wird sofort die Tür geöffnet. T. J. steht vor ihr und schaut auf die Uhr. Es ist fast 3 wenn sie es noch schaffen wollen, müssen sie sich beeilen, sagt T. J.

«Sollen wir lieber noch einen Tag warten?», fragt Barbara, aber T. J. schüttelt den Kopf.

Heute ist der letzte Partyabend oben auf dem Hügel. Entweder heute Abend – solange die Gäste noch da sind – oder nie.

Und *nie* bedeutet, dass sie sie im Herbst nach Élan schicken. *Nie* bedeutet, dass sie T. J. und Vic – ihre wahre Familie – jahrelang nicht zu Gesicht bekommen wird.

Schweigend gehen sie zu T. J.s Pick-up. Ein Kanu ist auf dem Dach festgeschnallt. So leise wie möglich schließen sie die Türen, dann lässt T. J. den Motor an, und der Wagen rumpelt den Hügel hinauf, links vorbei am Haus *Self-Reliance*, vorbei an den Autos auf dem Parkplatz.

«Hast du sie reintun können?», fragt Barbara und zeigt auf den blauen Trans Am von John Paul McLellan.

T. J. nickt. «Die Klamotten sind im Kofferraum», sagt sie. «Er wird sie übersehen. Aber nicht die Polizisten, wenn sie sich das Auto genauer angucken.»

«Warum sollten die das tun?»

T. J. lächelt. «Das ist nicht alles, was ich im Auto versteckt habe», sagt sie. «Wenn er festgenommen wird, haben sie einen hinreichenden Verdacht, um es gründlich zu durchsuchen.»

Eine Stunde fahren sie auf dem New York State Thruway. T. J. fährt so schnell, wie es geht, ohne zu riskieren, dass die Polizei sie anhält:

immer genau neun Meilen über dem Tempolimit. Während der Fahrt schaut sie immer wieder in den Himmel, der von Minute zu Minute heller wird.

Unterwegs stellt T. J. ihr die wichtigsten Fragen.

Was tust du wegen Wasser?, fragt sie.

Feuer machen. Abkochen. Jod benutzen.

Was machst du, wenn du krank wirst?

Im medizinischen Handbuch nachgucken, das du ins Regal gestellt hast. Im Schrank nach Medikamenten suchen.

Sie wiederholt die Anweisungen, die T. J. ihr den Sommer über in ihren nächtlichen Trainingseinheiten immer wieder eingebläut hat. Vorbereitungen auf ein Leben im Wald. Nicht für immer, nur bis Barbara achtzehn ist und ihre eigenen Entscheidungen fällen darf.

Dann kann sie tun und lassen, was sie will, ohne dass sie Angst vor den Regeln haben muss, die ihre Eltern ihr auferlegen. Oder den Strafen.

Falls sie es sich irgendwann anders überlegt, braucht sie nur zurückzukommen. Es ist ganz allein Barbaras Entscheidung, sagt T. J.

Barbara dreht sich zu T. J. um, betrachtet die Konturen ihres Profils und ihr liebenswürdiges Gesicht. Als Barbara klein war, ein Baby, dann ein kleines Kind, war es T. J., die sich am meisten um sie kümmerte; die ihr half und ihr Dinge beibrachte. Das Wort *mütterlich* passt überhaupt nicht zu T. J. Hewitt, und doch ist T. J. die einzige echte Mutter, die Barbara je hatte. Ihre eigene Mutter war ihr ganzes Leben lang in ihrer Nähe, aber trotzdem für Barbara unerreichbar. Eine wandelnde leere Hülle.

«Ich habe dir noch Tee in den Rucksack gepackt», sagt T. J. «Die Sorte, die du so gerne magst. Und Schokolade, als Betthupferl.»

Dann: «Hast du genug zu lesen?»

Barbara nickt. «Habe ich», sagt sie. «Und wenn mir der Lesestoff ausgeht, schreibe ich selber was.»

«Ich komme bald vorbei», sagt T. J. «In ein, zwei Monaten. Ich muss nur sicher sein, dass mir niemand folgt.» Sie wirft Barbara einen Blick zu und tätschelt ihr Knie. «Ich weiß, dass du bis dahin durchhältst.»

«Na klar», sagt Barbara, um T. J. zu beruhigen – und sich selbst.

Doch es stimmt: Sie ist bereit. Dafür hat T. J. gesorgt. Das ganze Training, Nacht für Nacht; die ganzen Vorbereitungen, die sie getroffen haben.

Das Einzige, das sie vermissen wird, ist die Musik: Die konnte sie nicht mitnehmen.

Die beiden verfallen wieder in Schweigen. Und dann, kurz bevor die Sonne aufgeht, biegt T. J. vom Highway ab.

Zwei Stirnlampen spenden ihnen Licht, als sie das Kanu vom Dach nehmen und eine halbe Meile durch den Wald tragen.

Barbara merkt, dass T. J. langsam nervös wird: Wenn sie nicht zurück im Camp Emerson ist, bevor die anderen aufwachen, ist der ganze Plan gescheitert. Also geht Barbara schneller, obwohl ihre Lunge brennt und der Rucksack immer schwerer wird.

«Wir sind gleich da», sagt T. J. immer wieder.

Die Sonne geht auf, während die beiden lautlos zu einer Insel mitten im See rudern. Als sie näher kommen, nimmt Barbara hinter den Bäumen die glatte Oberfläche eines von Menschenhand geschaffenen Gebäudes wahr.

«Vergiss nicht, dass es hier Hirsche gibt», sagt T. J. und klettert vom Heck des Kanus aus ans Ufer. «Du kannst jederzeit welche erlegen. Im Haus sind zwei Gewehre und jede Menge Schrotpatronen.»

Barbara muss plötzlich an ihre Mutter denken, die ihr immer wie ein Geist durchs Haus folgte und sie ermahnte, nicht so viel zu essen. Ganz im Gegensatz zu T. J., die Barbara ihr ganzes Leben lang bei jeder Gelegenheit etwas zu essen gegeben hat und sogar hin und wieder zu Barbaras Internat gefahren ist, um ihr Kleidung zu bringen und andere Sachen, von den sie wusste, dass Barbara sie mochte.

Dazu ist sie immer heimlich bei ihr durchs Fenster geklettert.

Das war nie ein Problem, bis die Hausmutter sie eines Tages von hinten sah und Barbara in heller Panik behauptete, T. J. sei ein Junge gewesen.

Von da an ging alles den Bach runter.

«Ich werde dran denken», sagt Barbara heute. «Ich werde an alles denken, was du mir beigebracht hast.»

Sie haben ihr Ziel erreicht. Einen Moment lang schauen sie einander wortlos an.

«Geh schon», sagt Barbara.

«Du schaffst das», sagt T. J.

«Ich schaffe das», sagt Barbara.

Jetzt steht Barbara am Ufer der Insel und schaut T. J. hinterher, wie sie davonpaddelt. Sie wartet, bis sie nicht mehr hören kann, wie das Paddel ins Wasser eintaucht; bis sich T. J. schließlich am Ufer gegenüber ein letztes Mal umdreht, um zu winken. Dann verschwindet sie im Wald.

Barbara schließt die Augen. Sie lauscht, wartet auf ein Zeichen, und tatsächlich: eine Einsiedlerdrossel antwortet ihr mit ihrem melodiösen Gesang.

Sie geht zu der Hütte, die sich die Hewitts vor mehreren Generationen gebaut haben. Drinnen ist es kühl und schattig, und die Schränke sind voll mit den Vorräten, die T. J. seit Monaten herbeigeschafft hat. Seit klar ist, dass Barbara herkommen wird.

In der Ecke steht etwas, womit Barbara nicht gerechnet hat: eine Akustikgitarre, daneben ein Lehrbuch für Anfänger. Sie muss also doch nicht auf Musik verzichten.

Voller Dankbarkeit stellt sie ihren schweren Rucksack auf den Boden. Ganz oben liegt die Papiertüte, die sie aus Haus *Self-Reliance* mitgebracht hat.

Sie öffnet sie und holt den einzigen nicht lebensnotwendigen Gegenstand hervor, den sie sich mitzunehmen gestattet hat: ein gerahmtes Foto ihres Bruders Bear.

Auch er soll hier ein Zuhause haben.

Sie stellt das Bild auf den Tisch aus unbearbeitetem Holz, an dem sie von jetzt an ihre Mahlzeiten einnehmen wird. Sie sendet ihrem Bruder einen stummen Gruß: *Jetzt bist du in Sicherheit.*

Judyta

1950er | 1961 | Winter 1973 | Juni 1975 | Juli 1975 | August 1975 | **September 1975**

Judy Luptack steht am Ufer eines Sees rund fünfzig Meilen nördlich vom Van-Laar-Naturreservat, die Hände in die Hüften gestemmt, und schaut Richtung Insel, die dort in der Ferne liegt. Ein Boot hat sie nicht dabei.

Sie versucht abzuschätzen, wie weit es vom Ufer bis zur Insel ist. Eine halbe Meile, vielleicht ein bisschen mehr. Sie war nie eine besonders gute Schwimmerin, aber sie zieht trotzdem die Schuhe aus und taucht probeweise einen Zeh ins Wasser.

Es ist eiskalt. Für einen Moment zweifelt Judy an ihrer Idee. Sie weiß ja nicht einmal, ob sie drüben auf der Insel überhaupt irgendetwas vorfinden wird. Es ist Samstag. Ihr freier Tag. Sie könnte nach Hause fahren, zurück in ihre Mietwohnung in Ray Brook; sie könnte in den Lebensmittelladen gehen und fürs Abendessen einkaufen, sie kennt schon ein paar Namen von Leuten im Ort. Sie kann tun, was sie will. Stattdessen zieht sie sich, getrieben von einer Ahnung, die sie seit dem Gespräch mit Louise Donnadieu nicht mehr los wird, bis auf den Badeanzug aus. Sie springt ins kalte Wasser.

Sie hat keine Ahnung, wie lange sie bis zur Insel braucht. Schwimmen kann man immer, sagt sie sich. Und wenn man müde wird, lässt man sich einfach eine Weile treiben.

Beim Schwimmen denkt sie nach. Falls ihre Theorie wirklich stimmt – was sich in Kürze herausstellen wird –, kann sie jeden einzelnen Schritt logisch nachvollziehen: Barbaras Missgeschick auf dem Survival-Trip, bei dem sie, wie Christopher Muldauer ihr erzählt hat, ihre Uniform vollgeblutet hat. Die plötzliche Erkenntnis von T. J. und Barbara, wie nützlich die blutige Uniform sein könnte; sie in John Paul McLellans Kofferraum zu verstecken, erfüllte einen doppelten Zweck: Erstens führten sie die Ermittler damit auf die falsche Fährte, was Barbara betraf, und zweitens war es im Grunde so etwas wie ausgleichende Gerechtigkeit.

Ausgleichende Gerechtigkeit für Louise Donnadieu, die zu T. J. gekommen war, nachdem John Paul sie grün und blau geschlagen hatte. Ausgleichende Gerechtigkeit für Carl Stoddard, den zwei um ihren guten Ruf besorgte Familien – die McLellans und die Van Laars – lieber posthum zum Mörder gemacht hatten, als einen Skandal zu riskieren. Ausgleichende Gerechtigkeit für T. J. Hewitts Vater, der sich auf einen Deal eingelassen hatte, der gegen seine eigenen moralischen Grundsätze verstieß, womit er sich auf das Niveau der Van Laars herabgelassen hatte.

Aber jetzt haben sich die Hewitts mithilfe von zwei ganz simplen Taten rehabilitiert: Sie haben die Wahrheit über Bear aufgedeckt, und sie haben Barbara geholfen, sich zu verstecken. Sie haben ihre Schritte bis zu der Stelle zurückverfolgt, an der sie falsch abgebogen sind, und haben stattdessen einen anderen Weg eingeschlagen.

Judy kann schlecht einschätzen, wie viel Zeit vergangen ist, seit sie losgeschwommen ist. Hin und wieder denkt sie an ihren eigenen Rat, legt sich auf den Rücken und lässt sich treiben, den Blick direkt in den blauen Septemberhimmel gerichtet. Sie schließt die Augen. Lässt sich vom Wasser wiegen. Dann schwimmt sie weiter.

Irgendwann ist das Ufer vor ihr näher als das Ufer hinter ihr. Sie hält inne, tritt Wasser. Wenn sie die Augen zusammenkneift, glaubt sie eine Rauchfahne zu sehen, die in den Himmel steigt wie aus einem Schornstein.

Endlich erreicht sie die Insel. Und sieht ein Stück weiter vorne eine Gestalt hinter einem Baum auftauchen.

Barbara Van Laar.

Obwohl sie sie noch nie in natura gesehen hat, würde Judy sie überall erkennen.

Vom Wasser aus hebt Judy zaghaft eine Hand. Barbara wird kaum wissen, wer Judy ist – als die Polizei im Camp aufgetaucht ist, war sie längst weg. Judy hat das Gefühl, als würde sie durch einen Einwegspiegel blicken: Sie weiß viel mehr über Barbara, als dem Mädchen klar ist. In ihrem Badeanzug und vor Kälte zitternd, kommt sich Judy einfach nur lächerlich vor: wie eine besonders abenteuerlustige Wanderin, die nicht damit gerechnet hat, dass sie jemandem begegnet.

Barbara steht ihr reglos gegenüber, die Hände an den Seiten.

«Geht es dir gut?», ruft Judy.

«Ja», sagt Barbara. Dann: «Ihnen auch?»

Judy nickt.

«Soll ich dich lieber allein lassen?», fragt Judy.

Barbara zögert einen Moment.

Dann sagt sie mit Nachdruck: «Ja.»

Der Rückweg kommt Judy viel länger vor als der Hinweg. Ihr ist so kalt, dass ihr die Zähne klappern. Nach zwanzig Metern hält sie inne, dreht sich noch einmal zur Insel um.

Da ist sie: Barbara Van Laar. Ganz aufrecht steht sie da, eine starke junge Frau. Hier, mitten im Wald, ganz mit sich im Reinen. Sie hat etwas an sich, das ihr einen Hauch Unsterblichkeit verleiht, findet Judy: ein Geist, eine Erscheinung, mehr Gott als Kind.

Judy schwimmt weiter, bis sie endlich das gegenüberliegende Ufer erreicht.

Als sie ein letztes Mal zur Insel hinüberschaut, sieht sie nur noch die dichten Kiefern, hinter denen sich das Mädchen verbirgt. Wie ein Vorhang, der sich geschlossen hat.

Danksagung

Ich danke Bob und Kelly Nessle, Kevin Gagan, Kevin Hynes, Kathleen Bower, Anna Serotta, Jean Dommermuth, Max O'Keefe, Rebecca Moore und Steve Williams, die sich mit mir über diverse Themen, die beim Schreiben dieses Romans eine Rolle spielten, ausgetauscht haben. Die Fiktionalisierung polizeilicher, medizinischer, juristischer und geografischer Fakten ist ausschließlich mein Werk.

Ich danke den Autorinnen und Autoren der folgenden Werke, die mir beim Schreiben wertvolle Informationen geliefert haben: *Allein in der Wildnis* von Anne LaBastille, *Lost Person Behavior* von Robert J. Koester, *Self-Reliance* von Ralph Waldo Emerson, *Walden oder Leben in den Wäldern* von Henry David Thoreau, *Creem* (Musikzeitschrift), *Adventures in the Wilderness, or Camp-Life in the Adirondacks* von William Murray, *Adirondack Album* (Bd. 2) von Barney Fowler, *Adirondack Explorations: Nature Writings of Verplanck Colvin*, herausgegeben von Paul Schaefer, und *At the Mercy of the Mountains* von Peter Bronski.

Ich danke Seth Fishman, Rebecca Gardner und dem restlichen Team der Gernert Company, Sarah McGrath, Alison Fairbrother und dem restlichen Team von Riverhead Books sowie Sylvie Rabineau, Hilary Zaitz Michael und dem restlichen Team von WME für ihren professionellen Rat und den netten Kontakt.

Ich danke Don Lee, Cara Blue Adams, Jena Osman, Pattie McCarthy, Rich Deeg, der leider verstorbenen Dr. JoAnne Epps sowie all meinen Kolleginnen und Kollegen und den Studierenden beim MFA-Programm der Temple University.

Ich danke Alex Gilvarry, Mac Casey, Christine Parkhurst, Stephen Moore und Rebecca Moore, die die ersten Entwürfe dieses Romans gelesen und mit mir besprochen haben.

Ich danke Murph Casey, Mike Casey, Kelly O'Hara, Abby Bailey, Sarah Lanzone, Jessica Geller, Maggie Casey, Adriana Gomez-Juckett, Asali Solomon, Jessica Soffer, Kiley Reid, Alexandra Kleeman, Scott Cheshire, Christy Davids, Crossley Simmons und The Claw für die moralische Unterstützung, für ihre Freundschaft, dafür, dass sie auf die Kinder aufgepasst haben, und für viele lange Gespräche.

Ich danke meinen Vorfahren, die sich einst in den Adirondack Mountains niedergelassen haben, insbesondere Cheryl und Gerald Parkhurst.

Ich danke Mac, Annie und Jack. Ihr erinnert mich immer wieder daran, warum ich schreibe, und ihr seid mein liebster Grund, nicht die ganze Zeit zu schreiben. Ich habe euch sehr lieb.

Route 29
Wasch-
haus für
Mädchen
Wasch-
haus fü
Junge